KB174790

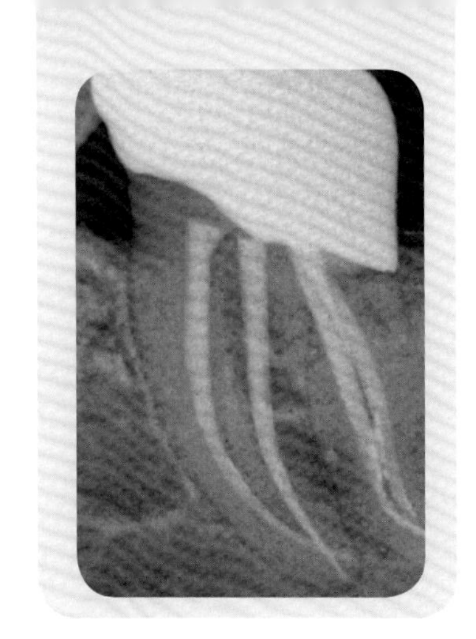

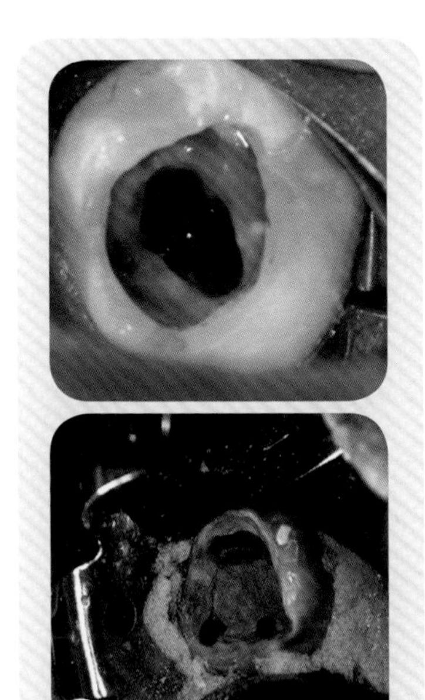

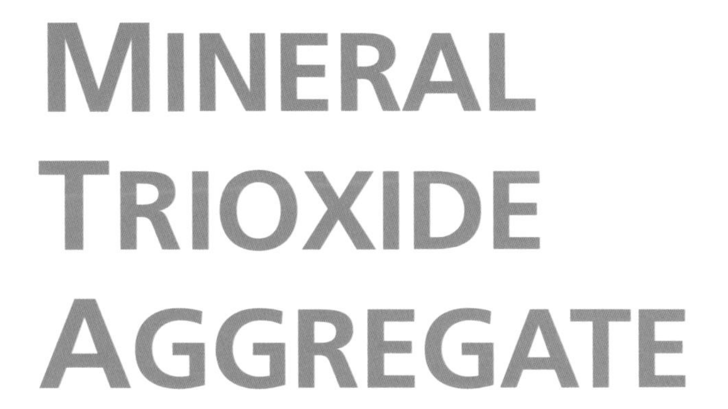

MINERAL TRIOXIDE AGGREGATE

MTA의 특성 및 임상적용

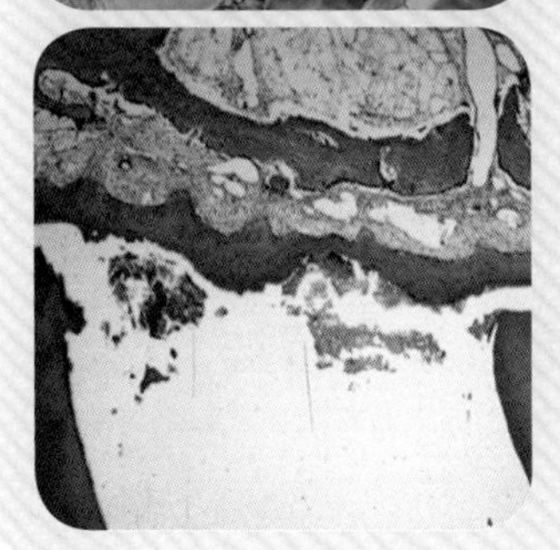

이승종, 금기연, 서영수, 서덕규, 최용훈, 유준상, 이유상,
김태성, 오진욱, 태경석, 유창선, 차광준, 한철기, 강현석,
안정훈, 정태익, 허준성, 박진희, 우상빈, 오여록, 신준세,
이규형

군자출판사

MTA의 특성 및 임상적용

Mineral Trioxide Aggregate *Properties and Clinical Applications*

첫째판 1쇄 인쇄 | 2015년 1월 5일
첫째판 1쇄 발행 | 2015년 1월 10일

지 은 이 Mahmoud Torabinejad
옮 긴 이 Biofilling 연구회
발 행 인 장주연
출 판 기 획 김상영
편집디자인 한시대
표지디자인 전선아
발 행 처 군자출판사
등록 제 4-139호(1991. 6. 24)
본사 (110-717) 서울특별시 종로구 창경궁로 117(인의동) 동원빌딩 6층
전화 (02) 762-9194/5 팩스 (02) 764-0209
홈페이지 | www.koonja.co.kr

WILEY Blackwell
1606 Golden Aspen Drive, Suites 103 and 104, Ames, Iowa 50010, USA
The Atrium, Southern Gate, Chichester, West Sussex, PO19 8SQ, UK
9600 Garsington Road, Oxford, OX4 2DQ, UK
www.wiley.com/wiley-blackwell.

ISBN 978-89-6278-937-9
정가 120,000원

목차

집필진

Seung-Ho Baek, DDS, MSD, PhD
Professor, Department of Conservative Dentistry
Seoul National University, School of Dentistry
Jongno-Gu, Seoul, Korea

David W. Berzins, PhD
Graduate Program Director for Dental Biomaterials
Associate Professor, General Dental Sciences
Marquette University
Milwaukee, Wisconsin, USA

George Bogen, DDS
Private Practice, Endodontics
Los Angeles, California, USA

Ricardo Caicedo, Dr. Odont, SE, CSHPE
Associate Professor of Endodontics
Department of Oral Health and Rehabilitation (Endodontics Division)
University of Louisville, School of Dentistry
Louisville, Kentucky, USA

Joe H. Camp, DDS, MSD
Private Practice of Endodontics, Charlotte, North Carolina, USA
and
Adjunct Professor
School of Dentistry, University of North Carolina, Chapel Hill, North Carolina, USA

Nicholas Chandler, BDS, MSc, PhD
Associate Professor of Endodontics
Faculty of Dentistry, University of Otago
Dunedin, New Zealand

Robert P. Corr, DDS, MS
Private Practice, Endodontist
Colorado Springs, Colorado, USA

Till Dammaschke, Prof. Dr. med. dent.
Department of Operative Dentistry, Westphalian Wilhelms-University
Münster, Germany

Lawrence Gettleman, DMD, MSD
Professor of Prosthodontics & Biomaterials
Department of Oral Health and Rehabilitation (Prosthodontics Division)
University of Louisville,
School of Dentistry
Louisville, Kentucky, USA

George T.-J. Huang, DDS, MSD, DSc
Professor & Director for Stem Cells and Regenerative Therapies
College of Dentistry,
Department of Bioscience Research
University of Tennessee Health Science Center
Memphis, Tennessee, USA

Ron Lemon, DMD
Associate Dean, Advanced Education
Program Director, Endodontics
UNLV, School of Dental Medicine
Las Vegas, Nevada, USA

Ingrid Lawaty, D.M.D.
Private Practice of Endodontics
Santa Barbara, California, USA

Masoud Parirokh, DMD, MS
Professor & Chairman,
Department of Endodontics,
Kerman University of Medical Sciences
School of Dentistry
Kerman, Iran

Shahrokh Shabahang, DDS, MS, PhD
Associate Professor,
Department of Endodontics
Loma Linda University School of Dentistry
Loma Linda, California, USA

Su-Jung Shin, DDS, MSD, PhD
Associate Professor, Department of Conservative Dentistry
Yonsei University,
College of Dentistry,
Gangnam Severance Hospital
Seoul, Korea

Mahmoud Torabinejad, DMD, MSD, PhD
Professor of Endodontics
Director of Advanced Education in Endodontics
Department of Endodontics
Loma Linda University School of Dentistry
Loma Linda, California, USA

David E. Witherspoon, BDSc, MS
Private Practice, Endodontist
North Texas Endodontic Associates
Plano, Texas, USA

서문

수십 년 동안 치과의사들은 다양한 예방적, 치료적 방법으로 자연치열을 보존하려는 노력을 해 왔다. 이러한 노력에도 불구하고 여전히 많은 사람들이 충치에 이환되고 있으며 근관치료를 요하는 외상으로 인하여 고통받고 있다. 근관계와 치주조직은 자연적 또는 인위적(의원성)으로 서로 교통하고 있다. 근관계 내부의 치수조직은 상아질에 둘러싸여 있으며 치근단공, 부근관 또는 측방근관을 통하여 치주조직과 교통하고 있다. 치주치료로 인한 백악질의 손상뿐만 아니라 외상이나 우식에 의한 법랑질과 상아질의 손상은 근관계, 치수조직 및 치주조직의 교통을 형성한다.

근관계와 치주조직 사이의 의원성 교통로는 근관치료과정에서 천공과 같은 우발적 사고로 인하여 만들어진다. 자연적이든 인공적이든 구강내 상주균에 대한 치수의 노출은 치수와 치근단 주위 조직의 염증으로 발전하며 결국은 조직 파괴를 야기한다. 치수와 치근단조직의 질환은 박테리아의 오염 없이는 일어나지 않는다. 그러므로 근관치료의 주요한 목적은 치수 염증 및 감염의 예방, 감염된 조직의 제거, 미생물의 박멸, 치료 후 재감염을 예방하는데 있으며, 이를 위한 계속적인 노력이 필요하다.

현재 사용되고 있는 수복재나 충전재료가 충분한 생체친화성을 가지고 있지 못하고 치아 외부와 내부 간의 교통로를 밀폐하지 못하고 있기 때문에 시험적인 재료인 mineral trioxide aggregate (MTA)가 개발되었다.

우리 연구팀은 일련의 테스트를 통하여 혈액오염 유무에 따른 염색약 누출, 박테리아 누출, SEM 관찰을 통한 마진 적합성, 경화 시간, 압축강도, 세포독성, 골내 이식, 동물 적용 시험 등에 관한 광범위한 연구를 진행하였는데, 아말감, IRM, SuperEBA와 같은 현재 사용되는 재료를 비교군으로 이용하였다. 이러한 연구결과를 통하여 우리는 MTA가 치수복조, 치수절단, apical plug, 치근 천공, 역근관 충전의 치료에서 가장 이상적인 특성을 가지고 있는 재료임을 발표하였다.

MTA가 소개된 이후, 이에 대한 특성과 임상효용에 관한 천여 건 이상의 많은 연구 결과가 발표되고 있으며 이는 치의학에서 가장 많은 연구가 이루어지고 있는 물질일 것이다.

알려진 근거에 기반하여, MTA는 생체친화적(biocompatible)이고, 밀폐성이 뛰어나며, 치수복조나 치수절단, apical barrier, 치근 천공, 역충전, 근관 충전, 재생적 근관치료에 안전하게 사용될 수 있다는 결론을 내릴 수 있었다. 그러나 여타의 재료와 마찬가지로 MTA 역시 긴 경화시간, 변색의 가능성과 같은 일부 단점을 가지고 있다.

이 책의 목적은 이용 가능하고 타당한 근거-기반의 정보를 취합하는 것이다. 근거-기반의 치료는 임상가의 전문성과 환자의 치료 요구 및 선호도와 어우러져 가장 좋은 임상 결과로 완성된다.

이 책은 치과대학생, 일반 임상의 및 전문의를 대상으로 쓰여졌으며, 근관치료학을 진료에 적용하여 자연치아 살리기를 희망하는 사람들을 위한 정보를 담고 있다. 또한 치수와 치근주위조직의 통로, 밀폐술식, MTA의 물리적 화학적 성질, vital pulp 치료에서 MTA의 임상적 적용, 괴사된 치수와 열린 근첨을 갖는 치아에서 MTA의 적용, 재생적(regenerative) 근관치료학에서 MTA의 사용, 천공, 근관충전, 외과적 술식으로서 역근관충전에서 MTA의 적용에 대한 내용이 체계적으로 구성되어 있다.

마지막 장에서는 약 20년 전 MTA가 개발된 이래로 상품화되어 시장에 출시되어 온 칼슘 실리케이트 기반의 재료군을 설명하는데 할애되었다.

이 책의 두드러진 특징은 (1) 간결하고 명료한 표현으로 관련 분야 권위자들이 제공한 최신정보를 담고 있으며 (2) 컬러 사진의 많은 임상증례를 소개하고 있고, 임상의가 관련된 술식을 시술할 수 있도록 도와주는 비디오 클립이 있다. 이런 점은 독자에게 이 책을 명료하고, 이해하기 쉽게 해줄 것이다.

이 책에 기꺼이 자료와 지식을 독자들과 공유해 준 공동 저자들에게 크나큰 감사를 전한다. 그들의 헌신은 상실의 위험에 직면한 수많은 치아를 살리는 결과를 만들어 낼 것이다.

헌신과 협조로 이 프로젝트를 가능하게 해준 John Wiley & Sons의 스텝들과 Mohammad Torabinejad 그리고 이 책의 개선을 위해 임상증례와 제안을 아끼지 않은 동료들과 학생들에게도 감사를 전한다.

Mahmoud Torabinejad

추천사

금세기 근관치료 영역에서 이룬 가장 큰 발전 중에 하나는 MTA일 것이다.

MTA는 1993년 미국의 Torabinejad가 개발을 시작했는데, 원 성분은 Tricalcium silicate, Dicalcium silicate, Tricalcium aluminate, Tetracalcium aluminoferrite, Bismuth oxide 등으로 일반 건축용 시멘트와 비슷하다. 성분 중에 많은 미네랄 집합 성분이 들어가 있기 때문에 이름도 mineral trioxide aggregate라고 지어졌다. MTA는 물성학적인 밀폐 효과뿐만 아니라 생물학적으로도 상당히 좋은 세포친화도를 보이는 것으로 보고되고 있다. MTA는 조직친화력 때문에 one-visit apexfication/ pulp regeneration 이나 pulp capping 등에서도 자주 활용된다

MTA에 관한 최초의 SCI 논문은 교환 교수 연구 시절인 1993년에 Torabinejad와 함께 발표했던 수분 존재 하에서의 MTA의 경화 및 밀폐성에 관한 논문이었다. 인위적으로 치근천공을 만든 후 MTA, IRM 및 amalgam 등의 재료로 밀폐시켜서 수분 존재 하에서 어느 재료의 밀폐성이 좋은지를 보기 위함이었다. 결과는 MTA에서 IRM이나 amalgam보다 월등하게 좋은 밀폐를 보였다. 매우 고무적인 발견이었다. 이후 이 재료의 효용성에 관하여 1400편 이상의 수많은 연구 논문들이 발표된 바 있다.

그러나 최초 논문이 발표된 이후 20년의 세월이 지난 2013년, 우리 연구 팀은 인공 체액 조건 하에서 긴 경화시간을 갖는 MTA는 경화가 이루어지지 않는다는 것을 발견했다. MTA의 가장 큰 단점으로는 경화시간이 길다는 것이었는데, 바로 이점은 in vivo 조건에서 MTA의 밀폐성에 대해 새로운 시각을 가져야 함을 시사한다. 치근단 수술 부위나 치근천공 부위는 출혈이나 침 등의 습기와 체액에 노출이 되므로 경화가 잘 안 되는 재료를 사용했을 때에는 밀폐가 제대로 될 수가 없고, 이러한 불완전한 밀폐가 결국은 치료의 실패로 귀결되기 때문이다. 다행히 요즘은 경화시간이 단축된 새로운 재료가 계속 개발되고 있어, 얼마 지나지 않아 임상에서 광범위하게 사용될 수 있을 것으로 전망된다.

나의 절친한 친구인 Torabinejad 교수가 그간의 MTA에 관한 연구를 체계적으로 정리한 책을 내놓았다. 매우 시의적절하며 가치 있고 뛰어난 저서라고 평가한다. 그런데 이 책을 나의 소중한 대학 후배인 유준상원장과 Biofilling 연구 원장들이 세계에서 첫 번째로 한국어 번역판을 출간했다. 놀랍고도 감사한 일이다. 감수에 흔쾌히 동참해준 서영수 원장과 자연치아 아끼기 운동본부의 여러 교수들에게도 마음으로부터 뜨거운 박수를 보낸다.

자연치아 아끼기 운동 회장

이승종 교수

역자 서문

"치아는 살아 있는 장기이다."

발수된 치아도 살아있는 장기이다.

우리의 치료 목표는 Repair가 아니라 Regeneration이 되어야 한다.

따라서 우리의 치료는 Filling이 아니라 Grafting이 되어야 한다.

Biofilling은 근관 내 바이오 세라믹 이식술이다.

21C에 들어서면서 Mineral Trioxide Aggregate라는 물질이 치과 임상 영역에 등장 했다.

주요한 특성은 수경성(hydraulic setting), 밀폐성(Sealing ability), 항균성(Antibacterial effect), 생체 활성(Bioactivity)이다. 바로 이런 특성들이 자연치아를 살리는데 매우 중요한 성능을 발휘한다.

근관 내외로의 세균 교통을 완벽히 막을 수 있고, 상아 세관 내에 남아있는 잔존 세균을 인접 세포의 손상 없이 살균시킬 수 있으며, 그 결과 손상된 치주 조직을 재생 시킬 수 있게 되었다.

"Regeneration therapy" 시대가 활짝 열린 것이다.

1993년 Dr. Torabinejad가 이승종 교수와 함께 최초로 MTA애 관한 논문을 발표한 이래 현재까지 발표된 연구 논문만도 1400 여편이 넘어간다. 20년이 경과된 시점에 비로소 Dr. Torabinejad는 현재까지의 여러 석학들의 연구 논문들을 바탕으로 MTA에 관한 기념비적 저서를 내놓았다.

이유상 원장을 포함한 Biofilling & Biomineralization Research Center에 소속된 연구 원장 모두는 번역 과정을 통해서 재미있는 발견과 즐거운 학문 교류의 시간을 가질 수 있었다.

영어 원본의 접착제가 채 경화되기도 전에 출간된 한국어 번역판은 세계 최초의 번역판이다.

지면을 빌어 이 귀한 저서를 한국어로 번역하는데 흔쾌히 동의해준 Dr. Torabinejad에게 깊은 감사를 보낸다. 또한 Dr. Torabinejad의 오랜 친구이자 이 책의 공저자인 Dr. Bogen에게도 감사를 표한다. 앞으로 치과 의사 모두는 발수된 치아를 살아 있는 장기로 보고 치료 할 수 있게 되었고 인류의 수명은 100세를 바라 볼 수 있게 되었다.

"MTA는 Make Teeth Alive를 의미한다."

2014. 11.

Biofilling & Biomineralization Research Center

역자대표 유준상

1 치수와 치근주위조직의 통로, 병리 과정 그리고 밀폐 (Pulp and Periradicular Pathways, Pathosis, and Closure)

Mahmoud Torabinejad

Department of Endodontics, Loma Linda University School of Dentistry, USA - *역자 이유상, 안정훈*

Mineral Trioxide Aggregate: Properties and Clinical Applications, First Edition.
Edited by Mahmoud Torabinejad.

치수와 치근주위조직의 통로

근관 내부와 치근 주위의 치주조직은 자연적인 해부학적 통로나 인위적(의원성)으로 만들어진 통로에 의해서 연결된다. 근관 내의 치수조직은 상아질로 둘러싸여 있으며, 치근단공을 통해 주위의 치주조직과 교통한다. 그 외에 부근관 또는 측방근관 같은 작은 근관들이 존재하기도 한다.

의원성 원인에 의한 근관계와 치주조직과의 교통은 근관치료 과정 중의 치근천공과 같은 사고가 일어났을 경우에 발생한다. 뿐만 아니라 치아 우식을 치료할 때, 법랑질과 상아질의 삭제과정이나 또는 치주치료를 할 때 일어나는 백악질의 외상적 손상에 의해서도 일어날 수 있으며 이런 과정을 통해서 근관계, 치수, 치주조직 사이의 교통이 일어나게 된다.

자연적 통로(Natural pathways)

해부학적인 근관계와 주위 치주조직의 교통(communication)은 치근단공, 측방근관, 상아세관을 통해서 이루어진다.

치근단공(Apical foramen)

근관계와 그 구성물들, 그리고 치근단 주위의 조직(백악질, 치주인대, 치조골) 간의 교통은 주로 치근단공을 통해서 이루어진다. 치근단공은 발생 초기 매우 넓지만(그림 1.1) 치아가 성장하면서 상아질의 침착(apposition)에 의해 근관은 좁아지고, 백악질의 침착에 의해 근단공도 작아진다(그림 1.2).

치아가 지속적으로 수동적 맹출을 하고 근심으로 이동하면서 치근단에서는 백악질이 침착되어 새로운

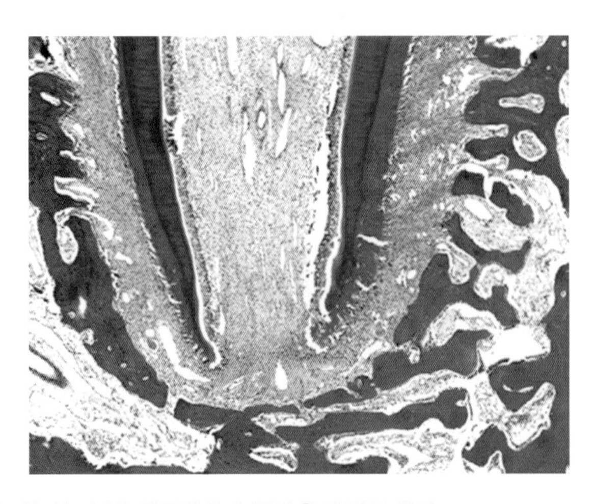

그림 1.1 새롭게 형성되는 치아는 넓은 치근단공과 근관을 가지고 있다.

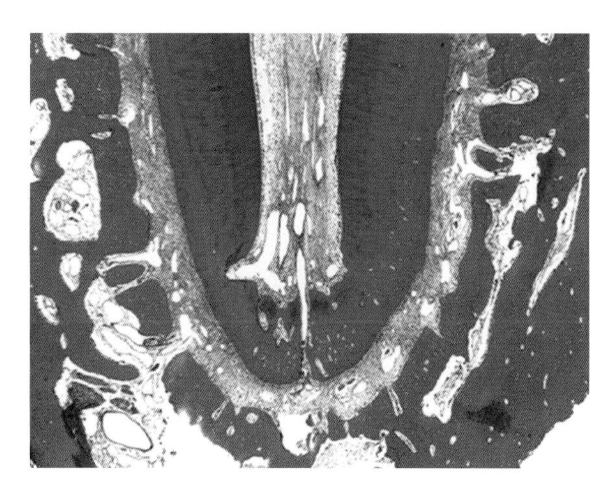

그림 1.2 치아가 발생함에 따라, 근관은 상아질의 침착에 따라 좁아지고, 치근단공은 백악질의 침착에 의해 개조된다.

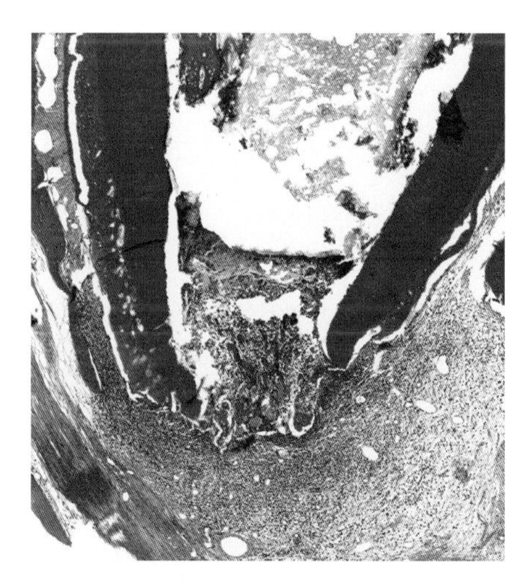

그림 1.3 치근단공을 통한 치수괴사 산물이 치근단 주위 조직으로 배출되면 치근단 주위조직이 파괴되고 치근단 병소가 만들어진다.

백악질층이 만들어진다. 치아가 성숙함에 따라 치근단공은 크기가 작아진다. 단근치의 경우 일반적으로 하나의 근관을 갖는다. 그러나 다근치의 경우 여러 개의 근단공이 있는 경우도 있다(Green 1956, 1960).

치근단공을 통해 치수괴사 산물들이 치근단 주위 조직으로 배출되면 염증반응을 일으키고, 치근단 부위의 치주인대의 파괴나 치조골, 백악질 심지어 상아질의 흡수까지도 초래한다(그림 1.3).

측방 근관(Lateral canals)

발생 과정에서 치근의 상아질이 형성되기 전 상피뿌리집(epithelial root sheath)이 소멸될 때, 혹은 치간 유두(dental papilla)와 치아주머니(dental sac) 사이에서 혈관형성이 이루어질 때, 치수와 치주인대 사이의 직접적인 연결이 이루어진다. 이러한 교통로를 측방근관 혹은 부근관(accessory canal)이라고 부른다.

일반적으로, 부근관은 전치부 보다는 구치부에, 근관의 치관부 부위 보다는 근단부 부위에 많이 존재한다(Hess 1925; Green 1955; Seltzer *et al.*, 1963) (그림 1.4).

다근치 근이개부의 부근관의 발생빈도는 최소 2~3% 에서 최고 76.8%정도라고 알려져 있다(Burch & Hulen 1974; De Deus 1975; Vertucci & Anthony 1986). 개방된 측방근관을 통해서 독성물질이 근관 안으로부터 주위 치주조직으로 누출되어 치근 주위 조직에 염증을 일으킨다는 데에는 이견이 없다.

상아세관(Dentinal tubules)

상아세관은 치수로부터 상아법랑경계 혹은 백악법랑경계로 뻗어 나간다. 이러한 상아세관의 직경은 치수 근처에서 약 2.5μm정도이고 상아법랑경계와 백악법랑경계 근처에서는 약 1μm 이다(Garberoglio & Brannstrom 1976). 비록 상아세관의 정확한 수를 측정한 연구결과는 없지만, 상아법랑경계 부위의 상아질 $1mm^2$ 내에 15,000 개의 상아세관이 있다는 연구결과로 보아 굉장히 많다고 할 수 있다(Harrington 1979). 상아세관은 조직액(tissue fluid), 상아질돌기(odontoblastic processes)와 신경섬유(nerve fiber)를 함유하고 있다(그림 1.5).

연령이 증가함에 따라 치아가 여러 자극을 받으면서 세관의 크기가 줄어들고 석회화되는 경향을 보이고, 점차 막히게 된다. 치근 표면에 존재하는 여러 층의 백악질은 세균과 세균의 산물이 근관계 안으로 침투하는 것을 막아주는 효과적인 장벽 역할을 한다. 유전적으로 백악질이 없는 경우, 우식 또는 과도한 치

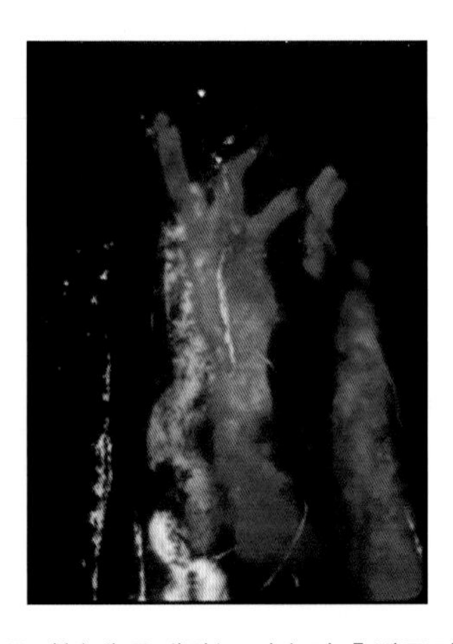

그림 1.4 상악 제1대구치의 근심 협측 근단부에 존재하는 다수의 측방근관. 출처: Courtesy of Dr. John West.

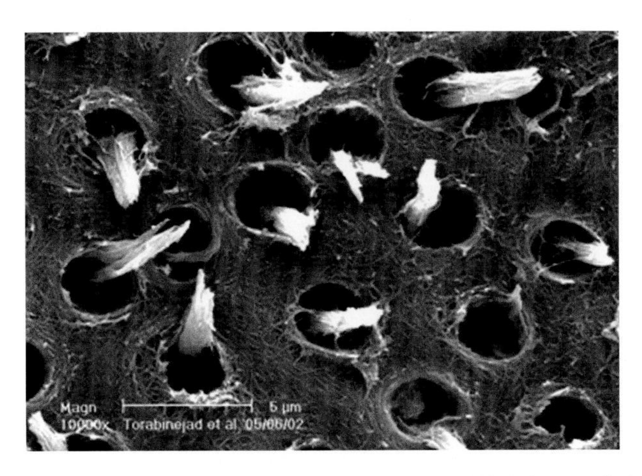

그림 1.5 상아질 돌기(odontoblastic processes)를 함유하고 있는 상아세관의 SEM사진.

주치료 또는 과격한 잇솔질에 의해서 백악질이 손상되면 치수와 치주조직을 연결하는 여러 개의 작은 상아세관 통로를 만들게 된다. 이렇게 열려진 상아세관을 통해서 치수질환이나 치주질환에서 발생되는 독성 산물들이 상호 교류하게 된다.

병리학적, 의원성 경로

근관계와 치주조직 뿐 아니라 근관계와 구강 사이의 교통 경로에는 병리학적 경로와 의원성 경로가 있는데, 병리학적 경로에는 우식에 의한 치수 노출 등이 있고, 의원성 경로에는 치수강 개방이나 근관세척 및 근관성형, 포스트공간 형성 과정에서의 치근천공 그리고 근관충전 과정에서 발생하는 수직파절 등이 있다.

치아 우식

우식 상아질과 법랑질에는 *Streptococcus mutans, lactobacilli, actinomyces* 와 같은 다양한 세균들이 존재한다(McKay 1976). 이러한 미생물들이 분비한 독소는 상아세관을 통해 치수에 침투한다. 심지어 법랑질에 있는 작은 병소도 치수조직 안으로 염증 관련 세포들을 끌어들일 수 있다는 사실이 밝혀졌다(Brannstrom & Lind 1965 ; Baume 1970).

상아질 안에 존재하는 미생물과 그것의 부산물로 인해서, 대식세포(macrophages), 림프세포(lymphocytes), 형질세포(plasma cells)와 같은 급성 염증에 관여하는 세포들이 치수조직 안으로 침투하게 된다. 우식부위가 치수에 가까워짐에 따라, 염증 반응의 강도나 특성이 급격하게 변화한다(그림 1.6). 치수가 노출되면 다형핵 백혈구(PMN)가 가장 먼저 치수 안으로 진입하여 노출된 치수 부위가 괴사된다(Lin &Langeland 1981). 세균들은 액화괴사(liquefaction necrosis)가 일어난 부위에서 지속적으로 번식이 가

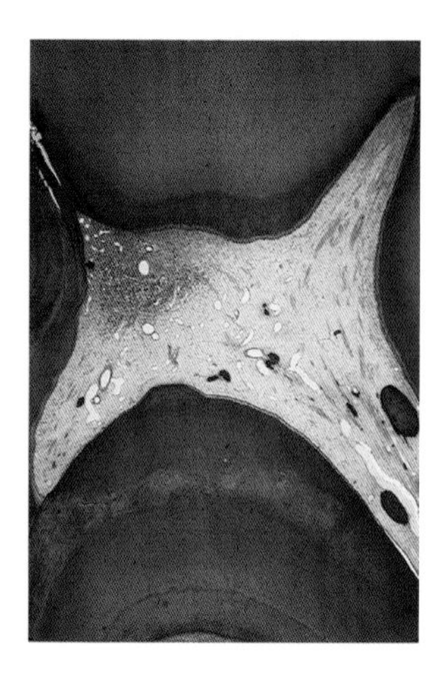

그림 1.6 인간 구치부 우식 병소의 치수 노출 부위에서 일어나는 심한 염증반응.

능하다. 치수조직은 한동안 염증상태로 존재하다가 단계적으로 서서히 괴사가 일어나기도 하고 어떤 경우는 매우 빠르게 괴사하기도 한다. 세균의 독성, 숙주의 저항성, 체액의 순환 정도가 괴사 정도에 영향을 준다. 그런데 무엇보다도 염증 산물의 배출 정도가 이 과정에서 결정적 영향을 준다.

미생물의 역할

치수노출로 인해 치수조직이 구강에 노출되면 근관계는 세균과 그 부산물들의 보금자리 역할을 하게 된다. 치수조직은 치아 내부 근관에 존재하기 때문에 혈액의 부행순환(collateral circulation)이 부족하고 따라서 침입한 세균에 대해 저항하는 능력 또한 좋지 못하다(Van Hassel 1971; Heyeraas 1989). 결국 시간의 차이가 있을 뿐 근관계 전체는 침입한 세균에 의해 오염되고, 세균과 그 부산물은 치근단 주위 조직까지 확산되어 치근단 병소를 형성하게 된다.

치수와 치근단 질환의 병리과정에 있어서 세균의 역할을 증명하기 위하여 Kakehashi *et al.* (1966) 은 정상적인 쥐와 무균상태 쥐의 치수 노출을 일으켜 확인하였다. 정상정인 쥐에서는 치수와 치근단 병소가 발생하였지만, 무균상태의 쥐에서는 병소가 발생하지 않았다(그림 1.7).

Möller 와 그 동료들은(1981) 무균 상태의 원숭이에 치수 오염을 일으키고 절단된 치수를 멸균상태로 봉쇄한 후 6-7개월을 유지하였다. 임상적, 방사선학적, 조직학적으로 확인한 결과 치근단 주위에 어떠한 병리 과정도 진행되지 않았다는 것을 보고하였다. 이러한 연구들은 치수와 치근단 병소가 형성되는 병리 과정에 있어서 세균의 존재가 필수적이라는 사실을 보여 준다.

치근 천공(Root perforations)

치수강개방, 근관세척 및 형성 또는 포스트공간 형성 과정 등에서 치근 천공이 발생한다.

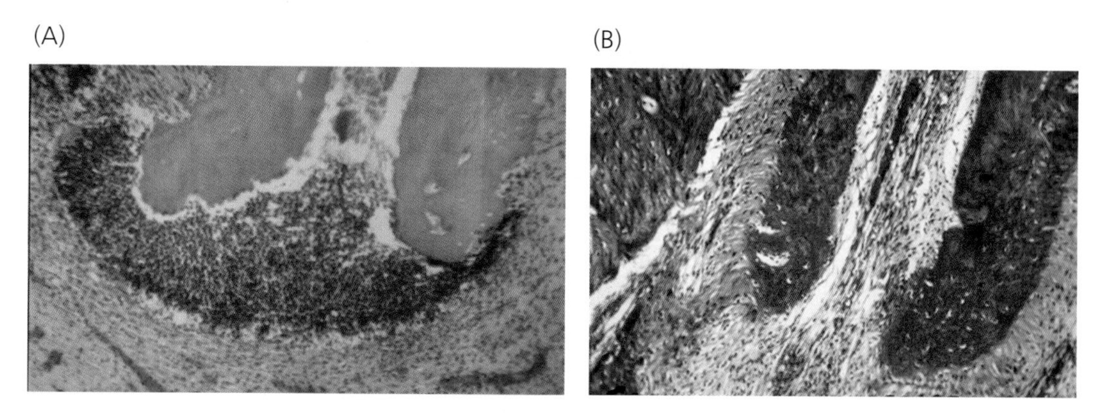

그림 1.7 (A) 치수 노출된 쥐의 정상세균총에서 발생한 구치의 치근단 병소. (B) 치수 노출된 무균 쥐의 구치에서는 병리 과정이 진행되지 않았다. 출처: Kakehashi 1965. Reproduced with permission of Elsevier.

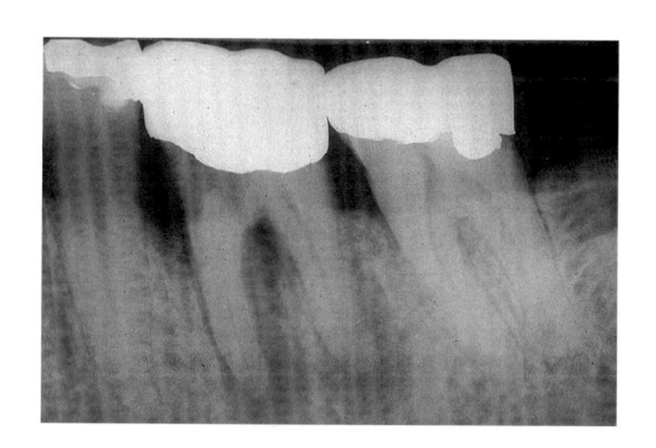

그림 1.8 치수강 개방이 충분하지 못하여 근관의 입구를 찾는 과정에서 측방 천공이 일어났다.

치수강 개방 과정에서의 치근천공

치수강 개방 과정에서 측방면이나 근이개부에서 천공이 일어날 수 있다(그림 1.8). 인접치아와 비교하여 본 치아의 경사도를 잘못 예상하거나, 치아의 장축에 평행하게 버를 사용하지 못했을 경우에 gouging이나 천공을 야기하게 된다(7장 참고). 충분하지 못한 치수강 개방 후에 치수강이나 근관의 입구를 찾다 보면 이러한 사고로 이어지는 경우가 많다.

석회화 된 다근치의 작고 평평해진 치수강의 개방 시에는 근관 입구를 찾기 위해 버를 깊이 집어 넣음으로써 근이개부가 얇아지거나 천공이 되기 쉽다(그림 1.9).

근관 세척 및 성형과정에서의 치근 천공

근관 세척 및 성형과정에서 발생하는 치근 천공은 그 위치가 다양하다. 그런데 천공의 위치, 즉 치근단

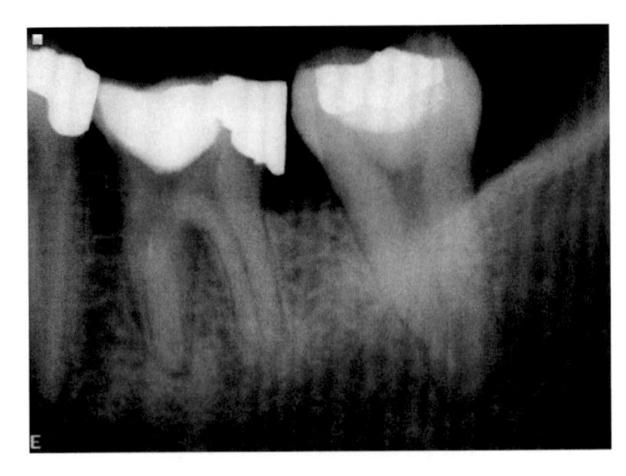

그림 1.9 치수강을 개방하는 과정에서 버의 진입 깊이를 잘못 인지하여 gouging이나 천공이 발생했다.

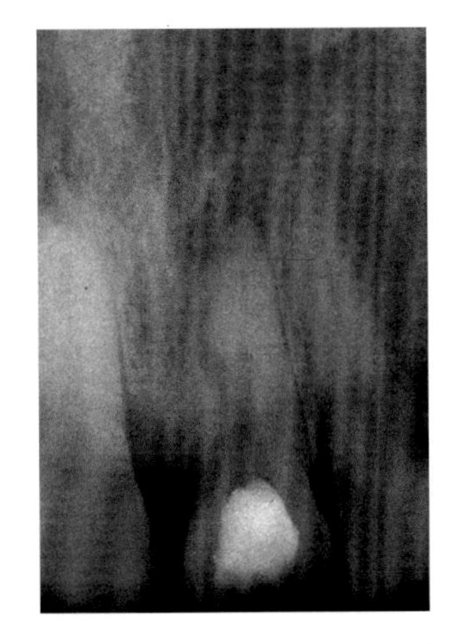

그림 1.10 잘못된 방향과 힘으로 근관 세척과 성형을 시행하면 치근의 측방 천공을 일이킬 수 있다.

에 가까운 부위 인지, 중간 부위 인지, 치경부 쪽 인지가 중요하다. 그 위치에 따라 치료와 예후가 달라진다. 천공 위치가 치조능선에서 멀어질수록(즉 치근단에 가까울수록) 예후가 좋아진다. 치근단 천공은 치근단공을 통하거나 치근단공과 인접한 치근의 몸체를 관통하면서 일어난다. 치근단공 하방으로의 기구사용은 치근단공의 천공을 일으킨다. 근관장의 측정이 부정확하거나 적절한 근관장의 유지가 불가능할 경우에 치근단부의 천공이 일어난다.

방사선학적 치근단부 하방까지 최종 파일이 들어가게 되면 치근단 천공이 일어난다. 측방 천공은 주로 근관을 찾아가는 과정에서 치근의 굴곡을 따라가지 못하거나 렛지(ledge)가 형성될 때 일어난다. 한 번 렛지(ledge)가 형성되면 제대로 근관을 찾아가는 일이 쉽지 않다. 파일 사용 시 잘못된 방향으로 힘을 가하게 되면 새로운 근관을 만들게 되고 결국 치근의 측방 천공을 일으킨다(그림 1.10).

치관부 치근의 천공은 주로 근관의 입구를 찾기 위한 과정에서 잘못된 방향으로 버를 사용할 때 일어난

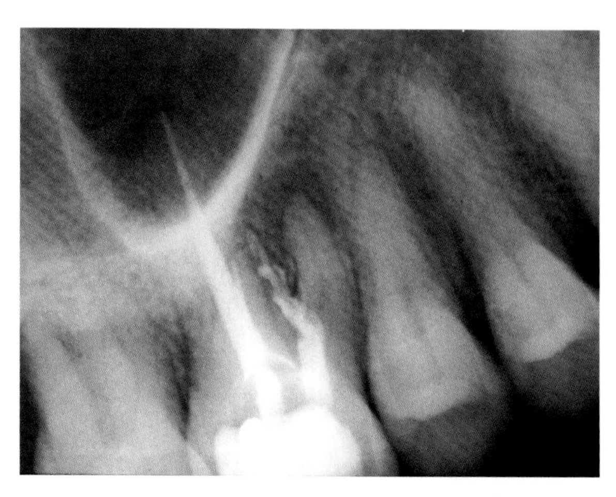

그림 1.11 파일, GGD, Peeso reamers 등을 이용하여 지나치게 넓게 근관을 확장할 경우 치관부 쪽의 치근에서 천공이 일어날 수 있다. 출처: Courtesy of Dr. George Bogen.

다. 뿐만 아니라 파일이나 Gate Glidden drills, Peeso reamers를 사용하여 지나치게 근관을 넓히는 과정에서 발생하기도 한다.

포스트 공간 형성 시의 치근 천공

포스트 공간을 너무 과도하게 넓히거나 잘못된 방향으로 형성하면 치근 천공이 일어난다. 이상적으로는 포스트의 공간은 가능하면 포스트가 유지될 수 있는 한도 내에서 보존적으로 확대하는 것이 좋고, 치근단의 봉쇄가 유지될 수 있도록 충분한 양의 근관충전재를 치근단부에 남겨야 한다. 포스트 공간의 크기는 치근 지름의 1/3을 넘어서는 안되고, 길이는 근관장 길이의 2/3를 넘어서는 안된다(그림 1.12). 포스트 공간 형성은 가능한 수기구(hand instrument)를 이용하면 더 유리하다.

수직 파절

비록 치근 수직파절의 부수적인 원인으로 포스트 삽입 등을 들 수 있지만, 보다 근본적인 원인은 근관치료 과정 자체에 있다(Gher *et al.* 1987). 근관 확장이 부족하거나 반대로 확장이 과도한 근관에 근관 충전을 하면서 과도한 압력을 가하게 되면 치근에 수직 파절이 일어나기 쉽다(Holcomb *et al.* 1987). 치근의 수직 파절을 방지하기 위한 가장 좋은 방법은 근관 충전 시 적절한 압력을 가하는 것 뿐 아니라, 적당한 근관 확장을 하는 것이다. 방사선학적으로 분명하게 보이는 파절도 있으나 경우에 따라서는 충전재가 불규칙하면서 충분히 응축된 것처럼 보이지 않으며, 충전재와 상아질 벽 사이가 선명하게 구분되지 않을 때에도 수직 파절을 의심해 보아야 한다. 치근의 수직파절이 일어나고 오랜 시간이 흐르면 좁은 치주낭이 형성되며, 누공을 형성하기도 하고, 방사선학적으로는 치근단공까지 이르는 치근 측방의 방사선 투과성 상을 나타낸다.

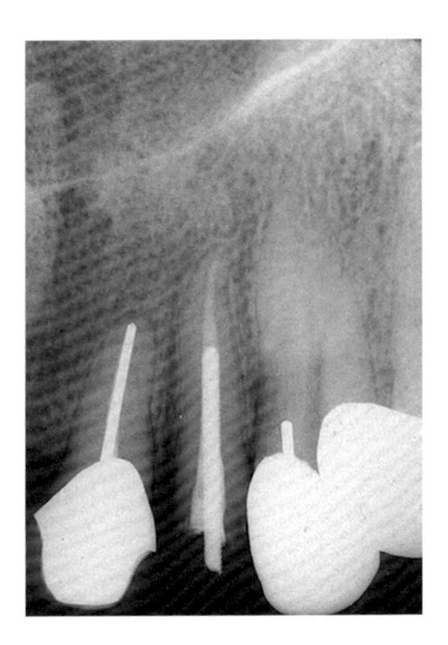

그림 1.12 이상적으로 포스트는 치근의 장축을 따라 평행해야 하고 그것의 너비는 치근직경의 1/3을 넘지 않으며, 길이는 근관장의 2/3를 넘어서는 안된다.

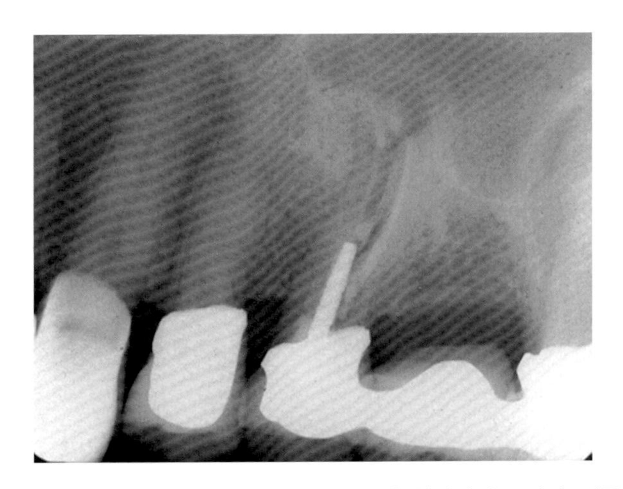

그림 1.13 치근 수직 파절은 주로 좁은 치주낭을 형성하고, 누공을 형성하기도 하며, 치근단부에 이르는 치근 측방의 방사성 투과상을 나타낸다.

치근주위조직의 병리(Periradicular pathosis)

치수조직과 달리 치주인대와 치조골로 구성되는 치근주위조직에는 손상된 조직의 회복에 관여하기도 하고 염증 과정에 참여할 수도 있는 거의 무한정의 미분화 세포들이 존재한다. 뿐만 아니라, 치근주위조직에는 풍부한 혈액과 림프의 순환이 존재한다. 따라서 근관계에서 발생된 조직 파괴 자극원이 치주 조직 안으로 유입되더라도 이에 저항하는 것이 가능하게 된다.

치근주위 병소의 염증과정

치수에 가해지는 자극의 정도와 기간, 생체의 반응능력에 따라서 치근주위 병소의 병리 과정은 경미한 염증에서부터 광범위한 조직 파괴에 이르기까지 다양하게 나타난다. 치근주위 조직의 손상은 보통 염증반응에 관여하는 특이 면역반응 중개인자(specific immunologic mediators) 뿐만 아니라 비특이적 면역인자(nonspecific immunologic mediators)에 의해 발생한다(Torabinejad *et al*. 1985) (그림 1.14).

근관 치료 동안에 치근주위의 치주조직에 가해지는 물리적, 화학적 손상은 히스타민과 같이 혈관에 작용하는 아민류(amines)의 분비와 Hageman factor, kinin system, 혈액응고기전(clotting cascade), 섬유소 용해 기전(fibrinolytic system), C3 보체 체계(complement system)를 활성화 시킨다.

이러한 인자들의 분비는 치근주위조직(periradicular tissue)의 염증 반응을 일으키는데 관여하고 부종, 통증, 조직 파괴를 일으킨다. 고양이에 인도메타신(indomethacin)을 투여하여 치근단 병소의 진행을 차단한 연구 결과는 치근단 병소가 형성되는 과정에 있어서 arachidonic acid metabolites와 같은 비특이적 염증 중개 인자가 필요하다는 것을 보여 준다(Torabinejad *et al*. 1979). 이러한 비특이적 염증 반응 중개인자 외에도 면역학적 반응이 치근단 병소의 형성과 유지에 관여한다(그림 1.14). 항원, IgE, 비만세포(mast cells)등의 다양한 면역인자들이 치수와 치근단 병소의 진행에 병리학적으로 관여한다는 사실로부터 치근단 조직에 제 1형 면역 반응이 관여한다는 것을 알 수 있다. 다양한 타입의 immunoglobulin과 다

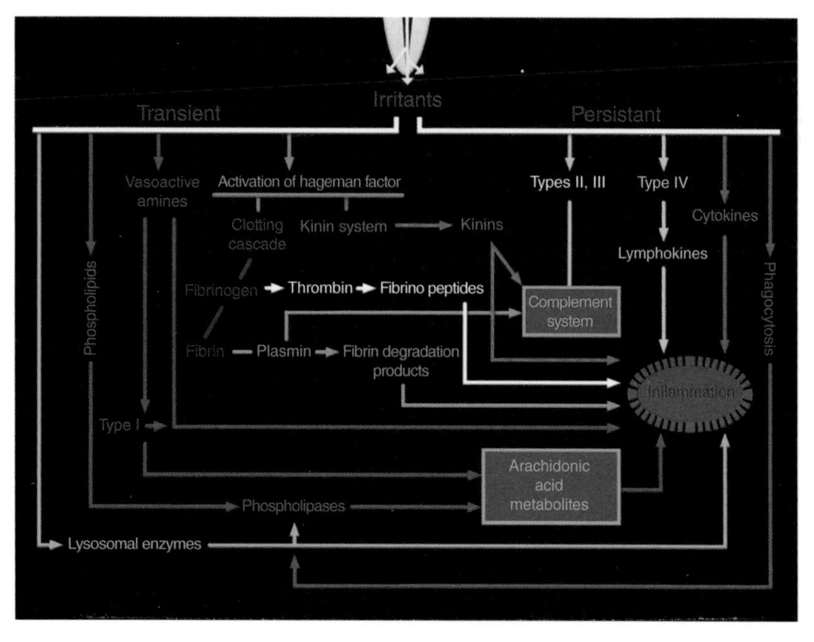

그림 1.14 오염된 근관으로부터 자극 물질이 치근단 주위 조직으로 침투되면 특이적 면역 반응 뿐 아니라 비특이적 면역반응도 활성화 된다.

형핵 백혈구(PMN leukocytes), 대식세포, B세포와 T세포, C3 보체 인자들, 면역 복합체 등과 같은 다른 타입의 면역반응을 일으키는 세포들이 인간의 치근단 병소에서 발견된다(Torabinejad & Kettering 1985). 이러한 인자들의 존재는 치근단 병소의 형성에 제 2형, 3형, 4형 면역 반응 또한 관여한다는 것을 말해 준다.

근관계와 치주 조직 간 통로 밀폐 재료

근관계와 치근주위조직 간의 통로를 차단하고자 하는 다양한 재료들이 제시 되어 왔다. 거타퍼쳐, 아말감, polycarboxylate 시멘트, ZPC, ZOE, IRM, EBA, Cavit, GI, 복합 레진 뿐 아니라 금박, silver points, cyanoacrylates, poly HEMA, hydron, Diaket root canal sealer, titanium screws, Teflon과 같은 재료도 시도되었다. 수년에 걸쳐 살펴본 결과 이러한 재료들 중 어떤 것도 수복물로서 이상적인 특성을 보여주지 못했고, 드디어 1993년에 시험적 물질로서 MTA (mineral trioxide aggregate)가 개발되었다.

수년에 걸쳐 Torabinejad와 그의 동료들은 혈액 오염 유무에서의 in vitro dye leakage 실험, 경계부위의 적합성을 확인하기 위한 주사 현미경(SEM) 관찰, 경화시간, 압축강도, 용해성, 독성, 골 내부이식 등의 일련의 실험들을 진행하였고 동물 실험을 진행하였다(Torabinejad *et al.* 1993; Higa *et al.* 1994; Pitt Ford *et al.* 1995;Torabinejad *et al.* 1995a, b, c, d, e, f, g; Tang etal. 2001). 이러한 실험에서 비교를 위해 IRM, SuperEBA(O-ethoxybenzoic acid) 등 기존의 재료들을 사용하였다. 염색약이나 세포 그리고 내독소 유출 실험 등 그 어떤 실험에서도 MTA의 밀폐 능력은 아말감이나 SuperEBA 보다 우수하였으며 혈액 오염에 대해서는 영향을 받지 않았다(Torabinejad *et al.* 1993, 1995a; Higa *et al.* 1994; Tang *et al.* 2001). 경계 부위의 적합성에 있어서 MTA는 아말감, IRM, SuperEBA 보다 우수하였다.(Torabinejad *et al.* 1995 g). MTA의 경화시간은 약 3시간 정도인데 이는 아말감이나 IRM보다는 길다. 압축강도와 용해도에 있어서 MTA는 IRM이나 SuperEBA와 유사하게 나타났다(Torabinejad *et al.* 1995c). 또한 구강 내에서 일부 세균에 대해 항세균 효과를 보여 주었다(Torabinejad *et al.* 1995e).

MTA의 세포독성은 agar overlay와 radiochromium release라는 두 가지 방법으로 연구되었다. agar overlay 실험에서 MTA는 IRM이나 SuperEBA 보다 세포 독성이 약했으나 아말감보다 세포 독성이 높은 것으로 나타났다. radiochromium release 실험에서는 아말감이나 IRM, SuperEBA보다 세포독성이 낮은 것으로 나타났다(Torabinejad *et al.* 1995f). 기니아 돼지의 악골과 경골에 이식 실험을 시행한 결과 MTA는 다른 어떤 재료보다 생체친화성(biocompatibility)이 우수하였다(Torabinejad *et al.* 1995d). 개를 이용한 치근단 밀폐 또는 근 이개부 천공 부위 수복에 대한 동물실험 그리고 원숭이를 이용한 치근단 밀폐 실험 등 조직학적 연구가 수행되었다(Pitt Ford *et al.* 1995; Torabinejad *et al.* 1995b, 1997). 그 결과 MTA로 밀폐된 치근단 주위에는 염증 소견이 적게 일어나고 주위 조직에서 치유 과정이 진행되고 있는 것을 볼 수 있었다.

뿐만 아니라 치근단 밀폐 혹은 근이개부 천공 수복에 MTA를 사용한 경우 충분한 시간이 흐르면 MTA 표면에 새로운 백악질이 형성된다는 것을 발견하였다. 이것은 아말감을 이용한 경우에는 나타나지 않았다(그림 1.15). 이러한 사실로부터 MTA가 치근단 밀폐를 위한 대체 재료로 사용될 수 있다는 것을 알게 되었다.

이 후 MTA를 이용한 여러 연구들이 이루어졌다. Parirokh와 Torabinejad (2010a)는 1993년 11월부터 2009년 9월까지 MTA의 화학적, 물리적 성질과 항세균성에 대해서 발표된 논문을 검색하였다. MTA와 칼슘, 실리카, 비스무스로 구성된 재료들의 성질에 관한 연구 결과들이다. 이들에 따르면 MTA는 긴 경화시간을 가지며, 높은 pH와 낮은 압축 강도를 갖는다. 또한 이 재료들은 적정한 분말대 액체의 비율에서 항세균성과 항진균성을 나타낸다. 이러한 연구 결과들을 바탕으로 그들은 MTA가 주변 환경에 영향을 미치는 생체활성적인(bioactive) 물질이라고 결론 내렸다.

그들의 review 두 번째 part에서 Torabinejad와 Parirokh (2010)는 1993년 11월에서 2009년 9월 까지의 MTA의 밀폐 능력과 생체친화성과 관련된 논문을 검색했다. 논문들에서 연구자들은 MTA의 밀폐능력이 우수하고 생체 친화적이라는 것을 유의한 증거를 바탕으로 결론 내렸다. 그들의 review 세 번째 part에서 Torabinejad와 Parirokh (2010b)는 1993년 11월에서 2009년 9월까지 발표된, MTA를 동물과 인간에게 적용한 임상 연구 결과들과 MTA의 단점과 작용 기전에 대한 연구 결과들을 검색해 보았다. 이러한 연구를 통해서 저자들은 MTA가 치근단 밀폐, 천공의 수복, 생활 치수 치료 뿐 아니라 치수가 괴사된 치아의 치근단 밀폐나 열린 근첨을 갖는 치아의 치근단 밀폐에도 예지성 있는 재료라고 결론 내리고 있다. 반면에 MTA는 긴 경화시간, 고가의 비용, 변색의 가능성 등의 단점을 나타내고 있다. 또 다른 MTA의 작용으로, 인공 합성 조직액(tissue synthetic fluid)과 접촉하는 MTA의 표면에서 수산화인회석(hydroxyapatite) 결정이 생성된다는 보고들이 있다. 이러한 특성은 근관치료에 적용된 MTA의 표면에서

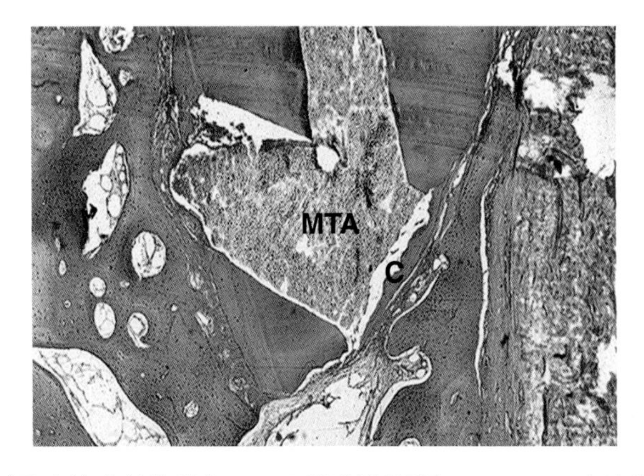

그림 1.15 개를 이용한 치근단 봉쇄 실험에서 MTA 표면에 백악질(cementum, C)이 형성되고 있다.

추가적인 석회화 구조(calcified structures)가 형성될 수 있다는 것을 의미한다.

연구자들은 MTA가 근관계와 그 주위 환경 사이의 통로를 밀폐하는 가장 좋은 재료라고 결론을 내리고 있다.

참고문헌

Baume, L.J. (1970) Dental pulp conditions in relation to carious lesions. *International Dental Journal* **20**, 309–37.

Brännström, M., Lind, P.O. (1965) Pulpal response to early dental caries. *Journal of Dental Research* **44**, 1045–50.

Burch, J.G., Hulen, S. (1974) A study of the presence of accessory foramina and the topography of molar furcations. *Oral Surgery, Oral Medicine, Oral Pathology* **38**, 451–5.

De Deus, Q.D. (1975) Frequency, location, and direction of the lateral, secondary, and accessory canals. *Journal of Endodontics* **1**, 361–6.

Garberoglio, R., Brännström, M. (1976) Scanning electron microscopic investigation of human dentinal tubules. *Archives of Oral Biology* **21**, 355–62.

Gher, M.E. Jr, Dunlap, R.M., Anderson, M.H., *et al.* (1987) Clinical survey of fractured teeth. *Journal of the American Dental Association* **114**, 174–7.

Green, D. (1955) Morphology of the pulp cavity of the permanent teeth. *Oral Surgery, Oral Medicine, Oral Pathology* **8**, 743–59.

Green, D. (1956) A stereomicroscopic study of the root apices of 400 maxillary and mandibular anterior teeth. *Oral Surgery, Oral Medicine, Oral Pathology* **9**, 1224–32.

Green, D. (1960) Stereomicroscopic study of 700 root apices of maxillary and mandibular posterior teeth. *Oral Surgery, Oral Medicine, Oral Pathology* **13**, 728–33.

Harrington, G.W. (1979) The perio-endo question: differential diagnosis. *Dental Clinics of North America* **23**, 673–90.

Hess, W. (1925) *The Anatomy of the Root-Canals of the Teeth of the Permanent Dentition*. John Bale Sons, and Danielsson, Ltd, London.

Heyeraas, K.J. (1989) Pulpal hemodynamics and interstitial fluid pressure: balance of transmicrovascular fluid transport. *Journal of Endodontics* **15**, 468–72.

Higa, R.K., Torabinejad, M., McKendry, D.J., *et al.* (1994) The effect of storage time on the degree of dye leakage of root-end filling materials. *International Endodontics Journal* **27**, 252–56.

Holcomb, J.Q., Pitts, D.L., Nicholls, J.I. (1987) Further investigation of spreader loads required to cause vertical root fracture during lateral condensation. *Journal of Endodontics* **13**, 277–84.

Kakehashi, S., Stanley, H.R., Fitzgerald, R.J. (1965) The effects of surgical exposures of dental pulps in germfree and conventional laboratory rats. *Oral Surgery, Oral Medicine, Oral Pathology* **20**, 340.

Lin, L., Langeland, K. (1981) Light and electron microscopic study of teeth with carious pulp exposures. *Oral Surgery, Oral Medicine, Oral Pathology* **51**, 292–316.

McKay, G.S. (1976) The histology and microbiology of acute occlusal dentine lesions in human permanent molar teeth. *Archives of Oral Biology* **21**, 51–8.

Möller, A.J., Fabricius, L., Dahlén, G., *et al.* (1981) Influence on periapical tissues of indigenous oral bacteria and necrotic pulp tissue in monkeys. *Scandinavian Journal of Dental Research* **89**, 475–84.

Parirokh, M., Torabinejad, M. (2010a) Mineral trioxide aggregate: a comprehensive literature review – Part I: chemical, physical, and antibacterial properties. *Journal of Endodontics* **36**(1), 16–27.

Parirokh, M., Torabinejad, M. (2010b) Mineral trioxide aggregate: a comprehensive literature review – Part III: Clinical applications, drawbacks, and mechanism of action. *Journal of Endodontics* **36**(3), 400–13.

Pitt Ford, T.R., Torabinejad, M., Hong, C.U., *et al.* (1995) Use of mineral trioxide aggregate for repair of furcal perforations. *Oral Surgery* **79**, 756–63.

Pulver, W.H., Taubman, M.A., Smith, D.J. (1978) Immune components in human dental periapical lesions. *Archives of Oral Biology* **23**, 435–43.

Seltzer, S., Bender, I.B., Ziontz, M. (1963) The interrelationship of pulp and periodontal disease. *Oral Surgery, Oral Medicine, Oral Pathology* **16**, 1474–90.

Tang, H.M., Torabinejad, M., Kettering, J.D. (2001) Leakage evaluation of root end filling materials using endotoxin. *Journal of Endodontics* **28**(1), 5–7.

Torabinejad, M., Kettering, J.D. (1985) Identification and relative concentration of B and T lymphocytes in human chronic periapical lesions. *Journal of Endodontics* **11**, 122–5.

Torabinejad, M., Parirokh, M. (2010) Mineral trioxide aggregate: a comprehensive literature review – part II: leakage and biocompatibility investigations. *Journal of Endodontics* **36**(2), 190–202.

Torabinejad, M., Clagett, J., Engel, D. (1979) A cat model for the evaluation of mechanisms of bone resorption: induction of bone loss by simulated immune complexes and inhibition by indomethacin. *Calcified Tissue International* **29**, 207–14.

Torabinejad, M., Eby, W.C., Naidorf, I.J. (1985) Inflammatory and immunological aspects of the pathogenesis of human periapical lesions. *Journal of Endodontics* **11**, 479–88.

Torabinejad, M., Watson, T.F., Pitt Ford, T.R. (1993) The sealing ability of a mineral trioxide aggregate as a retrograde root filling material. *Journal of Endodontics* **19**, 591–5.

Torabinejad, M., Falah, R., Kettering, J.D., *et al.* (1995a) Bacterial leakage of mineral trioxide aggregate as a root end filling material. *Journal of Endodontics* **21**, 109–21.

Torabinejad, M., Hong, C.U., Lee, S.J., *et al.* (1995b) Investigation of mineral trioxide aggregate for root end filling in dogs. *Journal of Endodontics* **21**, 603–8.

Torabinejad, M., Hong, C.U., Pitt Ford, T.R. (1995c) Physical properties of a new root end filling material. *Journal of Endodontics* **21**, 349–53.

Torabinejad, M., Hong, C.U., Pitt Ford, T.R. (1995d) Tissue reaction to implanted SuperEBA and mineral trioxide aggregate in the mandibles of guinea pigs: A preliminary report. *Journal of Endodontics* **21**, 569–71.

Torabinejad, M., Hong, C.U., Pitt Ford, T.R., *et al.* (1995e) Antibacterial effects of some root end filling materials. *Journal of Endodontics* **21**, 403–6.

Torabinejad, M., Hong, C.U., Pitt Ford, T.R., *et al.* (1995f) Cytotoxicity of four root end filling materials. *Journal of Endodontics* **21**, 489–92.

Torabinejad, M., Wilder Smith, P., Pitt Ford, T.R. (1995g) Comparative investigation of marginal adaptation of mineral trioxide aggregate and other commonly used root end filling materials. *Journal of Endodontics* **21**, 295–99.

Torabinejad, M., Pitt Ford, T.R., McKendry, D.J., *et al.* (1997) Histologic assessment of MTA as root end filling in monkeys. *Journal of Endodontics* **23**, 225–28.

Van Hassel, H.J. (1971) Physiology of the human dental pulp. *Oral Surgery, Oral Medicine, Oral Pathology* **32**, 126–34.

Vertucci, F.J., Anthony, R.L. (1986) A scanning electron microscopic investigation of accessory foramina in the furcation and pulp chamber floor of molar teeth. *Oral Surgery, Oral Medicine, Oral Pathology* **62**, 319–26.

2 MTA의 화학적 성질(Chemical Properties of MTA)

David W. Berzins

General Dental Sciences, Marquette University, USA - 역자 서덕규, 우상빈

Mineral Trioxide Aggregate: Properties and Clinical Applications, First Edition.
Edited by Mahmoud Torabinejad.

개요

MTA가 1993년에 처음 언론에 소개되었을 때 산화광물(mineral oxide)의 집합체(aggregate)로, 세종류의 산화물(trioxide : tricalcium silicate, tricalcium aluminate, tricalcium oxide silicate oxide)이 첨가된 것으로 표현되었다.

MTA라고 알려지게 된 최초의 특허는(United States Patent #5,415,547, continued to #5,769,638) Mahmoud Torabinejad와 Dean White에 의해 4월을 앞두고 접수되었는데, 여기서 MTA는 포틀랜드 시멘트로 만들어진 근관충전재로 기술되어 있다. 1997년에 Tulsa Dental Products는(현재는 Dentsply-Tulsa Dental Specialties) 미국식품의약국(FDA,the US Food and Drug Administration)으로부터 MTA가 근관조직을 수복하는데 쓰이는 기존재료와 사용의도 및 기술적 특성에서 대체로 동등하다는 의견을 받았다. 근관치료와 충전을 위한 FDA ClassⅡ 의료기기로 지정되었고, 이 MTA는 훗날 ProRoot MTA라는 상호로 시판되었다. 처음 시판된 제품은 회색(gray)을 띠었고, 치아색을 띠는 white MTA는 2002년에 소개되었다(그림 2.1과 2.2). 첫 연구결과가 발표된 후 수백 건에 달하는 심도 있는 연구가 최초의 시험용 시멘트와 시판되는 ProRooMTA에 대해 이루어졌다(물론 MTA의 개별 구성요소나 유사한 제품에 대한 연구도 진행되었다). 시험용과 시판용 제품이 다른점이 있으나, 특별히 언급할 때를 제외하고는 이 챕터에서는 이들 MTA 간의 다양성에 대해서는 서술하지 않는다.

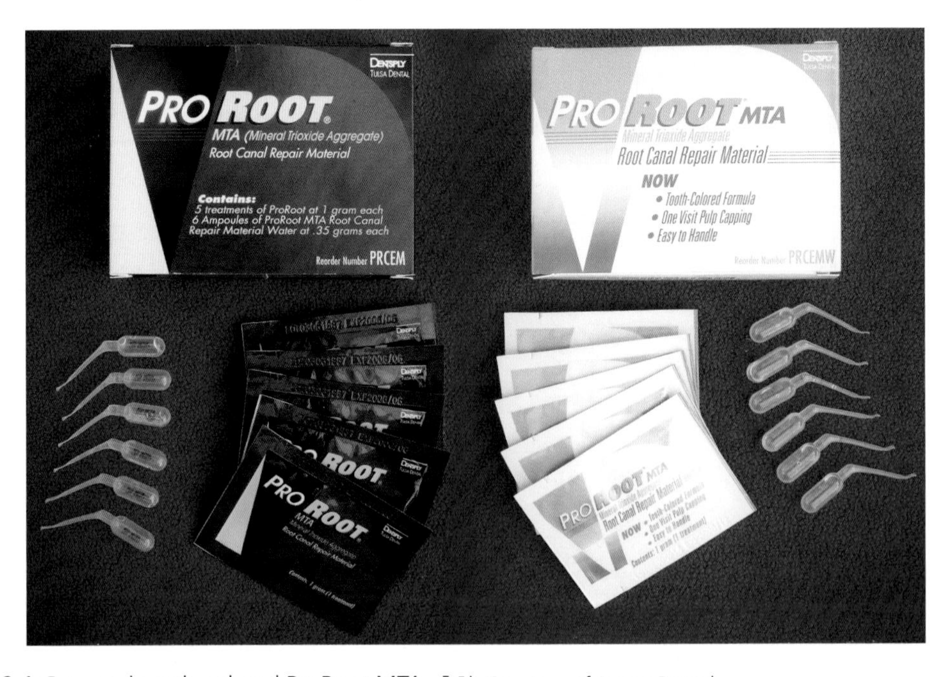

그림 2.1 Gray and tooth-colored ProRoot MTA. 출처: Courtesy of James Brozek.

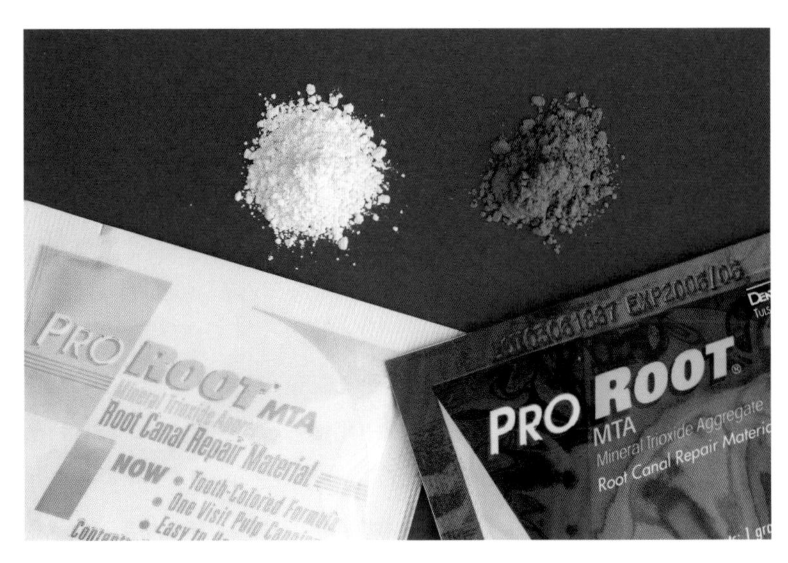

그림 2.2 Gray and white ProRoot MTA powder. 출처: Courtesy of James Brozek.

MTA 조성(MTA composition)

특허에 언급되었듯이, MTA는 주로 포틀랜드 시멘트(Portland cement)로 만들어졌다. ProRoot MTA의 물질안전보건자료(The Material Safety Data Sheet, MSDS)에서는 약 75 wt% 포틀랜드 시멘트(Portland cement), 20 wt% 산화비스무스(Bismuth oxide), 그리고 5 wt% 석고(calcium sulfate dihydrate나 gypsum ($CaSO_4 \cdot 2H_2O$)으로 나타난다. 추가적인 미량 원소도 MSDS에 언급되고 있다.

포틀랜드 시멘트(Portland cement)

포틀랜드 시멘트는 1800년대 초, 중반 영국의 Aspdin 가문이 개발했다. 이 물질은 남서 잉글랜드 Dorset 주의 포틀랜드 섬에서 채굴되던 석회암(limestone)과 유사하여 포틀랜드 시멘트라는 이름이 붙여졌다. 오늘날에는 콘크리트, 스터코(stucco) 그리고 몰타르(mortar)에 포함되어 있는 매우 흔한 친수성 시멘트이다. ASTM international (이전 이름은 the American Society for Testing and Materials)에서 10종류의 포틀랜드 시멘트를 파악하였는데(ASTM Standard C150/C150M – 12 2012) MTA에 사용되는 포틀랜드 시멘트는 Type I Portland cement로 제한되어있다. ASTM C150/C150M에는 포틀랜드 시멘트의 성분 함량에 대하여 엄격하게 규정하지 않고 구성 성분의 농도가 범위의 형태로 허용되고 있다. 추가적으로, 제조사 간의 원물질과 제조공정의 다양성도 존재한다. 그러므로, MTA와 포틀랜드 시멘트 간의 비교를 연구주제로 한 결과를 해석할 때에는 이런 점을 염두에 두어야 한다.

일반적인 포틀랜드 시멘트의 제조는 천연 원료를 채취하는 것부터 시작된다. 원료는 석회암(limestone)

또는 탄산칼슘(calcium carbonate), 점토(clay), 기타 물질 등이다. 각각의 원료물질을 부수어 작은 크기의 입자를 만들고, 특정한 조성을 위해 비율을 조정한다. 다음으로 혼합물을 분쇄하고 다시 혼합하여 회전형 원통 소성로(rotary, cylindrical kiln)에 넣고 1430~1650℃ 로 가열한다. 이 과정에서 일련의 반응이 일어난다. 즉, 원료들이 서로 결합되고(fuse), 수분의 증발, 점토의 건조, 탄산칼슘(calcium carbonate)의 탈탄소화(decarbonation)(이산화탄소가 방출되고 산화칼슘(calcium oxide)이 생성)가 일어난다. 이때의 혼합체를 클링커(clinker)라 한다. 클링커가 식은 후, 미세한 크기로 분쇄하는 과정을 거치면 포틀랜드 시멘트가 된다.

MTA의 포틀랜드 시멘트 조성은 tricalcium silicate ($3CaO \cdot SiO_2$ 혹은 Ca_3SiO_5로 alite로 알려져 있음), dicalcium silicate ($2CaO \cdot SiO_2$ 혹은 Ca_2SiO_4로 belite로 알려져 있음) 그리고 tricalcium aluminate ($3CaO \cdot Al_2O_3$ 또는 $Ca_3Al_2O_6$)이다. Tricalcium aluminate는 gray MTA보다 white MTA에 더 적게 함유되어 있다(Asgary *et al.* 2005). Tetracalcium alumino-ferrite ($4CaO \cdot Al_2O_3 \cdot Fe_2O_3$) 는 gray MTA에만 있고 white MTA에는 없다. 반면에 MTA에 함유되어 있는 포틀랜드 시멘트는 CaO (lime), SiO_2 (silica), Al_2O_3 (alumina)의 혼합물일 것으로 생각되며, gray MTA에서는 물론 Fe_2O_3 (산화철, iron oxide)를 포함하고 있다. 전형적인 포틀랜드 시멘트에는, tricalcium silicate와 dicalcium silicate가 가장 많고 대략 75~80%를 차지한다. tricalcium aluminate 와 tetracalcium aluminoferrite는 각각 약 10% 정도이다(Ramachandran *et al.* 2003). 그러나, MTA에는 보통 포틀랜드 시멘트에 비해서는 tricalcium aluminate 함량이 적다.

White MTA에는 Ca_3SiO_5, Ca_2SiO_4, $Ca_3Al_2O_6$, $CaSO_4$, Bi_2O_3 성분이 각각 51.9%, 23.2%, 3.8%, 1.3%, 19.8 wt% 함유되어 있다(Belio-Reyes *et al.* 2009). 이러한 결과는 MTA powder가 소성로(kiln, 시멘트 만드는 곳)가 아니라 실험실에서 제조된 것임을 의미한다(Camilleri 2007, 2008). 하지만 MTA가 포틀랜드 시멘트와 같은 방법으로 제조되었다고 발표한 연구자의 결과도 있다(Darvell & Wu 2011). 이들은 CaO, SiO_2, Al_2O_3,Fe_2O_3의 함량이 각각 50-75, 15-25, <2, 0-0.5 wt% 정도라고 발표했다(Darvell & Wu 2011).

산화비스무스(bismuth oxide) 와 석고(gypsum)의 역할

Bismuth oxide는 방사선불투과성을 위해 들어있는데, 포틀랜드 시멘트 자체만으로는 치과용으로 사용하기에 방사선불투과성이 부족하기 때문이다. Bismuth oxide는 보통 물에서 불용성이라고 여겨져 왔지만 완전히 불용성은 아니며 MTA의 경화에 제한된 역할을 수행하는데 약간의 산화비스무스가 칼슘실리케이트 수화물 구조의 일부를 이루는 것으로 보인다(아래 설명됨).

그리고 시간이 지나면 용출되어 나온다는 결과도 있으나(Camilleri 2007, 2008) 이에 반대되는 결과도 있다(Darvell & Wu 2011). 하지만 의심할 여지없이 포틀랜드 시멘트에 산화비스무스를 섞으면 압축강도(compressive srength)가 감소하고 다공성(porosity)은 증가한다(Coomaraswamy *et al.* 2007). 이러한 점으로 미루어 산화비스무스는 방사선불투과성 이상의 영향을 미치고 있는 것으로 생각된다.

포틀랜드 시멘트/MTA에 첨가된 석고(gypsum)는 경화시간을 조절하는 역할을 하는데 tricalcium aluminate의 반응에 주된 영향을 미친다. MTA에 포함되어 있는 것이 이수 석고(calcium sulfate dihydrate)인지에 관해서는 논란이 있으며 반수 석고나(calcium sulfate hemihydrate) 무수 석고(calcium sulfate anhydrate)의 형태일 가능성도 있다(Camilleri 2007, 2008; Beh'o-Reyes *et al*. 2009;Gandolfi *et al*. 2010b; Darvell & Wu 2011). 일반적으로 포틀랜드 시멘트에는 MTA보다 대략 두배의 calcium sulfate species를 가지고 있다.

MTA 입자의 성상(powder morphology)

여러 연구자들이 MTA powder의 크기와 모양을 조사하였다(그림 2.3). white MTA에 있는 포틀랜드 시멘트 입자의 크기는 1μm미만에서 30-50μm이며 산화 비스무스입자는 대략 10-30μm이다(Camilleri 2007). MTA 제품들 중에, grayMTA보다는 white MTA에서 더 균일한 크기분포를 보였으며(Komabayashi & Spangberg 2008) 큰 입자가 더 적게 포함되어 있다(Camilleri *et al*. 2005). 이는 white MTA가 gray MTA보다 조작성이 좋은 이유이다. 모양은 대다수의 입자가 불규칙한데, 약간 침상형(needle like)을 띠고 있다(Camilleri *et al*. 2005). 위에 언급되었듯이 MTA와 일반적인 포틀랜드 시멘트의 비교는 문제가 있는데 포틀랜드 시멘트의 시판제품이 매우 다양하기 때문이다. 현미경을 사용하였을 때, Dammaschke 연구그룹은 MTA 입자가 더 균일하고 작은 크기를 가졌다고 하였다(그림 2.4) (Dammaschke *et al*. 2005). 그러나 입자의 모양에 있어서는 큰 차이가 관찰되지 않았다(Komabayashi & Spangberg2008). 추론해보면, 만일 처음 입자크기가 포틀랜드 시멘트보다 MTA에서 작았다면, 수화되어 경화된 MTA 내의 입자크기도 포틀랜드 시멘트에서 보다 더 작을 것이다(Asgary *et al*. 2004). 이는 white MTA와 gray MTA에서도 마찬가지이다(Asgary *et al*. 2005, 2006). 결국, MTA에 있는 포틀랜드 시멘트 부분은 일반 공업용 포틀랜드 시멘트보다 더 정제되어(refined) 있는 것으로 보인다.

미량 원소와 성분(Trace elements and compounds)

몇몇 연구자들은 white MTA에는 gray MTA에 있는 철(iron)성분이 없다고 했지만(Camilleri *et al*. 2005; Song *et al*. 2006), 다른 연구그룹은 white MTA에서 미량의 철성분을 검출하였다(Belio-Reyes *et al*. 2009). 또한 마그네슘이나 산화 마그네슘 또한 white MTA보다 gray MTA에서 빈번하게 더 많이 검출된다.(Song *et al*. 2006), 이 점이 두 MTA 간 색의 차이를 설명해 준다. 다른 원소와 화합물로는: As, Ba, Cd, Cl, Cr, Cu, Ga, In, K, Li, Mn, Mo, Ni, P_2O_5, Pb, Sr, TiO_2, Tl, V, Zn (Funteas *et al*. 2003; Dammaschke *et al*. 2005; Monteiro Bramante *et al*. 2008; Comin-Chiaramonti *et al*. 2009; Chang *et al*. 2010; Schembri *et al*. 2010)등이 있다. 이 원소들 중에는 관점에 따라 독성이 있다고 여겨지는 것들이 있는데, MTA에서는 낮은 농도이며 MTA의 높은 생체친화성(biocompatibility)을 고

그림 2.3 MTA powder의 주사전자 현미경(SEM)사진. 출처: Lee *et al.* 2004.Reproduced with permission of Elsevier.

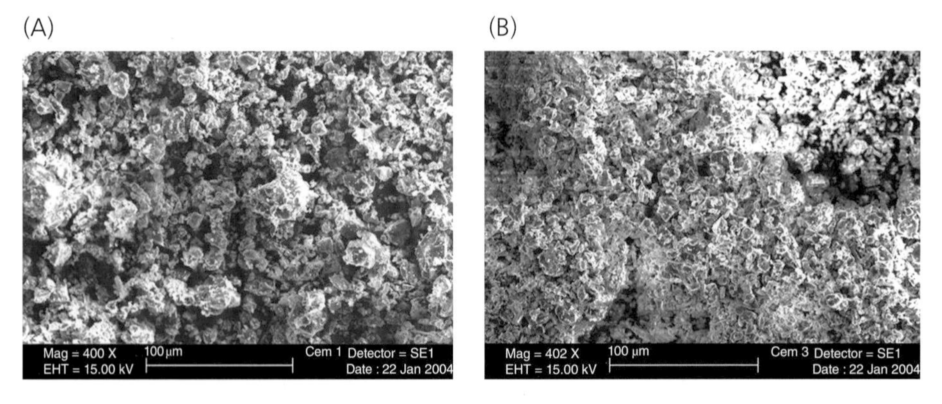

그림 2.4 Scanning electron micrograph 비교 (A) 포틀랜드 시멘트 (B) MTA powders. 출처: Dammaschke *et al.* 2005. Reproduced with permission of Elsevier.

려해서 보면 건강에 크게 영향을 주지 않는 것으로 보인다. 수산화칼슘(calcium hydroxide)은 MTA의 반응성 산물이지만 종종 MTA powder에서도 나타나는데, 이는 MTA가 대기중 수분과 반응했기 때문으로 보인다(Camilleri 2008; Chedella & Berzins 2010). 포틀랜드 시멘트와 비교했을 때, MTA는 중금속함량이 보통 적다(Cu, Mn, Sr) (Dammaschke *et al.* 2005). 그러나 비스무스(방사성 조영제로서 Bi_2O_3)는 훨씬 더 많이 포함되어 있다. 따라서 MTA 내의 포틀랜드 시멘트 조성에 해당하는 부분은 더 정제된 상태이다. 물론 논문에서는 임상의가 MTA와 일반적인 유사성을 가진 포틀랜드 시멘트를 사용할 수 있느냐가 논쟁이 되곤 하지만 MTA는 임상적 사용을 용도로 FDA승인을 받았고 멸균된 제품임을 알아야 한다. 그러므로 MTA대신 포틀랜드 시멘트를 사용하는 것은 임상에서 추천되지 않는다.

경화 반응(SETTING REACTIONS)

MTA는 수경성 시멘트이다(hydraulic type of cement). 즉 MTA는 물과 반응하여 경화하고, 그 후에는 물속에서 안정적이라는 뜻이다. MTA를 물과 혼합하면 발열반응(exothermic reaction)을 통해 경화된다. MTA의 경화반응은 포틀랜드 시멘트와 대략적으로 유사하며, 경화반응은 각 구성성분의 수화반응 분석을 통해서 연구될 수 있다. 가장 중요한 두 가지 수화반응은 가장 많은 조성을 차지하고 있는 tricalcium silicate와 dicalcium silicate이다. Tricalcium silicate는 다음 반응으로 경화된다(Bhatty 1991; Ramachandran *et al.* 2003):

$$2(3CaO \cdot SiO_2) + 6H_2O \rightarrow 3CaO \cdot 2SiO_2 \cdot 3H_2O + 3Ca(OH)_2$$

dicalcium silicate의 경화는 다음 경화반응을 따른다 (Bhatty 1991; Ramachandran *et al.* 2003):

$$2(2CaO \cdot SiO_2) + 4H_2O \rightarrow 3CaO \cdot 2SiO_2 \cdot 3H_2O + Ca(OH)_2$$

주요 반응 산물은 규산칼슘 수화물(calcium silicate hydrates)과 수산화칼슘(calcium hydroxide, 일명 Portlandite)이다. 수산화칼슘은 대부분 결정성이므로 X-ray회절법으로 검출된다(XRD; Camilleri 2008). 규산칼슘 수화물(calcium silicate hydrates)은 대부분 무결정성(amorphous)이고 조성도 범위로 나타난다. 물은 반응물이면서 또한 MTA의 반응산물 내에 포함되는데 이는 아래에 논의되는 성질에서 물의 영향을 이해하는데 중요하다. 규산칼슘 수화물(calcium silicate hydrate)은 규산칼슘입자(calcium silicate particle)위에 생성되는 gel로써 시간이 지남에 따라 경화되고 공극(pore)과 빈공간(void space)내에서 응결된(nucleated) 수산화칼슘(calcium hydroxide)과 함께 견고한 네트워크를 형성한다(Gandolfi *et al.* 2010b). MTA에서 생성되는 calcium hydroxide의 양은 수화된 물질의 약 10~15%로 밝혀졌는데

(Camilleri 2008; Chedella & Berzins 2010), 포틀랜드 시멘트에서 보다는 적다(20–25%; Ramachandran *et al*. 2003). 게다가, calcium hydroxide를 생리용액(physiological solution)에 포함되어 있는 이산화탄소에 노출시키면, 일부가 탄산칼슘(calcium carbonate)으로 변화된다(Chedella & Berzins 2010;Darvell & Wu 2011).

포틀랜드 시멘트의 두 가지 minor 성분의 수화반응은 석고(gypsum)의 영향을 받는다. 석고와 물의 존재 하에서 tricalcium aluminate는 에트린자이트(ettringite) [$Ca_6(AlO_3)_2(SO_4)_3 \cdot 32H_2O$] 를 형성한다.

$$Ca_3(AlO_3)_2 + 3CaSO_4 + 32H_2O \rightarrow Ca_6(AlO_3)_2(SO_4)_3 \cdot 32H_2O$$

에트린자이트(Ettringite)는 경화된 MTA 내에서 작은 바늘모양의(needle-like) 결정으로 관찰된다(Gandolfi *et al*. 2010a). 모든 석고가 소모된 뒤, tricalcium aluminate는 다음 반응을 따라 ettringite와 반응하여 모노설페이트(monosulfates)를 생성한다(Bhatty 1991; Ramachandran *et al*. 2003):

$$Ca_6(AlO_3)_2(SO_4)_3 \cdot 32H_2O + Ca_3(AlO_3)_2 + 4H_2O \rightarrow 3Ca_4(AlO_3)_{22}(SO_4) \cdot 12H_2O$$

석고가 없다면 tricalcium aluminate는 육방정의(hexagonal)이나 입방체의(cubic) 알루미늄산 칼슘수화물(calcium aluminate hydrate)($4CaO \cdot Al_2O_3 \cdot 13H_2O$와 $3CaO \cdot Al_2O_3 \cdot 6H_2O$)을 생성할 것이다. 이러한 aluminates 생성물은 석고가 있을 때에도 에트린자이트 생성반응의 중간물질로 나타나기도 한다. 최종적으로 석고가 존재할 때 tetracalcium aluminoferrite의 수화는 다음 반응을 따른다(Bhatty 1991;Ramachandran *et al*. 2003):

$$2Ca_2AlFeO_5 + CaSO_4 + 16H_2O \rightarrow Ca_4(AlO_3/FeO_3)_2(SO_4) \cdot 12H_2O + 2Al/Fe(OH)_3$$

세 가지 주요 반응물 중에 calcium aluminate 상이 가장 먼저 반응하고 이어서 tricalcium silicate, 그리고 dicalcium silicate 상의 순서로 반응하는 것으로 여겨진다. 다수의 분석기법을 통해서 위와 같은 경화반응이 MTA에서 실제로 일어나는 것을 확인할 수 있지만 MTA자체가 이 조성들의 혼합물이며 따라서 그 성분간에 복잡한 상호작용이 일어날 수 있고, 마이너 조성물에 의해서도 영향을 받을 수 있다는 것은 분명히 알고 있어야 한다. 더욱이 모든 입자가 반응하는 것은 아니며 일부 calcium silicate 입자는 7일에서 30일 후에도 여전히 존재하고 (Lee *et al*. 2004) (Camilleri 2008) 경화된 MTA를 현미경으로 관찰할 때에 보이기도 한다(Camilleri2007). 그림 2.5는 경화된 MTA의 SEM 사진이다.

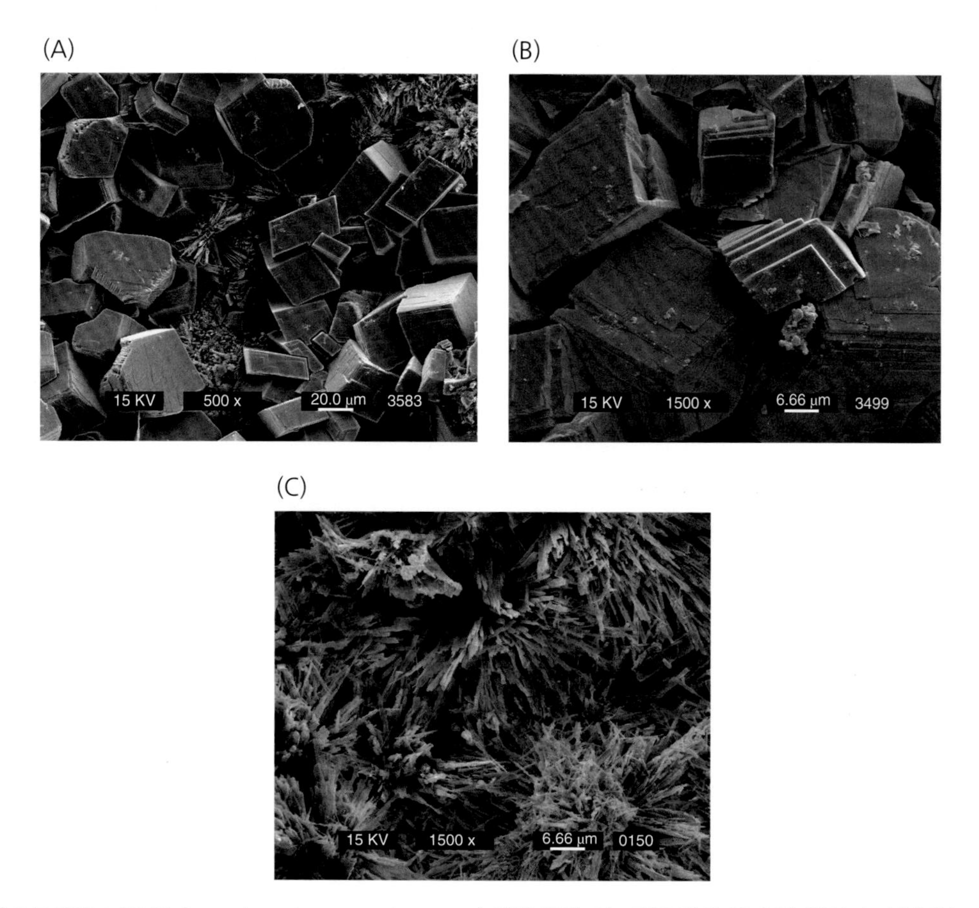

그림 2.5 경화 MTA의 Scanning electron micrograph에서 관찰되는 다른 반응 입자 형태들(A). 입방체(cubic)의 고배율(B). 바늘모양(needle-like) 입자(C). 출처: Lee *et al.* 2004. Reproduced with permission of Elsevier.

경화 시간(Setting time)

MTA사용법에는 작업시간(working time)을 5분으로 규정하고 언급하기를 "4시간 동안 경화된다"고 되어있지만 다른 연구자들에 의하면 MTA의 경화시간은 165분 (Torabinejad *et al.* 1995), 최초(initial)와 최종 경화(final setting)는 45~140분(Chng *et al.* 2005), 최초와 최종경화 40~140분(Islam *et al.* 2006), 50분(Kogan *et al.* 2006), 220~250분(Ding *et al.* 2008), 151분(Huang *et al.* 2008), 150분 (Porter *et al.* 2010) 으로 인용하고 있다. 경화시간의 차이는 서로 다른 실험방법 때문에 생겨난 것으로 MTA의 압입(penetration)강도실험에 사용하는 바늘(needle)의 치수(dimension)나 무게(weight)와 관련되어 있다.

양생(Maturation)

글래스 아이오노머나 아말감 같은 다른 치과용재료와 마찬가지로, MTA도 시간이 지남에 따라 양생(maturation)된다. 경화를 결정하기 위해 앞에 언급했던 기본적인 방법으로 측정하였으나, 열량측정법 자료(calorometric data)로 확인해 보면 수산화칼슘(calcium hydroxide)의 최대 형성(development)은 7일째가 최대이고(Chedella & Berzins 2010), 계속해서 무정형 규산칼슘 수화물(calcium silicate hydrates)의 정제(refinement)가 더 긴 기간 동안 계속된다. 마찬가지로, 몇몇 연구자들 역시 시간이 지나면서 강도가 증가하는 것을 발견하였고 이것은 계속적인 반응이 있음을 시사한다. Sluyk그룹은 24시간에서 72시간까지 치근이개부 천공 수복의 강도가 매우 증가함을 보고하였다(Sluyk *et al.* 1998). VanderWeele그룹은 치근 이개부 천공 수복의 탈락 저항도가 24시간, 72시간, 7일까지 시간이 지남에 따라 점진적으로 증가한다고 보고하였다(VanderWeele *et al.* 2006). Torabinejad와 동료들은 MTA의 압축강도(compressive strength)가 24시간에서 40MPa, 21일째에 67MPa로 증가함을 보고하였다(Torabinejad *et al.* 1995).

경화에 영향을 미치는 요인들: 첨가제(additives)와 경화 촉진제(accelerants)

MTA의 조작성과 긴 경화시간을 개선하기 위해 다양한 첨가제(additives)가 제안되어 왔다. MTA(또는 포틀랜드 시멘트나 유사한 제품)와 혼합하는 첨가제로는 염화칼슘($CaCl_2$), 차아염소산 나트륨(sodium hypochlorite,NaOCl), chlorhexidine gluconate, K-Y jelly, lidocaineHCL, 생리식염수(saline), calcium lactate gluconate, sodium fluorosilicate (Na_2SiF_6), disodium hydrogen orthophosphate (Na_2HPO_4), sodium fluoride (NaF), strontium chloride (SrCl), hydroxyapatite [$Ca_{10}(PO_4)_6(OH)_2$], tricalcium phosphate[$Ca_3(PO_4)_2$], citric acid ($C_6H_8O_7$), calcium formate, calcium nitrite/nitrate, methylcellulose, methylhydroxyethyl cellulose, water-soluble polymers 등이 있다(Ridi *et al.* 2005; Bortoluzzi *et al.* 2006a, b, 2009; Kogan *et al.* 2006; Ber *et al.* 2007; Wiltbank *et al.* 2007; Ding *et al.* 2008; Hong *et al.* 2008; Huang *et al.* 2008;Camilleri, 2009; Gandolfi *et al.* 2009; Hsieh *et al.* 2009; AlAnezi *et al.* 2011; Ji *et al.* 2011; Lee *et al.* 2011; Appelbaum *et al.* 2012). 많은 첨가제가 조작성, 경화시간이나 다른 물성을 향상시켰으나, 임상적 그리고 생체활성(bioactive) 동등성(equivalence)에 대해서는 충분히 검증되지 않았다. 그러므로 original MTA가 아닌 다른 물질을 선택하려면 동등성이 입증될 때까지는 주의해야 한다.

물과 수분의 영향(Effect of water and moisture)

MTA는 수경성 시멘트이므로 물/수분은 MTA의 경화(setting)와 최적의 물성을 위해서 결정적인 성분이다. 수분이 부족하거나 너무 많으면, 경화와 물성에 불리한 영향을 끼친다. 과량의 수분은 다공성을 증가시키고 경화 중 MTA의 씻김(wash-out)을 증가시키며, 경화된 MTA의 강도를 저하시켜 손상(degradation)을 유발한다(Walker *et al.* 2006). 혼합과정에서 물을 첨가해서 사용하지만, 임상적으로 적용할 때에는 치아와 주변조직에서 나온 수분도 또한 MTA의 경화에 기여한다는 점을 알아야 한다. 예를 들어, 건조된 MTA 파우더를 근관 내에 다져 넣더라도 백악질(cementum)과 부근관(accessory canal)을 통해 수분이 확산(diffuse)될 정도의 시간이 경과하면 결과적으로 경화된다(Budig & Eleazer 2008). 그럼에도 불구하고, 건조한 환경에서 경화된 MTA는 수분이 있는 환경에서 경화된 MTA만큼 물성을 보이지 않는다(Gancedo-Caravia & Garcia-Barbero 2006). 물의 역할은 다른 성질에도 영향을 끼치는데, 팽창(expansion)에 있어서 주된 메커니즘은 경화되기 전 물의 흡수에 의한 것이기도 하다(Gandolfi *et al.* 2009).

주위환경과의 상호작용(Interaction with environment)

임상적 적용에 있어서, MTA는 체액(physiological fluid)뿐만 아니라 근관치료과정에서 사용되는 약제와 접촉하게 된다. 경화과정 중 혹은 경화 후에 이러한 용액은 MTA의 화학반응과 물성에 영향을 미친다.

경화중에 MTA가 염증상태의 치수나 치근단 조직 같은 산성 환경에 노출되면, 반응산물(reaction product)의 형성(development)에 영향을 미치게 된다. Lee와 그의 동료들은 pH 5 상태의 용액에 MTA(혼합 후 2분)를 노출시켰을 때 수산화칼슘(calcium hydroxide)형성이 감소하는 것을 관찰하였다(Lee *et al.* 2004). 이는 표면의 반응산물입자가 용해되고 결과적으로 미세경도(microhardness) 저하로 인해 물성이 약화되는 것임이 명확하다. 이 결과는 다른 연구에 의해서도 뒷받침된다(Namazikhah *et al.* 2008). 그러나 다른 연구자들은 물과 혼합한 MTA가 pH 5.0이나 7.4의 PBS (phosphate-buffered saline)에서 압축강도의 차이를 보이지 않았다고 하였다(Watts *et al.* 2007). 혈장(serum)에 노출된 경우에도 MTA의 경화에 부정적인 영향을 주어서, 경도(hardness)뿐 아니라(Kang *et al.*2012; Kim *et al.* 2012) 화학조성의 분포와(Tingey *et al.* 2008) 표면성상(surface morphology)의 차이를 보였다.

MTA로 수복된 치근이개부 천공은 혈액으로 오염된 경우가 그렇지 않은 경우보다 낮은 저항성을 보이고 (VanderWeele *et al.* 2006), 혈액에 노출된 MTA는 압축강도와(Nekoofar *et al.* 2010) 미세경도에(Nekoofar *et al.* 2011) 부정적인 영향을 받았다.

유사하게, 경화 중에 근관세척용액인 EDTA (ethylenediaminetetraacetic acid)와 같은 calcium-chelating 시약에 노출되면 매우 문제가 된다. MTA는 대략 50~75wt% calcium oxide를 포함하고 있다. 위에 언급된 대로, calcium silicates의 경화과정은 물에 용해(dissolution)된 후 반응산물이 침전(precipitation)하면서 진행하는데, EDTA 근관세척액은 용출된 칼슘을 효과적으로 잡아 가둔다(chelate). 이는 수산화칼슘(calcium hydroxide) 형성을 막아 MTA수화과정을 방해하여(Lee *et al.* 2007) 규산칼슘 수화물(calcium silicate hydrates)의 형성을 저해한다. 물성의 측면에서 보면 경화과정 중에 근관세척액(sodium hypochlorite, chlorhexidine gluconate, EDTA, BioPure MTAD)에 노출된 MTA는 증류수에서 경화된 MTA에 비해 경화 7일 후의 결과에서 낮은 미세경도(microhardness)와 굽힘강도(flextural strenght)를 보였다(Aggarwal *et al.* 2011). 이 중에, EDTA와 BioPure MTAD가 가장 나쁜 영향을 주었고 후자는 산성(pH 2)이며 칼슘을 소진시킨다. 비록 임상적으로 적절한 시간 동안만 근관세척액과 접촉된다면 더 적은 영향을 미칠 것이지만, MTA가 적용될 부분에 근관세척액을(특히 EDTA 와 BioPure MTAD) 사용하였다면 증류수로 충분히 세척하여 미량의 잔여 화학물질이 남아있지 않도록 하여야 한다.

이미 경화된 MTA에서는, BioPure MTAD와 EDTA(더 적은 영향이긴 하지만)는 표면을 거칠게 만들고(혼화 72시간 경과 후), 칼슘을 제거하며, 노출 5분 만에 표면용해를 일으킨다(Smith *et al.* 2007). 그러나, 이런 용액과 접촉하는 시간은 매우 짧다는 것을 염두에 두어야하며, 상아질 같은 다른 물질도 유사하게 영향을 받는다는 것을 알아야 한다. 그러므로, 경화된 MTA가 근관세척액과 접촉하는 것은 임상적으로 그렇게 전전긍긍 할 일은 아니다.

DEVELOPMENT OF REACTION ZONES

MTA가 처음 소개된 이후, 많은 연구에서 MTA가 뛰어난 생체친화성을(biocompatibility) 갖고 있고,

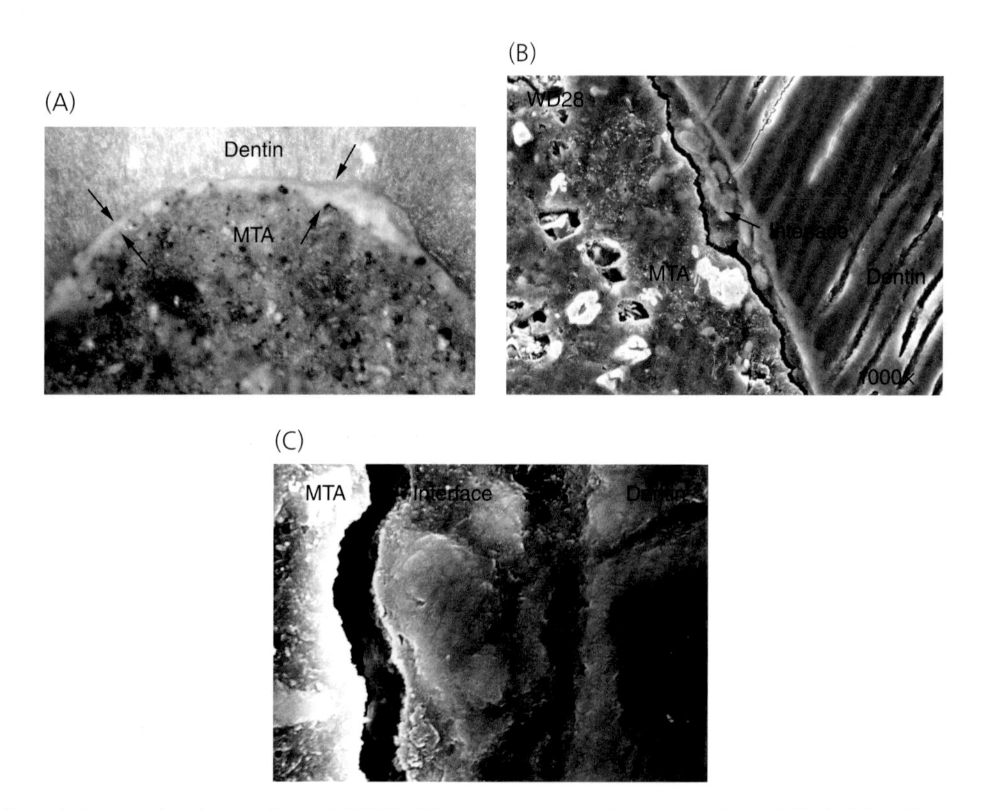

그림 2.6 (A) MTA-dentin interface의 광학현미경 사진, (B) MTA-dentin interface의 절단면에 대한 SEM (C) (B)의 사진의 확대 출처: Sarkar *et al.* 2005. Reproduced with permission of Elsevier.

비슷한 용도로 사용되는 다른 치과재료보다 더 좋은 밀폐성을 가지고 있음을 보여주었다. 동시에, 다른 연구에서는 인산염용액(phosphate solution,PBS)에 저장된 MTA는 표면에 결정이 생성되며, 증류수에 저장된 경우는 그렇지 않음을 보였다(Camilleri *et al.* 2005). Sarkar와 동료들은 처음으로 MTA의 생체활성적 성질(bioactive nature)을 제안하고 이러한 현상을 설명하였다(Sarkar *et al.* 2005). 그들은 MTA가

(A)

(B)

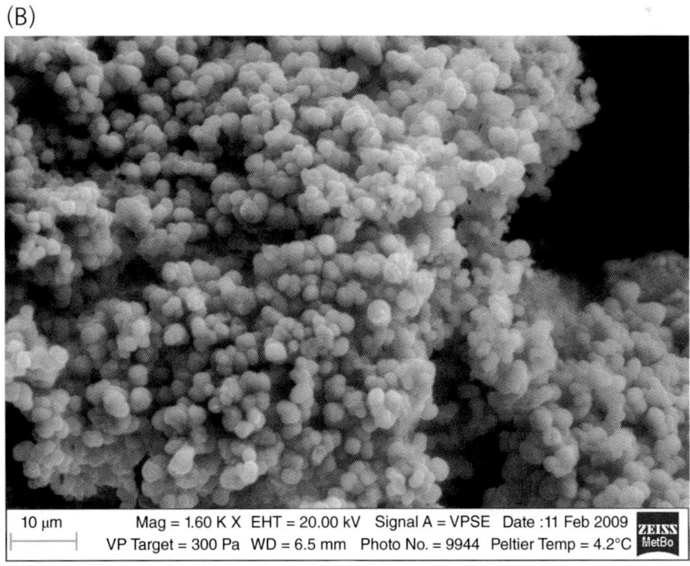

그림 2.7 PBS에 7일간 보관된 MTA 표면에 apatite 유사물의 침전이 나타난다 (A) 1600X, (B) 3200X.
출처: Gandolfi *et al.* 2010.Reproduced with permission of John Wiley & Sons, Inc.

PBS용액에 노출되었을 때 생성되는 구형(globular) 침전물(precipitates)의 성분을 분석하였고 수산화인회석(hydroxyapatite)과 유사하다고 보고하였다.

추가로, 그들은 MTA와 주변 상아질 사이에 interfacial layer가 생성되었음을 관찰하였고(그림 2.6), 그들은 MTA의 생체활성적 성질은 용출된 칼슘 때문이라고 제안하였다. 칼슘이 용출되고(dissolution) 이어서 인산염(phosphate)과 복합체를 이루어 수산화인회석(hydroxyapatite) 결정을 형성한다는 것이다. 생성된 hyroxyapatite는 MTA와 상아질 사이의 공간을 채우고 성장한다. 시간이 지남에 따라, 이러한 기계적 층(mechanical layer)은 화학적 결합의 밀폐(chemically-bonded seal)로 변화한다. 후속적인 연구에서 이 반응층이 수산화인회석(hydroxyapatite)과 유사하다고 확인하였다(Bozeman *et al*. 2006). 비록 어떤 그룹은 그것을 단지 자연적인 apatitic일 뿐이라고 규정하지만 그럼에도 불구하고, 위에 설명된 MTA의 이러한 생체활성(bioactivity)은 다른 치과재료에 비해 높은 밀폐성과 연관되어 있고, 증류수에 비해 생리적 용액에서 MTA와 상아질이 더 강하게 결합하는 것 때문이기도 하다(Reyes-Carmona *et al*. 2010). 인회석 반응층 형성(apatite reaction layer formation)에 대한 추가적인 이해가 여러 연구자들에 의해 탐구되어왔다. 초기 핵(initial nucleus)은 무정형의 인산칼슘(amorphous calcium phosphate)인데, 이것은 carbonated apatite 형성의 전구물질로 작용한다(Tay *et al*. 2007; Reyes-Carmona *et al*. 2009; Han *et al*. 2010). 표면에서 침전물의 형성은 비교적 빠르게 진행되는데, 5시간 정도면 일어나고, 시간이 지남에 따라 점점 더 발달하며 7일이내에 균일한 두께가 된다(그림 2.7) (Gandolfi *et al*. 2010).

MTA 내의 calcium silicates의 수화에 의해 수산화칼슘(calcium hydroxide)이 생성되고, 수산화칼슘과 MTA가 생물학적 반응이 유사한 것에 착안하여 (Pitt Ford *et al*. 1996; Faraco & Holland 2001), 초

그림 2.8 규산칼슘 수화물(calcium silicate hydrate) 표면에 나타난 인회석(Apatite) 유사 침전물
출처: Courtesy of Dr. Nikhil Sarkar.

기의 연구에서는 MTA의 생체활성 산물(bioactive product)로서 수산화칼슘에 초점을 맞추었다. 그러나 규산칼슘 수화물(calcium silicate hydrate) 또한 생체활성을 가지고 있다는 증거가 있다(Theriot *et al.* 2008). calcium silicate hydrate는 다량으로 존재하기에, MTA의 생체활성에 있어서 더욱 중요한 반응산물일 수도 있을 것이다. calcium silicate 표면에서 일어나는 apatite의 형성 과정은 주로 수산화칼슘(calcium hydroxide)의 용해–침전(dissolution–precipitation) 반응을 통해서 일어난다고 여겨지지만, 음이온 교환과정(anion exchange process)과 표면 핵형성(surface nucleation) 과정에 의해서도 일어난다고 제시된 바 있다(그림 2.8) (Theriot *et al.* 2008).

참고문헌

Aggarwal, V., Jain, A., Kabi, D. (2011) In vitro evaluation of effect of various endodontic solutions on selected physical properties of white mineral trioxide aggregate. *Australian Endodontics Journal* **37**, 61–4.

Alanezi, A. Z., Zhu, Q., Wang, Y. H., *et al.* (2011) Effect of selected accelerants on setting time and biocompatibility of mineral trioxide aggregate (MTA). *Oral Surgery, Oral Medicine, Oral Pathology, Oral Radiology, and Endodontics* **111**, 122–7.

Appelbaum, K. S., Stewart, J. T., Hartwell, G. R. (2012) Effect of sodium fluorosilicate on the properties of Portland cement. *Journal of Endodontics* **38**, 1001–3.

Asgary, S., Parirokh, M., Eghbal, M. J., *et al.* (2004) A comparative study of white mineral trioxide aggregate and white Portland cements using X–ray microanalysis. *Aust Endod J*, **30**, 89–92.

Asgary, S., Parirokh, M., Eghbal, M. J., *et al.* (2005) Chemical differences between white and gray mineral trioxide aggregate. *Journal of Endodontics* **31**, 101–3.

Asgary, S., Parirokh, M., Eghbal, M. J., *et al.* (2006) A qualitative X–ray analysis of white and grey mineral trioxide aggregate using compositional imaging. *Journal of Materials Sciience: Materials in Medicine* **17**, 187–91.

ASTM Standard C150/C150M – 12, 2012, "Standard Specification for Portland Cement", ASTM International, West Conshohocken, PA.

Belío-Reyes, I. A., Bucio, L., Cruz-Chavez, E. (2009) Phase composition of ProRoot mineral trioxide aggregate by X-ray powder diffraction. *Journal of Endodontics* **35**, 875–8.

Ber, B. S., Hatton, J. F., Stewart, G. P. (2007) Chemical modification of ProRoot MTA to improve handling characteristics and decrease setting time. *Journal of Endodontics* **33**, 1231–4.

Bhatty, J. I. (1991) A review of the application of thermal analysis to cement-admixture systems. *Thermochimica Acta* **189**, 313–50.

Bortoluzzi, E. A., Broon, N. J., Bramante, C. M., *et al.* (2006a) Sealing ability of MTA and radiopaque Portland cement with or without calcium chloride for root-end filling. *Journal of Endodontics* **32**, 897–900.

Bortoluzzi, E.A., Juárez Broon, N., Antonio Hungaro Duarte M., *et al.* (2006b) The use of a setting accelerator and its effect on pH and calcium ion release of mineral trioxide aggregate and white Portland cement. *Journal of Endodontics* **32**, 1194–7.

Bortoluzzi, E. A., Broon, N. J., Bramante, C. M., *et al.* (2009) The influence of calcium chloride on the setting time, solubility, disintegration, and pH of mineral trioxide aggregate and white Portland cement with a radiopacifier. *Journal of Endodontics* **35**, 550–4.

Bozeman, T. B., Lemon, R. R., Eleazer, P. D. (2006) Elemental analysis of crystal precipitate from gray and white MTA. *Journal of Endodontics* **32**, 425–8.

Budig, C. G., Eleazer, P. D. (2008) In vitro comparison of the setting of dry ProRoot MTA by moisture absorbed through the root. *Journal of Endodontics*, **34**, 712–4.

Camilleri, J. (2007) Hydration mechanisms of mineral trioxide aggregate. *International Endodontics Journal* **40**, 462–70.

Camilleri, J. (2008) Characterization of hydration products of mineral trioxide aggregate. *International Endodontics Journal* **41**, 408–17.

Camilleri, J. (2009) Evaluation of selected properties of mineral trioxide aggregate sealer cement. *Journal of Endodontics* **35**, 1412–7.

Camilleri, J., Montesin, F. E., Brady, K., *et al.* (2005) The constitution of mineral trioxide aggregate. *Dental Materials* **21**, 297–303.

Chang, S. W., Shon, W. J., Lee, W., *et al.* (2010) Analysis of heavy metal contents in gray and white MTA and 2 kinds of Portland cement: a preliminary study. *Oral Surgery, Oral Medicine, Oral Pathology, Oral Radiology, and Endodontics* **109**, 642–6.

Chedella, S. C., Berzins, D. W. (2010) A differential scanning calorimetry study of the setting reaction of MTA. *International Endodontics Journal* **43**, 509–18.

Chng, H. K., Islam, I., Yap, A. U., *et al.* (2005) Properties of a new root–end filling material. *Journal of Endodontics* **31**, 665–8.

Comin-Chiaramonti, L., Cavalleri, G., Sbaizero, O., *et al.* (2009) Crystallochemical comparison between Portland cements and mineral trioxide aggregate (MTA). *Journal of Applied Biomaterials and Biomechanics* **7**, 171–8.

Coomaraswamy, K. S., Lumley, P. J., Hofmann, M. P. (2007) Effect of bismuth oxide radioopacifier content on the material properties of an endodontic Portland cement-based (MTA-like) system. *Journal of Endodontics* **33**, 295–8.

Dammaschke, T., Gerth, H. U., Züchner, H., *et al.* (2005) Chemical and physical surface and bulk material characterization of white ProRoot MTA and two Portland cements. *Dental Materials* **21**, 731–8.

Darvell, B. W., Wu, R. C. (2011) "MTA" – an hydraulic silicate cement: review update and setting reaction. *Dental Materials* **27**, 407–22.

Ding, S. J., Kao, C. T., Shie, M. Y., *et al.* (2008) The physical and cytological properties of white MTA mixed with Na_2HPO_4 as an accelerant. *Journal of Endodontics* **34**, 748–51.

Faraco, I. M., Holland, R. (2001) Response of the pulp of dogs to capping with mineral trioxide aggregate or a calcium hydroxide cement. *Dental Traumatology* **17**, 163–6.

Funteas, U. R., Wallace, J. A., Fochtman, E. W. 2003. A comparative analysis of mineral trioxide aggregate and Portland cement. *Australian Endodontics Journal* **29**, 43–4.

Gancedo-Caravia, L., Garcia-Barbero, E. (2006) Influence of humidity and setting time on the push–out strength of mineral trioxide aggregate obturations. *Journal of Endodontics* **32**, 894–6.

Gandolfi, M. G., Iacono, F., Agee, K., *et al.* (2009) Setting time and expansion in different soaking media of experimental accelerated calcium-silicate cements and ProRoot MTA. *Oral Surgery, Oral Medicine, Oral Pathology, Oral Radiology, and Endodontics* **108**, e39–45.

Gandolfi, M. G., Taddei, P., Tinti, A., *et al.* (2010a) Apatite-forming ability (bioactivity) of ProRoot MTA. *International Endodontics Journal* **43**, 917–29.

Gandolfi, M. G., Van Landuyt, K., Taddei, P., *et al.* (2010b) Environmental scanning electron microscopy connected with energy dispersive x–ray analysis and Raman techniques to study ProRoot mineral trioxide aggregate and calcium silicate cements in wet conditions and in real time. *Journal of Endodontics* **36**, 851–7.

Han, L., Okiji, T., Okawa, S. (2010) Morphological and chemical analysis of different precipitates on mineral trioxide aggregate immersed in different fluids. *Dental Materials Journal* **29**, 512–7.

Hong, S. T., Bae, K. S., Baek, S. H., *et al.* (2008) Microleakage of accelerated mineral trioxide aggregate and Portland cement in an in vitro apexification model. *Journal of Endodontics* **34**, 56–8.

Hsieh, S. C., Teng, N. C., Lin, Y. C., *et al.* 2009. A novel accelerator for improving the handling properties of dental filling materials. *Journal of Endodontics* **35**, 1292–5.

Huang, T. H., Shie, M. Y., Kao, C. T., *et al.* (2008) The effect of setting accelerator on properties of mineral trioxide aggregate. *Journal of Endodontics* **34**, 590–3.

Islam, I., Chng, H. K., Yap, A. U. (2006) Comparison of the physical and mechanical properties of MTA and portland cement. *Journal of Endodontics*, **32**, 193–7.

Ji, B. (1991) A review of the application of thermal analysis to cement–admixture systems. *Thermochimica Acta* **189**, 313–350.

Ji, D. Y., Wu, H. D., Hsieh, S. C., *et al.* (2011) Effects of a novel hydration accelerant on the biological and mechanical properties of white mineral trioxide aggregate. *Journal of Endodontics* **37**, 851–5.

Kang, J. S., Rhim, E. M., Huh, S. Y., *et al.* (2012) The effects of humidity and serum on the surface microhardness and morphology of five retrograde filling materials. *Scanning* **34**, 207–14.

Kim, Y., Kim, S., Shin, Y. S., *et al.* (2012) Failure of setting of mineral trioxide aggregate in the presence of fetal bovine serum and its prevention. *Journal of Endodontics* **38**, 536–40.

Kogan, P., He, J., Glickman, G. N., *et al.* (2006) The effects of various additives on setting properties of MTA. *Journal of Endodontics* **32**, 569–72.

Komabayashi, T., Spångberg, L. S. (2008) Comparative analysis of the particle size and shape of commercially available mineral trioxide aggregates and Portland cement: a study with a flow particle image analyzer. *Journal of Endodontics* **34**, 94–8.

Lee, B. N., Hwang, Y. C., Jang, J. H., *et al.* (2011) Improvement of the properties of mineral trioxide aggregate by mixing with hydration accelerators. *Journal of Endodontics* **37**, 1433–6.

Lee, S. J., Monsef, M., Torabinejad, M. (1993) Sealing ability of a mineral trioxide aggregate for repair of lateral root perforations. *Journal of Endodontics* **19**, 541–4.

Lee, Y. L., Lee, B. S., Lin, F. H., *et al.* (2004) Effects of physiological environments on the hydration behavior of mineral trioxide aggregate. *Biomaterials* **25**, 787–93.

Lee, Y. L., Lin, F. H., Wang, W. H., *et al.* (2007) Effects of EDTA on the hydration mechanism of mineral trioxide aggregate. *Journal of Dental Research* **86**, 534–8.

Monteiro Bramante, C., Demarchi, A. C., De Moraes, I. G., *et al.* (2008) Presence of arsenic in different types of MTA and white and gray Portland cement. *Oral Surgery, Oral Medicine, Oral Pathology, Oral Radiology, and Endodontics* **106**, 909–13.

Namazikhah, M. S., Nekoofar, M. H., Sheykhrezae, M. S., *et al.* (2008) The effect of pH on surface hardness and microstructure of mineral trioxide aggregate. *International Endodontics Journal* **41**, 108–16.

Nekoofar, M. H., Stone, D. F., Dummer, P. M. (2010) The effect of blood contamination on the compressive strength and surface microstructure of mineral trioxide aggregate. *International Endodontics Journal* **43**, 782–91.

Nekoofar, M. H., Davies, T. E., Stone, D., *et al.* (2011) Microstructure and chemical analysis of blood-contaminated mineral trioxide aggregate. *International Endodontics Journal* **44**, 1011–8.

Pitt Ford, T. R., Torabinejad, M., Abedi, H. R., *et al.* (1996) Using mineral trioxide aggregate as a pulp-capping material. *Journal of the American Dental Association* **127**, 1491–4.

Porter, M. L., Bertó, A., Primus, C. M., *et al.* (2010) Physical and chemical properties of new-generation endodontic materials. *Journal of Endodontics* **36**, 524–8.

Ramachandran, V. S., Paroli, R. M., Beaudoin J. J., *et al.* (2003) *Handbook of Thermal Analysis of Construction Materials*. Noyes Publication/William Andrew Publishing, New York.

Reyes-Carmona, J. F., Felippe, M. S., Felippe, W. T. (2009) Biomineralization ability and interaction of mineral trioxide aggregate and white portland cement with dentin in a phosphate-containing fluid. *Journal of Endodontics* **35**, 731–6.

Reyes-Carmona, J. F., Felippe, M. S., Felippe, W. T. (2010) The biomineralization ability of mineral trioxide aggregate and Portland cement on dentin enhances the push-out strength. *Journal of Endodontics* **36**, 286–91.

Ridi, F., Fratini, E., Mannelli, F., *et al.* (2005) Hydration process of cement in the presence of a cellulosic additive. *A calorimetric investigation. Journal of Physical Chemistry B* **109**, 14727–34.

Sarkar, N. K., Caicedo, R., Ritwik, P., *et al.* (2005) Physicochemical basis of the biologic properties of mineral trioxide aggregate. *Journal of Endodontics* **31**, 97–100.

Schembri, M., Peplow, G., Camilleri, J. (2010) Analyses of heavy metals in mineral trioxide aggregate and Portland cement. *Journal of Endodontics* **36**, 1210–5.

Sluyk, S. R., Moon, P. C., Hartwell, G. R. (1998) Evaluation of setting properties and retention characteristics of mineral trioxide aggregate when used as a furcation perforation repair material. *Journal of Endodontics* **24**, 768–71.

Smith, J. B., Loushine, R. J., Weller, R. N., *et al.* (2007) Metrologic evaluation of the surface of white MTA after the use of two endodontic irrigants. *Journal of Endodontics* **33**, 463–7.

Song, J. S., Mante, F. K., Romanow, W. J., *et al.* (2006) Chemical analysis of powder and set forms of Portland cement, gray ProRoot MTA, white ProRoot MTA, and gray MTA-Angelus. *Oral Surgery, Oral Medicine, Oral Pathology, Oral Radiology, and Endodontics* **102**, 809–15.

Tay, F. R., Pashley, D. H., Rueggeberg, F. A., *et al.* (2007) Calcium phosphate phase transformation produced by the interaction of the portland cement component of white mineral trioxide aggregate with a phosphate-containing fluid. *Journal of Endodontics* **33**, 1347–51.

Theriot, S. T., Chowdhury, S., Sarkar, N. K. (2008) Reaction between CSH and phosphate buffered saline solution. *Journal of Dental Research* **87**, Special issue A. Abstract #1068.

Tingey, M. C., Bush, P., Levine, M. S. (2008) Analysis of mineral trioxide aggregate surface when set in the presence of fetal bovine serum. *Journal of Endodontics* **34**, 45–9.

Torabinejad, M., Hong, C. U., McDonald, F., *et al.* (1995) Physical and chemical properties of a new root-end filling material. *Journal of Endodontics* **21**, 349–53.

VanderWeele, R. A., Schwartz, S. A., Beeson, T. J. (2006) Effect of blood contamination on retention characteristics of MTA when mixed with different liquids. *Journal of Endodontics* **32**, 421–4.

Walker, M. P., Diliberto, A., Lee, C. (2006) Effect of setting conditions on mineral trioxide aggregate flexural strength. *Journal of Endodontics* **32**, 334–6.

Watts, J. D., Holt, D. M., Beeson, T. J., *et al.* (2007) Effects of pH and mixing agents on the temporal setting of tooth-colored and gray mineral trioxide aggregate. *Journal of Endodontics* **33**, 970–3.

Wiltbank, K. B., Schwartz, S. A., Schindler, W. G. (2007) Effect of selected accelerants on the physical properties of mineral trioxide aggregate and Portland cement. *Journal of Endodontics* **33**, 1235–8.

3 MTA의 물리적 성질(Physical Properties of MTA)

Ricardo Caicedo[1] and Lawrence Gettleman[2]

[1]Department of Oral Health and Rehabilitation (Endodontics Division),University of Louisville, School of Dentistry, USA

[2]Department of Oral Health and Rehabilitation (Prosthodontics Division),University of Louisville, School of Dentistry, USA - 역자 오여록, 박진희

Mineral Trioxide Aggregate: Properties and Clinical Applications, First Edition.
Edited by Mahmoud Torabinejad.

개요

MTA의 두가지 버전(Gray MTA와 white MTA)는 1995년부터 근관치료 분야에서 성공적인 임상결과를 보여주고 있다. 포틀랜드 시멘트는(ProRoot MTA 제품 설명) 철을 함유한 성분과 tetracalciumaluminoferrite ($4CaO\text{-}Al_2O_3\text{-}Fe_2O_3$)에 의해 회색을 띤다. 2002년에 산화철(iron oxide)를 제거한 흰색 조성의 white MTA가 소개되었다. 이번 장에서는 두 종류의 MTA를 구분하기 위해서 gray MTA는 GMTA로 white MTA 는 WMTA로 표기할 것이다. "~"로 시작되는 수치는 표나 본문이 아닌 참고문헌의 그림에서 인용한 수치이다.

pH

화학에서 pH는 수소이온농도를 측정한 값이다. 정의에 따라 순수한 물의 pH는 7.0에 가깝다. 7.0보다 낮은 pH 용액은 산성이고 7.0보다 높은 pH는 염기성이라고 한다. 용액의 pH는 유리전극이나 지시약으로 측정을 한다. 몇몇 논문에서 MTA의 pH는 혼합 직후 10.2에서 혼합 3시간 후에는 12.5까지 상승하여 유지되는 것으로 보고하였다(Trobinejad *et al.* 1995). GMTA와 WMTA를 비교해볼 때 WMTA가 혼합 후 더 높은 pH를 보이며 더 오랜시간 동안 유지하는 것으로 보고되었다(Chang *et al.* 2005; Islam *et al.* 2006). GMTA와 WMTA, 그리고 일반적인 포틀랜드 시멘트와 백색 포틀랜드 시멘트 4종류의 pH변화를 60분 이상 비교해보았다. 4 종류 모두 혼합 후 20분까지 pH가 상승하였으며 그 후 60분까지는 일정하게 유지되었다. 포틀랜드 시멘트는 2종류 모두에서 GMTA, WMTA보다 먼저 pH 정점에 도달하였다(표 3.1)(Islam *et al.* 2006).

MTA는 7–8일 동안에도 높은 pH 값을 유지하는 것으로 보고되었다(Fridland & Rosado 2005).

브라질에서 개발된 시험적 MTA와 시판되고 있는 MTA제품과의 다양한 특성과 pH를 15일의 기간 동안 조사해 보았다. 실험결과 거의 차이가 없었으나 pH값은 다른 연구에서 보고된 것보다 훨씬 더 낮았다(표

표 3.1 20분, 60분에 두 종류의 MTA와 두 종류의 포틀랜드 시멘트의 pH
출처: Islam *et al.* 2006. Reproduced with permission of Elsevier Publishing.

물질	초기 pH	60 분 후pH
Ordinary Portland cement	~12.3	~13.0
White Portland cement	~11.9	~13.1
Gray PMTA	~11.3	~12.8
White WMTA	~11.9	~13.0

3.2) (Santos *et al.*2005). White MTA와 3종류의 시험적 MTA에 대해서 pH 및 기타 특성에 대한 연구에서(Porter *et al.* 2010), Ceramicrete-D의 pH는 2.2로 매우 강한 산성을 나타내었으며 그 밖의 다른 MTA는 염기성을 보였다(표 3.3). WMTA에 대한 연구의 일부로서 6시간 후의 WMTA에 대한 pH의 변화를 조사하였다. 증류수와 혼합한 WMTA와 15% 인산 완충용액(Na_2HPO_4 buffer)으로 혼합한 WMTA와의 차이는 없었다(표 3.4) (Ding *et al.* 2008).

White MTA Angelus, 실험적 MTA, 백색 포틀랜드 시멘트, AH Plus epoxy 실러를 1.5mL 튜브에 넣고 10mL 플라스크에 담가 시간에 따라 pH변화를 28일 동안 측정하였다. pH변화는 그다지 크지 않았는데 이는 실험에 사용한 시료의 양이 적었기 때문일 것이다. 하지만 다른 문헌에서 보고되었던 pH값보다는 훨씬 낮은 수치를 보였다. 세 종류의 시멘트 기반의 물질은(MTA계열) pH가 점차 상승했지만 AH plus 실러는 pH가 감소하였다(표 3.5)(Massi *et al.* 2011).

대부분의 문헌에서는 pH수치가 10에서 13사이로 보고되었으나 Santos *et al*(2005) 와 Massei *et*

표 3.2 15.4일까지의 Brazilian MTA제품과 experimental cement의 pH변화
출처: Santos *et al.* 2005. Reproduced with permission of John Wiley & Sons, Inc.

시간(hour)	0	25	50	100	200	250	370
MTA-S (Angelus)	~6.0	~10.4	~9.5	~7.2	~9.4	~7.5	~7.6
Expt'l. cement	~ 6.0	~10.3	~9.8	~7.2	~9.4	~7.6	~7.6

표 3.3 WMTA와 세종류의 실험적 MTA의 혼합직후(immediate) pH.
출처: Porter *et al.* 2010. Reproduced with permission of Elsevier Publishing

	immediate pH
White ProRoot MTA	12.6
Capasio 150	10.3
Ceramicrete-D	2.2
Generex-A	10.8

표 3.4 WMTA와 WMTA+Na_2HPO_4 buffer의 pH
출처: Ding *et al.* 2008. Reproduced with permission of Elsevier Publishing

WMTA mixed with	초기 pH	6시간후
증류수	~11.0	~13.5
15% Na_2HPO_4 buffer	~11.1	~13.3

표 3.5 시험용 MTA, 포틀랜트시멘트, WMTA, AH Plus의 28일간 pH 변화.
출처: Massi *et al.* 2011. Reproduced with permission of Elsevier Publishing.

pH	MTAS	White Portland cement	WMTA Angelus	AH Plus
3 h	9.83	8.46	7.66	6.14
6 h	8.18	7.79	8.06	5.77
12 h	9.49	7.96	7.64	6.06
24 h	8.76	7.62	7.62	5.88
48 h	8.16	7.67	7.66	6.04
7 days	7.97	7.82	8.00	4.97
14 days	7.90	7.82	8.00	4.96
28 days	8.08	8.03	8.10	6.75

al(2011)의 결과는 예외적이다. 일반적으로 MTA의 pH는 혼합 후 상승하며 근관치료용 페이스트로 사용되는 수산화칼슘과 비슷한 양상의 알칼리성을 보인다. 이 점은 MTA가 생물학적인 반응에 있어서 보이는 장점을 설명해 준다.

용해도

기본적으로 물질의 용해도는 용매(solvent) 뿐만 아니라 온도와 압력에 따라 달라진다. 특정 용매에서 녹는 정도를 포화농도(saturation concentration)로 정의하며 이는 용질(solute)을 더 가해도 용액의 농도가 변하지 않을 때를 말한다. MTA의 용해도는 수정된 American Dental Association Specification(ANSI/ADA 1991)의 방법에 따라서 측정되었는데 대부분의 연구에서 MTA의 용해도는 매우 낮거나 전혀 용해되지 않는다고 보고되었다(Torabinejad *et al.* 1995; Danesh *et al.* 2006; Poggio *et al.* 2007; Shie *et al.* 2009). 또한 78일의 장기연구에서는 MTA의 부분적인 용해도에 있어 용해되는 비율이 시간에 따라 감소한다고 보고되었다(Fridland & Rosado 2005).

물과 분말의 비율(W/P ratio, water to powder ratio)은 용해도에 영향을 준다. W/P이 높을수록 MTA 용해도와 다공성이 증가한다(Fridland & Rosado 2005).

또한 MTA에서 칼슘이온의 용출에 대한 여러 연구결과도 있다(Sarkar *et al.* 2005; Bortoluzzi *et al.* 2006; Bozeman *et al.* 2006; Ozdemir *et al.* 2008). 수산화칼슘을 사용할 경우 성공적으로 apical barrier가 형성되지만 치근단 조직과 접촉할 경우 빨리 흡수된다는 단점이 있어 barrier가 형성되었는지 확신하기 위해서는 장기간의 임상적 예후관찰이 필요하다. MTA의 경우에는 apical barrier의 형성이 자명하게 예견되는 것이어서 모니터 할 필요가 없다. MTA는 뛰어난 생체친화성(biocompatibility)과 탁월한 밀

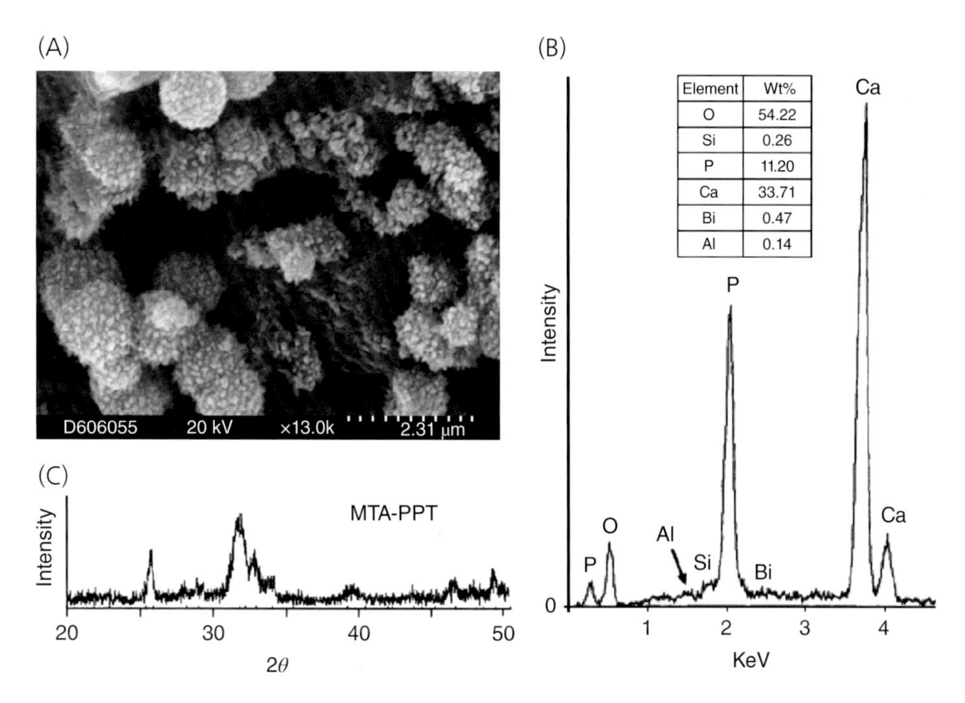

Element	Wt%
O	54.22
Si	0.26
P	11.20
Ca	33.71
Bi	0.47
Al	0.14

그림 3.1 (A) 전형적인 MTA의 SEM 이미지 - 합성조직액(STF, Synthetic Tissue Fluid)과의 상호작용 (×13,000). (B) A침전물의 EDX(Energy dispersive X-ray) analysis spectrum과 반정량분석(아래) (C) MTA-STF 침전물의 X-ray 회절 패턴. 출처: Sarkar *et al.* 2005. Reproduced with permission of Elservier Publishing

폐성을 보인다(Linsuwanont 2003). WMTA에 염화칼슘($CaCl_2$)을 가하면 초기 24시간 동안 칼슘이온의 용출이 상당히 증가한다(Bortoluzzi *et al.* 2006). 흥미롭게도 세포배양환경에서 고농도의 칼슘이온은 세포 분화의 감소를 야기한다(Midy *et al.* 2001). MTA에서 용출되는 칼슘이온은 조직액의 인(phosphrous)과 상호작용하여 수산화인회석(hydroyapatite)을 형성한다. 이 점은 성공적인 MTA의 임상적용 결과를 설명할 때 물리화학적인(physicochemical) 근거가 된다(그림. 3.1)(Sarkar *et al.* 2005).

특정 임상조건에 따라 MTA에서 칼슘이온의 용출 정도는 달라진다. Islam과 동료들은 WMTA의 용해도(%)가 백색 포틀랜드 시멘트, 일반적인 포틀랜드 시멘트, 특히 GMTA보다 높다는 것을 발견했다(Islam *et al.* 2006). MTA에서 용출되는 성분이 치아와 MTA의 interface에서 반응물(주로 수산화칼슘임)을 형성하며 생물학적 밀폐성을 만들어 낸다는 임상적인 측면에서 용해도는 의미가 있다(표 3.6).

Fridland & Rosado (2003)는 24시간 후의 용해도와 다공성에 대한 연구결과 WMTA의 W/P 비율이 증가할수록 용해도와 다공성이 증가한다는 결과를 보고하였다(Fridland & Rosado 2003). 이 결과는 더 묽게 혼합할수록 MTA 내에서의 화학반응이 지연되고 불완전할 수 있다는 개념과 부합되며, W/P 비율이 감소할수록 WMTA의 더 양호한 임상적 결과가 나오는 것을 설명해준다(표 3.7).

후속 연구에서 Fridland & Rosado (2005)는 WMTA의 용해도가 W/P비율 0.33인 경우 9일 동안

표 3.6 두 종류의 MTA와 두 종류의 포틀랜드 시멘트의 용해도(%).
출처: Islam *et al.* 2006. Reproduced with permission of Elsevier Publishing.

	용해도% ± SD
White WMTA	1.28 ± 0.02
Gray PMTA	0.97 + 0.02
White Portland cement	1.05 ± 0.02
Ordinary Portland cement	1.06 ± 0.07

표 3.7 water/powder 비율에 따른 WMTA의 용해도(%)와 다공성.
출처: Fridland & Rosado 2003 Reproduced with permission of Elsevier Publishing.

W/P(W/W) %	**용해도 %**	**다공성WMTA**
0.26	1.76	30.25
0.28	2.25	35.72
0.30	2.57	35.19
0.33	2.83	38.39

표 3.8 80일까지의 WMTA의 용해도(%)와 누적용해도(%)
출처: Fridland & Rosado 2003. Reproduced with permission of ElsevierPublishing.

	Water/powder	**용해도%**
1 일 후	0.28	~2.9
	0.33	~3.7
2 일 후	0.28	~1.2
	0.33	~1.8
9 일 후	0.28	~0.1
	0.33	~0.2
80 일 후	0.28	계산된 누적용해도16.13
	0.33	계산된 누적용해도24.02

0.37%에서 0.02%로 감소된다고 보고하였다. 누적 용해도를 계산해 볼 때 80일에는 무려 24.02%였다. W/P비율이 0.28일 경우에는 용해도가 상당히 낮아졌다(표 3.8).

Poggio와 동료들은 네 종류의 역근관 충전재료에 대해 용해도의 무게감소(wt%)를 측정하였다. 24시간 후, 2달 후를 각각 측정한 결과 뚜렷한 차이는 없었다. ProRoot WMTA는 두 달 후에 0.91%의 용해도를 보였다(표 3.9) (Poggio *et al.* 2007).

$CaCl_2$를 첨가한 백색 포틀랜드 시멘트와 WMTA에 대한 용해도 측정실험에서 경화시간은 상당히 감소했으며 WMTA에서 무게증가가 관찰되었다. 백색 포틀랜드 시멘트의 용해도는 감소되었고 두 실험군 모두에서 pH는 증가하였다(표 3.10) (Bortoluzzi *et al.* 2009).

일반적으로 대부분의 연구결과에서 MTA는 낮은 용해도를 보인다. 그러나 반응초기에는 칼슘이온이 풍부하고 높은 pH 환경을 형성할 수 있을 만큼 충분히 용해되며 이로 인해 생물학적인 수산화인회석(hydroxylapatite)의 전구체인 수산화칼슘(calcium hydroxide)의 형성을 촉진하는 것으로 여겨진다.

실버 제올라이트(Silver zeolite)는 결정성 alumino silicate로 대부분의 미생물에 살균효과를 가지는 은이온을 용출한다. 은 이온을 질산나트륨(sodium nitrate)와 함께 zeolite에 이온 교환 방식으로 첨가하면, MTA 분말(Dentsply, DeTrey, Germany)은 활성화된 zeolite를 wt 0.2%에서 2.0% 포함하게 된다. 대조군은 보통의 MTA였으며 7일 동안 칼슘이온 용출정도, 경화시간, 물에서의 용해도와 흡수도를 측정하였다(Cinar *et al.* 2013).

24시간에서 최고치 2%로 칼슘이온 용출에는 차이가 없었다. 물 흡수도와 용해도는 0.2% sodium zeolite MTA에서 각각 8.59%와 1.38%였다. 2.0% sodium zeolite MTA에서는 각각 6.79%, −7.09%였다. 대조군에서는 각각 8.98%와 1.01%였다. 2.0%를 첨가하면 경화시간이 상당히 감소하고 용해도는 0.2% zeolite MTA와 일반 MTA에 비해서 상당히 증가한다는 것을 알 수 있었다. 실험결과는 MTA에 zeolite를 첨가하는 것의 특별한 장점은 없었다(Cinar *et al.* 2013).

경화 팽창

MTA가 보이는 밀폐능력의 한 가지 이유는 경화 시에 약간 팽창한다는 것이다. GMTA와 WMTA 둘다 약 75%의 포틀랜드 시멘트로 구성되어있다. WMTA는 tetracalcium aluminoferrite의 함량이 적다는 점에서 GMTA와 다르다. 이러한 조성차이는 경화팽창에 영향을 미친다. 여러 종류의 MTA에 대한 경화팽창

표 3.9 치근단절제술에 사용되는 네 종류의 실험군에 대한 2달 동안의 무게감소율(%)
출처: Poggio *et al.* 2007. Reproduced with permission of Elsevier Publishing.

물질 (n = 6)	% 무게 감소 after 24 h (SD)%	% 무게 감소 2 months (SD)
IRM	0.65(0.19)	1.01(0.22)
ProRoot MTA	0.70(0.26)	0.91(0.29)
Superseal	0.23 (0.25)	0.40 (0.24)
Argoseal	0.97(0.33)	1.50(0.35)

표 3.10 Composition of modifications of WMTA and two Portland cements, with solubility values up to 28 days. 출처: Bortoluzzi *et al.* 2009. Reproduced with permission of Elsvier Publishers.

WMTA (1.0g)	1.0g WMTA + 0.26mL H_2O
WMTA + $CaCl_2$	1.0g WMTA + 0.1g $CaCl_2$ + 0.18 mL H_2O
White Portland cement	0.8g white Portland cement + 0.2g Bi_2O_3+0.26mL H_2O
White Portland cement + $CaCl_2$	0.8g white Portland cement + 0.2g Bi_2O_3+1g CaCl2+1g WPC with 0.1g $CaCl_2$+0.18mL H_2O

	24h		72h		7days		14days		28days	
	M	MP	M	MP	M	MP	M	MP	M	MP
WMTA	-0.468	15.50	-0.659	15.50	-0.331	15.5	-0.721	15.5	-0.499	15.5
WMTA+CaCl2	-0.593	9.333	3.462	18.66	3.875	19.00	3.991	19.16	4.112	19.50
WPC	-0.199	19.00	-4.696	6.333	-5.064	6.00	-5.863	6.000	-6.777	6.00
WPC+CaCl2	-0.878	6.166	-1.267	9.500	-1.920	9.500	-2.646	9.333	-2.809	9.00

Negative values indicate weight loss.
M, median, MP, mean posts of solubility (%) of hydrated cements in each period.

정도가 연구되었다. GMTA는 WMTA나 포틀랜드 시멘트보다 훨씬 더 팽창한다는 것이 알려졌고 W/P ratio는 팽창에 거의 영향이 없었다(표 3.11 , 3.12) (Storm *et al.* 2008; Hawley *et al.* 2010).

방사선불투과성

MTA의 방사선불투과성은 ISO 6876 section 7.7에 명시된 방법으로 측정한다. Aluminum step wedge의 두께를 densitometer로 측정한 값을 로그함수로 나타낸 값과 비교하여 상대적 불투과성 값을 측정하며, 해당되는 알루미늄두께의 등가(equivalence)에 해당하는 수치로 표현된다 (Internal Organization for Standardization 2001). Bi_2O_3를 방사성 조영제로 첨가하여 WMTA와 GMTA는 포틀랜드 시멘트보다 6배 이상 높은 방사성불투과성을 가진다(Islam *et al.* 2006). Porter와 동료들은 같은 방법을 사용해서 MTA와 다른 치과 sealant에 대한 방사선불투과성 수치를 측정하였다(표 3.13) (Porter *et al.* 2010).

Hungaro Duarte와 동료들은 포틀랜드 시멘트에 방사선조영제로 다양한 중금속과 중금속 산화물을 20% 첨가하여 상대적인 방사선불투성을 측정하였다(Hungaro Duarte *et al.* 2009). Bismuth oxide가 가장 높은 수치를 보였으며 이는 일반 포틀랜트시멘트의 약 6배에 해당하는 값이었다(표 3.14).

표 3.11 25시간 후의 W/P비율에 따른 MTA의 팽창률(%).
출처: Hawley *et al.* 2010. Reproduced with permission of Elsevier Publishing.

W/P	WMTA	GMTA
0.26	0.084 ± 0.012	2.42 ± 0.324
0.28	0.058 ± 0.044	2.38 ± 0.034
0.30	0.093 ± 0.013	2.56 ± 0.393
0.35	0.086 ± 0.029	2.15 ± 0.337

표 3.12 증류수와 Hank's buffered salt용액에 담근 GMTA와 WMTA 그리고 물에서의 포틀랜드 시멘트의 선팽창률(linear expansion)(%) 출처: Storm *et al.* 2008. Reproduced with permission of Elsevier Publishing.

그룹	5 h (SD) (n)	7.7 h (SD) (n)	24 h (SD) (n)
GMTA/water	0.47 (0.09) (5)	0.74 (0.15) (3)	1.02 (0.19) (3)
GMTA/HBSS	0.34 (0.04) (3)	0.45 (0.06) (3)	0.68 (0.12) (3)
WMTA/water	0.04 (0.01) (5)	0.06 (0.01) (5)	0.08 (0.01) (3)
WMTA/HBSS	0.09 (0.03) (3)	0.10 (0.03) (3)	0.11 (0.03) (3)
PC/water	0.24 (0.05) (5)	0.26 (0.04) (5)	0.29 (0.04) (5)

표 3.13 순수한 알루미늄 두께를 기준으로 한 방사선불투과성의 상대값

Islam *et al.* (2006)	
WMTA	6.74mm
PMTA	6.47mm
White Portland cement	0.95mm
Ordinary Portland cement	0.93mm
Porter *et al.* (2010)	
ProRoot WMTA	8.5mm
Capasio 150	4.2mm
Ceramicrete-D	3.2mm
Generex-A	6.8mm

표 3.14 포틀랜드 시멘트, 상아질과 다양한 물질을 첨가한 포틀랜드 시멘트의 방사선불투과성 출처: Hungaro Duarte *et al.* 2009. Reproducedwith permission of Elsevier Publishing.

	Equivalent mm Al (±SD)
Pure Portland cement	1.01 ± 0.01
Portland cement + 20% bismuth carbonate	3.25 ± 0.38
Portland cement + 20% iodoform	4.24 ± 0.32
Portland cement + 20% bismuth oxide	5.93 ± 0.34
Portland cement + 20% lead oxide	5.74 ± 0.66
Portland cement + 20% zinc oxide	2.64 ± 0.02
Portland cement + 20% zirconium oxide	3.41 ± 0.19
Portland cement + 20% barium sulfate	2.80 ± 0.18
Portland cement + 20% bismuth subnitrate	4.66 ± 0.42
Portland cement + 20% calcium tungstate	3.11 ± 0.25
Dentin	1.74 ± 0.02

방사선불투과성은 치과 및 모든 의료분야에 사용되는 물질과 기구의 기본적인 특성이어야 한다. 만약 인체조직 내에 함입되거나, 흡입, 삼키는 일이 발생한다면, 예상치 않은 결과나 외상에 대처하기 위하여 확인할 수 있어야 하기 때문이다. 중금속 분말, 금속 산화물, 금속성 유리(metallic glasses), 중금속을 함유한 고분자 등은 모두 방사성조영제로서 장점과 단점을 가지고 있다. Bismuth oxide는 MTA의 방사성불투과성을 높이는데 사용되어 왔으며, 앞으로의 연구를 통하여 모든 필요조건을 만족하는 다른 대체 물질이 사용될 수 있을 것이다.

Calcium silicate계 실러인 MTA fillapex (Angelus, Brazil)와 epoxy resin계 실러인 AH Plus (Dentsply, Germany)의 세포독성, 방사성 불투과성, pH, 흐름성을 3시간, 24시간, 72시간, 168 시간 간격으로 측정한 보고가 있다. 세포독성은 4주까지 BALB/c 3T3 세포의 생존능력(cell viability)을 체크하는 MTT assay를 사용하였다(Silva *et al.* 2013).

AH Plus 실러의 방사성불투과성(mm Al)은 8.59, MTA Fillapex는 7.06 였다.

상당한 차이가 있는 결과지만 3mm Al과 비교할 때 두 실러 모두 충분한 방사성불투과성을 보였다. 혼합한 실러 1g을 180초 동안 120g의 힘으로 유리판 사이에서 누른 흐름성 테스트에서는 MTA Fillapex (31.09±0.67mm)가 AH Plus (25.80±0.83mm)보다 훨씬 흐름성이 좋았다.

두 실러의 pH와 세포독성에서는 상당한 차이가 있었다. AH Plus가 MTA Fillapex보다 세포독성이 높았으나 근관치료용 실러의 요건은 충족하고 있다(표 3.15).

포틀랜드 시멘트에 Bi_2O_3, ZrO_2, YbF_3를 10%, 20%, 30% 첨가하고 대조군으로는 ProRoot MTA(Dentsply, Tulsa, USA)와 일반 포틀랜드 시멘트를 사용하였다. 교합 방사선 필름상에 aluminium step wedge를 놓고 치아 절편을 촬영하여 방사성불투과성을 측정하였으며 압축강도, 수은 침투 공극측정 (mercury intrusion porosimetry), 경화시간을 조사하고 SEM을 사용하여 형태를 관찰하였다(Antonijevic *et al.* 2013). 모든 실험군에서 다공성이 유의하게 증가했고 Bi_2O_3를 첨가한 실험군에서는 90분에서 115분으로 경화시간이 상당히 증가했다. 하지만 ZrO_2, YbF_3는 경화시간에 영향을 주지 않았다. 최소한 10% Bi_2O_3, 20% ZrO_2, 20% YbF_3를 첨가했을 경우 실험군에서는 3mm Al 이상의 방사성불투과성을 보였다. 포틀랜트 시멘트에 ZrO_2, YbF_3를 첨가하였을 때 압축강도는 약간 증가하였으나 Bi_2O_3를 첨가했을 때는 유의하게 압축강도가 감소하였다. ZrO_2, YbF_3 첨가 시 물리적인 특성의 저하를 보이지 않았으며 아마도 MTA의 Bi_2O_3를 대체하여 사용될 수 있을 것이다(Antonijevic *et al.* 2013).

White MTA Angelus (Angelus, Brazil)를 powder : water 비율 4:1, 3:1, 2:1 로 경화시켜 방사성 불투과성의 변화를 조사하였다. 대조군은 원통형으로 만든 상아질과 Aluminum step wedge였으며 시간별로(3시간, 24시간, 72시간, 168시간)(표 3.16) 용해도, 경화시간, pH, 칼슘이온 용출(원자 흡수 스펙트

표 3.15 기간에 따른 pH값과 세포독성(%). Silva *et al.* 2013.

	PH						세포독성 (% of control)				
시간	3h	24h	48h	72h	168h	시간	0주	1주	2주	3주	4주
AH Plus	7.08[a]	6.93[a]	6.78[a]	6.90[a]	6.92[a]		37[c]	70[c]	92[c]	100[c]	98[c]
MTA Fillapex	9.68[b]	9.34[b]	8.25[b]	8.02[b]	7.76[b]		4[d]	15[d]	13[d]	23[d]	30[d]
Control	6.50	6.50	6.50	6.50	6.50						

Superscripts indicate significant differences ($p < 0.05$).

럼,AAS 사용)을 측정하였다. 30개의 아크릴 치아에 역근관충전을 하고 168시간 동안 고순도로 정제된 증류수에 담그기 전/후에 마이크로 CT를 사용하여 두 번 촬영하였다(Cavenago *et al.* 2014).

4:1의 powder : liquid 비율에서 가장 높은 방사성투과성을 보였으며 물이 많을수록 경화시간은 길어졌고 높은 pH와 많은 칼슘용출을 보였다. ($p<0.05$) 희석을 많이 한 실험군(2:1)이 다른 실험군에 더 높은 용해도를 보였다(6.46%). white MTA Angelus의 물리적 화학적 특성은 powder : liquid 비율에 상당히 많은 영향을 받는 것으로 보여졌다(Cavenago *et al.* 2014, 표 3.16).

다양한 종류의 강도

압축강도(Compressive Strength)

치과재료의 압축강도는 ISO 6876에서 권고하는 방법으로 측정한다. 기계적인 측정장치를 이용하며 압축강도는 파스칼단위로 계산된다(Pa=N/m^2). Newtons(Kg m/s^2)으로 표시되는 최대 하중 값을 시편의 면적으로 나눈 값이다. 이 단위는 보통 작은 수치를 나타내기 때문에 압축(compressive)강도, 인장(tensile)강도, 압출(push-out) 강도, 전단(shear)강도에서는 보통 MPa로 표현한다.

실험적으로 만든 포틀랜드 시멘트 2 종류를 시판되는 MTA 및 일반 포틀랜드 시멘트와 비교하여 7일 동안 압축강도를 측정하였다. MTA와 일반 포틀랜드 시멘트가 가장 높은 값을 보였으며 특히, 3일에 가장 높은 수치를 나타내었다(Hwang *et al.* 2011). Porter는 4종류의 시판되는 MTA제품에 대해서 실험을 하였다(Porter *et al.* 2010). Islam과 동료들의 실험결과에서는 3일, 28일에 높은 압축강도를 보였다(표 3.17) (Islam *et al.* 2006).

Kogan은 WMTA에 다양한 성분을 첨가하고 압축강도를 측정하였다(Kogan *et al.* 2006). 생리식염수와 혼합된 WMTA 실험군이 2% 리도카인과 혼합된 것(32.6MPa), 증류수와 혼합된 것(28.4 MPa)과 비교했을 때 가장 높은 압축강도(39.2 MPa)를 보였다. 다른 첨가제를 넣은 것은 더 낮은 압축강도를 보였다(표 3.18) (Kogan *et al.*2006).

2×2×2 연구에서는 GMTA를 사용하여 (a) 2% 리도카인 HCl (1:100000 에피네프린)이나 증류수로 혼합 (b) pH 5.0나 7.4에서 혼합 한 후 (c) 7일과 28일에 압축강도를 측정하였다. 혼합 용액 간의 차이가 있었는데, 압축강도가 증류수에서 2% 리도카인보다 더 높았다. WMTA는 GMTA보다 양쪽 pH모두에서 더 높은 값을 보였다. 전반적으로 pH 7.4에서의 결과가 pH 5.0에서보다 더 높았다(표 3.19, 그림 3.2) (Watts *et al.* 2007). 이 수치들은 Kogan과 동료들의 실험결과보다 상당히 더 높은 수치이다(Kogan *et al.* 2006).

Hwang과 동료들은 황산칼슘($CaSO_4$, calcium sulfate)을 첨가한 실험군과 WMTA와 포틀랜드 시멘트를 대조군으로 하여 비교 실험을 하였다(Hwang *et al.* 2011). 7일차까지 WMTA와 포틀랜드 시멘트가 실험군에 비해 더 높은 압축강도를 보였는데, 최고 강도는 실험 3일차에 측정되었다(표 3.20).

표 3.16 White AMTA의 powder to liquid 비율에 따른 다양한 물리, 화학적 특성의 변화. 출처: Cavenago *et al.* 2014.

p/l ratio	Mean radio pacity (mm Al)	Mean solubility (%)	Setting time		pH				Calcium release(mg/L)(hours)			
			Initial (minutes)	Final (hours)	3	24	72	168	3	24	72	168
4:1	6.94[a]	1.62(1.27)[e]	57.0(2.0)[g]	112(2.0)[g]	7.75[i]	7.84[i]	7.31[i]	7.71[i]	5.29[n]	4.46[n]	2.15[n]	5.48[n]
3:1	5.70[b]	1.83(0.77)[e]	105(1.52)[h]	135(2.0)[h]	7.87[i]	7.89[i]	7.34[i]	7.78[i]	6.33[n]	4.70[n]	3.16[np]	6.20[n]
2:1	5.31[c]	6.46(1.83)[f]	120(2.51)[i]	321(2.0)[i]	9.47[k]	8.00[i]	7.59[i]	8.43[i]	9.21[p]	6.73[p]	3.92[p]	9.72[p]
Dentin	0.79[d]											

Different letters in each group and column indicate statistical differences ($p < 0.05$).

표 3.17 여러 종류의 시판되는 MTA제품과 시험용 포틀랜드 시멘트의 압축강도

압축강도 (MPa)	**1 일 후**	**3 일 후**	**7 일 후**
Portland cement	28.06 ± 4.31[b]	43.36 ± 4.39[b]	32.10 ± 1.01[b]
Expt'l Portland cement	5.81 ± 1.17[a]	10.47 ± 1.54[a]	14.88 ±1.13[a]
Expt'l Portland cement + $CaSO_4$	8.51 ± 0.55[a]	9.66 ± 0.76[a]	13.82 ± 2.99[a]
MTA	27.41 ± 3.83[b]	43.65 ± 8.35[b]	30.77 ± 0.51[b]
Hwang *et al.* (2011)			
압축강도 (MPa)	**7 일 후**		
ProRoot WMTA	27.0 ± 7.0		
Capasio 1 50	30.7 ± 5.1		
Ceramicrete-D	6.60 ± 3.5		
GenerexA	38.9 ± 10.9		
Porter *et al.* (2010)			
압축강도(MPa)	**3 일 후**	**28 일 후**	
Ordinary Portland cement	48.06 ± 6.14	50.66 ± 1.37	
White Portland cement	40.39 ± 2.86	48.53 ± 1.37	
WMTA	45.84 ± 1.32	86.02 ± 10.32	
PMTA	50.43 ± 1.30	98.62 ± 5.74	
6 mm x 12 mm specimens.			
Load rate not specified. Islam *et al.* (2006)			

표 3.18 다양한 물질을 첨가한 WMTA의 압축강도 (MPa).
출처: Kogan *et al.* 2006. Reproduced with permission ofElsevier Publishing.

WMTA에 첨가한 물질	7일 후 압축강도 (MPa)
Sterile water	28.4
Sodium hypochlorite gel (NaOCl gel, ChlorCid V)	17.1
K-Y Jelly	18.3
2% lidocaine HCl with 1:1 00 000 epinephrine	32.6
Saline	39.2
3% $CaCl_2$	19.3
5% $CaCl_2$	19.6
6x14 mm specimen	

표 3.19 증류수 또는 2% 리도카인을 사용하여 혼합한 GMTA와 WMTA를 pH 5.0, pH 7.4에서 측정한 압축강도(7일, 28일)
출처: Watts *et al.* 2007. Reproducedwith permission of Elsevier Publishing.

	PH	시간(일)	압축강도(MPa ± SD)
GMTA 리도카인	5.0	7	38.2 ± 19.51
GMTA 증류수	5.0	7	47.8 ± 25.54
GMTA 리도카인	7.4	7	55.9 ± 25.08
GMTA 증류수	7.4	7	66.6 ±27.10
WMTA 리도카인	5.0	7	62.3 ± 19.04
WMTA 증류수	5.0	7	92.3 ± 22.69
WMTA 리도카인	7.4	7	74.3 ± 23.87
WMTA 증류수	7.4	7	81.8 ± 25.48
GMTA 리도카인	5.0	28	23.3 ± 18.02
GMTA 증류수	5.0	28	65.5 ± 18.59
GMTA 리도카인	7.4	28	46.3 ± 20.62
GMTA 증류수	7.4	28	57.4 ± 17.99
WMTA 리도카인	5.0	28	51.3 ± 19.24
WMTA 증류수	5.0	28	70.8 ± 26.21
WMTA 리도카인	7.4	28	60.0 ± 20.88
WMTA 증류수	7.4	28	76.3 ± 19.24

MTA가 ~75%의 포틀랜드 시멘트로 구성되어있기 때문에 Applebaum과 동료들은 경화시간을 줄이기 위해 포틀랜드 시멘트에 sodium Fluorosilicate(Na_2SiF_6)를 첨가하였다(콘크리트에서 사용하는 방식). 1~15%wt 를 증류수와 혼합하여 압축강도(MPa)와 경화시간(1% w/w만)에 대해 실험을 하였다. 실험결과 경화시간에는 거의 영향이 없었고 압축강도는 감소하였다. 이러한 결과에 의거 Na_2SiF_6 첨가는 금기이다(Appelbaum *et al.* 2012) (표 3.21).

Basturk(2014)와 동료들은 tooth-colored ProRoot MTA(Dentsply Maillefer, Switzerland)와 white MTA Angelus(Brazil)의 압축강도를 측정하였다. 1분 동안 3.22MPa로 압축되는 Saturation techniuqe또는 ultrasonic activation을 간접적으로 적용하는 방식을 통해 기계적으로 혼합되었고(30초, 4,500rpm) 4일 후에 압축강도를 측정하였다(표 3.22).

ProRoot MTA는 MTA Angelus보다 훨씬 큰 압축강도를 보였다. 캡슐에 담긴 MTA를 기계적으로 혼합한 것이 손으로 직접 혼합한 것보다 더 높은 강도를 보였다. 초음파를 이용하는 방법은 혼합하는 방식에

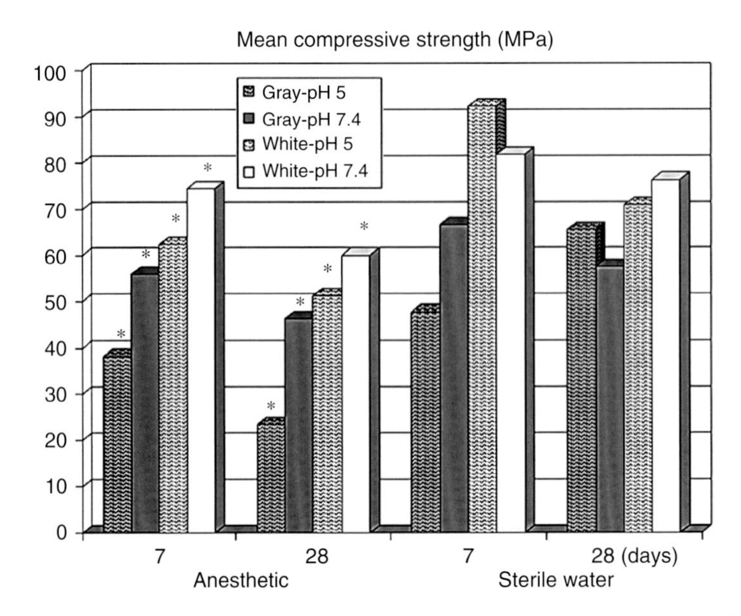

그림 3.2 혼합용액, pH, 시간에 따른 GMTA와 WMTA의 압축강도변화. 국소마취제와 혼합했을 때 WMTA의 압축강도가 GMTA보다 상당히 컸다. pH 7.4에서의 압축강도가 pH 5.0에서 보다 더 크다. 7일 샘플이 28일 샘플보다 상당히 유의하게 큰 값을 보였다. 출처: Watts *et al.* 2007. Reproduced with permission of Elsevier Publishing.

표 3.20 7일까지의 시험적인 포틀랜드 시멘트와 MTA의 압축강도. 출처: Hwang *et al.* 2011. Reproduced with permission of Elsevier Publishing.

압축강도(MPa) (*n* = 6)	1 일 후	3 일 후	7일 후
Portland cement	28.06 ±4.31	43.36 ± 4.39	32.10 ± 1.01
Expt'l Portland cement	5.81 ± 1.17	10.47 ± 1.54	14.88 ± 1.13
Expt'l Portland cement + $CaSO_4$	8.51 ± 0.55	9.66 ± 0.76	13.82 ± 2.99
MTA	27.41 ± 3.83	43.65 ± 8.35	30.77 ± 0.51

표 3.21 포틀랜드 시멘트의 압축강도에 대한 Na_2SiF_6의 효과. 출처: Appelbaum *et al.* 2012. Reproduced with permission of Elsevier Publishing.

그룹	n	24시간 (mean)	n	3주(mean)
PC	6	23.4	8	42.1
1 % SF in PC	9	18.9	8	41.6
2% SF in PC	7	10.7	8	40.9
3% SF in PC	8	10.0	9	38.7
4% SF in PC	8	15.6	7	35.1
5% SF in PC	6	17.9	_	_
10% SF in PC	6	2.00	_	_
15% SF in PC	6	1.80	_	_

표 3.22 혼합방법과 적용술식에 따른 MTA의 압축강도 변화. 출처: Basturk *et al.* 2013. Reproduced with permission of Elsevier Publishing.

MTA 타입	Mixing/placement technique	Mean (MPa)	SD (MPa)
ProRoot	MM + US	101.7	18.64
ProRoot	MM	90.85	25.25
ProRoot	Man M + US	90.78	33.60
ProRoot	Man M	90.77	27.21
Angelus	MM + US	81.36	24.94
Angelus	MM	74.14	28.43
Angelus	Man M + US	54.96	17.47
Angelus	Man M	53.47	22.31

Man M, manual mixing; MM, mechanical mixing; US, ultrasonic agitation.

표 3.23 Modified MTA의 경화시간, 압축강도, 굽힘강도의 변화(물과 혼합됨) Akbari *et al.* 2013.

그룹	경화시간(분)(SD)	압축강도 (SD)		굽힘강도(SD)
	1 day	1 week	3-point bending@ 1 day	
MTA	229.66 (0.31°)	1.16(0.31")	2.19(0.87°)	0.93 (0.65b)
MTA+8% nano-Si02	202.33 (0.31b)	2.7(0.66°)	2.75(0.81°)	1.96 (0.33b)
MTA+10% nano-Si02	199.33 (0.31b)	1.92(1.29°)	2.39(0.52°)	1.99 (0.73b)

Same superscript letters within the same column indicate no significant difference between groups (p> 0.05).

상관없이 압축강도를 증가시키는 효과가 있었다(Basturk *et al.* 2014).

Nano-SiO_2(8% 와 10%)를 WMTA에 첨가하고 물과 혼합하여 일반적인 MTA를 대조군으로 하여 경화시간, 압축강도, 굽힘(flexural)강도를 측정하였다(Akbari *et al.* 2013, 표 3.23). Nano-SiO_2를 첨가하면 경화시간이 상당히 줄어들었다. (230분에서 199분으로) 그러나 압축강도와 굽힘강도에는 거의 영향이 없었다.

(a)기계적으로 캡슐에서 혼합하는 방법(30초, 4500rpm)과 (b)손으로 혼합하는 방법에 대해서 ProRoot MTA(Dentsply, Switzerland)와 white MTA Angelus (Angelus, Brazil)의 압축강도를 조사하였다. 두 가지 방법으로 혼합한 슬러리를 각각 주형에 넣고 1분 동안 3.22 MPa로 압축하였다(Basturk *et al.* 2013). 또한 두 가지 MTA 혼합물(0.34g H_2O/1g powder)을 6×4 mm 원통형 몰드에 넣고 30초 동안 몰드 주변부에 초음파 에너지를 적용하였다. 모든 시편은 4일 동안 물에서 양생하였다.

ProRoot MTA는 MTA Angelus보다 훨씬 높은 압축강도를 보였으며 (표 3.24; $p<0.05$). 초음파를 적용한 실험군은 기계적으로만 혼합한 것보다 더 높은 압축강도를 나타냈다($p<0.001$). 또한 기계적으로 혼합한 실험군이 손으로 혼합한 실험군보다 더 높은 압축강도를 보였다($p<0.05$).

굽힘강도(Flexural strength)

MTA는 수분이 존재하는 임상환경에서 천천히 경화되기 때문에 Walker와 동료들는 24시간이나 72시간 후에 시편의 한 면 또는 두 면이 수분에 노출되었을 때 WMTA의 경화를 측정하는 방법으로 굽힘강도를 사용하였다(Walker *et al.* 2006). 임상적으로 치수강내 표면은 치아를 가봉하기 전에 치수강에 넣는 면구에 의해서 수분을 공급받고 조직과 접하는 면은 혈액과 조직액으로부터 수분을 공급 받는다(Torabi-nejad & Chivian 1999). 굽힘강도 측정 실험의 시편들은 한쪽 면이나 양쪽 면이 쉽게 건조되거나 젖을 수 있는 판(slab)모양이다. 이 연구에서는 압축되는 면과 인장되는 면 중 어느 면이 젖은 상태인지는 불분명하고 아마 특성에 영향을 미칠 것이지만, 가장 높은 최고치는 양면이 모두 수분에 노출된 시편에서 24시간이 지났을때 관찰되었다(표 3.25).

모든 그룹에서 굽힘강도와 다공성에 대한 유의한 통계적 차이는 없었다(표 3.26). 기계적으로 혼합하는 것은 손으로 혼합하는 것보다 시간을 절약시켜주지만 굽힘 강도라는 기계적 물성의 관점에서 장점은 없었다.

전단강도(Shear strength)

복합 레진과 레진 강화형 글래스아이오노머 시멘트(RMGI), MTA와 칼슘 강화 MTA (calcium-enriched MTA, CEM) 시편에 대하여 전단강도를 측정했다. 전단강도는 RMGI 시멘트에서 가장 높았다.

표 3.24 MTA의 압축강도 (Mean ± SD). Basturk *et al.* 2013.

MTA종류	Mixing/placement technique	압축강도 (MPa)
ProRoot	MechM + US	101.71 ± 18.64
ProRoot	MechM	90.85 ± 25.25
ProRoot	ManM + US	90.78 ± 33.60
ProRoot	ManM	77.27 ±21.58
Angelus	MechM + US	81.36 ± 24.94
Angelus	MechM	74.14 ± 28.43
Angelus	ManM + US	54.96 ± 17.47
Angelus	ManM	53.47 ± 22.31

ManM = manual mixing; MechM = mechanical mixing; US = ultrasonication.

표 3.25 젖은 면수에 따른 WMTA의 3점 굽힘강도(Mpa)(n=10).
출처: Walker *et al.* 2006.Reproduced with permission of Elsevier Publishing.

24h/moist/2-sided	14.27 ± 1.96sd
24h/moist/l-sided	10.77+ 1,44"sd
72h/moist/2-sided	11.16 ± 0.96"sd
72h/moist/l-sided	11.18 ± 0.99nsd

sd = significant difference, nsd = no significant difference.

표 3.26 MTA의 굽힘강도와 다공성. Basturk *et al.* 2014.

MTA종류	Mixing/placement technique	굽힘강도(MPa)	다공성 (%)
ProRoot	MechM + US	10.5 ± 1.82	1.81 ± 1.25
ProRoot	MechM	9.99 ± 1.36	1.29 ± 1.34
ProRoot	ManM + US	11.3 ± 1.71	1.11 ± 0.46
ProRoot	ManM	10.5 ± 2.14	1.58 ± 1.62
Angelus	MechM + US	8.73 ± 2.11	1.85 ± 1.37
Angelus	MechM	8.91 ± 1.99	1.11 ± 0.33
Angelus	ManM + US	8.96 ± 1.45	1.44 ± 0.28
Angelus	ManM	9.52 ± 2.12	1.48 ± 0.42

ManM, manual mixing; MechM, mechanical mixing; US, ultrasonication.

MTA와 칼슘 강화형 MTA 간에는 차이가 없었다. 또한 산부식 처치는 영향을 주지 않았다. 전단 강도를 결정하는 것은 Cohesiveness의 차이였다(Oskoee *et al.* 2011).

압출강도(Push-out strength)

Loxley 등은 bovine 상아질과 MTA, Super EBA, IRM사이의 압출강도(push-out strength)를 NaOCl, 5% H_2O_2 (Superoxol), $NaBO_3 \cdot H_2O$와 다양한 조합의 용액에서 7일 동안 보관한 후 측정하였다(Loxley *et al.* 2003). MTA 압출강도의 수치는 생리식염수에 담가 놓은 상아질에서 가장 높게 나왔고 ($NaBO_3 \cdot H_2O$+생리식염수)에 담가 놓은 경우 가장 낮게 나왔다. Super EBA는 건조된 상아질에서 가장 높았고 ($NaBO_3 \cdot H_2O$ + 생리식염수)의 경우 가장 낮았다. IRM은 35% H_2O_2에서 가장 높았다 (Loxley *et al.* 2003).

Yan과 동료들은 MTA로 충전된 상아질 디스크 시편을 고농도의 NaOCl, 2% chlorhexidine, Glyde™ File Prep (EDTA/carbamide peroxide gel), 생리식염수에 2시간 동안 담가 넣은 후 압출강도를 측정하

였다. Glyde™ File Prep이 다른 실험군에 비해 가장 낮은 값을 보였다(Yan *et al.* 2006).

전단결합강도(Shear bond strength)

전단결합강도는 resin-based composite(Dyract), a polyacid modified composite ("compomer",Z250), 그리고 WMTA간에 측정하였다. 한 그룹의 bonding agents가 다른 것에 비해 강한 결합력을 보였으며 compomer가 resin based composite보다 강한 결합력을 나타냈다(표3.27)(Tunc *et al.* 2008).

Tanomaru-Filho 등은 백색 포틀랜드 시멘트(무게비 20%의 4가지 방사선조영제가 첨가)의 경화시간과 압축강도를 24시간, 21일 후에 측정하고 MTA-Angelus와 강도를 비교하였다. 둘 사이의 차이는 작았지만 조영제가 첨가되지 않은 포틀랜드 시멘트(41.2±3.4MPa, 21days)와 비교했을때는 상당한 차이가 관찰되었다. bismuth oxide가 첨가되었을 경우 가장 낮은 강도를 보였다(22.9±4.8MPa, 21days)

Zirconium oxid (37.1±7.4 MPa)와 calcium tungstate (36.6±8.3 MPa)는 MTA-Angelus (43.4±6.5MPa), 순수 포틀랜드 시멘트(Tanomaru-Filho *et al.* 2012)와 유사한 강도를 나타내었다(유사하다고 서술된 것은 유의한 차이가 없음을 지칭한다).

개요(Overview)

압축강도를 측정하면 MTA는 매우 약하지만 시간이 지날수록 강도가 증가한다. MTA가 적어도 초기에는 힘을 받는 구조에 사용되는 것이 아니라는 것은 다행인 일이다. 수분에의 지속적인 노출과 구강 내의 체온은 MTA의 화학적 반응을 완결시키는 요인이 될 것이다. MTA와 본딩제를 사용하여 구조적으로 강한 수복이 이루어진다면 대부분의 상황에서 교합력을 지탱할 수 있는 충분한 강도를 제공할 것이다. 하지만 최종 수복물은 반드시 최소한 수일 후의 다음번 내원에서 시행되어야 한다. 현재의 연구결과에서는 MTA와 최종 수복과정 사이에 더 많은 시간을 두는 것이 이득임을 말해주고 있다.

종종 젊은 환자에서 충돌에 의한 외상은 치수괴사를 야기하고 성장 중인 치근의 발육을 멈추게 한다. 미성숙 치아의 열린 근첨(Open apex)과 얇은 상아질벽은 치과의사들이 근관치료 및 수복치료를 진행함에 있어 많은 어려움을 주고있다.

표 3.27 WMTA와 두 가지 본딩재 그리고 WMTA와 두 레진 계열 수복재의 평균 전단결합강도(MPa±SD). 출처 : Tunc *et al.* 2008 Elsevier publishing의 허락하에 재발행하였음.

	3M/ESPE single bond	3M/ESPE Prompt L-Pop (n = TO)
Z250	13.22 ± 1.22[a]	10.73 ± 1.67[b]
Dyract	15.09 ± 2.74[a]	5.44 ± 0.86[c]

Equivalent superscript letters = no significant difference.

push-out strength 와 전단파절(shear fracture) 시험은 상대적으로 시행하기 용이하고 MTA의 중요한 특성을 측정하는데 유용하다. 아래 기술할 내용은 최근 저널의 논문들이다.

압출강도(push-out strength)는 ProRoot MTA와 상아질 간에 경화 후 48시간이 지났을 때 초기 결합강도를 측정하는데 사용되었다. MTA에 $CaCl_2$를 경화 촉진제(accelerator)로 첨가하였고 두 실험군을 3.5% NaOCl과 2% chlorhexidine의 용액을 사용하여 30분 동안 수세하였다.

$CaCl_2$가 첨가된 MTA가 순수한 MTA 보다 의미있는 높은 강도를 보였으며 경화촉진제가 첨가되고 3.5% NaOCl로 수세한 MTA가 가장 높은 강도를 보였다. 순수한 MTA를 2%chlorhexidine으로 수세한 그룹은 MTA위에 젖은 면구만 놓았던 대조군보다 낮은 강도를 보였다(표3.28)(Hong *et al*. 2010).

사람의 치아에 WMTA를 채워서 push-out retention을 측정하기 전에 드릴로 치수강을 확대하고 Biopure®MTAD® 근관항균 세정제(antibacterial root cleanser)를 Diode laser와 같이 사용한 경우와 각각을 사용한 경우로 나누어서 실험하였다. 치수강에 아무것도 적용하지 않은 실험군이(7.88±0.37 MPa) Diode laser만을 사용한 경우(6.74±0.48MPa)와 근관세정제만을 사용한 경우(6.86±0.66 MPa)보다 높게 나왔다. Diode laser와 근관세정제를 같이 사용한 경우(5.95±0.40 MPa)가 가장 낮은 값을 보여주었다. 따라서 이 방법은 추천되지 않는다(Saghiri *et al*. 2012).

White MTA를 사람 치아 절편에 넣고 72시간 후에 압출강도 시험을 하였다. MTA는 초음파, mechanical trituration, 전통적인 손으로 혼합하는 방법을 사용하였으며(표3.29) 통계적으로 의미있는 차이는 보이지 않았다(Shahi *et al*. 2012).

발치한 인간 대구치에 인공적인 치근 이개부 천공을 만들고 MTA와 BioAggregate 로 수복한 후 4일 동안 pH7.4와 pH5.4의 환경에서 보관하고 압출강도 시험을 하였다. 이후 pH7.4에 30일 동안 보관하였다. MTA가 BioAggregate보다 매우 높은 압출강도를 보였으나 낮은 pH환경에서는 4일 동안 노출 후 현저하게 수치가 낮아졌다. 낮은 pH환경에서 34일이 지난 후 MTA는 강도가 증가하였고 BioAggregate를 초과

표 3.28 두 가지 방법으로 수세한 MTA와 경화촉진제가 첨가된 MTA의 압출강도(push-out strength)(MPa). Hong *et al.* 2010. Elsevier publishing의 허락하에 재발행하였음

Groups	Rinse	Push-out value
MTA (1.0g MTA + 0.3mL H_2O)	3.5% NaOCl	63.13 ± 18.03^{b}
MTA (1.0g MTA + 0.3mL H_2O)	2% chlorhexidine	31.33 ± 13.40^{c}
Accelerated MTA (1g MTA + 0.1g $CaCl_2$ + 0.25mL H_2O)	3.5% NaOCl	98.06 ± 9.18^{a}
Accelerated MTA (1g MTA + 0.1g $CaCl_2$ + 0.25mL H_2O)	2% chlorhexidine	82.18 ± 13.68^{ad}
Control(wet cotton pellet)		66.34 ± 6.74^{bd}

Equivalent superscript letters = no significant difference.

표 3.29 세 가지 혼합방법으로 혼합한 MTA의 3일째의 압출강도(push-out strength)(MPa). 출처:Shahi *et al.* 2012. Shahi *et al.*2012 Elsevier publishing의 허락하에 재발행하였음

Ultrasonic	105.67 ± 12.79
Conventional	118.95 ± 12.76
Trituration	99.60 ± 14.27

표 3.30 두 가지 pH 환경에서 MTA와 BioAggregate 의 압출강도(MPa). 출처: Hashem *et al.* 2012 Elsevier publishing의 허락하에 재발행하였음.

	MTA		BioAggregate	
	pH 7.4*	pH 5.4**	pH 7.4*	pH 5.4**
4 days	8.49	5.36	4.66	4.72
34 days	7.56	10.12	7.83	6.71

*Acetic acid pH 5.4 for 4 days + ** phosphate-buffered saline (PBS) pH 7.4 for 30 days.

했다(표 3.30) (Hashem & Wanees Amin 2012).

Pro Root WMTA를 치수강에 채워 넣은 인간 치아 절편 20개를 만들어 pH7.4, 6.4, 5.4, 4.4에 4일 동안 노출시키고 압출강도 시험을 하였다. pH가 낮아질수록 점진적으로 강도가 낮아졌고 최종적으로 pH4.4에서 2.47MP을 나타냈다(표3.31)(Shokouhinejad *et al.* 2010).

위 실험과 유사한 연구에서는 ProRoot WMTA로 충전한 발치된 인간 치아 치근 절편 20개를 pH가 조정된 환경에서 3일 동안 노출시켰다. pH7.4, 8.4, 9.4, 10.4에서 의미있는 차이가 있었고 pH8.4에서 가장 높은 강도를 보였으며 pH10.4에서 가장 낮은 강도를 보였다. 또한 광학현미경 관찰하에서 모든 시편의 접착실패(adhesive failure)가 관찰되었다(표 3.32)(Shahi *et al.* 2012).

Gancedo-Caravia & Garcia-Barbero는 MTA를 건조한 환경과 습윤한 환경에서 28일 동안 보관한 후 압출강도 실험을 하였다. 건조한 환경에서는 최대 5.0MPa의 강도가 측정됐고 습윤한 환경에서는 최대 10.4MPa의 강도가 측정됐다. 외부의 수분은 MTA가 경화 과정을 완결하는데 필요하다(Gancedo-Caravia & Garcia-Barbero2006).

Atabak 등은 resin based composite을 같은 회사의 세 가지 종류의 본딩제를 사용 결합하였을 때의 전단결합강도를 측정하였다. 2step(One-Step Plus, 18.4MPa, 96h)의 경우가 1step(All-Bond SE, 15.1MPa), 3step(All-step3, 14.9MPa)의 경우 보다 유의하게 높은 강도를 보였다(Atabek *et al.* 2012).

표 3.31 4일 후의 pH에 따른 압출강도. 출처: Shokouhinejad *et al.* 2010. Elsevier publishing의 허락하에 재발행하였음

	Push-out strength at 4 days in MPa
pH 7.4	~7.28
pH 6.4	~5.80
pH 5.4	~3.60
pH 4.4	~2.47

1 mm/min crosshead speed; predominantly adhesive failures.

표 3.32 3일 후의 WMTA의 압출강도(MPa). 출처: Shahi *et al.* 2012. Elsevier publishing의 허락하에 재발행하였음.

pH 7.4	7.68
pH 8.4	9.46
pH 9.4	7.10
pH 10.4	5.68

미세경도(Microhardness)

경도는 물질의 압입에 대한 저항과 관련된 복합적인 특성으로서 매우 쉽게 측정할 수 있다. 이것은 적용된 힘과 압흔의 범위를 사용하여 숫자로서 표현된다(gF/m^2 또는 178F/d^2, F는 가해진 힘을 의미하며 단위는 Kg이고, d는 직경을 의미하며 단위는 mm이다).

경도는 또한 물질의 압축, 전단, 굽힘 강도와 연관이 있다. 치의학에서 미세경도는 보통 얕은 면각(shallow face angles)을 가진 다이아몬드 압자(indenter)를 사용한다. 압입의 크기는 금속현미경(metallurgical microscope)으로 측정한다. 미세경도는 편리하고 압축강도, 압출강도, 전단결합강도 등에 비해 측정하기 쉽다. 다른 물질과의 정확한 비교를 위해 시편은 적어도 폭6mm, 너비12mm 이상의 크기가 되어야 하며 연마된 표면을 가져야 한다. 이 조건은 임상 근관치료학에서는 사용되지 않기 때문에 미세경도 측정 실험결과는 각각의 연구결과 내에서만 비교하는 용도로 사용된다.

Open apex로 simulation된 44개의 사람치아에서 ProRoot GMTA, ProRoot WMTA를 사용하여 실험하였다. 치근단으로부터 2mm 또는 5mm까지 충전하였고 즉시 1-step으로 충전한 그룹과 24시간 이후 한 번 더 충전하여 2-step으로 충전한 그룹으로 나누었다. 메틸렌블루 용액에 48시간 동안 보관한 후 시편을 절단하여 미세누출(microleakage)과 미세경도(HV_{100})가 측정되었다. GMTA(30%이하)는

WMTA(95%)에 비해 적은 누출을 보였고 1-step(73%이하)이 2-step(55%이하)보다 많은 누출을 보였다. 저자는 5mm 샘플이 2mm샘플보다 상당히 높은 강도를 보인다고 서술하였으나 데이터는 없다. 그들은 GMTA를 5mm 길이로 충전하고 24시간 후 최종근관충전을 하는 2-step 시술과정을 추천하였다(Matt *et al.* 2004).

64개의 ProRoot WMTA와 Aureoseal을 금속 몰드에 충전한 시편을 7일 동안 pH4.4, pH7.4에 각각 보관하였다. 미세경도는 pH7.4에서 양쪽 모두 높은 수치를 보였다(표 3.33). WMTA를 SEM으로 분석하였을 경우 pH4.4보다 수화되지 않은 구조가 많이 관찰되었으며, Aureoseal은 두 가지 pH모두에서 무정형의 구조를 보였다(Giuliani *et al.* 2010).

WMTA를 60개의 glass-tube에 충전하고 3일 동안 pH7.4, 8.4, 9.4, 10.4의 중성과 알칼리 용액에 노출시켰다. 미세경도에 있어서 상당한 차이가 관찰되었는데 pH8.4와 pH9.4에서 더 높은 표면 경도를 보였다. SEM관찰 이미지는 pH7.4와 10.4에서 더 많은 다공성과 미수화된 구조를 보였고, pH9.4에서 침상유사구조(needle-like structure), pH10.4에서 무정형의 구조를 보여주었다(표 3.34)(Saghiri *et al.* 2009).

표 3.33 7일 후 두 MTA의 Vickers미세경도(HV_{50}, 50gf load, 10s).
출처 : Giuliani *et al.* 2010. Elsevier publishing의 허락하에 재발행하였음.

	pH 4.4	pH 7.2
ProRoot WMTA	30.24 ± 1.47	37.54 ± 1.52
Aureoseal	28.67 ± 1.07	40.63 ± 1.35

표 3.34 3일 동안 4가지 pH 하에서의 WMTA의 Vickers미세경도(HV_{50})±SD. 출처 : Shahi *et al.* 2009. Elsevier publishing의 허락하에 재발행하였음

pH 7.4	58.28 ± 8.21
pH 8.4	68.84 ±7.19
pH 9.4	67.32 ± 7.22
pH 10.4	59.22 ± 9.14

표 3.35 4일 동안 4가지 pH하에서의 WMTA의 Vickers미세경도(HV_{50}) ±SD. 출처 : Namazikhah *et al.* 2008. Wiley & Sons, Inc.의 허락하에 사용됨

pH 4.4	14.34 ± 6.48
pH 5.4	37.75 ± 1.75
pH 6.4	40.73 ±3.15
pH 7.4	53.19 ± 4.124

Namazikhah와 동료들은 pH가 낮아질수록 WMTA의 미세경도가 현저하게 감소한다고 보고하였다(표 3.35)(Namazikhah *et al.* 2008).

색상과 심미(Color and Aesthetics)

MTA와 주변 치아 구조의 변색은 조작의 문제(sandy texture), 긴 경화시간, 재료의 강도에 의한 재치료의 어려움과 함께 임상가들에게 해결해야 할 문제로 남아있다(Watts *et al.* 2007; Boutsioukis *et al.* 2008). Dentsply(Dentsply Tulsa Dental Specialties)에서는 치아색을 띠는 WMTA를 시판하였다(Glickman & Koch 2000). MTA의 변색은 치수절단에 사용되었을 때 세 개의 증례가 보고되었다(Maroto *et al.* 2005; Naik & Hedge 2005; Percinoto *et al.* 2006). WMTA를 PBS (Phosphate buffered saline) 하에서 관찰한 결과 3일 후에 변색의 발생도 보고되었다(Watts *et al.* 2007). 흑변(dark discolorations)은 대부분 발치한 치아를 WMTA로 충전한 후 10일 동안 물에 보관하고 다시 노출시켰을 때 발견되었다(Boutsioukis *et al.* 2008). 저자들은 또한 회전 기구를 사용하여 WMTA 제거하는데 어려움이 있음을 지적하였고 철과 망간의 염(salts)산물이 변색의 원인으로 추측되었다(Asgary *et al.* 2005; Dammaschke *et al.* 2005; Bortoluzzi *et al.* 2007).

상악중절치 협면의 치근천공을 GMTA로 치료한 임상 보고에서는 6개월 후 치은의 회색변색이 나타났으며 WMTA와 실러로 재치료를 시행하여 변색을 치료하였다(Bortoluzzi *et al.* 2007). 다른 임상증례는 상악중절치에 WMTA로 부분치수절단술(partial pulpotomy)을 시행한 치아로 치료 17개월 후에 변색으로 내원하였다. 재치료 시 변색된 MTA를 제거하는 과정에서 형성된 상아질 가교(dentin bridge)가 관찰되었다. 바깥쪽 WMTA의 일부를 제거했으며 미백을 통해서 변색을 개선시켰다(Belobrov & Parashos 2011).

새로운 버전의 ProRoot MTA인 경우에도 변색은 여러 임상케이스에서 여전히 문제가 되고 있다. 그러므로 심미적인 부위(전치의 치관부)에 사용할 경우에는 주의가 요구된다. 변색은 MTA가 가지는 많은 장점에 비해서는 작은 단점의 하나이지만, 임상가는 변색이 발생할 수 있음을 환자에게 미리 경고하는 것이 좋다.

물리화학적 특성(Pysicochemical Properties)

앞서 언급했듯이 GMTA와 WMTA는 큰 차이를 보이지 않지만 WMTA에서는 생물학적 환경에서 일련의 물리화학적 반응의 개시역할을 하는 칼슘이온의 용출이 다른 양이온의 용출양에 비해서 현저하게 많다. 결과적으로 상아질과 수산화인회석(hydoxylapatite)간에 확산-조절 물리화학적 반응(diffusion-controlled physiochemical reaction)에 의해서 생성된 수산화인회석(hydoxylapatite)에 의해서 상아질과 WMTA간에 강한 화학적 결합이 이루어지며 두 층간에 존재하는 틈을 메우게 된다(표 3.36, fig. 3.3)

표 3.36 반-정량적(semi-quantitative) 원소 분석(wt. %), fig 3.3C.에서 M,I,D영역.
출처 : Sarkar *et al.* 2005 Elsevier publishing의 허락하에 재발행하였음

	Ca	Al	Si	Bi	Fe	Mg	O	S	C	P
GMTA (M)	1.1	2.6	11.8	7.8	7.5	1.4	41.5	1.3	5.0	-
Interfacial layer (1)	21.5	0.6	3.0	5.6	-	0.1	60.6	-	4.9	3.7
Dentin (D)	31.7	-	-	-	-	0.4	50.8	-	6.0	11.1

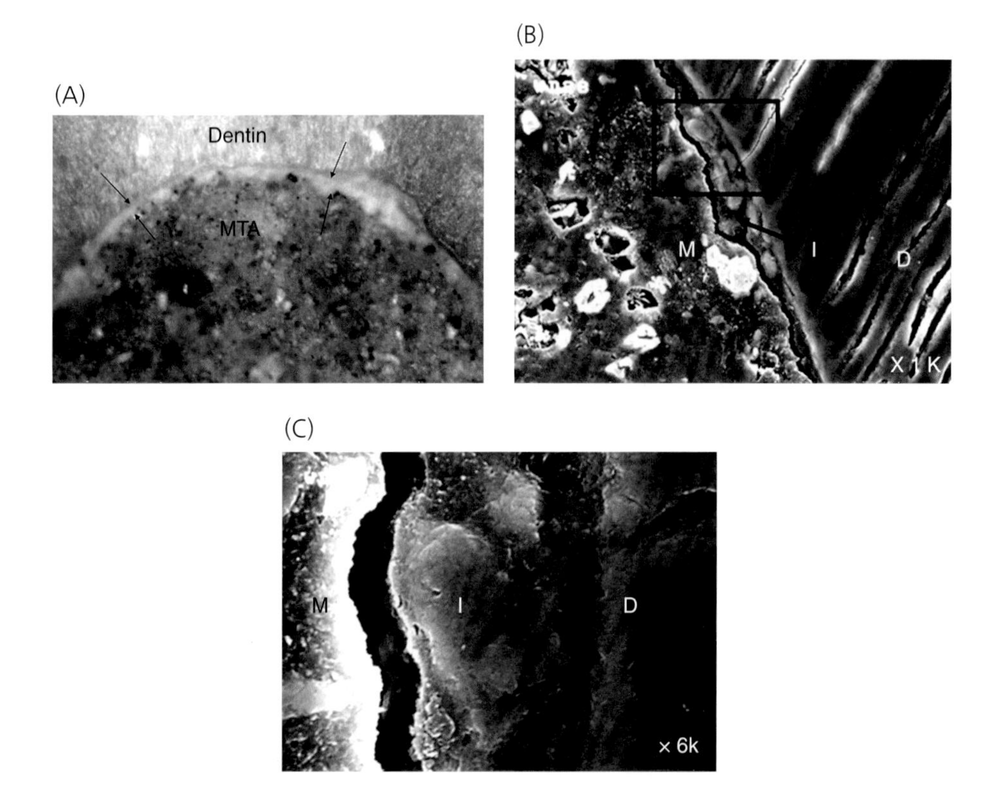

그림 3.3 (A) 치근분지부에서 MTA-상아질 횡단면의 광학현미경 상 (원본 확대율 200x). (B) GMTA-상아질간 횡단면의 전자현미경 상(lOOOx). M, MTA; I, interface; D, dentin. (C) B사진의 박스부분의 고배율 사진(6000x).
출처: Sarkar *et al.* 2005. Reproduced with permission of Elsevier Publishing.

(Sarkar *et al.* 2005).

용출되는 칼슘이온에 의해 만들어지는 이러한 구조적 특성은 GMTA와 WMTA에서 동일하며 WMTA를 만들기위해 변화된 재료의 조성과 생산과정은 in vitro상에서 MTA가 가지는 물리화학적 활성에 영향을 미치지 않는 것으로 보인다. 우리는 이러한 활성이 GMTA의 훌륭한 밀폐성, 생체친화성, 상아질형성능(dentinogenetic activity)을 보이게 하는 기본적인 요인이라고 생각한다(Sarkar *et al.* 2005).

In vivo상에서 WMTA와 GMTA간의 물리화학적 반응은 차이가 없으므로 저자들은 두 MTA의 임상적 효과에서도 차이가 없다고 결론지었다. 견치의 치수절단술에서 동등한 효과를 보이며(Menezes *et al.* 2004), 쥐의 결합조직 내에서 유사한 광화작용(mineralization)의 기전(Holland *et al.* 2002)을 보이는 연구결과는 이러한 사실을 뒷받침한다.

수산화인회석(hydroxylapatite) 이차형성에 의한 "자가–밀폐특성"(self– sealing property)은 아말감에서 주석(tin)이 풍부한 화합물이 시간이 지남에 따라 치아와 충전 수복재 사이에 생성되는 "자가–밀폐"(self–sealing) 성질과 유사하다. 이 현상에 대해서는 더 많은 연구가 필요하다.

두종류의 MTA sealers인 Endo–CPM (EGEO SRL, Argentina)과 MTA Fillapex (Angelus, Brazil)) 그리고 에폭시 레진 계열 sealer인 AH Plus (Dentsply–De Trey, Germany)의 결합강도를 발치한 인간 치아에 가타퍼쳐를 측방가압으로 충전한 후 비교하였다(Assmann *et al.* 2012). 2.5% NaOCl과 17% EDTA그리고 증류수를 사용하여 수세한 후 치근을 절단하고 압출강도를 측정하였다(표 3.37).

Endo–CPM sealer (MTA와 조성이 거의 같은)가 FLX (Fillapex), AHP (AH Plus)와 비교시 2배에서 3배정도 압출강도가 높게 측정되었다. Fillapex의 성분은 레진과 실리카(silica) 그리고 MTA를 포함하고 있다. 압출강도 실험에서 FLX와 AHP의 탈락면은 실러–상아질 사이였으나, CPM의 경우는 탈락면이 다양했으며 시편 절단전의 방사선 사진상에서 CPM은 기포가 관찰되었으나 다른 두 실러에서는 보이지 않았다.

Nagas *et al.*(2012) 등은 근관내의 수분제거방법에 따른 압출강도를 측정하였다. (a)95%에탄올(건조) (b)페이퍼 포인트로 건조시킨 경우 (c)습윤한 경우(근관을 약한 진공으로 건조시킨후 페이퍼 포인트 1개를 1초 동안만 사용함) (d) 젖은경우(근관내에 수분을 제거하지 않음). 네종류의 실러가 사용되었다 : (1)AH Plus (Dentsply–Tursa, USA), (2)iRootSP (Innovative BioCeramix Canada), (3)MTA Fillapex (Angelus, Brazil), (4)Epiphany (Pentron, USA)

iRoot SP는 가장 높은 치근 상아질과의 결합 강도를 보였고 그다음 AH Plus, Epiphany+Resilon, MTA Fillapex순이었다. 또한 습윤한 조건에서 큰값을 나타냈다. 근관내에는 실러를 적용하기 전에 약 간

표 3.37 상아질 결합 강도(Endo-CPM sealer(CPM), MTA Fillapex(FLX), AH Plus Sealer(AHP), 세가지 물질로 충전된 샘플). 출처 : Assmann *et al.* 2012.

	N	Median resistance	25%	75%
CPM	15	8.265b	6.143	9.687
FLX	15	2.041a	1.490	3.039
AHP	15	3.034a	2.358	3.634

push-out test의 중간값과 백분위값(MPa)
다른 위 첨자는 통계적 차이를 보인다.($p < 0.05$)

표 3.38 수분 제거 방법에 따른 압출결합 강도(in MPa)의 비교. 출처: Nagas *et al.* 2012.

Moisture	Dry					Normal moisture					Moist					Wet				
Root filling	**MPa**	A1	A2	C	M	**MPa**	A1	A2	C	M	**MPa**	A1	A2	C	M	**MPa**	A1	A2	C	M
AH Plus+GP	**1.0**	15	2	8	0	**1.7**	3	12	7	3	**1.8**	1	14	6	4	**0.4**	14	0	11	0
iRoot SP+GP	**2.5**	13	3	8	1	**2.9**	2	15	6	2	**3.1**	0	16	7	2	**1.7**	16	1	8	0
MTA Fillapex+GP	**0.25**	13	0	12	0	**0.5**	1	11	11	2	**1.2**	2	12	9	2	**0**	23	0	2	0
Epiphany+Resilon	**0.70**	15	2	7	1	**0.8**	3	10	10	2	**1.1**	3	10	9	3	**0.3**	13	0	12	0

A = adhesive (A1 = sealer/dentin interface; A2 = sealer/core material interface); C = cohesive; M = mixed.

의 습기가 남아있어야 한다(표 3.38).

4개의 근관치료 실러에 System B heat source continuous wave plugger (Analytic Technology, Redmond, Washington, USA)를 이용하여 치근표면으로의 열전도에 대한 평가를 시행하였다(Viapiana *et al.* 2014). AH Plus (Dentsply, UK), Pulp Canal Sealer (Kerr, Orange, California), MTA Fillapex (Angelus, Brazil), 포틀랜트시멘트 실러가 사용되었고 치근표면의 치근단1/3, 중간1/3, 치경부1/3의 영역에서 열발생이나 열전도를 측정하였다. 열전대(thermocouples)을 이용하여 실험치아는 공기중에 매달린 상태에서, Hank's Balanced salt solution 그리고 젤라틴화된 Hank's Balanced salt solution에 담긴 상태에서 측정이 이루어졌다. 실러의 화학적 변화는 FTIR spectroscopy에 의해 모니터 되었다. 열에 따른 압축강도와 경화시간의 변화도 측정되었다.

가열된 플러거의 shank부위는 80℃였고 1.5분 후에 치근 중간부위에서 최고 온도를 보였고 6분후에 체온까지 다시 떨어졌다. 모든실러가 치근 중간부와 치경부에서 열이 소실되었으며 공기중에 있는 실험군에서 가장 큰 증가(60℃)를 보였다 치근첨에서의 온도 증가는 네 종류의 실러 모두에서 보이지 않았다. AH Plus에서 가장 큰 온도증가를 보였고 강도와 경화시간을 감소시켰다. 높은 온도에서 AH Plus의 화학적 조성 변화가 관찰되었고 온도와 습도는 가압충전 과정에서 열분산에 영향을 주었다. 근관치료용 실러는 각각 서로 다른 전도(conductive)/절연(isolating)성을 보였다(Viapiana *et al.* 2014).

감사

이 챕터의 앞부분을 같이 저술한 Nikhil Sarkar, PhD(Louisiana State University, School of Dentistry)에게 감사를 표한다.

참고문헌

Akbari, M., Zebarjad, S. M., Nategh, B., *et al.* (2013) Effect of nano silica on setting time and physical properties of mineral trioxide aggregate. *Journal of Endodontics* **39**, 1448–51.

Antonijevic D., Medigovic, I., Zrilic, M., *et al.* **(**2013**)** The influence of different radiopacifying agents on the radiopacity, compressive strength, setting time, and porosity of Portland cement. *Clinical Oral Investigations*. DOI 10.1007/s00784-013-1130-0. Published online 15 November 2013.American National Standards Institute/American Dental Association. (1991) Revised American National Standard/ American Dental Association Specification N° 30 for dental zinc oxide eugenol cements and zinc oxide noneugenol cements 7.5. Chicago, IL.

Asgary, S., Parirokh, M., Eghbal, M. J., *et al.* (2005) Chemical differences between white and gray mineral trioxide aggregate. *Journal of Endodontics* **31**(2), 101–3.

Assmann, E., Scarparo, R. K., Böttcher, D. E., *et al.* (2012) Dentin bond strength of two mineral trioxide aggregate–based and one epoxy resin–based sealers. *Journal of Endodontics* **38**(2), 219–21.

Atabek, D., Sillelioğlu, H., Olmez, A. (2012) Bond strength of adhesive systems to mineral trioxide aggregate with different time intervals. *Journal of Endodontics* **38**(9), 1288–92. doi: 10.1016/j.joen.2012.06.004

Appelbaum, K.S., Stewart, J.T., Hartwell, G.R. (2012) Effect of sodium fluorosilicate on the properties of Portland cement. *Journal of Endodontics* **38**(7), 1001–3.

Basturk, F.B, Nekoofar, F.M., Günday, M., *et al.* (2013) The effect of various mixing and placement techniques on the compressive strength of mineral trioxide aggregate. *Journal of Endodontics* **39**, 111–14.

Basturk, F. B., Nekoofar, M. H., Günday, M., *et al.* (2014). Effect of various mixing and placement techniques on the flexural strength and porosity of mineral trioxide aggregate. *Journal of Endodontics in press*.

Belobrov, I., Parashos, P. (2011) Treatment of tooth discoloration after the use of white mineral trioxide aggregate. *Journal of Endodontics* **37**(7), 1017–20. doi: 10.1016/j.joen.2011.04.003

Bortoluzzi, E. A., Broon, N. J., Bramante, C. M., *et al.* (2006) Sealing ability of MTA and radiopaque Portland cement with or without calcium chloride for root-end filling. *Journal of Endodontics* **32**(9), 897–900. doi: 10.1016/j.joen.2006.04.006

Bortoluzzi, E. A. S., Araújo G., Guerreiro Tanomaru, J. M., *et al.* (2007) Marginal gingiva discoloration by gray MTA: a case report. *Journal of Endodontics* **33**(3), 325–7. doi: 10.1016/j.joen.2006.09.012

Bortoluzzi, E. A., Broon, N. J., Bramante, C. M., *et al.* (2009) The influence of calcium chloride on the setting time, solubility, disintegration, and pH of mineral trioxide aggregate and white Portland cement with a radiopacifier. *Journal of Endodontics* **35**(4), 550–4. doi: 10.1016/j.joen.2008.12.018

Boutsioukis, C., Noula, G., Lambrianidis, T. (2008) Ex vivo study of the efficiency of two techniques for the removal of mineral trioxide aggregate used as a root canal filling material. *Journal of Endodontics* **34**(10), 1239–42. doi: 10.1016/j.joen.2008.07.018

Bozeman, T. B., Lemon, R. R., Eleazer, P. D. (2006) Elemental analysis of crystal precipitate from gray and white MTA. *Journal of Endodontics* **32**(5), 425–8. doi: 10.1016/j.joen.2005.08.009

Cavenago, B. C., Pereira, T. C., Duarte, M. A. H., *et al.* (2014) Influence of powder-to-water ratio on radiopacity, setting time, pH, calcium ion release and a micro-CT volumetric solubility of white mineral trioxide aggregate. *International Endodontic Journal* **47**, 120–6.

Chng, H. K., Islam, I., Yap, A. U., *et al.* (2005) Properties of a new root-end filling material. *Journal of Endodontics* **31**(9), 665–8.

Çinar, Ç., Odabaş, M., Gürel,, M. A., *et al.* (2013) The effects of incorporation of silver-zeolite on selected properties of mineral trioxide aggregate. *Dental Materials Journal* **32**(6), 872–6.

Dammaschke, T., Gerth, H. U., Züchner, H., *et al.* (2005). Chemical and physical surface and bulk material characterization of white ProRoot MTA and two Portland cements. *Dental Materials* **21**(8), 731–8. doi: 10.1016/j.dental.2005.01.019

Danesh, G., Dammaschke, T., Gerth, H. U., *et al.* (2006). A comparative study of selected properties of ProRoot mineral trioxide aggregate and two Portland cements. *International Endodontics Journal* **39**(3), 213–19. doi: 10.1111/j.1365-2591.2006.01076.x

Ding, S. J., Kao, C. T., Shie, M. Y., *et al.* (2008) The physical and cytological properties of white MTA mixed with Na2HPO4 as an accelerant. *Journal of Endodontics* **34**(6), 748–51. doi: 10.1016/j.joen.2008.02.041

Fridland, M., Rosado, R. (2003). Mineral trioxide aggregate (MTA) solubility and porosity with different water-to-powder ratios. *Journal of Endodontics* **29**(12), 814–17. doi: 10.1097/00004770-200312000-00007

Fridland, M., Rosado, R. (2005). MTA solubility: a long term study. *Journal of Endodontics* **31**(5), 376–9.

Gancedo-Caravia, L., Garcia-Barbero, E. (2006). Influence of humidity and setting time on the push-out strength of mineral trioxide aggregate obturations. *Journal of Endodontics* **32**(9), 894–6. doi: 10.1016/j.joen.2006.03.004

Giuliani, V., Nieri, M., Pace, R., *et al.* (2010). Effects of pH on surface hardness and microstructure of mineral trioxide aggregate and Aureoseal: an in vitro study. *Journal of Endodontics* **36**(11), 1883–6. doi: 10.1016/j.joen.2010.08.015

Glickman, G. N., Koch, K. A. (2000). 21st-century endodontics. *Journal of the American Dental Association* **131 Suppl**, 39S–46S.

Hashem, A. A., Wanees Amin, S. A. (2012). The effect of acidity on dislodgment resistance of mineral trioxide aggregate and bioaggregate in furcation perforations: an in vitro comparative study. *Journal of Endodontics* **38**(2), 245–9. doi: 10.1016/j.joen.2011.09.013

Hawley, M., Webb, T. D., Goodell, G. G. (2010) Effect of varying water-to-powder ratios on the setting expansion of white and gray mineral trioxide aggregate. *Journal of Endodontics* **36**(8), 1377–9. doi: 10.1016/j.joen.2010.03.010

Holland, R., Souza, V., Nery, M. J., *et al.* (2002) Reaction of rat connective tissue to implanted dentin tubes filled with a white mineral trioxide aggregate. *Brazilian Dental Journal* **13**(1), 23–6.

Hong, S. T., Bae, K. S., Baek, S. H., *et al.* (2010) Effects of root canal irrigants on the push-out strength and hydration behavior of accelerated mineral trioxide aggregate in its early setting phase. *Journal of Endodontics* **36**(12), 1995–9. doi: 10.1016/j.joen.2010.08.039

Húngaro Duarte, M. A., de Oliveira El Kadre, G. D., Vivan, R. R., *et al.* (2009) Radiopacity of portland cement associated with different radiopacifying agents. *Journal of Endodontics* **35**(5), 737–40. doi: 10.1016/j.joen.2009.02.006

Hwang, Y. C., Kim, D. H., Hwang, I. N., *et al.* (2011) Chemical constitution, physical properties, and biocompatibility of experimentally manufactured Portland cement. *Journal of Endodontics* **37**(1), 58–62. doi: 10.1016/j.joen.2010.09.004

International Organization for Standardization. (2001) *Dental root canal sealing materials ISO* 6786.

Islam, I., Chng, H. K., Yap, A. U. (2006). Comparison of the physical and mechanical properties of MTA and portland cement. *Journal of Endodontics* **32**(3), 193–7. doi: 10.1016/j.joen.2005.10.043

Kogan, P., He, J., Glickman, G. N., *et al.* (2006). The effects of various additives on setting properties of MTA. *Journal of Endodontics* **32**(6), 569–72. doi: 10.1016/j.joen.2005.08.006

Linsuwanont, P. (2003) MTA apexification combined with conventional root canal retreatment. *Australian Endodontics Journal* **29**(1), 45–9.

Loxley, E. C., Liewehr, F. R., Buxton, T. B., *et al.* 3rd (2003) The effect of various intracanal oxidizing agents on the push-out strength of various perforation repair materials. *Oral Surgery, Oral Medicine, Oral Pathology, Oral Radiology and Endodonics* **95**(4), 490–4. doi: 10.1067/moe.2003.32

Maroto, M., Barbería, E., Planells, P., *et al.* (2005) Dentin bridge formation after mineral trioxide aggregate (MTA) pulpotomies in primary teeth. *American Journal of Dentistry* **18**(3), 151–4.

Massi, S., Tanomaru-Filho, M., Silva, G. F., *et al.* (2011) pH, calcium ion release, and setting time of an experimental mineral trioxide aggregate-based root canal sealer. *Journal of Endodontics* **37**(6), 844–6. doi: 10.1016/j.joen.2011.02.033

Matt, G. D., Thorpe, J. R., Strother, J. M., *et al.* (2004) Comparative study of white and gray mineral trioxide aggregate (MTA) simulating a one- or two-step apical barrier technique. *Journal of Endodontics* **30**(12), 876–9.

Menezes, R., Bramante, C. M., Letra, A., *et al.* (2004) Histologic evaluation of pulpotomies in dog using two types of mineral trioxide aggregate and regular and white Portland cements as wound dressings. *Oral Surgery, Oral Medicine, Oral Pathology, Oral Radiology and Endodontics* **98**(3), 376–9. doi: 10.1016/s107921040400215x

Midy, V., Dard, M., Hollande, E. (2001). Evaluation of the effect of three calcium phosphate powders on osteoblast cells. *Journal of Materials Science: Materials in Medicine* **12**(3), 259–65.

Nagas, E., Uyanik, M. O., Eymirli, A., *et al.* (2012). Dentin moisture conditions affect the adhesion of root canal sealers. *Journal of Endodontics* **38**, 240–4.

Naik, S., Hegde, A. H. (2005) Mineral trioxide aggregate as a pulpotomy agent in primary molars: an in vivo study. *Journal of the Indian Society of Pedodontics and Preventive Dentistry* **23**(1), 13–16.

Namazikhah, M. S., Nekoofar, M. H., Sheykhrezae, M. S., *et al.* (2008) The effect of pH on surface hardness and microstructure of mineral trioxide aggregate. *International Endodics Journal* **41**(2), 108–16. doi: 10.1111/j.1365-2591.2007.01325.x

Oskoee, S. S., Kimyai, S., Bahari, M., *et al.* (2011) Comparison of shear bond strength of calcium-enriched mixture cement and mineral trioxide aggregate to composite resin. *Journal of Contemporary Dental Practice* **12**(6), 457–62.

Ozdemir, H. O. B., Ozçelik, Karabucak, B., Cehreli, Z. C. (2008) Calcium ion diffusion from mineral trioxide aggregate through simulated root resorption defects. *Dental Traumatology* **24**(1), 70–3. doi: 10.1111/ j.1600-9657.2006.00512.x

Percinoto, C., de Castro, A. M., Pinto, L. M. (2006) Clinical and radiographic evaluation of pulpotomies employing calcium hydroxide and trioxide mineral aggregate. *General Dentistry* **54**(4), 258–61.

Poggio, C., Lombardini, M., Alessandro, C., *et al.* (2007) Solubility of root-end-filling materials: a comparative study. *Journal of Endodontics* **33**(9), 1094–7. doi: 10.1016/j.joen.2007.05.021

Porter, M. L., Bertó A, Primus, C. M., *et al.* (2010) Physical and chemical properties of new-generation endodontic materials. *Journal of Endodontics* **36**(3), 524–8. doi: 10.1016/j.joen.2009.11.012

Saghiri, M. A., Garcia-Godoy, F., Lotfi, M., *et al.* (2012) Effects of diode laser and MTAD on the push-out bond strength of mineral trioxide aggregate–dentin interface. *Photomedicine and Laser Surgery* **30**(10), 587–91. doi: 10.1089/pho.2012.3291

Saghiri, M. A., Lotfi, M., Saghiri, A. M., *et al.* (2009) Scanning electron micrograph and surface hardness of mineral trioxide aggregate in the presence of alkaline pH. *Journal of Endodontics* **35**(5), 706–10. doi: 10.1016/j.joen.2009.01.017

Santos, A. D., Moraes, J. C., Araujo, E. B., *et al.* (2005) Physico-chemical properties of MTA and a novel experimental cement. *International Endodontics Journal* **38**(7), 443–7. doi: 10.1111/ j.1365-2591. 2005. 00963.x

Sarkar, N. K., Caicedo, R., Ritwik, P., *et al.* (2005) Physicochemical basis of the biologic properties of mineral trioxide aggregate. *Journal of Endodontics* **31**(2), 97–100.

Shahi, S., Rahimi, S., Yavari, H. R., *et al.* (2012) Effects of various mixing techniques on push-out bond strengths of white mineral trioxide aggregate. *Journal of Endodontics* **38**(4), 501–4. doi: 10.1016/j. joen.2012.01.001

Shie, M. Y., Huang, T. H., Kao, C. T., *et al.* (2009) The effect of a physiologic solution pH on properties of white mineral trioxide aggregate. *Journal of Endodontics* **35**(1), 98–101. doi: 10.1016/j.joen.2008.09.015

Shokouhinejad, N., Sabeti, M., Hasheminasab, M., *et al.* (2010) Push-out bond strength of resilon/epiphany self-etch to intraradicular dentin after retreatment: A preliminary. *Journal of Endodontics* **36** (3), 493–6 DOI: 10.1016/j.joen.2009.11.009

Silva, E. J. N. L., Rosa, T. P., Herrera, D. R., *et al.* (2013). Evaluation of cytotoxicity and physicochemical properties of calcium silicate-based endodontic sealer MTA Fillapex. *Journal of Endodontics* **39**, 274–7.

Storm, B., Eichmiller, F. C., Tordik, P. A., *et al.* (2008) Setting expansion of gray and white mineral trioxide aggregate and Portland cement. *Journal of Endodontics* **34**(1), 80–2. doi: 10.1016/j.joen.2007.10.006

Tanomaru-Filho, M., Morales, V., da Silva, G. F., *et al.* (2012) Compressive strength and setting time of MTA and Portland cement associated with different radiopacifying agents. *ISRN Dentistry* **1–4**, 898051. doi: 10.5402/2012/898051

Torabinejad, M., Chivian, N. (1999) Clinical applications of mineral trioxide aggregate. *Journal of Endodontics* **25**(3), 197–205. doi: 10.1016/s0099-2399(99)80142-3

Torabinejad, M., Hong, C. U., McDonald, F., *et al.* (1995) Physical and chemical properties of a new root-end filling material. *Journal of Endodontics* **21**(7), 349–53. doi: 10.1016/s0099-2399(06)80967-2

Tunç, E. S., Sönmez, I. S., Bayrak, S., *et al.* (2008) The evaluation of bond strength of a composite and a compomer to white mineral trioxide aggregate with two different bonding systems. *Journal of Endodontics* **34**(5), 603–5. doi: 10.1016/j.joen.2008.02.026

Viapiana, R., Guerreiro-Tanomaru, J.M., Tanomaru-Filho, M., *et al.* (2014) Investigation of the effect of sealer use on the heat generated at the external root surface during root canal obturation using warm vertical compaction technique with System B heat source. *Journal of Endodontics* in press.

Walker, M. P., Diliberto, A., Lee, C. (2006) Effect of setting conditions on mineral trioxide aggregate flexural strength. *Journal of Endodontics* **32**(4), 334–6. doi: 10.1016/j.joen.2005.09.012

Watts, J. D., Holt, D. M., Beeson, T. J., *et al.* (2007) Effects of pH and mixing agents on the temporal setting of tooth-colored and gray mineral trioxide aggregate. *Journal of Endodontics* **33**(8), 970–3. doi: 10.1016/j.joen.2007.01.024

Yan, P., Peng, B., Fan, B., *et al.* (2006) The effects of sodium hypochlorite (5.25%), chlorhexidine (2%), and Glyde File Prep on the bond strength of MTA-dentin. *Journal of Endodontics* **32**(1), 58–60. doi: 10.1016/j.joen.2005.10.016

4 생활 치수 치료에서의 MTA (MTA in Vital Pulp Therapy)

Till Dammaschke,[1] Joe H. Camp,[2,3] and George Bogen[3]
[1]Department of Operative Dentistry,
Westphalian Wilhelms-University, Germany
[2]School of Dentistry, University of North Carolina, USA
[3]Private Practice, USA - *역자 강현석*

Mineral Trioxide Aggregate: Properties and Clinical Applications, First Edition.
Edited by Mahmoud Torabinejad.

우리에게 내재되어 있는 자연력이야 말로 질병의 진정한 치유자이다.

— Hippocrates

개요

생활 치수 치료는 치수의 생활력을 유지하고 보존하기 위한 과정이다. 남아있는 건강한 치수조직의 양에 따라 직접치수복조술(direct pulp capping), 부분 또는 완전치수절단술(partial or complete pulpotomy)중에서 치료방법을 선택해야 한다. 우식의 제거, 외상, 수복치료과정, 해부학적 이상 등의 이유로 종종 치수 노출이 발생할 수 있다. 생활 치수 치료의 원칙과 전략을 설명하기 위해 치수의 치유 및 상아질 가교(dentin bridge) 형성과정에서 나타나는 세포학적 기전에 대해 살펴볼 것이다.

미생물이 치수내로 침투할 때 치수조직은 방어와 복구를 위한 선천적인 능력을 발휘한다(그림 4.1). 그러나 세균의 침입이 완전히 차단되면, 치수조직은 뛰어난 재생능력을 발휘한다. 이러한 현상은 대조군 쥐(environmentally controlled conventional rat)와 실험용 무균쥐(germ-free laboratory rat)의 대구치에서 의도적으로 치수조직을 노출시키고 어떠한 치료도 하지 않았을 경우를 관찰한 과거의 연구에서 이미 증명된 바가 있다(Kakehashi *et al.* 1965).

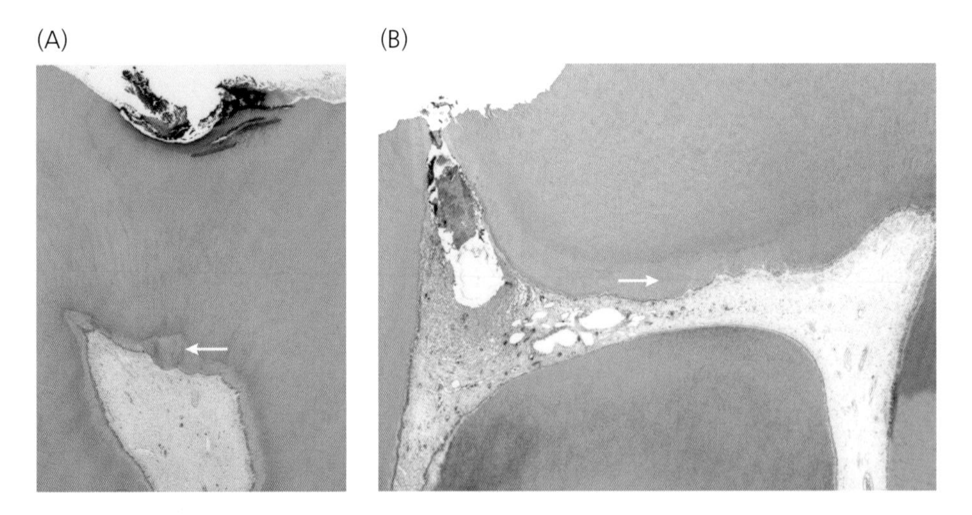

그림 4.1 (A) 증상을 보이지 않는 인간 치아에서 우식병소, 상아질세관 내로 세균의 침투, 삼차상아질 형성(화살표)을 보이는 생활치수의 광학현미경사진. (B) 증상을 보이는 인간 치아의 광학현미경 사진. 원심 치수각내로 세균이 침투하였으며 치수 괴사를 보인다. 반면 근심 치수 조직 주변은 아직 생활력을 유지하고 있으면서 염증반응이 없고 정상적인 상아질, 전상아질, 상아질모세포 층을 관찰할 수 있다. 삼차상아질 형성(화살표)에 주목하라. 16배율로 확대, Talyor modified B & B 염색. Courtesy of Dr. Domenico Ricucci.

대조군(conventional rats) 쥐는 구강 상주균(normal microflora)에 노출시켰으며, 무균쥐(gnotobiotic rats)는 완전히 멸균된 환경에서 멸균사료만 주었다. 두 그룹 모두 1일에서 42일의 간격을 두고 희생시킨 후 치아를 조직학적으로 분석하였다. 대조군쥐는 8일 후 노출된 치수가 괴사되었으며 만성염증반응을 나타내었고 세균의 침투로 인한 치근단주위 병소가 형성되었다. 무균쥐에서는 완전히 다른반응을 보였다. 14일 후 dentin bridge가 형성되었고 이후 얻은 모든 시편(specimen)에서도 완전히 밀폐된 수복 상아질(reparative dentin bridge) 하방으로 matrix형성 및 생활 치수 조직을 보였다. 모든 시편에서 조직학적으로 최소한의 치수 염증반응을 나타냈으며, 더욱 중요한 것은 무균쥐의 치아 시편에서는 치근단 주위 병소를 관찰할 수 없었다는 점이다.

무균쥐에서 채취한 치아 시편에서는 치유과정에서 조직학적으로 중요한 특징을 나타내었다. 신생 경조직을 따라 배열된 세포들(상아질모세포-유사 세포, odontoblast-like cells)은 일차상아질모세포(primary odontoblasts)와 유사하게 단일 세포층을 형성하였다. 그러나 형태학적으로 볼 때, 본래의 길어진 세포(originally elongated cells)보다는 더 납작했다. 상아질모세포는 완전히 체세포분열이 종결된 상태로서, 손상을 받았을 때 다시 분열하여 새로운 상아질모세포를 생성할 수 없다. 무균쥐에서 관찰된 경조직 형성 세포들은 기존의 상아질모세포는 아니지만, 치수 버팀질(stroma)내 존재하는 간엽세포들(recuruited mesenchymal cells, fibroblasts)에서 분화된 특화된 분비세포(specialized secretory cells)였다(Smith *et al.* 1995).

이 연구는 생활 치수 치료에 대한 기초적인 개념과 전제조건들을 이해하는데 많은 기여를 했다. 노출된 치수조직의 세균오염(bacterial contamination)은 면역 반응에 의해 제거되며, 뒤이어 상아질-치수 복합체 유래 세포로 충원(recruitment)된 후 분화된 전구세포(differentiated progenitor cells)가 경조직을 형성한다. 이는 기존에 존재하던 세포의 생존이나 재생을 통해서 이루어지는 것이 아니다. 치수노출을 동반하지 않은 미약한 간접외상은 일차 상아질모세포가 반응상아질(reactionary dentin)을 형성하는 자극원이 된다. 이것은 치수노출 후 분화된 중간엽세포에 의해 형성된 수복상아질(reparative dentin)과는 다르다. 이 두 가지 상황은 기존의 경조직 형성 세포가 살아남기도 하고 비가역적인 손상을 입기도 하는 간접치수복조와 직접치수복조의 분명한 사례를 설명하고 있다(American Association of Endodontists 2003).

분명한 것은 실제 임상에서는 노출된 치수가 완전히 멸균된 환경으로 존재할 수 없으므로 생활치수와 외부환경사이에 인공 차단막(artificial barrier)이 존재해야 치유과정 중에 치수를 보호할 수 있다. 이러한 인공차단막이 바로 치수복조재(pulp capping materials)이다. 치수 복조술과 치수절단술의 일차적 목표는 잔존 치수 세포들에 의한 경조직 형성을 유도하는 환경을 조성하고 노출된 부위를 밀폐하는 것이며, 궁극적으로는 치수생활력을 유지하는데 기여하는 것이다(Schröder 1985; Lim & Kirk 1987; Moghaddame-Jafari *et al.* 2005). 생활 치수 치료에서 이러한 목적을 달성하기 위한 방법과 원리에 대해서는 본 단원의 후반부에 설명하겠다.

장점

종래의 근관치료의 유효성에 대해서 반박할 수는 없으나, 치수 생활력을 보존하는 것의 중요한 이점은 고유수용성 감각을 유지하고 저작시 가해질 수 있는 과도한 교합력에 대해 보호성 회피반응(protective avoidance)이 가능하다는 것이다. 근관치료된 치아는 치수생활력을 갖는 치아보다 고유수용성 반응을 인식하기 위해 2.5 배 더 큰 교합력을 필요로 한다(Randow & Glantz 1986; Stanley 1989). 따라서 치수가 상실된 치아에는 힘을 줄이기 위한 반사반응이 활성화 되기 전에 더 큰 압력이 가해질 수 있다. 이와 같이 근관치료된 치아에서 보호기전의 약화는 치관 및 치근 파절의 가능성을 더욱 증가시킬 수 있다(Fuss *et al.* 2001; Lertchirakarn *et al.* 2003; Mireku *et al.* 2010). 또한 근관충전된 치아의 경우 수복물의 margin 적합성이 떨어지거나 생물학적 환경의 변화 때문에 우식 발생 가능성이 증가한다(Merdad *et al.* 2011). 게다가, 생활치수에 대한 처치는 보존적이고 비교적 간단하며, 복잡하거나 고가의 수복치료가 필요 없는 저비용의 치료이다(Hørsted-Bindslev & Bergenholtz 2003). 생활치수 및 온전한 보호기전을 갖는 치아를 오랫동안 유지하는 것은 근관치료된 치아와 비교해 볼 때 더 뛰어난 생존률을 보장해준다(Linn & Messer 1994, Caplan *et al.* 2005). 따라서 생활 치수 치료의 전반적 목적은 상아질-치수 복합체내에서 세균을 제거함과 동시에 치수조직을 보호하고 수복하며, 치유과정을 촉진하여 보다 적극적인 근관치료 및 수복치료를 늦추는데 있다(Weiger 2001).

치수복조재(Capping Materials)에 따른 치수의 반응

예전부터 노출된 치수를 치료하고 보호하기 위해 수많은 재료와 약재, 방법을 사용해왔다. FC (formocresol), ferric sulfate, 전기소작기(electrocautery), tricalcium phosphate, 수산화칼슘(calcium hydroxide, CH) 등이 몇 가지 예이다. 그러나 이러한 치료방법과 재료의 대부분은 치아를 임상적, 조직학적으로 평가할 때 몇 가지 결점을 지니고 있다. 감염된 치아에서 종래의 재료와 치료과정을 적용하였을 때 만족스러운 결과를 보여주지 못하기 때문에 생활 치수 치료, 특히 영구치에서의 직접치수복조술은 논란의 여지가 있는 치료 방법으로 여기게 되었다(Tronstad & Mjör 1972; Langeland 1981; Ward 2002; Witherspoon 2008; Naito 2010).

생활 치수 치료에 사용되는 재료의 신뢰성을 측정하기 위해 치수조직반응을 조직학적으로 평가할 필요가 있다. 직접치수복조술 또는 치수절단술을 시행한 후 수 개월 뒤 아래와 같은 반응들을 관찰할 수 있다:

- 염증의 징후가 없고 연속적인 수복상아질(경조직)층을 보이는 보통의 치수조직
- 터널형태의 빈공간(tunnel defects)이 드문드문 보이고 투과성 단층(permeable layer)을 이루는 경조직의 형성 및 만성염증 상태의 침윤치수조직.

- 불완전 혹은 미완성의 경조직을 갖거나 아예 경조직이 존재하지 않는 고도의 염증치수조직, 또는 치수 손상 영역에서 발견되는 dense collagenous scar tissue.

위에서 첫 번째로 언급한 반응을 성공적인 치수 치유로 볼 수 있는데 이러한 조건하에서는 손상된 치수조직이 스스로 복구하고 생존할 수 있기 때문이다(Schroeder 1997). 치수복조재로서 수산화칼슘이 현재 가장 널리 사용되며 치수조직에 미치는 영향에 대해 포괄적으로 연구가 진행되어 왔다. 먼저 수산화칼슘의 바람직한 성질과 몇 가지 단점을 보다 더 잘 파악하기 위해 이 약재를 이용한 치수복조술에 대해 고찰하겠다.

수산화칼슘을 이용한 직접치수복조술(Direct Pulp Capping)

1928년과 1930년에 Hermann에 의해 CH paste(수용성 현탁액)를 사용하는 직접치수복조술에 대해 처음으로 보고된 바가 있다. 1960년대 이후에는 경화된 상태의 CH salicylate ester가 주로 사용되었다. 따라서 수십 년 동안 CH는 치수생활력을 유지하는데 있어 표준 치료재로 자리잡게 되었다. 최근까지, CH 관련 상품들이 직접치수복조술에서 가장 입증되고 신뢰할 만한, 소위 말해서 "gold standard"로 자리잡게 되었다. 반면 2003년 Hørsted-Bindslev 등은 새로운 재료가 개발되어야 한다고 보고하였다. 더 최근에 와서는 보다 진보한 재료들이 치수복조재로서 사용되고 있으며, 친수성 resin, RMGI cement, ozone technology, laser, 생체활성물질을 첨가한 resin 및 mineral trioxide aggregate(MTA; ProRoot MTA, Dentsply/Tulsa Dental Specialties, Tulsa, OK, USA)를 포함한 다양한 칼슘-실리케이트를 기반으로하는 시멘트 등이 그 예이다.

수산화칼슘은 높은 pH를 나타내며 초기에 살균작용을 한다. 따라서 우식병소에서 산성의 낮은 pH를 중화시킬 수 있다. CH가 상아질모세포(odontoblasts)나 상아질모세포-유사 세포(odontoblast-like cells)의 분화를 촉진하여 노출된 치수부위에서 경조직 가교(bridge)를 형성하게 한다는 사실은 이미 잘 알려져 있다. CH는 상아질모세포-유사 세포의 분화를 유도하고 상향조절(up-regulation)을 통해 새로운 경조직 형성에 기여한다(Schröder 1972). 또한 낮은 농도의 CH는 치수 섬유모세포(fibroblasts)의 증식을 유도하기도 한다(Torneck *et al.* 1983).

대체로 CH를 이용한 직접 및 간접치수복조술의 조직학적, 임상적 결과가 만족할만 하다는 연구결과가 보고된 바 있다(Dammaschke *et al.* 2010a). 인간치아에서 직접치수복조술의 성공율이 80% 이상이라는 기초적, 임상적 연구결과도 있다(Baume & Holz 1981; Hørsted *et al.* 1985; Duda & Dammaschke 2008; Duda & Dammaschke 2009).

반대로, 2000년 Barthel 등은 CH를 사용한 직접치수복조술을 시행한 후 10년 경과시 약 75%의 치아에서 치수 괴사가 나타났거나, 근관 치료를 시행하였거나 또는 발거했다고 보고하였다. 따라서 CH를 이용한 치수복조술은 여전히 논란의 대상이며 장기간에 걸쳐 유지될 수 있는 신뢰할 만한 가교(bridge)형성 및

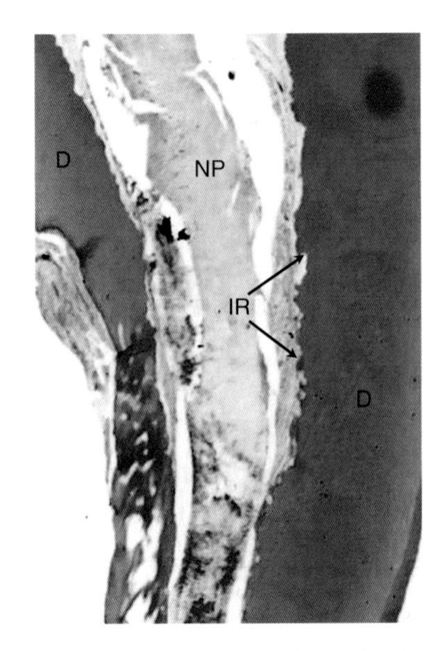

그림 4.2 유치에서 Dycal®을 적용한 치수복조 후 5개월 뒤의 치수조직반응으로 치수괴사 및 내흡수를 보인다(D: 상아질, NP: 괴사된 치수조직; IR: 내흡수). 40배율로 확대, 출처: Caicedo 2008. Reproduced with permission of John Wiley and Sons, Inc.)

치수보호를 보장할 수 없을 가능성이 있다.

치수복조를 위한 재료로서, 수산화칼슘을 선택하고자 할 때 몇가지 중요한 결점을 고려해야한다. 수산화칼슘은 상아질에 대한 결합력이 약하고 기계적 안정성이 떨어지며 적용 후 지속적으로 흡수된다(Barnes & Kidd 1979; Cox *et al.* 1996; Goracci & Mori 1996) (그림 4.2). 또한 지속적으로 흡수되면서 이 재료가 사라질 때, "tunnel defects"로 알려져 있는 신생 수복 상아질의 다공성은 세균의 진입을 위한 입구로서 작용하게 된다. 이는 치수조직의 2차 염증 반응으로 이어지며 치수생활력의 상실과 위축성 석회화(dystrophic calcification)를 초래한다(그림 4.3). 결과적으로, 밀폐를 이루기 위한 치관부 수복물이 존재하더라도 CH는 장기간에 걸쳐 일어나는 미세누출을 막을 수 없다. 수산화칼슘 현탁액(suspensions)의 높은 pH(12.5)는 치수조직과 만나는 계면에서 액화괴사(liquefaction necrosis)를 가져올 수 있다(Barnes & Kidd 1979; Cox *et al.* 1996; Duda & Dammaschke 2008).

Mineral Trioxide Aggregate

물리화학적 성질

현대 치의학에서 MTA를 치수복조재로 사용하게 되면서 예지성이 없어 회피하게 되는 술식이라는 직접 치수복조술의 기존 인식을 완전히 바꾸어 놓았다. MTA는 수경성 칼슘-실리케이트시멘트 분말재

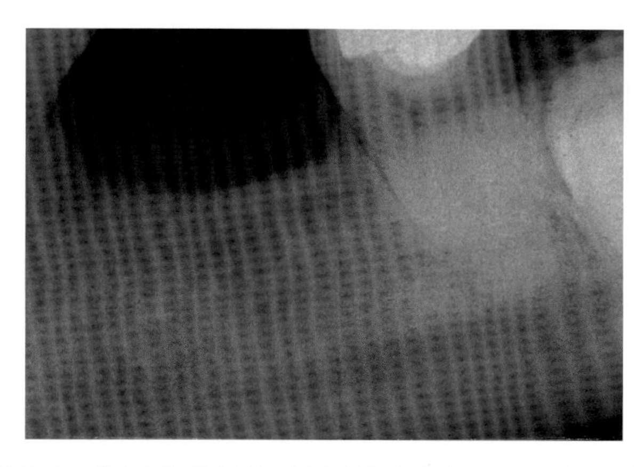

그림 4.3 54세 환자의 하악 제2대구치에 대한 치근단 방사선 사진.약 12년전 경화성 수산화칼슘(Dycal®)을 이용하여 직접치수복조술을 시행하였다.치수는 cold test에 지연반응을 보였고 치수의 석회화로 근관이 좁아져 희미하게 보인다.

(hydraulic calcium-silicate cement powder)로서 다양한 산화물을 포함하고 있다(sodium and potassium oxides, calcium oxide, silicon oxide, ferric oxide, aluminum oxide, magnesium oxide). MTA의 조성은 건축자재로서 널리 쓰이고 있는 정제된 Portland cement와 유사하다(Camilleri *et al.*2005; Dammaschke *et al.* 2005). 둘 다 규산삼칼슘(Tricalcium silicate)이 주성분이며 MTA는 생체친화적(biocompatible)이면서 동시에 생체활성적(bioactive)이라고 알려져 있다(Laurent *et al.* 2009). 생체활성(bioactivity)은 생체조직에 대해 어떤 재료나 약재가 미치는 긍정적 효과를 말한다. 어떠한 재료가 인체내에서 세포와 접촉하여 긍정적인 생물학적 효과를 가져온다면 우리는 그것을 "bioactive"라고 말한다(Hench & West 1996).

MTA의 도입은 근관치료를 위한 생체활성적 시멘트 연구개발의 역사적인 이정표가 되었다. 이미 19세기 말 이전에 치의학에서 Portland cement 를 사용할 것을 주장하는 첫 번째 논문이 발표된 바 있다. 1878년 독일의 치과의사 D. Witte(Hanover, Germany)는 상품화된 Portland cement을 근관 충전과 생활 치수 치료를 위해 사용했다고 보고하였다. 불행히도, 이러한 시도는 그 이후에 계속 이어지지는 못했다.

MTA의 첫 번째 상품화된 제품(ProPoot MTA)은 회색이며(GMTA), 치관부에 사용시 치아의 변색을 일으킬 수 있다는 보고가 있다(Karabucak *et al.* 2005). 따라서 유백색을 띠는 white MTA (WMTA)가 새롭게 개발되었다(Glickman & Koch 2000). GMTA는 tetracalcium aluminum ferrite를 포함하며 변색을 유발하는 철산화물을 포함하고 있으나, WMTA는 이와 같은 철산화물을 포함하지 않는다(Moghaddame-Jafari *et al.* 2005). 또한 WMTA에 포함된 산화알루미늄, 산화마그네슘, 산화철의 양는 GMTA에 포함된 양보다 현저히 적다(Asgary *et al.* 2005). 하지만 직접치수복조술의 연구에서는 이와 같은 조성차이에도 불구하고 GMTA와 WMTA의 조직학적인 반응은 거의 비슷하다는 결과를 보고하였다(Faraco Júnior & Holland 2001, 2004; Parirokh *et al.* 2005).

GMTA와 WMTA 모두 뚜렷하게 경조직 형성을 유도하는데, 심한 치수괴사를 일으키지 않으며 단지 미약한 염증반응을 유발할 뿐이다(Aeinehchi *et al.* 2003; Accorinte *et al.* 2008a, 2008b; Nair *et al.* 2008). 형성된 경조직은 무정형이고 상아세관이 결여되어 있다(Faraco Júnior & Holland 2004; Parirokh *et al.* 2005) (그림 4.4). 그러나 영장류에서 MTA로 직접치수복조술을 시행한 최근 연구에서 형성된 수복상아질(reparative dentin)내에 "tunnel defects"가 존재한다는 보고가 있었다. 상아질 가교(dentin bridge)의 이러한 특징은 경화된 MTA가 구조적으로 안정하며 흡수되지 않는다는 사실로 볼 때 그다지 중요하지 않다(Al-Hezaimi *et al.* 2011). 생활치수치료에서 WMTA를 적용한 경우에도 치아변색이 보고되고 있다(Belobrov & Parashos 2011). 치아변색 효과는 MTA 적용 시에 임상 치관 내부에 상아질 접착제를 도포함으로써 어느 정도 최소화할 수 있다(Akbari *et al.* 2012).

임상에서 사용할 때 유리판이나 Dappen dish 안에서 증류수 또는 국소마취액을 MTA와 혼합한다. MTA 분말에 물을 첨가하면 4시간 이내에 경화되는 콜로이드 겔을 형성하면서 반응이 일어난다(Torabinejad *et al.* 1995a). 경화된 MTA가 조직액과 만나게 되면 산화칼슘(calcium oxide)이 수산화칼슘(CH)으로 바뀌게 된다. CH 분자는 칼슘이온과 수산화이온으로 해리되며(Holland *et al.* 1999; Faraco Júnior & Holland 2001; Takita *et al.* 2006), pH는 9.22(Duarte *et al.* 2003)에서 12.5(Torabinejad *et al.* 1995a)사이까지 증가한다. 결과적으로 MTA와 CH는 항균성을 갖는다는 점에서 유사하다고 볼 수 있다(Al-Hezaimi *et al.* 2005). 또한 MTA와 CH는 생활치수 조직과 만났을 때 신생 경조직 형성을 유도한다는 면에서 비슷한 기전을 갖고 있다(Dominguez *et al.* 2003). 그러나 두 재료 간에 뚜렷한 차이는 MTA의 우수한 기계적 성질이다.

직접치수복조술에서 CH와 비교하여 MTA가 갖는 장점은 낮은 용해도, 향상된 기계적 강도, 우수한 상아질 변연 적합성 등을 꼽을 수 있다(Sarkar *et al.* 2005). 더욱이 직접 치수 복조술에서 MTA를 사용하게 되면 CH가 갖고 있는 단점들, 즉 복조재의 흡수, 불안정한 기계적 강도, 누출로 인한 부적절한 장기적 밀폐능력을 극복할 수 있다(Dammaschke *et al.* 2010c). MTA는 혈액이나 조직액이 존재할 때에도 경화가 가능한 친수성(hydrophilic) 및 흡습성(hygroscopic) 시멘트이다(Torabinejad *et al.* 1995a).

MTA와 같은 칼슘 실리케이트 시멘트는 세포나 조직액과 접촉시 칼슘이온와 수산화이온을 용출하면서(Borges *et al.* 2011), 접촉계면에서 수산화인회석(hydroxyapatite) 결정을 형성한다고 알려져 있다(Sarkar *et al.* 2005; Bozeman *et al.* 2006; Gandolfi *et al.* 2010). 인회석(apatite)의 형성은 계면을 따라 존재하는 공백을 채우고 섬유소내에 인회석이 침착(intrafibrillar apatite deposition)되면서 상아질과의 상호작용을 통해 누출 감소에 기여한다(Han & Okiji 2011).

이러한 특성의 interstitial layer는 MTA가 상아질과 만나는 부분에서 형성된 수산화인회석의 조성 및 구조와 유사하며, 생활치수치료 시 MTA의 가장 중요한 물리화학적 성질로 볼 수 있다(Sarkar *et al.* 2005; Bozeman 2006). 이러한 특징이 미세누출을 막고 세포부착에 필요한 생체적 활성 기질을 제공하여 치료의 예후를 증가시킨다(Sarkar *et al.* 2005). 더욱이 MTA는 항균성을 띠고(Torabinejad *et al.*

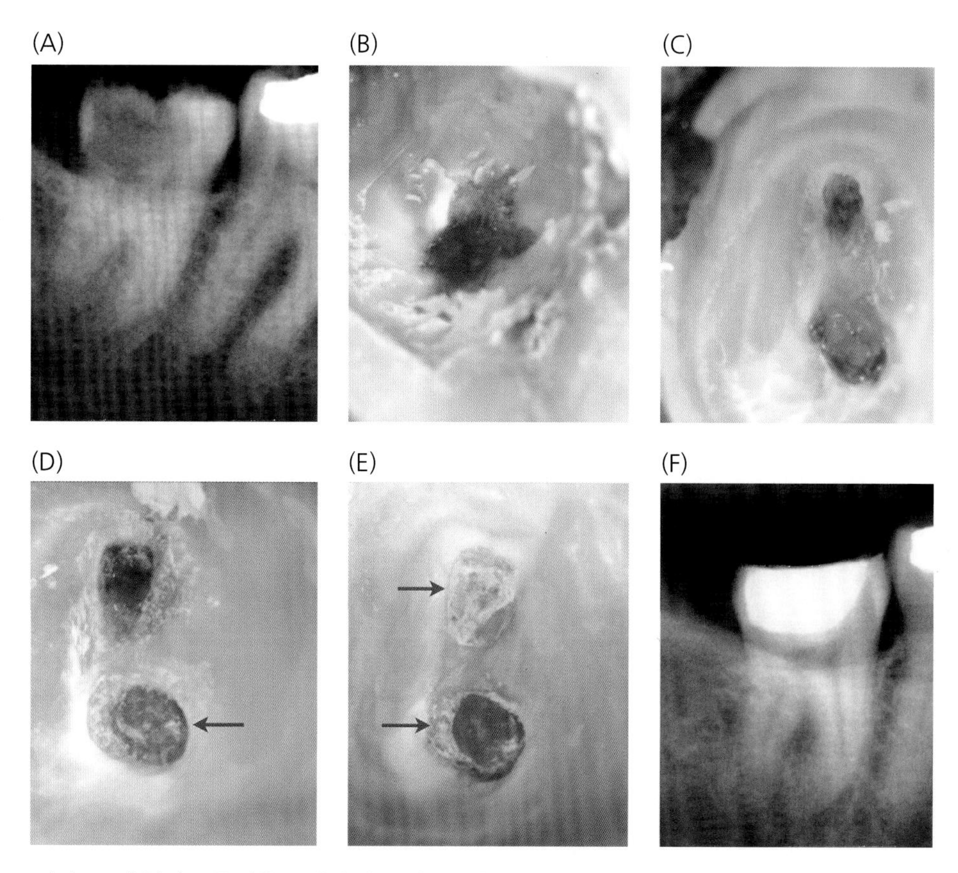

그림 4.4 (A) 50대 환자로 증상을 보이지 않는 하악 우측 제2대구치 방사선사진. Pulp roof에 인접한 깊은 우식이 존재한다. (B) 우식 제거 과정에서 막 노출된 치수.(C)MTA 직접치수복조를 시행하기 전, 지혈된 상태로 두 부위의 큰 치수노출을 보이고 있다. (D) 3.5개월 경과 후 적용한 MTA를 제거한 모습.한쪽 노출 부위에서 경조직이 형성되었다(화살표). (E) 7개월 경과 후 적용한 MTA를 제거한 모습. 3차상아질이 형성되었다(화살표). (F) 7개월 경과 후 영구수복을 마친 방사선사진. 환자는 증상이 없었다.출처: Courtesy of Dr. DomenicoRicucci.

1995d; Ribeiro *et al.* 2006), 돌연변이를 유발하지 않으며(Kettering *et al.* 1995), 가벼운 세포독성을 보인다(Keiser *et al.* 2000). MTA는 골모세포(osteoblasts)의 형태를 변화시키지 않으면서(Koh *et al.* 1998) 골모세포 내에서의 생물학적 세포반응을 촉진하는 동시에(Koh *et al.* 1997; Mitchell *et al.* 1999) 경조직 형성을 유도한다(Abedi & Ingle 1995; Holland *et al.* 2001).

MTA가 치주인대 영역에서 천공수복을 위해 사용되었을 때, 백악질 모세포(cementoblasts)가 그 위를 덮게 된다(Holland *et al.* 2001). 뿐만 아니라, 인간 골모세포도 MTA 표면에 부착하여 그 상태로 생존할 수 있다(Zhu *et al.* 2000). 종합해 볼 때, 대부분의 연구에서 MTA는 탁월한 생체친화성과(Torabinejad *et al.* 1995b; Pitt Ford *et al.* 1996; Koh *et al.* 1997; Torabinejad & Chivian 1999; Keiser *et al.* 2000) 미생물 침투를 막을 수 있는 뛰어난 밀폐능력을 갖고 있음을 보여주고 있다(Torabinejad *et al.*

1993, 1995e; Torabinejad & Chivian 1999). 최근 연구들을 통해 MTA는 직접치수복조를 위한 더 나은 재료이며 생활 치수 치료에 있어서 CH를 대체할 만한 합리적인 재료라는 결론을 내릴 수 있다(Holland *et al.*2001; Cho *et al.* 2013) (그림 4.5).

치수복조술 및 치수절단술에서의 기전

In vitro실험에서 MTA는 치수에 직접 적용했을 경우 다양한 긍정적 세포 반응을 촉진할 수 있다(Bonson *et al.*2004; Nakayama *et al.* 2005; Tani-Ishii *et al.* 2007). 또한 MTA는 전구세포(progenitor cell)의 유사분열 인자에도 상당한 영향을 끼치며 직접 치수복조시 경조직의 형성을 자극한다(Dammaschke *et al.* 2010b). 전구세포는 다분화능 성체 줄기세포(multipotent adult stem cells)로서 일차 상아질모세포가 손상을 받게 되면 상아질모세포-유사 세포로 분화할 수 있는 잠재력을 가지고 있다(Goldberg & Smith 2004, Goldberg *et al.* 2008). 아마도 MTA가 BMP (bone morphogenic protein)의 발현을 상향조절하여 무기질침착(mineralization)을 자극하는 것으로 보인다(Yasuda *et al.* 2008). in vitro 실험에서 MTA는 무기질침착 matrix형성에 관여하는 유전자 및 mRNA의 합성과 무기질 침착과정에 중요한 역할을 담당하는 세포 표지자(cellular marker) 단백질의 발현을 촉진한다고 밝혀졌다(Thomson *et al.* 2003).

MTA가 치수세포에 직접 접촉했을 때 혈관내피세포 성장인자(VEGF)와 신생혈관형성 및 상아질형성에 관여하는 혈소판유래 성장인자(PDGF)의 유도와 분비가 상당히 증가한다(Paranjpe *et al.*2010,2011). In vitro에서 치료하지 않은 대조군과 비교 시에 MTA는 세포분열기의 S와 G2 phage에서 MDPC-23세포의 증식과 S-phase에서 OD-21 세포의 증식을 활성화시킨다.

하지만 MTA가 이들 세포의 apoptosis를 유도하지는 않는다. 즉 MTA는 치수세포의 증식을 촉진할 뿐 세포 apoptosis를 일으키지 않는다고 결론을 내릴 수 있다. 이는 생체실험에서 MTA를 직접치수복조에 사용 후 관찰한 재생적 치유과정(regerative process)을 설명해준다(Paranjpe *et al.* 2010, 2011)(그림 4.6).

MTA의 기본적인 물리화학적 성질은 인접한 상아질에 존재하는 성장인자를 비활성 또는 활성화 시키는 과정을 통해 수복 상아질형성을 촉진한다(Koh *et al.* 1997; Tziafas *et al.* 2002; Okiji &Yoshiba2009). 경화과정에서 지속적으로 방출되는 칼슘이온은 형질전환 성장인자(TGF-β), 대식세포 증식자극인자(MCSF), 인터루킨 IL-1α와 IL-β와 같은 신호전달물질을 자극한다(Takita *et al.* 2006; An *et al.* 2012). MTA는 CH나 친수성 접착 레진과 같은 기타 복조재와 비교시 IL-1β의 분비를 현저히 증가시킨다(Accorinte *et al.*2008c; Reyes-Carmona *et al.* 2010; Cavalcanti *et al.* 2011; Galler *et al.* 2011).

IL-1β는 세포의 성장과 분화를 조절하는 매우 효과적인 cytokine이다(Cavalcanti *et al.* 2011). 세포외기질의 당단백질(glycoproteins)은 수복 또는 반응상아질의 형성을 자극한다는 가설이 제기되었다(Smith *et al.* 1995; Goldberg & Smith 2004; Goldberg *et al.* 2008). 특히 MTA가 존재할 때 고분자량 올리고머 단백질인 tenascin과 fibronectin이 상아질모세포의 분화 및 치아형성에 관여한다(Thesleff

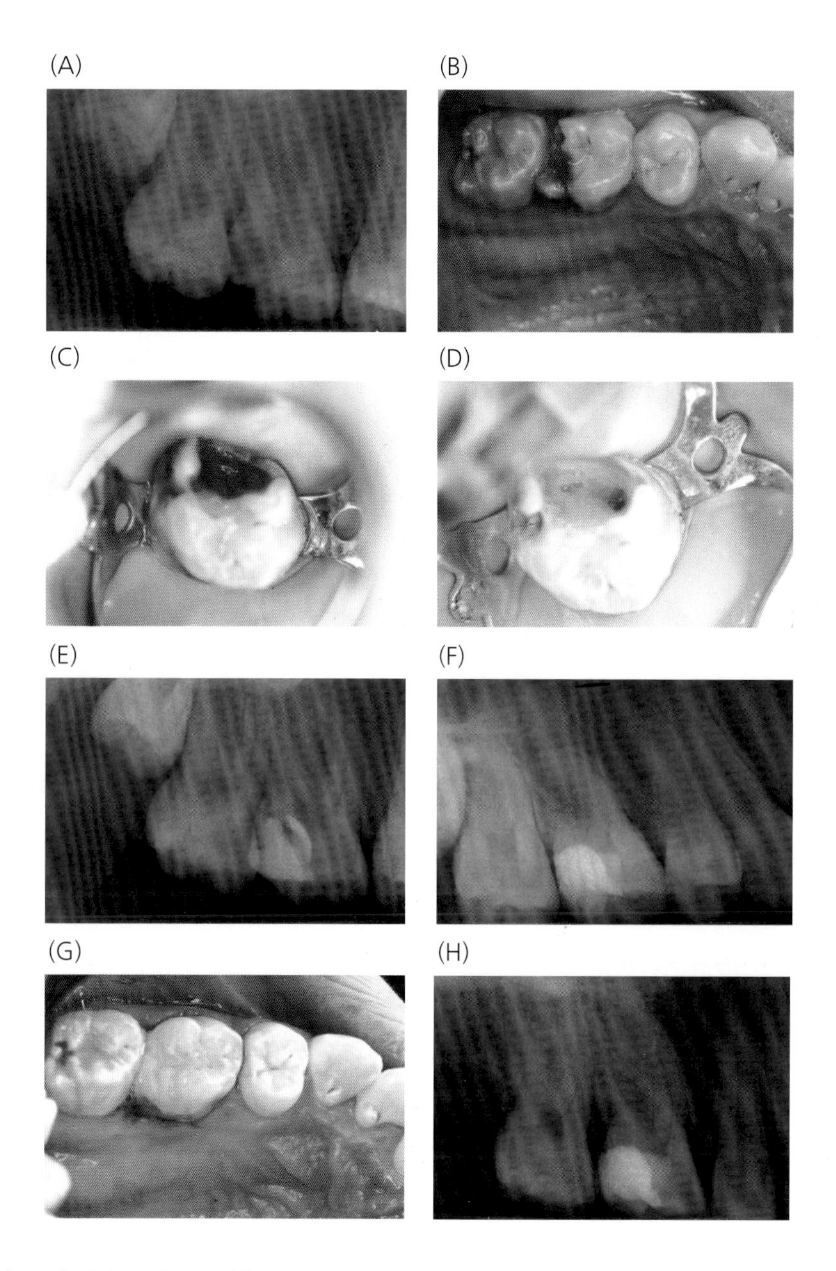

그림 4.5 (A) 15세 환자로 심한 우식을 보이는 상악 우측 제1대구치의 술전 방사선 사진. (B) 이환치아의 임상사진. (C) Caries detector dye으로 확인하며 우식부위를 제거. (D) 노출부위의 치수를 5.25% NaOCl로 지혈한 모습. (E) MTA로 직접치수복조 후 젖은 면구를 올리고 비접착성Photocore®로 임시 수복한 방사선사진. (F) MTA 직접치수복조 후 5일 만에 접착성 복합 레진으로 영구수복하였다. (G) 복합 레진으로 수복한 임상사진. (H) 14년 후 재내원 시 촬영한 방사선 사진으로 추가적인 수복은 없었으며, 환자 또한 cold test에 대해서도 정상반응을 보였다.

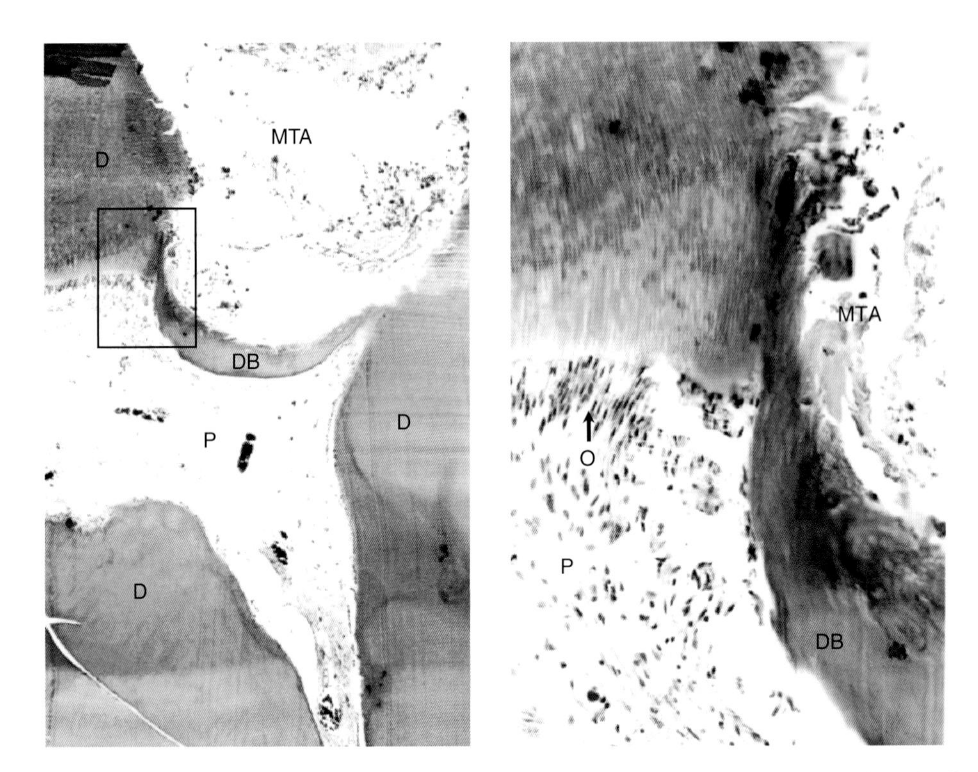

그림 4.6 (A) 인간 유치에서 MTA로 직접치수복조 후 5개월 경과 시에 dentin bridge가 형성되어 있음을 알 수 있다(D: 상아질, P: 치수, DB: dentin bridge). 40배율로 확대. (B) MTA 에 인접한 상아질모세포(O)가 dentin bridge(경조직)의 형성을 유도한다. 200배율로 확대. 출처: Caicedo 2008. Reproduced with permission of John Wiley and Sons, Inc.

et al. 1995; Leites *et al.* 2011; Zarrabi *et al.* 2011). 이 두 종류의 당단백질은 상아질형성과정에서 발현되며 치수세포의 이주와 분화에 필수적인 요소로 보인다(Zarrabi *et al.* 2011).

인간 치아 기질 세포(dental stromal cells)를 경화된 GMTA에서 배양했을 때 세포는 생존하고 증식하였다. 또한 경화된 MTA와 만났을 때 Osteocalcin, 치아 sialoprotein, alkaline phosphatase와 같은 유전자 산물의 발현이 상향조절되며 수복 상아질 가교(reparative dentin bridge)형성에 필수적인 상아질모세포-유사 세포의 분화를 촉진하였다. MTA를 사용하여 직접치수복조 후 치수노출 부위에서 초기 상아질 형성 시에 sialoprotein과 osteopontin이 검출되었다(Kuratate *et al.* 2008). BMP-2, BMP-4, BMP-7과 TGF-β, heme oxygenase-1 enzyme과 같은 신호전달물질이 상아질모세포계의 분화에 반드시 필요한 것으로 알려져 있다(Guven *et al.* 2011). MTA에 의해 특정한 cytokine의 발현이 상향조절되면 MTA-상아질 interface의 콜라겐 섬유에 apatie-like cluster가 형성되면서 광화를 촉진하게 된다(Ham *et al.* 2005; Yasuda *et al.* 2008; Reyes-Carmona *et al.* 2010). 상향조절된 cytokine에는 cyclooxygenase-2, activating protein-1, myeloperoxidase, VEGF, nuclear factor-kappa B, inducible nitric oxide synthase가 있다. MTA는 IL-1β와 IL-8의 분비를 증가시키고 반응성 산소종(reactive oxygene species)을 생성하거나 세포생존을 불리하게 하는 부정적인 영향을 끼치지 않는다(Camargo *et al.* 2009). 그러나 알루미늄 이온의 용출은 치수 기질세포에 대해서는 부분적 억제 효과를 나타낸다 (Minamikawa *et al.* 2011).

수산화칼슘과 비교

생활 치수 세포와 접촉 시 MTA의 긍정적 효과에 대해 인간을 비롯한 여러 종의 동물실험이 수행되었으며 특히 CH와 비교해보았다: 인간(Aeinehchi *et al.* 2003; Iwamoto *et al.* 2006; Caicedo *et al.* 2006; Accorinte *et al.* 2008a, b; Min *et al.* 2008; Nair *et al.* 2008; Sawicki *et al.* 2008; Mente *et al.* 2010; Parolia *et al.* 2010), 원숭이 (Pitt Ford *et al.* 1996), 개 (FaracoJúnior & Holland 2001; Dominguez *et al.* 2003, Queiroz *et al.* 2005; Asgary *et al.* 2008; Costa *et al.* 2008), 돼지 (Shayegan *et al.* 2009), 설치류(Dammaschke *et al.* 2010c). 이러한 연구들로부터 CH와 MTA는 생활 치수 조직에 대해 조직학적으로 서로 유사한 반응을 유발한다는 결과를 얻었다.

그러나 치수조직에 직접접촉 시, MTA는 상대적으로 미약한 염증반응을 유발하고(Aeinehchi *et al.* 2003; Accorinte *et al.* 2008b; Nair *et al.* 2008; Parolia *et al.* 2010), 치수 충혈 및 괴사의 정도 또한 상대적으로 적고(Aeinehchi *et al.*2003; Dammaschke *et al.* 2010c), "tunnel defects"가 거의 없는 보다 균일한 상태의 dentin bridge를 형성하게 한다(Nair *et al.* 2008). 신생 수복 상아질은 더 두꺼우며 bridge interface에서 발견되는 상아질모세포-유사 세포층은 보다 균일한 형태를 이루고 있다(Aeinehchi *et al.*2003; Min *et al.* 2008; Nair *et al.* 2008; Parolia *et al.* 2010). 이러한 사실은 직접치수복조에서 CH보다 MTA가 임상적으로 더 나은 결과를 보여 주는 것에 대한 이유를 설명해준다(Mente *et al.*2010; Hilton *et al.* 2013).

치수복조에 관한 최근의 많은 연구들에서 MTA는 CH보다 동등하거나 더 우수함이 입증되었다(Pitt Ford *et al.* 1996; Faraco Júnior & Holland 2001; Aeinehchi *et al.* 2003;Dominguez *et al.* 2003; Accorinte etal. 2008c; Asgary etal. 2008; Min *et al.* 2008;Nair *et al.* 2008; Mente *et al.* 2010; Leye Benoist *et al.* 2012; Hilton *et al.* 2013). 그러나 몇몇의 연구에서는 이 두 재료 간에 치수 치유에 대한 큰 차이를 보이지 않는다는 결과도 존재한다(Queiroz *et al.* 2005; Iwamoto *et al.* 2006; Accorinte *et al.* 2008b; Costa *et al.* 2008; Sawicki *et al.* 2008; Shayegan *et al.* 2009;Dammaschke *et al.* 2010c; Parolia *et al.* 2010) (표 4.1). 이러한 연구를 통해 직접치수복조에서 MTA는 CH salicyate ester 시멘트나 CH 분말재 보다 우수하다는 것이 증명되었다(Accorinte el al. 2008a, b; Dammaschke *et al.* 2010c). 비록 CH paste가 CH salicylate ester보다 나은 치수반응을 유발했지만 (Phaneuf *et al.* 1968; Retzlaff *et al.* & Castaldi 1969; Stanley & Lundy 1972; Liard-Dumtschin *et al.* 1984;Schröder 1985; Lim & Kirk 1987; Kirk etal. 1989; Staehle 1990), 이들 두 재료 모두 시

표 4.1 MTA를 이용한 직접 치수 복조 시 CH와 비교하여 얻은 조직학적 결과(논문 고찰)

저자	$Ca(OH)_2$의 유형	실험종	관찰 기간	결과
Pitt Ford et al. 1996	경화성 시멘트	원숭이	5개월	MTA가 유의하게 뛰어남
Faraco Júnior and Holland 2001	경화성 시멘트	개	2개월	MTA가 유의하게 뛰어남
Aeinehchi et al. 2003	경화성 시멘트	인간	1주-6개월	MTA가 유의하게 뛰어남
Dominguez et al. 2003	광중합 형	개	50일+150일	MTA가 유의하게 뛰어남
Accorinte et al. 2008	경화성 시멘트	인간	30일+60일	MTA가 유의하게 뛰어남
Asgary et al. 2008	경화성 시멘트	개	8주	MTA가 유의하게 뛰어남
Min et al. 2008	경화성 시멘트	인간	2개월	MTA가 유의하게 뛰어남
Nair et al. 2008	경화성 시멘트	인간	1주+1개월+3개월	MTA가 유의하게 뛰어남
Mente et al. 2010	수용성 paste	인간	12-80개월(평균 27개월)	MTA가 유의하게 뛰어남
Hiltonet al. 2013	경화성 시멘트	인간	6-24개월(평균 12.1개월)	MTA가 유의하게 뛰어남*
Queiroz et al.2005	수용성 paste	개	90일	유의한 차이가 없었음
Iwamoto et al. 2006	경화성 시멘트	인간	136일	유의한 차이가 없었음
Accorinte et al. 2008b	분말재	인간	30일+60일	유의한 차이가 없었음
Costa et al. 2008	수용성 paste	개	60일	유의한 차이가 없었음
Sawicki et al. 2008	경화성 시멘트	인간	47-609일	유의한 차이가 없었음
Shayegan et al. 2009	경화성 시멘트	돼지	21일	유의한 차이가 없었음
Dammaschke et al. 2010	수용성 paste	쥐	1,3,7,70일	유의한 차이가 없었음
Parolia et al. 2010	경화성 시멘트	인간	15일+45일	유의한 차이가 없었음

*Naito(2010)는 Menteet al.(2010)의 통계 결과에서 부적절한 부분을 발견하였기에 결과를 해석 시 이 점을 고려해야 한다.

간이 경과하면서 흡수되는 경향이 있고, 따라서 미세누출에 대해 보다 취약하게 된다(Liard-Dumtschin etal. 1984). 결과적으로 볼 때, MTA는 직접치수복조에 있어서 CH보다 우수한 체적안정성, 지속적인 알칼리 pH상태의 유지 그리고 동등하거나 향상된 생체활성능력 등과 같은 장점을 지니고 있다(Fridland &Rosado 2005; Sarkar *et al.* 2005; Dreger *et al.* 2012; Cho *et al.* 2013).

유치의 치수절단술(Pulpotomy in Primary Teeth)

치수절단술(pulpotomy)은 이환되거나 감염된 치관부의 노출된 치수를 제거하여 남아있는 치근 치수의 생활력과 기능을 보존시키는 술식을 말한다(미국소아치과학회 2011). 유치에서의 치수절단술은 치수가 노출된 상황에서 염증이나 감염이 치관부 치수내에 국한되어 있다고 판단이 될 때 적응증이 된다. 만약 염증이 치근 내의 치수까지 확산된 상태라면, 이환치아는 치수제거술(pulpectomy), 또는 근관충전 및 발치의 대상이 된다. 출혈조절 여부가 비가역적인 염증 조직을 평가하고 더 적극적인 치료를 결정하는데 필요한 진단학적 근거이다.

유치에서 기계적 또는 우식 제거 시 치수가 노출되었을 경우, 치관부 치수를 완전히 제거해야 한다. 이어서 치수강을 NaOCl(SH)에 적신 면구로 철저히 소독하여 잔여물을 제거하고 남아있는 치수 잔섬유(pulpal filaments)가 없는지 확인한다. 치수강에 치수 잔섬유가 남아있다면 지혈이 될 수 없으며, 이 때 SH(1.25%~6.0)에 적신 면구로 절단된 치수를 압박하여 지혈을 시도한다. 2~3분내로 지혈이 되지 않으면 근관내 치수로 염증이 확산된 것을 의미하며, 치수절단술을 중단하고 치수절제술이나 발치의 적응증으로 보아야 한다. 치수는 출혈이 존재하는 상태로 복조되어서는 안되며 이는 술식의 실패로 이어진다(Matsuo *et al.*1996). 일단 지혈에 성공하면, 근관부 치수는 선택한 약물이나 복조재로 덮어준다. 이후 치수강은 미생물의 침투를 차단하기 위해 완전히 밀폐되어야 한다. 유구치의 경우, 기성금속관으로 최종수복하는 것을 선호하고 있다(Camp & Fuks 2006; Winters *et al.* 2008; McDonald *et al.* 2011).

유치의 치수절단술에 다양한 약물들을 사용해 왔는데, 여기에는 CH, formocresol (FC), glutaraldehyde (GA), ferric sulfate (FS), MTA, collagen이 있다. Formocresol은 오늘날 치수절단술에 가장 널리 쓰이는 약재이나 독성, 알러지반응, 발암성, 돌연변이 유발성에 대한 비판 때문에 점차 사용이 줄어들고 있다(Duggal 2009; Lewis 2010). 또한 electrosurgery(Oringer 1975; Ruemping *et al.* 1983; Shaw *et al.* 1987, Shulman *et al.* 1987)와 laser(Elliot *et al.* 1999; Liu *et al.* 1999)가 조직의 제거 및 지혈에도 널리 사용되고 있다.

MTA를 이용한 치수절단술

유치

MTA의 도입 이후, 유치 및 영구치 모두에서 치수복조술과 치수절단술의 약재로써 널리 사용되어 왔다. 비교연구를 통해 MTA는 유치의 치수복조술에 사용되어 왔던 다른 약재나 재료와 동등하거나(Aeinehchi *et al.* 2007; Moretti *et al.* 2008;Subramaniam *et al.* 2009; Ansari *et al.* 2010; Erdem *et al.* 2011) 보다 더 우수한 결과를 보여준다는(Salako *et al.* 2003; Agamy *et al.* 2004; Farsi *et al.* 2005; Holan *et al.* 2005;Fuks & Papagiannoulis 2006; Zealand *et al.* 2010) 결론을 얻었다. 방사선 사진의 판독과 임상적 징후 및 증상을 통해 치료의 성공 또는 실패를 판단하였기 때문에 위의 연구들 대부분은 분명히 비교적(comparative) 연구라고 볼 수 있다.

유치의 치수절단술 시 장기간에 걸친 임상적 사용에서 볼 때 MTA는 FC보다 더 우수한 결과를 보여주었다(Farsi *et al.*2005; Holan *et al.*2005; Zealand *et al.* 2010). 비록 양쪽 모두 절반 이상의 증례에서 방사선적 근관 석회화가 진행되었지만, 상아질 가교(dentin bridge) 형성 능력은 MTA만이 가지고 있음이 증명되었다(Farsi *et al.*2005; Caicedoel al. 2006; Zealand *et al.* 2010) (그림 4.7). FC는 MTA보다 광

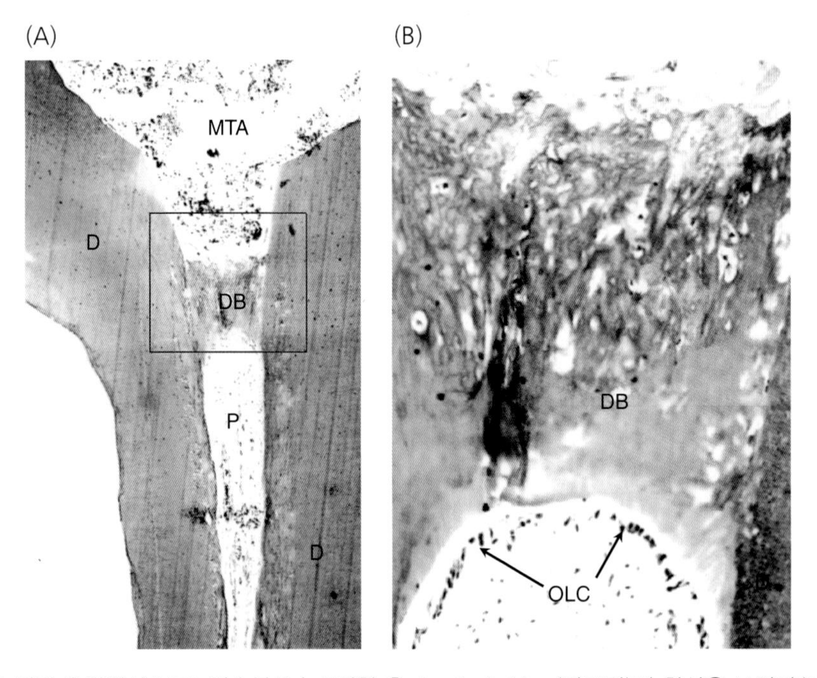

그림 4.7 (A) 인간 유치에서 MTA 치수복조술 5개월 후 dentin bridge(경조직)의 형성을 보인다(D: 상아질; P: 치수; DB: dentin bridge). 40배율로 확대. (B) MTA의 가장자리를 따라 배열되어 있는 상아질모세포-유사 세포(OLC)가 dentin bridge의 형성을 유도하였다. 200배율로 확대. 출처: Caicedo 2008. Reproduced with permissionof John Wiley and Sons, Inc.

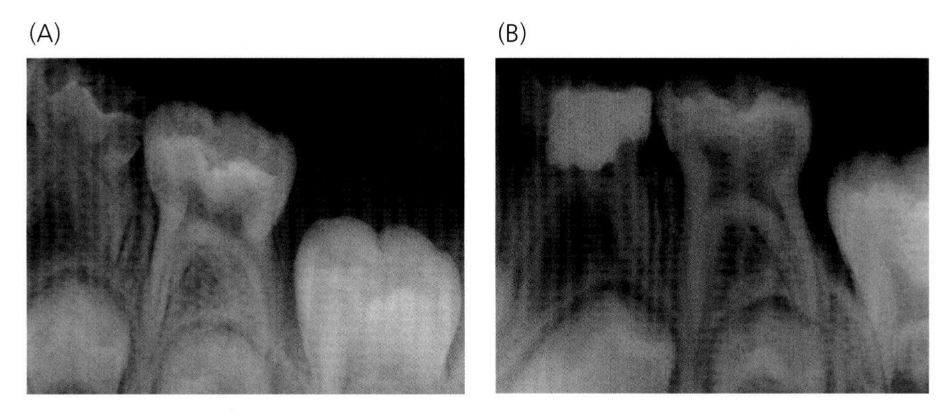

그림 4.8 (A) 심한 우식으로 증상을 보이는 하악 좌측 제1유구치의 방사선 사진 (B) MTA를 이용한 치수절단술 후 흐름성 compomer 및 복합 레진으로 수복 후 6주 경과한 방사선사진. 재내원 시에 환자는 더 이상 증상을 호소하지 않았다.

범위한 치근흡수를 유발한다는 보고도 있다(Aeinehchi *et al.* 2007; Moretti *et al.* 2008; Subramaniam *et al.* 2009; Ansari *et al.* 2010; Erdem *et al.* 2011). 84개월 동안 GMTA와 WMTA를 비교한 최근의 연구에서, GMTA를 사용하였을 때 더 많은 가교(bridge) 형성을 보였지만 두 재료 간에 유의성 있는 차이를 보이지 않았다(Cardosa-Silva *et al.* 2011). 이러한 결과들을 토대로 유치의 치수절단술에서 MTA가 FC를 대체할 만한 적합한 재료라고 생각할 수 있다.

유치의 치수절단술에 사용하는 또 하나의 보편적인 치과재료로서 FS (Ferric Sulfate)가 있다. MTA와 FS의 비교연구에서 MTA가 방사선학적, 임상적으로 더 뛰어난 결과를 보여주었다(Doyle *et al.* 2010, Erdem *et al.* 2011). 2년 성공율은 각각 96%와 88%로 나타났다(Erdem *et al.* 2011). CH의 경우 치근흡수의 가능성이 높고 실패로 이어질 수 있어 치수절단술에 있어서 수년 전부터 더 이상 사용하지 않고 있다(Schröder & Granath 1971; Liu *et al.* 2011).

최근 유치의 치수절단술에서 24개월에 걸쳐 MTA, FC, CH 간의 상호 비교연구를 진행하였다(Moretti *et al.* 2011). MTA와 FC를 사용한 경우 성공률이 100%인 반면, CH의 경우 64%의 실패율을 보였다. 높은 성공률을 보이고, 상아질 가교의 형성을 유도하며, 생활치수조직을 보존할 수 있고, 치근흡수가 거의 없기 때문에 MTA는 유치 치수절단술에 있어서 표준으로 자리잡게 되었다(그림 4.8).

미성숙 영구치

치관 파절이나 우식으로 치수 노출이 발생하여 치수 괴사를 보이고 치근단이 폐쇄된 치아는 통법의 근관치료를 하는 것이 예측 가능한 방법이다. 이러한 치아들의 장기적 유지에 대한 예후는 매우 뛰어난 편이다. 그러나 미완성 치근을 갖는 치아에서 치수 생활력의 상실은 예후가 좋지 않고 보다 복잡한 치료를 필요로 한다. Gutta-percha와 같은 비활성 재료를 사용하는 종래의 근관치료를 통해서는 치근단의 완성을

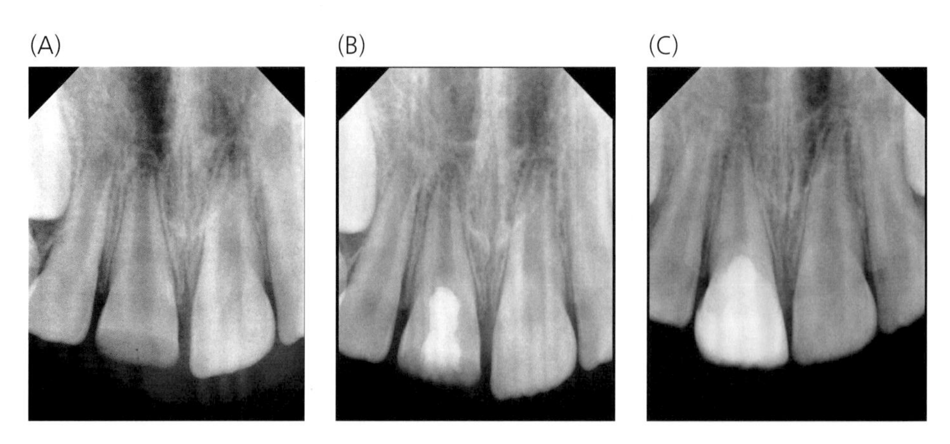

그림 4.9 외상으로 손상을 입은 치아의 MTA를 이용한 부분치수절단술 (A) 상악중절치의 술전 방사선사진. 노출부위가 크고 치수충혈을 보였다.치경부까지 치수내의 염증조직을 제거하였으며 젖은 면구로 지혈을 시도하였고 이후 MTA를 적용하여 약한 압력을 가해주었다.(B) MTA와 복합 레진으로 수복한 후 2개월 경과 사진 (C) 2년 경과한 방사선 사진으로 치근이 완성되고 근첨부위가 밀폐되었다.

얻을 수 없으며 개방된 근단을 가진 치아를 위한 치료 방법으로 추천될 수 없다. 게다가 치수 생활력의 상실은 치근 발달을 중지시키고 남아 있는 치근을 구조적으로 취약하게 만들어 결과적으로 완전히 발육된 치근과 비교 시 파절가능성이 높아지게 된다(Camp & Fuks 2006). 치근 발육이 미완성되면, 불리한 치관–치근 비율 때문에 치조골이 흡수되기 쉬워지며 과도한 동요를 유발하여 치주염에 이환될 수 있다. 따라서 가능한 치근의 완성에 이르도록 치수 조직을 유지하는 방향으로 치료가 진행되어야 한다(Video). 이와 같은 술식에는 치수복조술, 부분치수절단술, 완전치수절단술 및 재생적 근관 치료(regenerative endodontic procedures)가 있다(Iwaya *et al.*2001; Bose *et al.* 2009; Jeeruphan *et al.* 2012).

치수복조술과 치수절단술은 치근단의 발육이 불완전한 치아에서 치수노출이 일어날 경우 언제든지 고려되어야 할 술식이다. 이러한 보존적 치료가 실패로 끝날 경우에는 보다 적극적이고 확대된 치료로 이어진다. 외상으로 치수가 노출되었을 때, 노출 부위가 작은 경우 24시간 이내에 치수복조술을 시도해야 하며 세균의 침투를 막기 위해 수복을 하여 밀폐성을 확보해야 한다(Cvek 1993; Bakland & Andreasen 2012). 그렇지 않은 경우 치수절단술의 적응증이다. 다수의 연구에서 외상에 의한 치수 노출의 경우, 염증이 조직 내로 단지 수 mm 정도만 진행되며 세포증식 반응을 유발한다고 보고하였다(Cvek 1978; Cvek *et al.*1982; Heide & Mjör 1983).

AAPD (2011년 미국소아치과학회)의 기준에 따르면 우식에 의한 치수 노출 시 부분치수절단술이란 건강한 치수조직에 도달하기 위해 노출 부위 하방으로 1~3mm의 깊이의 치수조직을 제거하는 술식을 말한다. 방사선학적 병소가 확실히 없으면서 우식에 의해 치수가 노출된 경우 부분치수절단술이나 완전치수절단술(모든 치관부 치수의 제거)이 치근의 완성을 확실히 하는 적응증이 된다(그림 4.9).

영구치에서도 유치에서의 치수절단술에 사용한 것과 유사한 재료와 약재를 사용해 왔다. 영구치에서 상아질 가교형성을 촉진하기 위해 CH가 통상적으로 사용되어 왔다. 그러나 MTA를 사용했을 때 더 나은 결과를 보여준다는 보고들이 있다(Abedi *et al.* 1996; Myers *et al.* 1996; Pitt-Ford *et al.* 1996;Junn *et al.* 1998; Dominguez *et al.* 2003; Chacko & Kurikose 2006; El-Meligy &Aveiy 2006; Qudeimat *et al.* 2007; Nair *et al.* 2008).

CH와 비교할 때 MTA에서 상아질 침착은 더 빠르게 시작되고 생체 친화성(Torabinejad *et al.* 1998; Holland *et al.* 1999; Brisco *et al.* 2006)과 낮은 조직 독성(Torabinejad *et al.* 1995c; Osorio *et al.* 1998; Keiser *et al.* 2000)을 보인다. 인간과 개를 대상으로 한 생체실험에서 MTA는 CH보다 더 탁월한 상아질 가교를 형성하였는데 이것은 보다 균일하고 기존의 상아질과 연속적인 상태를 이루었으며 염증반응 또한 적었다(Dominguez *et al.*2003; Brisco *et al.* 2006; Chacko & Kurikose 2006; El-Meligy *et al.* 2006; Qudeimat *et al.* 2007; Nair *et al.* 2008).

부분치수절단술을 시행할 때 염증 상태로 판단되는 조직만을 제거해야 하며 이 때 약 2mm 정도까지 확장하여 제거한다. 적절한 주수하에 고속 회전 round diamond bur 를 이용하여 의도한 만큼 치수조직을 제거한다. Spoon excavator나 저속 회전 round bur는 금기인데, 이는 치수조직을 찢어 좌상(contusion)이나 염좌(torsion)를 입게 하기 때문이다(Sluka *et al.*1981). 잔사의 제거를 위해 살균수나 생리식염수를 사용하여 세척을 해주고 절단된 부위가 깨끗한지 다시 한 번 확인한다. SH에 적신 면구를 올리고 추가적으로 마른 면구로 가볍게 압박하여 지혈을 시도한다. 30-60초 이내로 지혈이 되어야 한다. 출혈이 지속되면 더 깊은 부위까지 치수를 절단한다. 노출된 치수에 과도하게 공기를 부는 것은 조직의 건조 손상을 유발할 수 있어서 권장되지 않는다.

일단 지혈에 성공하면 치수를 MTA 층으로 피개한다. MTA를 혼합한 후 작은 아말감 carrier에 담아 적용한다. 적은 양의 MTA를 적용하기 위해서는, 아말감 캐리어에서 MTA가 pellet 모양으로 1-2mm 정도 나왔을 때 플라스틱 기구로 잘라서 사용한다. MTA를 잔존 치수 위에 시적하고 endodontic plier로 젖은 면구를 잡고 가볍게 다져준다. MTA의 두께는 1.5-3mm가 되도록 한다. MTA 상방으로는 흐름성 글래스 아이오노머나 복합 레진을 조심스럽게 적용하여 얇은 층을 형성하도록 한다. 이 층은 MTA를 완전히 피개해야 하며 주변부의 상아질과 접촉하는 면적은 최소가 되도록 한다. 필요하다면 광중합을 한다. 이후 MTA를 흩트리지 않도록 주의하면서 산부식이나 self-etching primer 및 친수성 레진을 적용하고 그에 맞는 복합 레진으로 치아를 수복한다. MTA의 경화에 필요한 수분은 치수에서 얻게 된다(그림 4.10).

증상을 보이는 영구치

증상을 보이는 영구치에서 치수복조술, 부분치수절단술, 완전치수절단술과 같은 생활 치수 처치에 행하는 보존적인 치료는 오랜 기간 동안 역설적(paradoxial)인 것으로 간주되어 왔다. 그러나 최근의 치수절단술에 대한 연구에서 CH (Mejare & Cvek 1993; Caliskan 1995)와 MTA(Witherspoon *et al.* 2006; Eghbal *et al.* 2009)를 사용하였을 때 성공적이라는 보고가 있었다. 2001년 Schmitt 등은 가역적 치수염

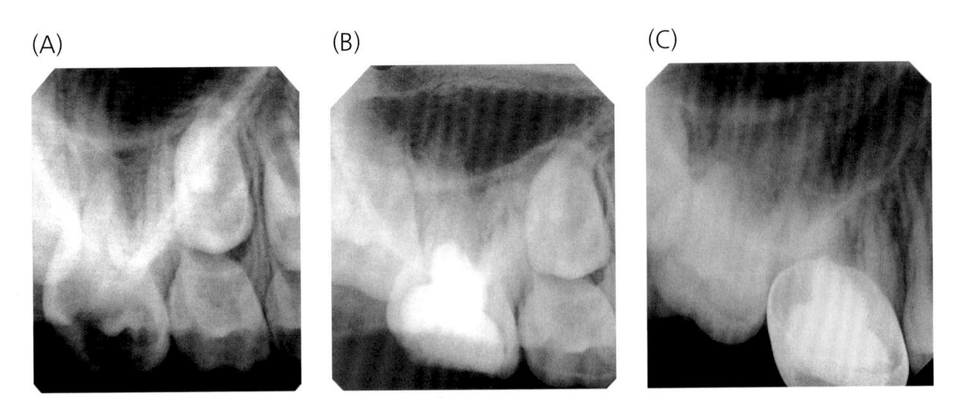

그림 4.10 MTA를 이용한 완전치수절단술. (A) 깊은 우식과 개방된 치근단을 보이는 상악 제1대구치의 술 전 방사선 사진. 증상을 보였으나 타진에 대해 과민 반응을 보이지 않았고 종창 또한 없었다. (B) 근관 입구까지 완전치수절단술을 시행한 방사선 사진. 5.25% NaOCl을 이용하여 지혈을 시키고 MTA를 적용한 후 복합 레진으로 수복하였다. (C) 4년 경과 후 방사선사진.치근이 완성되었기에 기성금속관으로 수복하였다. 제2대구치와 소구치의 맹출에 주목하라.

으로 진단하고 열린 치근단을 갖는, 증상을 보이는 영구치에서 MTA를 사용한 첫 번째 임상증례를 발표하였다.

부분치수절단술을 시행한 후, 지혈 목적으로 SH를 사용하였고 잔존치수위에 MTA로 직접 복조하였다. 2년 후 치근단이 완성되었고 치아는 임상적, 방사선학적으로 증상이 없었다. 지속적인 통증을 유발하며 우식으로 인한 치수노출을 동반한 치아를 대상으로 한 또 다른 연구에서는 2개월 경과 후 조직학적으로 평가했을 때 상아질 가교가 형성되었고 염증반응이 전혀 없음을 입증하였다(Eghbal *et al.*2009). 위 한정된 결과들을 통해 이상적인 환경 하에서 MTA는 치수 조직에 발생한 염증 반응을 역전시킬 수 있는 잠재성을 가진 것으로 볼 수 있다.

SH는 우식으로 인해 치수가 노출된 증상이 있거나 없는 치아 모두에서 사용할 수 있는 가장 선호되는 지혈제이며, 이를 통해 치수복조술과 치수절단술의 결과를 보다 유리한 방향으로 이끌 수 있다(그림 4.11). 이 용액은 항균성을 갖고 있으며 생활 치수 치료의 지혈제로 사용할 때 치수세포에 대한 독성이 없고, 치유과정을 방해하지도 않는다(Hafez *et al.* 2002; Demir & Cehreli 2007). 지혈제로 SH를 사용하였을 때 상아질 가교의 형성과 동시에 상아질모세포-유사세포의 생성을 지속적으로 관찰하였다(Matsuo *et al.* 1996; Schmitt *et al.* 2001; Demir & Ceherli 2007; Bogen *et al.* 2008).

누공과 종창 또는 치수 괴사에 대한 명백한 징후들을 보이는 치아는 부분 또는 완전치수절단술의 금기증이다. 치수는 생활력이 있어야 하며 화농(suppuration)이 없어야 한다. 국소마취를 시행하고 러버댐으로 치아를 격리시킨후 큰 직경의 carbide bur(대구치의 경우 6번, 다른 치아의 경우 4번)를 이용하여 충분한 주수하에 모든 우식을 제거한다. 이 때 caries detector dye를 사용하거나 광학현미경 등으로 확대하여 우식부위를 확인하면서 시술하는 것을 권장한다(Fusayama *et al.*1966; Fusayama & Terachima

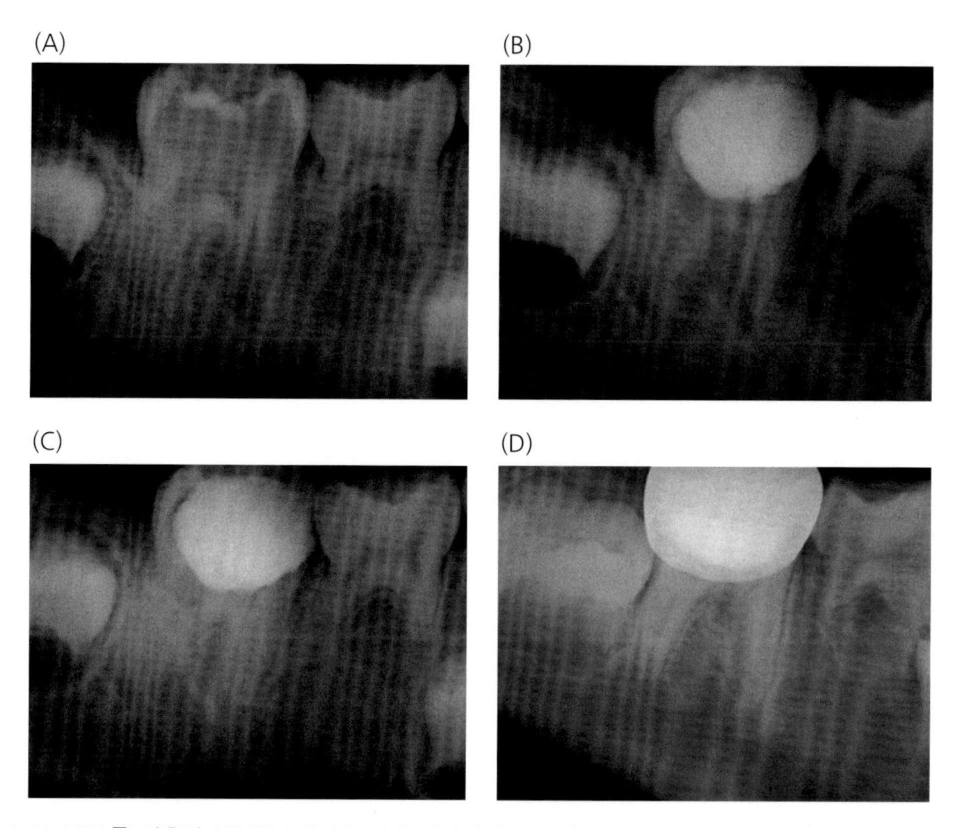

그림 4.11 MTA를 이용한 부분치수절단술. (A) 하악 우측 제1대구치의 술전 방사선사진. 치아는 증상을 보였다.제2소구치의 결손에 주목하라. (B) 부분치수절단술 시행 후 5.25%의 NaOCl로 지혈시키고 MTA 충전 후 복합레진으로 최종 수복한 방사선 사진 (C) 술 후1년 6개월 뒤 방사선사진. 치근단공이 부분적으로 닫혀있다. (D) 술 후 3년 뒤 방사선 사진.치근단이 완전히 폐쇄되었으며 치근이 완성되었기에 기성금속관으로 수복을 진행하였다.

1972).

출혈량이 많은 경우 1.25–6.0%의 SH로 치수를 세척하여 지혈시킨다. 10–15분 정도 지혈 용액이 치수 조직에 작용할 수 있도록 유지하며 출혈 조절을 위해 3–4분마다 한 번씩 지혈제를 재적용한다. 위 언급한 시간 내에 지혈이 되지 않으면 부분 치수절단술을 중단하고 완전 치수절단술을 위한 적응증으로 볼 수 있다. 출혈이 계속되는 동안 aspiration tip으로 남아있는 치관부 또는 근관내 치수에 음압을 가하지 않도록 세심한 주의가 필요하다. 완전 치수절단술을 선택했다면 다량의 MTA를 한 번에 적용하고 젖은 면구로 균일한 층을 형성하기 위해 가압하고 다듬어준다.

완전치수절단술에서는 MTA의 표면적이 넓기 때문에 다음 내원 시에 영구수복을 진행한다. 면구나 알맞은 크기로 자른 거즈를 멸균수에 적신 후 MTA 상부를 완전히 피개한다. 유치 치료와는 다르게 Cavit™ (3M™ESPE™, St. Paul, MN, USA)이나 다른 임시 시멘트를 이용하여 치아를 가봉하고 MTA가 경화될 수 있는 시간을 허용하도록 한다.

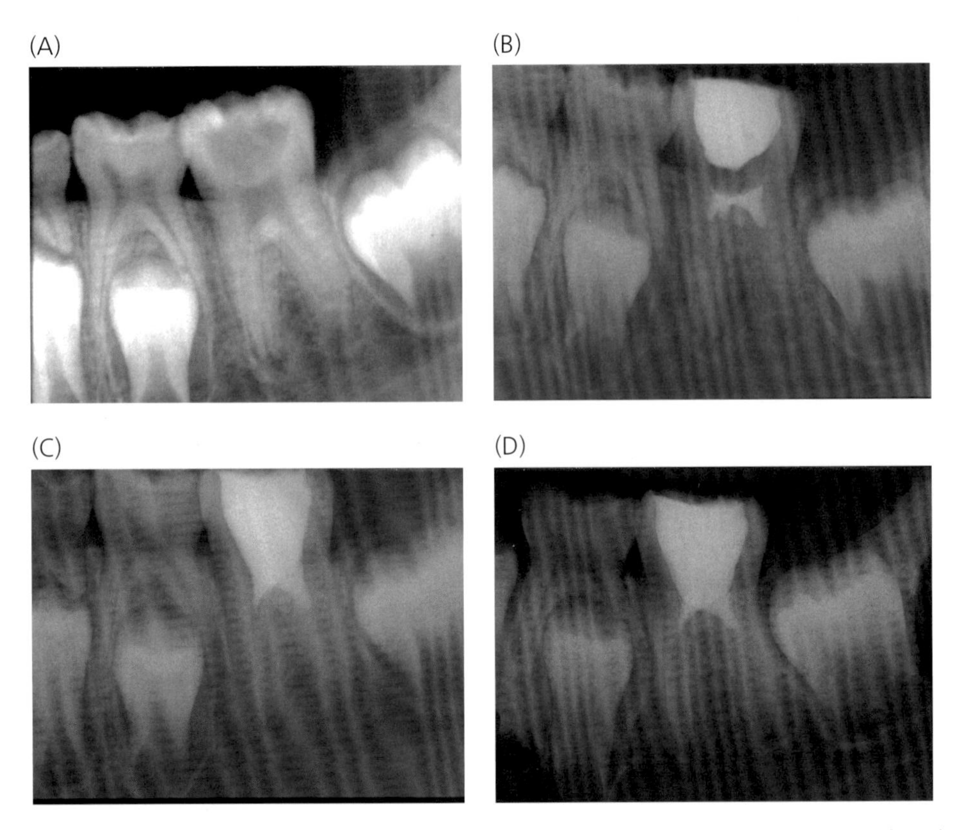

그림 4.12 완전치수절단술. (A) 7세 환자의 하악 좌측 제1대구치 방사선사진으로 깊은 우식이 존재하고 치근단이 개방되어 있다. (B) 치수절단 후 근관 입구까지 MTA를 충전한 방사선 사진. (C) 복합 레진으로 영구수복한 후의 대구치 (D) 1년 경과 후 방사선 사진으로 치근이 성숙되고 치근단의 폐쇄가 진행되고 있음을 알 수 있다.
출처: Courtesy of Dr. Laureen M. Roh,Los Angeles, California.

적어도 6시간에서 수 일이 경과한 뒤 치료를 종결한다. 임시 가봉재와 면구 또는 거즈를 제거하고 치아를 격리한다. MTA가 견고하게 적절히 경화되었는지 면밀하게 살핀다. 만약 MTA가 경화되지 않았다면 씻어버리고 근관 입구까지 치수조직을 제거한 후 재치료를 시도한다. MTA가 경화되었음을 확인한 후 산부식을 하고 접착성 복합 레진으로 수복하여 치아를 봉쇄한다(그림 4.12). 만약 위에서 서술한 보존적인 술식이 실패하였다면, 수복물 및 MTA를 제거하고 치근단형성술(apexification)이나 재생적 치료(regenerative therapy)와 같은 보다 적극적인 근관치료를 진행할 수 있다(Murray *et al.* 2007).

가역적 치수염으로 진단한 치아의 치수복조술(Pulp capping)

직접치수복조술은 "기계적 또는 외상에 의한 치수 노출 시 수복상아질의 형성과 치수생활력을 유지하도록 노출된 치수에 치과 재료를 직접 적용하여 밀폐시키는 생활 치수 치료"이다(미국 근관치료학회

2003). 인간에서 MTA를 사용한 직접치수복조에 대한 첫 번째 연구에 따르면, 상악 제3대구치에 MTA를 이용한 직접 치수복조 후 6개월에 걸쳐 조직학적으로 관찰한 결과 CH보다 미약한 충혈 및 염증반응을 보였으며 괴사되는 부위도 훨씬 적었다. 또한 형성된 상아질 가교(dentin bridge)는 더 두꺼웠으며 상아질모세포층 또한 보다 더 균일하였다(Aeinehchi *et al.* 2003). 가역적 염증을 보이는 영구치에서 우식에 의한 치수 노출에 관한 최근의 연구에 따르면, 직접치수복조재로 MTA를 사용하였을 때 치료과정이 표준화된 경우라면 만족할 만한 결과를 얻는다고 하였다(Farsi *et al.* 2005; Bogen *et al.* 2008). 그러나 표준화된 술식을 따르지 않은 인간에서의 몇몇 전향적 연구에서는 전혀 다른 결과를 보고하였다(Mente *et al.* 2010; Miles *et al.* 2010). 이와 같이 치수 복조에 대한 연구를 진행할 때, 증례의 선택, 1회법 치료인지 아니면 2회법 치료인지, 우식 제거 과정, 지혈제의 종류, MTA 적용의 기준, 영구수복재의 선택에 따라 다양한 결과를 얻게 된다.

영구치에서 우식 제거 시 발생한 치수노출를 치료할 때 caries detector dye의 사용, SH를 이용한 지혈, 가능한 넓고 두꺼운 MTA의 적용, MTA가 경화될 수 있는 충분한 시간 허용, 더 중요한 것으로서 밀폐성을 확보할 수 있는 접착 수복으로 이어지는 과정을 따라야 한다. MTA 를 이용한 직접 치수복조술은 가

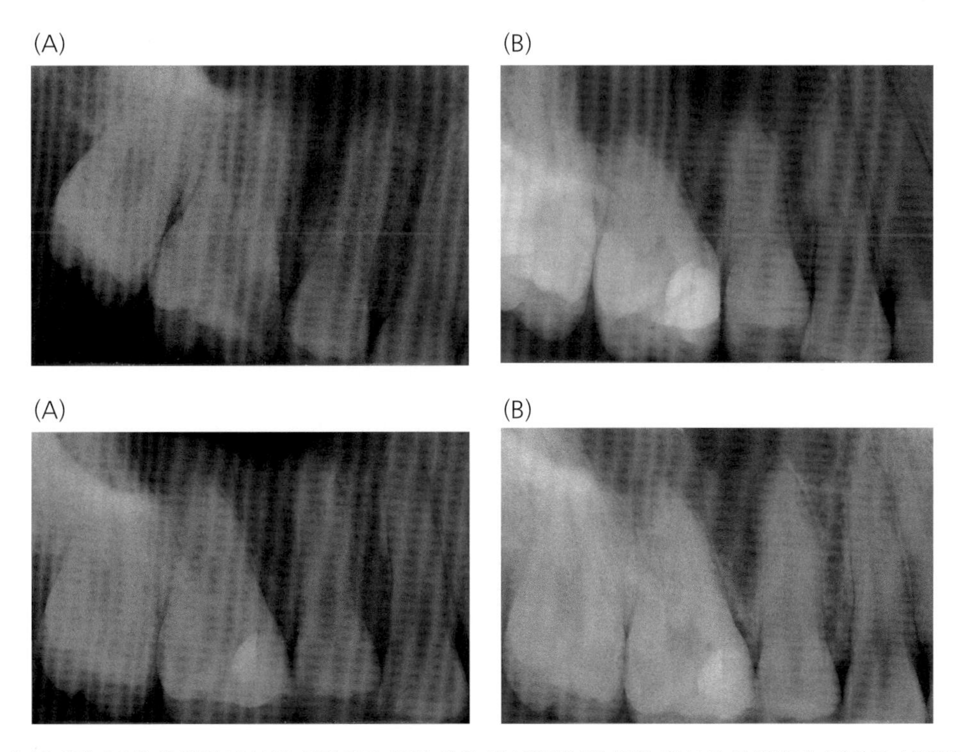

그림 4.13 (A) 16세 환자의 방사선 사진으로 상악 우측 제1대구치에 깊은 우식이 존재한다. 냉자극 시험에는 정상반응을 보였다. (B) MTA를 이용한 치수복조술 후 젖은 면구를 올리고 비접착 Photocore®로 임시수복한 술 후 방사선 사진 (C) 접착성 복합 레진으로 수복한 방사선 사진(D) 5년 6개월 뒤 재평가한 방사선 사진. 냉자극 시험에 대해서 정상반응을 보였다

역적 치수염으로 진단한 증례에서 치수 생활력을 유지하기 위한 가치 있는 술식으로 보인다(그림 4.13). 환자의 주관적 증상은 이환 치아의 정확한 조직학적 상태를 반영할 수 없으며, 이에 의존한 진단은 종종 혼란을 일으킬 수 있다(Camp 2008). 가역적 치수염의 진단은 냉검사(cold test)보다는 치수 노출 후 5–10분 안에 SH를 사용하여 지혈이 되는지의 여부가 더 신뢰성이 있다(Matsuo *et al.* 1996; Bogen *et al.* 2008). SH는 치수 염증의 범위와 심도를 파악할 수 있는 가치 있는 진단학적 임상 도구이며 여기에 따라 치료방법이 결정된다. 영구치에서 MTA를 사용하는 직접치수복조술의 경우 아래와 같은 권고를 준수해야 한다(adapted from Bogen & Chandler 2008):

1 진단은 방사선학적, 임상적 평가를 모두 포함해야 하며 냉자극을 이용한 생활력 검사와 연동되어야 한다.
2 러버댐으로 격리시키고 6.0% SH 또는 클로로헥시딘 용액으로 임상치관 부위를 소독한다.
3 우식부위를 광학 확대 도구나 caries detector dye를 이용하여 확인하면서 저속 회전용 round bur나 spoon excavator로 우식을 제거한다.
4 1.25–6.0%의 SH에 적신 면구로 지혈을 시킨다.
5 치수 노출 부위와 이를 둘러싼 상아질에 최소 1.5mm의 두께가 되도록 MTA를 충전한다. 최종 접착수복을 하기 위해 주변부에 최소한 1 mm 이상의 상아질이 남아 있도록 한다.
6 1회법 치수복조술의 경우에는 흐름성 compomor를 아직 경화되지 않은 MTA위에 이장하고 광중합 후 상부를 접착성 복합 레진으로 수복한다(그림 4.14).
7 2회법 치수 복조술의 경우에는 경화되지 않은 MTA위에 젖은 면구나 거즈를 올리고 영구 수복 전까지 MTA가 완전히 경화될 수 있도록 비접착 Clearfil Photocore(Kuraray Co. LTD, Osaka, Japan)나 기타 유사재로 임시수복을 한다.
8 5–10일 후 재내원하여 냉자극 검사를 통해 치수 생활력이 있음을 확인하고 접착수복을 한다.

치료 시 고려할 사항

직접 치수 복조에서 MTA를 사용할 때 몇 가지 매우 중요한 요인들이 치료 결과에 긍정적인 영향을 미칠 수 있다. Caries detector dye, 광학 확대기구, illumination 등을 통해 우식 부위를 확인하며 완전히 제거해야 한다(Fusayama *et al.* 1966; Bogen *et al.* 2008)

Fusayama 등은 우식 진행 과정에서 두 종류의 다른 층이 존재하며, 수복을 통해 더 이상 세균이 침입할 수 없도록 밀폐시킨다면 내측의 우식층에서 재광화가 일어날 수 있음을 밝혔다(Miyauchi *et al.* 1978; Tatsumi 1978; Tatsumi *et al.* 1992). Caries detector는 우식 부위만을 정확하게 찾아서 제거할 수 있게 해주므로 심층부를 보존하여 치수를 보호하고 치수 생활력을 유지하는데 기여한다.

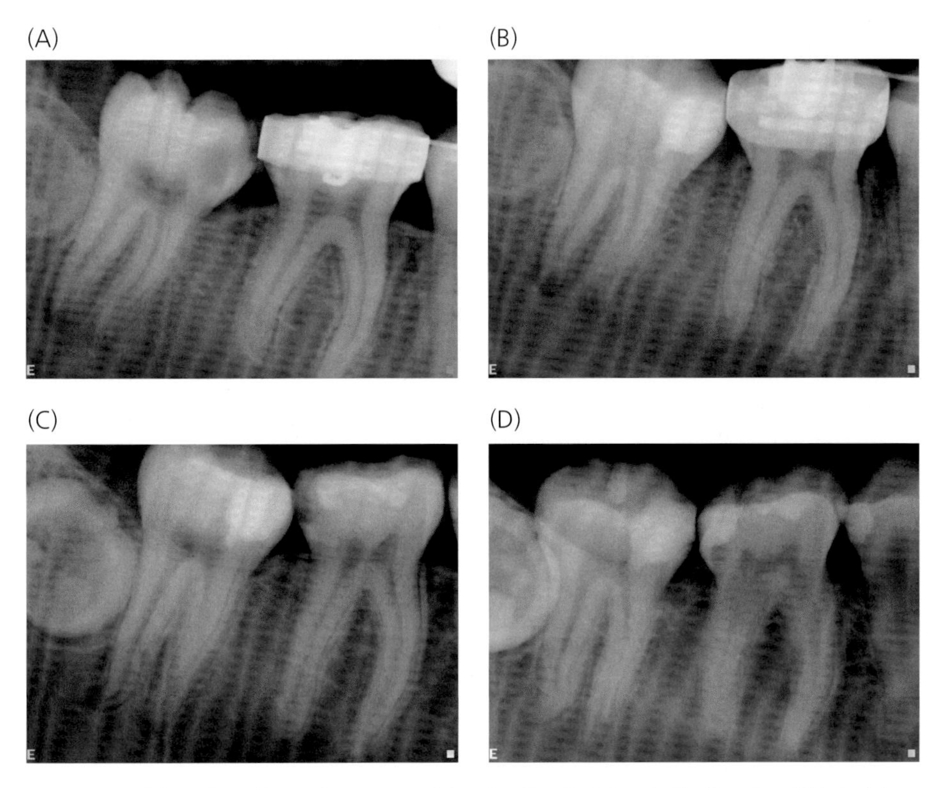

그림 4.14 1회법 치수복조술. (A) 9세환자로 하악 우측 제2대구치에 깊은 우식 병소가 존재한다. (B) MTA를 이용한 치수복조술 후 flowable 복합 레진으로 최종수복한 상태를 보여주는 방사선 사진. (C) 6개월 경과 후 재평가. (D) 3년 6개월 경과 후 내원시에 냉자극에 대해 정상 반응을 보였다. 치근이 성숙되었으며 치근단이 폐쇄되어 있다. 출처: Courtesy of Dr. Adrian Silberman.

다수의 연구들에서 치수 노출 이후 출혈을 조절하는 것이 성공적인 직접치수복조술을 위한 무엇보다 중요한 요소라는 것을 말하고 있다(Matsuo etal.1996; Bogenetal. 2008). 출혈 조절에 있어서 SH는 경제적이고 임상적으로도 안전한 방법이다. 이 용액을 생활 치수 치료에서 주로 사용하는 이유는 상아질 절삭편을 걷어내고 노출부위의 손상된 세포를 제거하며 상아질 계면을 깨끗이 하고 탁월한 지혈작용을 하는 동시에 병원성 미생물을 억제하는 효과가 있기 때문이다(Hafez *et al.* 2002; Demir & Ceherli 2007). SH는 성공적인 치수 치료를 하는데 있어서 멸균수나 생리식염수보다 훨씬 더 추천할 수 있는 보조재(adjunct)이다.

우식 원인으로 직접치수복조술을 시행할 때 종종 간과하는 사실은 우식 부위를 제거한 뒤 노출된 부위의 주변부 상아세관 내부에 탐지가 불가능한 미생물이 생존하고 있다는 것이다. 꼼꼼히 우식을 제거하고 SH로 소독을 했음에도 여전히 우식 유발균이 존재할 수 있다. 지금까지 치수복조술은 임상의들로 하여금 노출된 치수의 상부에 보존적으로 치수 치료 약재를 적용하도록 종용하였지만 주변 경조직이 살아남은 세균들로 오염되어 있다는 사실에 대해서는 간과하도록 하였다. 따라서 세균을 효과적으로 무력화시키기 위해서는 노출된 치수와 주위 상아질에 MTA를 적용하는 것이 매우 중요하다. 이런 치료 전략을 통해 특히 광범위한 우식으로 인해 우식 제거 후 다수의 치수 노출을 보이는 치아에서 성공률을 높일 수 있다(Bogen &Chandler 2008).

치수 노출부위와 주변 상아질 상부에 적용한 두꺼운 MTA 층은 잔존 미생물을 완전히 매장시켜(entombed) 치수로 재침투하는 것을 불가능하게 한다. 이러한 잔존 병원체들은 점차 치수 염증 및 괴사를 유발하고 근관치료로 이어지게 하는 비가역적 변화들을 초래할 수 있다. 직접 치수 복조술의 이런 측면은 1회법 치수복조술에서 흐름성 RMGI로 미경화된 MTA상부를 이장할 때 신중히 고려해야 할 사항이다. RMGI가 상아질에 양호한 결합력을 갖고 있지만(Davidson 2006), 직접적으로 치수 조직에 접촉했을 때는 활성화된 화학 성분이 염증을 유발할 수 있고 세포독성을 발휘할 수 있다(do Nascimiento *et al.* 2000). 그러나 RMGI 시멘트가 잔존 상아질에 간접적으로 접촉했을 경우에는 치수 조직에 미약한 염증만을 유발하며 상당한 항균효과를 나타내는 것으로 밝혀졌다(Herrera *et al.* 2000; Costa *et al.* 2011; Kotsanos & Arizos 2011).

RMGI 시멘트는 물을 용매로 사용하는 접착제로서 상아질 표면에 남아있는 소량의 수분에 대해 영향을 받지 않는다(water-based bonding agent). 미경화된 RMGI 시멘트의 pH는 약 1.5이며 자체가 self-etching primer로 작용한다(Davidson2006). 미경화된 MTA가 RMGI 시멘트의 경화에 영향을 끼치는지에 대해 밝혀진 바는 아직 없다. RMGI 시멘트는 중합 수축 응력을 발생시키지 않으며 상아질과 MTA에 대한 결합력은 약 10Mpa 정도 될 것이다. RMGI 시멘트를 사용하지 않고 더 많은 양의 MTA로 노출 치수 및 주위 상아질을 피개하는 2회법 술식과 비교할 때 MTA와 RMGI 시멘트를 사용한 1회법 술식에서는 직접치수복조술이 가능은 하지만 잔존 세균에 대한 살균효과가 제대로 발휘되지 못하는 것으로 보인다. 추가적으로, 다량의 미경화된 MTA 상부를 RMGI 시멘트로 피개하는 과정은 꽤나 숙련된 술자에게도 임상적으로 어려운 과정이 될 수 있다.

단점

비록 MTA가 생활 치수 치료에서 많은 장점들로 인해 선호되는 재료지만 몇 가지 결점을 갖고 있다. MTA의 미세 경도 및 압축 강도, 굽힘 강도는 상아질에 비해 낮다. MTA의 압축강도는 45-98 MPa(Islam *et al.* 2006; Nekoofar *et al.* 2007, 2010c)이며, 굽힘강도는 11-15 MPa(Walker *et al.* 2006; Aggarwal *et al.* 2011), Vicker 미세경도(HV)는 40-60 HV(Danesh *et al.* 2006; Nekoofar *et al.* 2007; Namazikhah *et al.* 2008;Nekoofar *et al.* 2010a, b; Kang *et al.* 2012)로 측정되었다. 상아질에 대해서는 차례로 200-350 Mpa, 20 Mpa, 60-70 HV이며 ProRoot MTA보다 상당히 더 큰 수치를 보인다. 따라서 간접 혹은 직접 치수 복조술 후 MTA를 단독으로 base로서 사용하거나 상아질을 대체하기 위해 사용하는 것은 장기적인 임상적 관점에서 볼 때 적합하지 않다.

MTA의 또 다른 단점으로 2.5시간 이상의 긴 경화시간이다(Torabinejad *et al.* 1995a). 이러한 특성은 치료 당일 밀폐를 위한 영구수복을 어렵게 하기 때문에 성공적인 생활 치수 치료를 위태롭게 한다(Duda & Dammaschke 2009; Dammaschke 2011). MTA의 낮은 기계적 강도와 긴 경화시간 때문에 1회법으로 치료계획을 세운 경우, 영구 수복 이전에 MTA 상부를 흐름성 RMGI로 이장할 필요가 있다. 또한 혼합된 MTA는 입자 형태 및 모래와 같은(granular and sand-like) 점조도를 보인다. 혼합상태의 MTA를 다루고 적용하는 것은 어려울 수 있기 때문에 최상의 결과를 얻기 위해서는 특별히 고안된 기구를 사용하는 것이 유리할 것이다(Stropko 2009; Gutmann & Lovedahl 2011).

최초로 소개된 Gray ProRoot MTA은 치아변색을 유발하였고(Karabucak *et al.* 2005) 이러한 변색은 생활 치수 치료에서 WMTA를 사용할 때에도 치관 내부에 발생된다. 이러한 원인은 금속 산화물의 존재 때문으로 보고되었다(Belobrov & Parashos 2011). 마지막으로 MTA는 특히 CH와 비교할 때 상대적으로 고가의 재료이다.

요약

치수복조술시에 잔존 세균 감염이나, 결함이 있는 수복물로 인해 침투한 세균 감염에 의해서 양호하지 못한 결과가 발생할 수 있다(Østravik & Pitt Ford 1998). 생활 치수 치료에서 MTA의 주된 장점으로는 낮은 용해도를 갖고 지속적인 항균성을 나타내는 단단히 경화되는 시멘트라는 것이다(Torabinejad *et al.* 1995a; Fridland & Rosado 2005). 치수복조술과 치수절단술에 사용되는 약재로서 이러한 수경성 칼슘-실리케이트 시멘트(hydraulic calcium-silicate cement)는 치수가 재감염되는 것을 차단할 수 있다(Pitt Ford *et al.* 1996).

MTA의 특징은 생체친화성(biocompatibility), 생체 활성(bioactivity), 경조직형성 능력이다. MTA는 CH보다 더 선호되는 재료인데, 이는 CH와 비교한 in vivo 연구에서 기계적으로 노출되고 부분 염증을 보이나 건강한 치수에서 수복 상아질 형성을 촉진하는 능력이 같거나 더 뛰어난 것으로 나타났기 때문이다(표 1.1). 생활 치수 치료에서 MTA를 사용했을 때 성공적인 결과에 기여하는 또 다른 요인들은 아래와 같다.

- 치수 조직 내에는 세균과 세균 독소가 없어야 한다.
- 지혈이 완전히 되어야 한다.
- 치료 과정에서 세균에 의한 치수 조직의 감염을 철저히 차단해야 한다.
- NaOCl(Sodium hypochlorite)이 출혈 조절을 위한 가장 이상적인 용액이다.
- Bacteria-tight restoration을 즉시 얻도록 해야 한다.

반면 환자의 나이, 치아의 위치, 주관적인 증상, 치수 노출의 정도 및 부위는 최종 치료 결과에 영향을 주는 이차적인 요인 정도로 작용할 수 있다.

감사

본 장에 대해 도움을 주신 Dr. Stephen Davis와 Dr.Nicholas Chandler에 감사를 표하는 바이다.

참고문헌

Abedi, H.R., Ingle, J.I. (1995) Mineral trioxide aggregate: a review of a new cement. *Journal of the Californian Dental Association* **23**, 36–9.

Abedi, H.R., Torabinejad M., Pitt Ford T.R., *et al.* (1996) The use of mineral trioxide aggregate cement (MTA) as a direct pulp-capping agent. *Journal of Endodontics* **22**, 199 (abstract).

Accorinte, M.L., Holland, R., Reis, A., *et al.* (2008a) Evaluation of mineral trioxide aggregate and calcium hydroxide cement as pulp-capping agents in human teeth. *Journal of Endodontics* **34**, 1–6.

Accorinte, M.L., Loguercio, A.D., Reis, A., *et al.* (2008b) Response of human dental pulp capped with MTA and calcium hydroxide powder. *Operative Dentistry* **33**, 488–95.

Accorinte, M.L., Loguercio, A.D., Reis, A., *et al.* (2008c) Response of human pulps capped with different self-etch adhesive systems. *Clinical Oral Investigations* **12**, 119–27.

Aeinehchi, M., Dadvand, S., Fayazi, S., *et al.* (2007) Randomized controlled trial of mineral trioxide aggregate and formocresol for pulpotomy in primary molar teeth. *International Endodontic Journal* **40**, 261–7.

Aeinehchi, M., Eslami, B., Ghanbariha, M., *et al.* (2003) Mineral trioxide aggregate (MTA) and calcium hydroxide as pulp-capping agents in human teeth: a preliminary report. *International Endodontic Journal* **36**, 225–31.

Agamy, H.A., Bakry, N.S., Mounir, M.M., *et al.* (2004) Comparison of mineral trioxide aggregate and formocresol as pulp-capping agents in pulpotomized primary teeth. *Pediatric Dentistry* **26**, 302–9.

Aggarwal, V., Jain, A., Kabi, D. (2011) *In vitro* evaluation of effect of various endodontic solutions on selected physical properties of white mineral trioxide aggregate. *Australian Endodontic Journal* **37**, 61–4.

Akbari, M., Rouhani, A., Samiee, S., *et al.* (2012) Effect of dentin bonding agent on the prevention of tooth discoloration produced by mineral trioxide aggregate. *International Journal of Dentistry* **2012**:563203.

Al-Hezaimi, K., Al-Hamdan, K., Naghshbandi, J., *et al.* (2005) Effect of white-colored mineral trioxide aggregate in different concentrations on *Candida albicans* in vitro. *Journal of Endodontics* **3**, 684–6.

Al-Hezaimi, K., Salameh, Z., Al-Fouzan, K., *et al.* (2011) Histomorphometric and micro-computed tomography analysis of pulpal response to three different pulp capping materials. *Journal of Endodontics* **37**, 507–12.

American Academy of Pediatric Dentistry (2011) Reference manual: Guidelines on pulpal therapy for primary and immature permanent teeth. *Pediatric Dentistry* **33**, 214–15.

American Association of Endodontists (2003) *Glossary of Endodontic Terms*, 7th edn. American Association of Endodontists, Chicago.

An, S., Gao, Y., Ling, J., *et al.* (2012) Calcium ions promote osteogenic differentiation and mineralization of human dental pulp cells: implications for pulp capping materials. *Journal of Materials Science: Materials in Medicine* **23**, 789–95.

Ansari, G., Ranjpour, M. (2010) Mineral trioxide aggregate and formocresol pulpotomy in primary teeth: a 2 year follow-up. *International Endodontic Journal* **43**, 413–18.

Asgary, S., Parirokh, M., Eghbal, M.J., *et al.* (2005) Chemical differences between white and gray mineral trioxide aggregate. *Journal of Endodontics* **31**, 101–3.

Asgary, S., Eghbal, M.J., Parirokh, M., *et al.* (2008) A comparative study of histologic response to different pulp capping materials and a novel endodontic cement. *Oral Surgery Oral Medicine Oral Pathology Oral Radiology and Endodontics* **106**, 609–14.

Bakland, L.K., Andreasen, J.O. (2012) Will mineral trioxide aggregate replace calcium hydroxide in treating pulpal and periodontal healing complications subsequent to dental trauma? A review. *Dental Traumatology* **28**, 25–32.

Barnes, I.M., Kidd, E.A. (1979) Disappearing Dycal. *British Dental Journal* **147**, 111.

Barthel, C.R., Rosenkranz, B., Leuenberg, A., *et al.* (2000) Pulp capping of carious exposures: treatment outcome after 5 and 10 years: a retrospective study. *Journal of Endodontics* **26**, 525–8.

Baume, L.J., Holz, J. (1981) Long-term clinical assessment of direct pulp capping. *International Dental Journal* **31**, 251–60.

Belobrov, I., Parashos, P. (2011) Treatment of tooth discoloration after the use of white mineral trioxide aggregate. *Journal of Endodontics* **37**, 1017–20.

Bogen, G., Chandler, N.P. (2008) Vital pulp therapy. In: *Ingle's Endodontics* (J.I. Ingle, L.K. Bakand, J.C. Baumgartner, eds), 6th edn. BC Decker, Hamilton. pp. 1310–29.

Bogen, G., Kim, J.S., Bakland, L.K. (2008) Direct pulp capping with mineral trioxide aggregate: an observational study. *Journal of the American Dental Association* **139**, 305–15.

Bonson, S., Jeansonne, B.G., Laillier, T.E. (2004) Root-end filling materials alter fibroblast differentiation. *Journal of Dental Research* **83**, 408–13.

Borges, R.P., Sousa-Neto, M.D., Varsiani, M.A., *et al.* (2012) Changes in the surface of four calcium silicate-containing endodontic materials and an epoxy resin-based sealer after a solubility test. *International Endodontic Journal* **45**, 419–28.

Bose R., Nummikoski P., Hargreaves K (2009) A retrospective evaluation of radiographic outcomes in immature teeth with necrotic root canal systems treated with regenerative endodontic procedures. *Journal Endodontics* **35**, 1343–9.

Bozeman, T.B., Lemon, R.R., Eleazer, P.D. (2006) Elemental analysis of crystal precipitate from gray and white MTA. *Journal of Endodontics* **32**, 425–8.

Brisco, A.L., Rahal, V., Mestrener, S.R., *et al.* (2006) Biological response of pulps submitted to different capping materials. *Brazilian Oral Research* **20**, 219–25.

Caicedo R, Abbott PV, Alongi DJ, *et al.* (2006) Clinical, radiographic and histological analysis of the effects of mineral trioxide aggregate used in direct pulp capping and pulpotomies of primary teeth. *Australian Dental Journal* **51**, 297–305.

Caliskan, M.K. (1995) Pulpotomy of carious vital teeth with periapical involvement. *International Endodontic Journal* **28**, 172–7.

Camargo, S.E., Camargo, C.H., Hiller, K.A., *et al.* (2009) Cytotoxicity and genotoxicity of pulp capping materials in two cell lines. *International Endodontic Journal* **42**, 227–37.

Camilleri, J., Montesin, F.E., Brady, K., *et al.* (2005) The constitution of mineral trioxide aggregate. *Dental Materials* **21**, 297–303.

Camp, J.H., Fuks, A.B. (2006) Pediatric endodontics: endodontic treatment for the primary and young, permanent dentition. In: *Pathways of the Pulp* (S. Cohen & K. Hargreaves, eds), 9th edn. Mosby, St. Louis, pp. 822–82.

Camp, J.H. (2008) Diagnosis dilemmas in vital pulp therapy: treatment for the toothache is changing, especially in young, immature teeth. *Pediatric Dentistry* **30**, 197–205.

Caplan, D.J., Cai, J., Yin, G., *et al.* (2005) Root canal filled versus non-root canal filled teeth: a retrospective comparison of survival times. *Journal of Public Health Dentistry* **65**, 90–6.

Cardoso-Silva, C., Barberia, E., Maroto, M., *et al.* (2011) Clinical study of mineral trioxide aggregate in primary molars. Comparison between grey and white MTA – a long term follow-up (84 months). *Journal of Dentistry* **39**, 187–93.

Cavalcanti, B.N., de Mello Rode, S., França, C.M., *et al.* (2011) Pulp capping materials exert an effect of the secretion of IL-1β and IL-8 by migrating human neutrophils. *Brazilian Oral Research* **25**, 13–18.

Chacko, V., Kurikose, S. (2006) Human pulpal response to mineral trioxide aggregate (MTA): a histologic study. *Journal of Clinical Pediatric Dentistry* **30**, 203–9.

Cho, S.Y., Seo, D.G., Lee, S.J., *et al.* (2013) Prognostic factors for clinical outcomes according to time after direct pulp capping. *Journal of Endodontics* **39**, 327–31.

Costa, C.A.S., Duarte, P.T., de Souza, P.P., *et al.* (2008) Cytotoxic effects and pulpal response caused by a mineral trioxide aggregate formulation and calcium hydroxide. *American Journal of Dentistry* **21**, 255–61.

Costa, C.A.S., Ribeiro, A.P., Giro, E.M., *et al.* (2011) Pulp response after application of two resin modified glass ionomer cements (RMGICs) in deep cavities of prepared human teeth. *Dental Materials* **27**, e158–e170.

Cox, C.F., Sübay, R.K., Ostro, E., *et al.* (1996) Tunnel defects in dentinal bridges. Their formation following direct pulp capping. *Operative Dentistry* **21**, 4–11.

Cvek, M. (1978) A clinical report on partial pulpotomy and capping with calcium hydroxide in permanent incisors with complicated crown fractures. *Journal of Endodontics* **4**, 232–7.

Cvek, M. (1993) Endodontic management of traumatized teeth. In: *Textbook and Color Atlas of Traumatic Injuries to the Teeth* (J.O. Andreasen & F.M. Andreasen, eds), 3rd edn. Munksgaard, Copenhagen, pp. 517–86.

Cvek, M., Cleaton-Jones, P., Austin, J., *et al.* (1982) Pulp reactions to exposure after experimental crown fractures or grinding in adult monkeys. *Journal of Endodontics* **8**, 391–7.

Dammaschke, T. (2011) Direct pulp capping. *Dentist* **27**(8), 88–94.

Dammaschke, T., Gerth, H.U.V., Züchner, H., *et al.* (2005) Chemical and physical surface and bulk material characterization of white ProRoot MTA and two Portland cements. *Dental Materials* **21**, 731–8.

Dammaschke, T., Leidinger, J., Schäfer, E. (2010a) Long-term evaluation of direct pulp capping-treatment outcomes over an average period of 6.1 years. *Clinical Oral Investigations* **14**, 559–67.

Dammaschke, T., Stratmann, U., Wolff, P., *et al.* (2010b) Direct pulp capping with mineral trioxide aggregate: An immunohistological comparison with calcium hydroxide in rodents. *Journal of Endodontics* **36**, 814–19.

Dammaschke, T., Wolff, P., Sagheri, D., *et al.* (2010c) Mineral trioxide aggregate for direct pulp capping: a histologic comparison with calcium hydroxide in rat molars. *Quintessence International* **41**, e20–e30.

Danesh, G., Dammaschke, T., Gerth, H.U.V., *et al.* (2006) A comparative study of selected properties of ProRoot MTA and two Portland cements. *International Endodontic Journal* **39**, 213–19.

Davidson, C.L. (2006) Advances in glass-ionomer cements. *Journal of Applied Oral Science* **14** (Suppl.), 3–9.

Demir, T., Cehreli, Z.C. (2007) Clinical and radiographic evaluation of adhesive pulp capping in primary molars following hemostasis with 1.25 % sodium hypochlorite: 2-year results. *American Journal of Dentistry* **20**, 182–8.

do Nascimento, A.B., Fontana, U.F., Teixeira, H.M., *et al.* (2000) Biocompatibility of a resin-modified glass-ionomer cement applied as pulp capping in human teeth. *American Journal of Dentistry* **13**, 28–34.

Dominguez, M.S., Witherspoon, D.E., Gutmann, J.L., *et al.* (2003) Histological and scanning electron microscopy assessment of various vital pulp-therapy materials. *Journal of Endodontics* **29**, 324–33.

Doyle, T.L., Casas, M.J., Kenny, D.J., *et al.* (2010) Mineral trioxide aggregate produces superior outcomes in vital primary molar pulpotomy. *Pediatric Dentistry* **32**, 41–7.

Dreger L.A., Felippe W.T., Reyes-Carmona J.F., *et al.* (2010). Mineral trioxide aggregate and Portland cement promote biomineralization in vivo. *Journal Endodontics* **38**, 324–9.

Duarte, M.A.H., Demarchi, A.C.C.O., Yamashita, J.C., *et al.* (2003) pH and calcium ion release of 2 root-end filling materials. *Oral Surgery Oral Medicine Oral Pathology Oral Radiology and Endodontics* **95**, 345–7.

Duda, S., Dammaschke, T. (2008) Measures for maintain pulp vitality. Are there alternatives to calcium hydroxide in direct pulp capping? *Quintessenz* **59**, 1327–34, 1354 [in German].

Duda, S., Dammaschke, T. (2009) Direct pulp capping – prerequisites to clinical treatment success. *Endodontie* **18**, 21–31 [in German].

Duggal, M. (2009) Formocresol alternatives. *British Dental Journal* **206**, 3.

Eghbal, M.J., Asgary, S., Baglue, R.A., *et al.* (2009) MTA pulpotomy of human permanent molars with irreversible pulpitis. *Australian Endodontic Journal* **35**, 4–8.

Elliott, R.D., Roberts, M.W., Burkes, J., *et al.* (1999) Evaluation of the carbon dioxide laser on vital human primary pulp tissue. *Pediatric Dentistry* **21**, 327–31.

El-Meligy, O.A., Avery, D.R. (2006) Comparison of mineral trioxide aggregate and calcium hydroxide as pulpotomy agents in young permanent teeth (apexogenesis). *Pediatric Dentistry* **28**, 399–404.

Erdem, A.P., Guven, Y., Balli, B., *et al.* (2011) Success rates of mineral trioxide aggregate, ferric sulfate and formocresol pulpotomies: a 24 month study. *Pediatric Dentistry* **33**, 165–70.

Faraco Júnior, I.M., Holland, R. (2001) Response of the pulp of dogs to capping with mineral trioxide aggregate or a calcium hydroxide cement. *Dental Traumatology* **17**, 163–6.

Faraco Júnior, I.M., Holland, R. (2004) Histomorphological response of dogs'dental pulp capped with white Mineral Trioxide Aggregate. *Brazilian Dental Journal* **15**, 104–8.

Farsi, N., Alamoudi, N., Balto, K., *et al.* (2005) Success of mineral trioxide aggregate in pulpotomized primary molars. *Journal of Clinical Pediatric Dentistry* **29**, 307–11.

Fridland, M.,, Rosado, R. (2005) MTA solubility: a long term study. *Journal of Endodontics* **31**, 376–9.

Fuentes, V., Toledano, M., Osorio, R., *et al.* (2003) Microhardness of superficial and deep sound human dentin. *Journal of Biomedical Materials Research Part A* **66A**, 850–3.

Fuks, A.B., Papagiannoulis, L. (2006) Pulpotomy in primary teeth: review of the literature according to standardized criteria. *European Archives of Pediatric Dentistry* **7**, 64–72.

Fusayama, T., Okuse, K., Hosoda, H. (1966) Relationship between hardness, discoloration, and microbial invasion in carious dentin. *Journal of Dental Research* **45**, 1033–46.

Fusayama, T., Terachima, S. (1972) Differentiation of two layers of carious dentin by staining. *Journal of Dental Research* **51**, 866.

Fuss, Z., Lustig, J., Katz, A., *et al.* (2001) An evaluation of endodontically treated vertical root fractured teeth: impact of operative procedures. *Journal of Endodontics* **27**, 46–8.

Galler, K.M., Schweikl, H., Hiller, K.A., *et al.* (2011) TEGDMA reduces mineralization in dental pulp cells. *Journal of Dental Research* **90**, 257–62.

Gandolfi, M.G., van Lunduyt, K., Taddei, P., *et al.* (2010) Environmental scanning electron microscopy connected with energy dispersive X-ray analysis and Raman techniques to study ProRoot mineral trioxide aggregate and calcium silicate cements in wet conditions and in real time. *Journal of Endodontics* **36**, 851–7.

Glickman, G.N., Koch, K.A. (2000) 21st-century endodontics. *Journal of the American Dental Association* **131**(Suppl.), 39S–46S.

Goldberg, M., Smith, A.J. (2004) Cells and extracellular matrices of dentin and pulp: a biological basis for repair and tissue engineering. *Critical Reviews in Oral Biology and Medicine* **15**, 13–27.

Goldberg, M., Farges, J.-C., Lacerda-Pinheiro, S., *et al.* (2008) Inflammatory and immunological aspects of dental pulp repair. *Pharmacological Research* **58**, 137–47.

Goracci, G., Mori, G. (1996) Scanning electron microscopic evaluation of resin-dentin and calcium hydroxide-dentin interface with resin composite restorations. *Quintessence International* **27**, 129–35.

Gutmann, J.L., Lovedahl, P.E. (2011) Problem-solving challenges in periapical surgery. In: *Problem Solving in Endodontics* (J.L Gutmann, P.E. Lovedahl, eds), 5th edn. Elsevier Mosby, Maryland Heights, p 351.

Guven, E.P., Yalvac, M.E., Sahin, F., *et al.* (2011) Effect of dental materials calcium hydroxide-containing cement, mineral trioxide aggregate, and enamel matrix derivative on proliferation and differentiation of human tooth germ stem cells. *Journal of Endodontics* **37**, 650–6.

Hafez, A.A., Cox, C.F., Tarim, B., *et al.* (2002) An in vivo evaluation of hemorrhage control using sodium hypochlorite and direct pulp capping with a one- or two- component adhesive system in exposed nonhuman primate pulps. *Quintessence International* **33**, 261–72.

Ham, K.A., Witherspoon, D.E., Gutmann, J.L., *et al.* (2005) Preliminary evaluation of BMP-2 expression and histological characteristics during apexification with calcium hydroxide and Mineral Trioxide Aggregate. *Journal of Endodontics* **31**, 275–9.

Han, L., Okiji, T. (2011) Uptake of calcium and silicon released from calcium silicate-based endodontic materials into root canal dentine. *International Endodontic Journal* **44**, 1081–7.

Heide, S., Mjör, I.A. (1983) Pulp reactions to experimental exposures in young permanent monkey teeth. *International Endodontic Journal* **16**, 11–19.

Hench, L.L., West, J.K. (1996) Biological application of bioactive glasses. *Life Chemistry Reports* **13**, 187–241.

Hermann, B. (1928) Ein weiterer Beitrag zur Frage der Pulpenbehandlung. *Zahnärztliche Rundschau* **37**, 1327–76 [in German].

Hermann, B. (1930) Dentinobliteration der Wurzelkanäle nach Behandlung mit Calcium. *Zahnärztliche Rundschau* **39**, 888–99 [in German].

Herrera, M., Castillo, A., Bravo, M., *et al.* (2000) Antibacterial activity of resin adhesives, glass ionomer and resin-modified glass ionomer cements and a compomer in contact with dentin caries samples. *Operative Dentistry* **25**, 265–9.

Hilton TJ, Ferracane JL, Mancl L; for Northwest Practice-based Research Collaborative in Evidence-based Dentistry (NWP) (2013) Comparison of CaOH with MTA for Direct Pulp Capping: A PBRN Randomized Clinical Trial. *Journal of Dental Research* **92**, S16–22.

Holan, G., Eidelman, E., Fuks, A.B. (2005) Long-term evaluation of pulpotomy in primary molars using Mineral Trioxide Aggregate or formocresol. *Pediatric Dentistry* **27**, 129–36.

Holland, R., de Souza, V., Nery, M.J., *et al.* (1999) Reaction of dogs' teeth to root canal filling with Mineral Trioxide Aggregate or a glass ionomer sealer. *Journal of Endodontics* **25**, 728–30.

Holland, R., Otoboni-Filho, J.A., de Souza, V., *et al.* (2001) Mineral trioxide aggregate repair of lateral root perforations. *Journal of Endodontics* **27**, 281–4.

Hørsted, P., Sandergaard, B., Thylstrup, A., *et al.* (1985) A retrospective study of direct pulp capping with calcium hydroxide compounds. *Endodontics and Dental Traumatology* **1**, 29–34.

Hørsted-Bindslev, P., Bergenholtz, G. (2003) Vital pulp therapies. In: *Textbook of Endodontology* (eds G. Bergenholtz, P. Hørsted-Bindslev, C. Erik-Reit), Blackwell Munksgaard, Oxford, pp. 66–91.

Hørsted-Bindslev, P., Vilkinis, V., Sidlauskas, A. (2003) Direct pulp capping of human pulps with a dentin bonding system or with calcium hydroxide cement. *Oral Surgery Oral Medicine Oral Pathology Oral Radiology and Endodontics* **96**, 591–600.

Islam, I., Chng, H.K., Yap, A.U.J. (2006) Comparison of the physical and mechanical properties of MTA and Portland cement. *Journal of Endodontics* **32**, 193–7.

Iwamoto, C.E., Adachi, E., Pameijer, C.H., *et al.* (2006) Clinical and histological evaluation of white ProRoot MTA in direct pulp capping. *American Journal of Dentistry* **19**, 85–90.

Iwaya S.I., Ikawa M., Kubota M. (2001) Revascularization of an immature permanent tooth with apical periodontitis and sinus tract. *Dental Traumatology* **17**, 185–7.

Jeeruphan T., Jantarat J., Yanpiset K., *et al.* (2012) Mahidol study 1: comparison of radiographic and survival outcomes of immature teeth treated with either regenerative endodontic or apexification methods: a retrospective study. *Journal of Endodontics* **38**, 1330–6.

Junn, D.J., McMillan, P., Bakland, L.K., *et al.* (1998) Quantitative assessment of dentin bridge formation following pulp-capping with mineral trioxide aggregate (MTA). *Journal of Endodontics* **24**, 278 (abstract).

Kakehashi, S., Stanley, H.R., Fitzgerald, R.J. (1965) The effects of surgical exposure of dental pulps in germ-free and conventional laboratory rats. *Oral Surgery Oral Medicine Oral Pathology* **20**, 340–9.

Kang, J.S., Rhim, E.M., Huh, S.Y., *et al.* (2012) The effects of humidity and serum on the surface microhardness and morphology of five retrograde filling materials. *Scanning* **34**, 207–14.

Karabucak, B., Li, D., Lim, J., *et al.* (2005) Vital pulp therapy with mineral trioxide aggregate. *Dental Traumatology* **21**, 240–3.

Keiser, K., Johnson, C.C., Tipton, D.A. (2000) Cytotoxicity of mineral trioxide aggregate using human periodontal ligament fibroblasts. *Journal of Endodontics* **26**, 288–91.

Kettering, J.D., Torabinejad, M. (1995) Investigation of mutagenicity of mineral trioxide aggregate and other commonly used root-end filling materials. *Journal of Endodontics* **21**, 537–9.

Kirk, E.E.J., Lim, K.C., Khan, M.O.G. (1989) A comparison of dentinogenesis on pulp capping with calcium hydroxide in paste and cement form. *Oral Surgery Oral Medicine Oral Pathology* **68**, 210–19.

Koh, E.T., Torabinejad, M., Pitt Ford, T.R., *et al.* (1997) Mineral trioxide aggregate stimulates a biological response in human osteoblasts. *Journal of Biomedical Materials Research* **37**, 432–9.

Koh, E.T., McDonald, F., Pitt Ford, T.R., *et al.* (1998) Cellular response to mineral trioxide aggregate. *Journal of Endodontics* **24**, 543–7.

Kotsanos, N., Arizos, S. (2011) Evaluation of a resin modified glass ionomer serving both as indirect pulp therapy and as restorative material for primary molars. *European Archives of Pediatric Dentistry* **12**, 170–5.

Kuratate, M., Yoshiba, K., Shigetani, Y., *et al.* (2008) Immunohistochemical analysis of nestin, osteopontin, and proliferating cells in the reparative process of exposed dental pulp capped with mineral trioxide aggregate. *Journal of Endodontics* **34**, 970–4.

Langeland, K. (1981) Management of the inflamed pulp associated with deep carious lesion. *Journal of Endodontics* **7**, 169–81.

Laurent, P., Aubut, V., About, I. (2009) Development of a bioactive Ca_3SiO_5 based posterior restorative material (Biodentine™). In: *Biocompatibility or Cytotoxic Effects of Dental Composites* (M. Goldberg, ed.). Coxmoor, Oxford, pp. 195–200.

Leites, A.B., Baldissera, E.Z., Silva, A.F., *et al.* (2011) Histologic response and tenascin and fibronectin expression after pulp capping in pig primary teeth with mineral trioxide aggregate or calcium hydroxide. *Operative Dentistry* **36**, 448–56.

Lertchirakarn, V., Palamara, J.E., Messer, H.H. (2003) Patterns of vertical root fracture: Factors affecting stress distribution in the root canal. *Journal of Endodontics* **29**, 523–8.

Lewis, B. (2010) The obsolescence of formocresol. *Journal of the Californian Dental Association* **38**, 102–7.

Leye Benoist, F., Gaye Ndiaye, F., Kane, A.W., *et al.* (2012) Evaluation of mineral trioxide aggregate (MTA) versus calcium hydroxide cement (Dycal®) in the formation of a dentine bridge: a randomised controlled trial. *International Dental Journal* **62**, 33–9.

Liard-Dumtschin, D., Holz, J., Baume, L.J. (1984) Direct pulp capping - a biological trial of 8 products. *Schweizer Monatsschrift für Zahnmedizin* **94**, 4–22 [in French].

Lim, K.C., Kirk, E.E.J. (1987) Direct pulp capping: a review. *Endodontics and Dental Traumatology* **3**, 213–19.

Linn, J., Messer, H.H. (1994) Effect of restorative procedures on the strength of endodontically treated molars. *Journal of Endodontics* **20**, 479–85.

Liu, H., Zhou, Q., Qin, M. (2011) Mineral trioxide aggregate versus calcium hydroxide for pulpotomy in primary molars. *Chinese Journal of Dental Research* **14**, 121–5.

Liu, J., Chen, L.R., Chao, S.Y. (1999) Laser pulpotomy of primary teeth. *Pediatric Dentistry* **21**, 128–9.

Matsuo, T., Nakanishi, T., Shimizu, H., *et al.* (1996) A clinical study of direct pulp capping applied to carious-exposed pulps. *Journal of Endodontics* **22**, 551–6.

McDonald, R.E., Avery, D.R., Dean, J.A. (2011) Treatment of deep caries, vital pulp exposure, and pulpless teeth. In: *McDonald and Avery's Dentistry of the Child and Adolescent* (J.A. Dean, D.R. Avery, R.E. McDonald, eds), 9th edn. Mosby Elsevier, Maryland Heights, pp. 343–65.

Mejare, I., Cvek, M. (1993) Partial pulpotomy in young permanent teeth with deep carious lesions. *Endodontics and Dental Traumatology* **9**, 238–42.

Mente, J., Geletneky, B., Ohle, M., *et al.* (2010) Mineral trioxide aggregate or calcium hydroxide direct pulp capping: an analysis of the clinical treatment outcome. *Journal of Endodontics* **36**, 806–13.

Merdad, K., Sonbul, H., Bukhary, S. *et al.* (2011). Caries susceptibility of endodontically versus nonendodontically treated teeth. *Journal of Endodontics* **37**,139–42.

Miles, J.P., Gluskin, A.H., Chambers, D., *et al.* (2010) Pulp capping with mineral trioxide aggregate (MTA): a retrospective analysis of carious pulp exposures treated by undergraduate dental students. *Operative Dentistry* **35**, 20–8.

Min, K.S., Park, H.J., Lee, S.K., *et al.* (2008) Effect of mineral trioxide aggregate on dentin bridge formation and expression of dentin sialoprotein and heme oxygenase-1 in human dental pulp. *Journal of Endodontics* **34**, 666–70.

Minamikawa, H., Yamada, M., Deyama, Y., *et al.* (2011) Effect of *N*-acetylcysteine on rat dental pulp cells cultured on mineral trioxide aggregate. *Journal of Endodontics* **37**, 637–41.

Mireku, A.S., Romberg, E., Fouad, A.F., *et al.* (2010) Vertical fracture of root filled teeth restored with posts: the effects of patient age and dentine thickness. *International Endodontic Journal* **43**, 218–25.

Mitchell, P.J.C., Pitt Ford, T.R., Torabinejad, M., *et al.* (1999) Osteoblast biocompatibility of mineral trioxide aggregate. *Biomaterials* **20**, 167–73.

Miyauchi, H., Iwaku, M., Fusayama, T. (1978) Physiological recalcification of carious dentin. *The Bulletin of Tokyo Medical and Dental University* **25**, 169–79.

Moghaddame-Jafari, S., Mantellini, M.G., Botero, T.M., *et al.* (2005) Effect of ProRoot MTA on pulp cell apoptosis and proliferation *in vitro*. *Journal of Endodontics* **31**, 387–91.

Moretti, A.B., Sakai, V.T., Oliveira, T.M., *et al.* (2008) The effectiveness of mineral trioxide aggregate, calcium hydroxide and formocresol for pulpotomies in primary teeth. *International Endodontic Journal* **41**, 547–55.

Motsch, A. (1990) Die Unterfüllung – eine kritische Diskussion der verschiedenen Zement und Präparate. In: Neue Füllungsmaterialien – *Indikation und Verarbeitung* (ed Akademie Praxis und Wissenschaft in der DGZMK*)*, Carl Hanser, Munich, pp. 35–54 [in German].

Murray, P.E., Garcia-Godoy, F., Hargreaves, K.M. (2007) Regenerative endodontics: a review of current status and a call for action. *Journal of Endodontics* **33**, 377–90.

Myers, K., Kaminski, E., Lautenschlater, E. (1996) The effects of mineral trioxide aggregate on the dog pulp. *Journal of Endodontics* **22**, 198 (abstract).

Nair, P.N.R., Duncan, H.F., Pitt Ford, T.R., *et al.* (2008) Histological, ultrastructural and quantitative investigations on the response of healthy human pulps to experimental pulp capping with mineral trioxide aggregate: a randomized controlled trial. *International Endodontic Journal* **41**, 128–50.

Naito, T. (2010) Uncertainty remains regarding long-term success of mineral trioxide aggregate for direct pulp capping. *Journal of Evidence-Based Dental Practice* **10**, 250–1.

Nakayama, A., Ogiso, B., Tanabe, N., *et al.* (2005) Behavior of bone marrow osteoblast-like cells on mineral trioxide aggregate: morphology and expression of type I collagen and bone-related protein mRNAs. *International Endodontic Journal* **38**, 203–10.

Namazikhah, M.S., Nekoofar, M.H., Sheykhrezae, M.S., *et al.* (2008) The effect of pH on the surface hardness and microstructure of mineral trioxide aggregate. *International Endodontic Journal* **41**, 108–16.

Nekoofar, M.H., Adusei, G., Sheykhrezae, M.S., *et al.* (2007) The effect of condensation pressure on selected physical properties of mineral trioxide aggregate. *International Endodontic Journal* **40**, 453–61.

Nekoofar, M.H., Aseeley, Z., Dummer, P.M.H. (2010a) The effect of various mixing techniques on the surface microhardness of mineral trioxide aggregate. *International Endodontic Journal* **43**, 312–20.

Nekoofar, M.H., Oloomi, K., Sheykhrezae, M.S., *et al.* (2010b) An evaluation of the effect of blood and human serum on the surface microhardness and surface microstructure of mineral trioxide aggregate. *International Endodontic Journal* **43**, 849–58.

Nekoofar, M.H., Stone, D.F., Dummer, P.M.H. (2010c) The effect of blood contamination on the compressive strength and surface microstructure of mineral trioxide aggregate. *International Endodontic Journal* **43**, 782–91.

Okiji, T., Yoshiba, K. (2009) Reparative dentinogenesis induced by mineral trioxide aggregate: a review from the biological and physicochemical points of view. *International Journal of Dentistry* **2009**:464280.

Oringer, M.J. (1975) *Electrosurgery in Dentistry*, 2nd edn. WB Saunders, Philadelphia.

Osorio, R.M., Hefti, A., Vertucci, F.J., *et al.* (1998) Cytotoxicity of endodontic materials. *Journal of Endodontics* **24**, 91–6.

Østravik, D., Pitt Ford, T.R. (1998) *Essential Endodontology: Prevention and Treatment of Apical Periodontitis*. Blackwell, Oxford, pp. 192–210.

Paranjpe, A., Zhang, H., Johnson, J.D. (2010) Effects of mineral trioxide aggregate on human pulp cells after pulp-capping procedures. *Journal of Endodontics* **36**, 1042–7.

Paranjpe, A., Smoot, T., Zhang, H., *et al.* (2011) Direct contact with mineral trioxide aggregate activates and differentiates human dental pulp cells. *Journal of Endodontics* **37**, 1691–5.

Parirokh, M., Asgary, S., Eghbal, M.J., *et al.* (2005) A comparative study of white and grey mineral trioxide aggregate as pulp capping agent in dog's teeth. *Dental Traumatology* **21**, 150–4.

Parolia, A., Kundabala, M., Rao, N.N., *et al.* (2010) A comparative histological analysis of human pulp following direct pulp capping with Propolis, mineral trioxide aggregate and Dycal. *Australian Dental Journal* **55**, 59–64.

Phaneuf, R.A., Frankl, S.N., Ruben, M.P. (1968) A comparative histological evaluation of three commercial calcium hydroxide preparations on the human primary dental pulp. *Journal of Dentistry for Children* **35**, 61–76.

Pitt Ford, T.R., Torabinejad, M., Abedi, H.R., *et al.* (1996) Using mineral trioxide aggregate as a pulp-capping material. *Journal of the American Dental Association* **127**, 1491–4.

Qudeimat, M.A., Barrieshi-Nusair, K.M., Owais, A.I. (2007) Calcium hydroxide vs. mineral trioxide aggregate for partial pulpotomy of permanent molars with deep caries. *European Archives of Pediatric Dentistry* **8**, 99–104.

Queiroz, A.M., Assed, S., Leonardo, M.R., *et al.* (2005) MTA and calcium hydroxide for pulp capping. *Journal of Applied Oral Science* **13**, 126–30.

Randow, K., Glantz, P.O. (1986) On cantilever loading of vital and non-vital teeth. An experimental clinical study. *Acta Odontologica Scandinavica* **44**, 271–7.

Retzlaff, A.E., Castaldi, C.R. (1969) Recent knowledge of the dental pulp and its application to clinical practice. *Journal of Prosthetic Dentistry* **22**, 449–57.

Reyes-Carmona, J.F., Santos, A.S., Figueiredo, C.P., *et al.* (2010) Host-mineral trioxide aggregate inflammatory molecular signaling and biomineralization ability. *Journal of Endodontics* **36**, 1347–53.

Ribeiro, C.S., Kuteken, F.A., Hirata Júnior, R., *et al.* (2006) Comparative evaluation of antimicrobial action of MTA, calcium hydroxide and Portland cement. *Journal of Applied Oral Science* **14**, 330–3.

Ruemping, D.R., Morton, T.H., Jr, Anderson, M.W. (1983) Electrosurgical pulpotomy in primates – a comparison with formocresol pulpotomy. *Pediatric Dentistry* **5**, 14–18.

Ryge, G., Foley, D.E., Fairhurst, C.W. (1961) Microindentation hardness. *Journal of Dental Research* **40**, 1116–26.

Salako, N., Joseph, B., Ritwik, P., *et al.* (2003) Comparison of bioactive glass, mineral trioxide aggregate, ferric sulfate and formocresol as pulpotomy agents in rat molar. *Dental Traumatology* **19**, 314–20.

Sarkar, N.K., Caicedo, R., Ritwik, P., *et al.* (2005) Physicochemical basis of the biological properties of Mineral Trioxide Aggregate. *Journal of Endodontics* **31**, 97–100.

Sawicki, L., Pameijer, C.H., Emerich, K., *et al.* (2008) Histological evaluation of mineral trioxide aggregate and calcium hydroxide in direct pulp capping of human immature permanent teeth. *American Journal of Dentistry* **21**, 262–6.

Schmitt, D., Lee, J., Bogen, G. (2001) Multifaceted use of ProRoot MTA root canal repair material. *Journal of Pediatric Dentistry* **23**, 326–30.

Schröder U. (1972) Evaluation of healing following experimental pulpotomy of intact human teeth and capping with calcium hydroxide. *Odontologisk Revy* **23**, 329–40.

Schröder U. (1985) Effects of calcium hydroxide-containing pulp-capping agents on pulp cell migration, proliferation, and differentiation. *Journal of Dental Research* **64** (Spec. Iss.), 541–8.

Schröder, U., Granath, L.E. (1971) On internal dentine resorption in deciduous molars treated by pulpotomy and capped with calcium hydroxide. *Odontologisk Revy* **22**, 179–88.

Schroeder, H.E. (1997) *Pathobiologie oraler Strukturen. Zähne, Pulpa, Parodont*, 3rd edn. Karger, Basel, p 136 [in German].

Shaw, D.W., Sheller, B., Barrus, B.D., *et al.* (1987) Electrosurgical pulpotomy – a 6-month study in primates. *Journal of Endodontics* **13**, 500–5.

Shayegan, A., Petein, M., Vanden Abbeele, A. (2009) The use of beta-tricalcium phosphate, white MTA, white Portland cement and calcium hydroxide for direct pulp capping of primary pig teeth. *Dental Traumatology* **25**, 413–19.

Shulman, E.R., Mulver, F.F., Burkes, E.J., Jr (1987) Comparison of electrosurgery and formocresol as pulpotomy techniques in monkey primary teeth. *Pediatric Dentistry* **9**, 189–94.

Sluka, H., Lehmann, H., Elgün, Z. (1981) Comparative experiments on treatment techniques in vital amputation in view of the preservation of the remaining pulp. *Quintessenz* **32**, 1571–7 [in German].

Smith, A.J., Cassidy, N., Perry, H., *et al.* (1995) Reactionary dentinogenesis. *International Journal of Developmental Biology* **39**, 273–80.

Staehle, H.J. (1990) *Calciumhydroxid in der Zahnheilkunde*. Hanser, Munich [in German].

Stanley, H.R., Lundy T. (1972) Dycal therapy for pulp exposure. *Oral Surgery Oral Medicine Oral Pathology* **34**, 818–25.

Stanley, H.R. (1989) Pulp capping: Conserving the dental pulp – Can it be done? Is it worth it? *Oral Surgery Oral Medicine Oral Pathology* **68**, 628–39.

Stropko, J.J. (2009) Micro-surgical endodontics. In: *Endodontics*. Vol. **III** (A. Castellucci, ed.). Edizioni Odontoiatriche Il Tridente, Florence, pp. 1118–25.

Subramaniam, P., Konde, S., Mathew, S., *et al.* (2009) Mineral trioxide aggregate as pulp capping agent for primary teeth pulpotomy: 2 year follow up study. *Journal of Clinical Pediatric Dentistry* **33**, 311–14.

Takita, T., Hayashi, M., Takeichi, O., *et al.* (2006) Effect of mineral trioxide aggregate on proliferation of cultured human dental pulp cells. *International Endodontic Journal* **39**, 415–22.

Tani-Ishii, N., Hamada, N., Watanabe, K., *et al.* (2007) Expression of bone extracellular matrix proteins on osteoblast cells in presence of mineral trioxide aggregate. *Journal of Endodontics* **33**, 836–9.

Tatsumi, T. (1989) Physiological remineralization of artificially decalcified monkey dentin under adhesive composite resin restoration. *Kokubyo Gakkai Zasshi* **56**, 47–74 [in Japanese].

Tatsumi, T., Inokoshi, S., Yamada, T., *et al.* (1992) Remineralization of etched dentin. *Journal of Prosthetic Dentistry* **67**, 617–20.

Thesleff, I., Vaahtokari, A., Partanen, A.M. (1995) Regulation of organogenesis: common molecular mechanisms regulating the development of teeth and other organs. *International Journal of Developmental Biology* **39**, 35–50.

Thomson, T.S., Berry, J.E., Somerman, M.J., *et al.* (2003) Cementoblasts maintain expression of osteocalcin in the presence of mineral trioxide aggregate. *Journal of Endodontics* **29**, 407–12.

Torabinejad, M., Chivian, N. (1999) Clinical applications of Mineral Trioxide Aggregate. *Journal of Endodontics* **25**, 197–205.

Torabinejad, M., Watson, T.F., Pitt Ford, T.R. (1993) Sealing ability of a mineral trioxide aggregate when used as a root end filling material. *Journal of Endodontics* **19**, 591–5.

Torabinejad, M., Hong, C.U., McDonald, F., *et al.* (1995a) Physical and chemical properties of a new root-end filling material. *Journal of Endodontics* **21**, 349–53.

Torabinejad, M., Hong, C.U., Pitt Ford, T.R., *et al.* (1995b) Tissue reaction to implanted super-EBA and mineral trioxide aggregate in the mandible of guinea pigs: a preliminary report. *Journal of Endodontics* **21**, 569–71.

Torabinejad, M., Hong, C.U., Pitt Ford, T.R., *et al.* (1995c) Cytotoxicity of four root end filling materials. *Journal of Endodontics* **21**, 489–92.

Torabinejad, M., Rastegar, A.F., Kettering, J.D., *et al.* (1995d) Bacterial leakage of mineral trioxide aggregate as a root-end filling material. *Journal of Endodontics* **21**, 109–12.

Torabinejad, M., Smith, P.W., Kettering, J.D., *et al.* (1995e) Comparative investigation of marginal adaptation of mineral trioxide aggregate and other commonly used root-end filling materials. *Journal of Endodontics* **21**, 295–99.

Torabinejad, M., Pitt Ford, T.R., Abedi, H.R., *et al.* (1998) Tissue reaction to implanted root-end filling materials in the tibia and mandible of guinea pigs. *Journal of Endodontics* **24**, 468–71.

Torneck, C.D., Moe, H., Howley, T.P. (1983) The effect of calcium hydroxide on porcine pulp fibroblasts *in vitro*. *Journal of Endodontics* **9**, 131–6.

Tronstad, L., Mjör, I.A. (1972) Capping of the inflamed pulp. *Oral Surgery Oral Medicine Oral Pathology* **34**, 477–85.

Tziafas, D., Pantelidou, O., Alvanou, A., *et al.* (2002) The dentinogenic effect of mineral trioxide aggregate (MTA) in short-term capping experiments. *International Endodontic Journal* **35**, 245–54.

Walker, M.P., Diliberto, A., Lee, C. (2006) Effect of setting conditions on mineral trioxide aggregate flexural strength. *Journal of Endodontics* **32**, 334–6.

Ward, J. (2002) Vital pulp therapy in cariously exposed permanent teeth and its limitations. *Australian Endodontic Journal* **28**, 29–37.

Weiger, R. (2001) Vitalerhaltende Therapie. In: *Endodontie* (D. Heidemann, ed.). Urban& Fischer, Munich, pp. 58–78 [in German].

Winters, J., Cameron, A.C., Widmer, R.P. (2008) Pulp therapy for primary and immature permanent teeth. In: *Handbook of Pediatric Dentistry* (A.C. Cameron, R.P. Widmer, eds), 3rd edn. Mosby Elsevier, Philadelphia, pp. 95–113.

Witherspoon, D.E. (2008) Vital pulp therapy with new materials: new directions and treatment perspectives - permanent teeth. *Journal of Endodontics* **34** (Suppl.), S25–S28.

Witherspoon, D.E., Small, J.C., Harris, G.Z. (2006) Mineral trioxide aggregate pulpotomies: a case series outcome assessment. *Journal of the American Dental Association* **137**, 610–18.

Witte, D. (1878) Das Füllen der Wurzelcanäle mit Portland-Cement. *Deutsche Vierteljahrsschrift für Zahnheilkunde* **18**, 153–4 [in German].

Yasuda, Y., Ogawa, M., Arakawa, T., *et al.* (2008) The effect of mineral trioxide aggregate on the mineralization ability of rat dental pulp cells: an *in vitro* study. *Journal of Endodontics* **34**, 1057–60.

Zarrabi, M.H., Javidi, M., Jafarian, A.H., *et al.* (2011) Immunohistochemical expression of fibronectin and tenascin in human tooth pulp capped with mineral trioxide aggregate and a novel endodontic cement. *Journal of Endodontics* **37**, 1613–18.

Zealand, C.M., Briskie, D.M., Botero, T.M., *et al.* (2010) Comparing gray mineral trioxide aggregate and diluted formocresol in pulpotomized human primary molars. *Pediatric Dentistry* **32**, 393–9.

Zhu, Q., Haglund, R., Safavi, K.E., *et al.* (2000) Adhesion of human osteoblasts on root-end filling materials. *Journal of Endodontics* **26**, 404–6.

5 괴사된 치수 및 열린 근첨을 가진 치아의 치료 (Management of Teeth with Necrotic Pulps and Open Apices)

Shahrokh Shabahang[1] and David E. Witherspoon[2]

[1]Department of Endodontics, Loma Linda University School of Dentistry, USA
[2]North Texas Endodontic Associates, USA - 역자 유창선

Mineral Trioxide Aggregate: Properties and Clinical Applications, First Edition.
Edited by Mahmoud Torabinejad.

미성숙 영구치의 진단

치근 구조의 성장에는 생활력을 가진 치수가 필요하다. 만약 치수가 생활력이 있고 근첨 형성이 아직 완료되지 않았다면 치수 생활력(pulp vitality)을 유지하기 위해 필요한 조치를 꼭 시행해야 한다. 이러한 방법들은 치근단의 완전한 형성과 석회화를 촉진하는데, 이는 치수 조직만이 진정한 상아질을 형성하는 능력을 가지고 있기 때문이다(Goldman 1974). 치수 생활력의 붕괴는 지속적인 치근 성장을 방해할 것이며 가능하다면 미성숙 영구치의 치수 생활력은 치근 성장이 완료되기 위해서 유지되어야 한다. 따라서 치수 조직은 비가역적 염증상태나 괴사상태인 경우에만 제거되어야 한다. 일반적으로, 젊은 환자의 치수조직은 보다 적은 자극원에 노출되고, 보다 세포성(cellular)을 가지기 때문에 손상을 입더라도 회복하는 능력 또한 크다. Cvek과 그 동료들은(Cvek 등. 1982) 복합 치관 파절 치아에서 치수가 노출된 상태로 7일 후에도 치수 생활력이 유지되고 있음을 보여주었고 염증상태는 노출된 치주 조직 하방 2mm 깊이에서만 한정되어 있었다.

미완성치근을 갖는 치아의 치료 계획을 결정하기 앞서서 정확한 진단을 위해 치수 상태에 대해 적절히 평가하는 것은 매우 중요하다. 최상의 치료방법을 선택하기 위해 치수 생활력을 평가하여야 하며, 만약 치수 생활력이 있다면 지속적인 치근 성장이 가능하도록 치수 생활력을 유지할 수 있도록 모든 노력을 해야 한다. 그림 5.1은 미완성 치근을 갖는 영구치 치료시 의사결정 과정을 원활히 하는데 도움이 될 흐름도이다.

문제가 있는 치아에 대한 평가는 성장 중인 치근의 성숙도를 결정하는 방사선적 평가 그리고 병력 및 임상 검사에 근거한 임상적 평가로 이루어진다. 일반적으로 미성숙 치아는 어린이 치료시 접하게 된다. 어린이의 치수 검사는 약간 복잡한 절차이며 주관적일 수 밖에 없다(Pinkham 1997; Toole 등. 2000; Har-

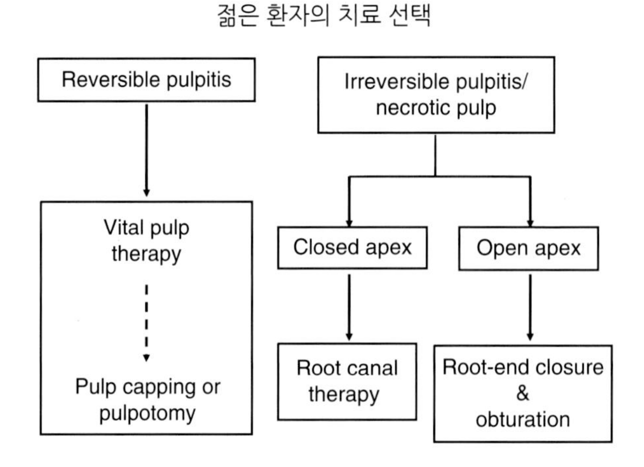

그림 5.1 미완성 치근을 갖는 영구치의 치료를 위한 치료 선택

man 등. 2005). 언어 발달 정도가 낮을수록 그리고 좋지 않은 경험에 대한 예상이 강할수록 크게 영향을 받는다(Toole 등. 2000; Harma 등. 2005). 진단은 환자의 주관적인 증상에 의해 혼동될 수 있다. 주관적 증상은 조직학적으로 정확한 치수 상태를 반영하지는 못한다(Camp 2008). 또한 성인에 비해서 치수검사에 대한 반응을 예측하기 어려운데, 이는 어린이의 경우 negative false를 보일 가능성이 크기 때문이다. 일반적으로, 차가운 자극에 대한 반응이 가장 믿을 만한 결과를 나타낸다(Fulling & Andreasen 1976;Fuss 등. 1986). 열린 미성숙 치근단 치아의 전기치수검사는 negative false가 높은 비율로 나타난다(Klein 1978). 환자의 병력은 치수가 치유되는 데 영향을 미치는 소인적 조건(predisposing conditions), 증상, 그리고 치아에 대한 외상성 손상과 같은 복잡한 요인의 존재를 평가하는데 있어서 중요하다. 예를 들어, 고혈당증은 치수의 회복에 상당한 영향을 미칠 것이다(Garber 등. 2009). Strobl 등은(2004) 레이저 도플러를 사용한 치수의 혈관 흐름(PBF, Pulpal Blood Flow)을 측정해서 측방 및 돌출성(extrusive) 아탈구는 PBF에 큰 영향을 미치지 않는다는 것을 보였다. 다른 한편으로 함입성(intrusive) 손상은 감소된 PBF와 치수 괴사를 나타내었다(그림. 5.2).

추가적으로, 만약 치수가 노출되어 있다면 치수 조직을 육안으로 관찰하여 치수 상태를 판단할 수 있다. 임상적으로 노출된 치수에 NaOCl을 5~10분 동안 사용하여 지혈이 가능한 경우에 임상적으로 가장 신뢰할 수 있게 가역적 치수염(reversible pulpitis)으로 진단할 수 있다(Matsuo 등. 19 96; Bogen 등. 2008).

미성숙 영구치와 관련한 치근주위 병소를 정확하게 진단하기 위해서는 정상적 치근 형성의 방사선적 양상에 대한 종합적인 이해가 필수적이다. 성장하는 단계에서, 일반적으로 절치 근관의 협-설측이 근-원심 측보다 크다. 평행한 근원심 외형을 보이는 치근은 끝이 넓어지는(divergent) 근관벽과 넓은 협-설측적 폭경을 가진다. 이후 점차 뾰족해져 가는(tapering) 치근첨과 평행한 근-원심 외형을 갖는 치근은 여전히 넓은 협-설측 폭경을 가진다. 치아 맹출 후에도 치근 성장에는 보통 3년 이상의 시간이 소요된다(Duell 1973). 이러한 치근 발육의 형태로 인해서 치근 성장을 평가할 때 오진을 유발할 수 있다. 근관의 협-설측면은 치근의 성장의 마지막 단계에서 끝이 점차 뾰족해져가기 때문에 방사선 사진상 근단부에서 끝이 뾰족

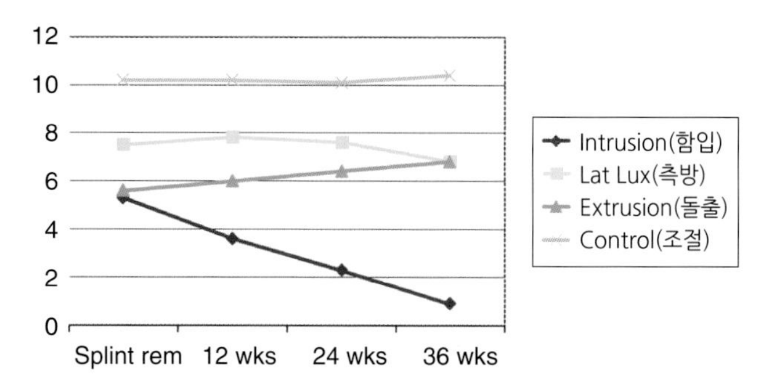

그림 5.2 레이저 도플러를 사용한 PBF평가는 함입성(intrusion) 손상의 부정적 영향을 보여준다.

한 근관의 형태를 보이더라도 협-설측 평면에서는 아직 넓어진 상태로 있을 가능성이 있다(Camp 1980). 잘못된 진단을 유발하는 치근단의 해부학적 구조 외에 고려해야 할 다른 요소들이 있다. 치근첨 부위를 형성하는 조직이 방사선적으로 성장이 완료된 것으로 보일 수 있지만 협-설측 성장 격벽(diaphragm)은 근-원심 성장 격벽(diaphragm)보다 성장이 느리기 때문에 대개는 다공성이다(Gutmann & Heaton 1981). 하지만 cone beam CT(CBCT)의 출현으로 근단부 형성을 평가하는 것에 있어서 생기는 어려움들은 최소화 되었다(Patel 2010).

그림 5.1에서 보듯이, 치수가 괴사된 것으로 여겨지면, 근관치료가 적응증이다 ; 그러나 열린 치근첨이므로, 치근단 폐쇄는 근관치료가 완료되기 전에 이뤄져야 한다.

미성숙 영구치 치료 역사

전통적으로 미성숙 영구치의 치료는 도전적인 과제였다. 일반적으로 미성숙 영구치는 성인 환자의 치아에서는 접할 수 없는 치료상의 어려움을 가지고 있다. 근관의 치근단 쪽 직경은 종종 치관부 쪽 직경보다 크며(Friend 1969), 이는 기계적 근관 세척(debridement)을 어렵게 한다. 근첨의 협착(constriction) 부족은 근관 충전을 어렵게 만든다. 얇은 근관 벽은 쉽게 파절되는 경향을 갖으며, 이는 충전 과정에서 상당한 가압을 필요로 하는 외과적/비외과적 근관 치료 술식을 어렵게 만든다. 역사적으로, 치수가 실활된 미성숙 영구치의 처치를 위한 술식은 선행된 치근단형성술(apexification) 없이 custom fitting gutta-percha cones(Stewart 1963; Friend 1966)의 충전, paste 충전(Friend 1967), 치근단 수술(Ingle 1965), 또는 종종 발치(Rule & Winter 1966)가 시행되어 왔다.

1940년, Rohner(1940)는 생활치수절제술(vital pulpectomy) 후 잔여 치수 상방에 Calxyl paste를 적용한 증례를 서술하였다. 그 결과 apical barrier가 형성되는 것을 확인하였다. 치근단 폐쇄(apical closure)를 유도하기 위한 약제로 수산화칼슘(CH, calcium hydroxide)을 사용한 최초의 기술은 1953년에 있었다(Marmasse 1953). 뒤이어 1959년에 Granath, 1962년에 Matsumiya(Matsuiya 등. 1962) 그리고 1964년에 Kaiser(Kaiser 1964)가 치근단 폐쇄 술식에 CH사용을 보고했다. 이 당시 치근단 폐쇄에 사용했던 약제에는 Tricresol, formalin(Cooke & Rowbotham 1960) 그리고 항균 pastes(Herbert 1959; Ball 1964) 등이 있었다. 치근단형성술(apexification)은 근관계의 밀폐를 용이하게 하기 위해 치근단 폐쇄를 유도하는 술식을 말하며 1960년대 대중화 되었고(Frank 1966;Steiner등. 1968) 괴사된 미성숙 영구치를 위한 치료 지침이 되었다. CH사용 뿐 아니라 여러 술식 및 약제들이 다양한 성공율을 보이며 치근단형성을 유도하는 술식에서 권장되었다. 이러한 술식과 약제에는 혈병 형성을 유도하고(Ham 등. 1972), Tricresol과 formalin(Cooke &Rowbotham 1960), 항균 페이스트(Ball 1964), tricalcium phosphate(Koenigs 등. 1975; Roberts & Brilliant 1975), 콜라겐-칼슘 인산 겔(Nevins 등. 1977, 1978; Citrome *et al.* 1979), CH와 혼합된 camphorated parachlorophenol(CMCP), iodoform (Holland등.

1973), 물(Binnie & Rowe 1973; Wechsler 등. 1978), 국소마취액, 생리 식염수, 글리세롤 등(Heithersay1970; Vojinovic & Srnie 1975; Camp 1980; Webber 등. 1981)이 있다. 또한 몇몇 임상 증례는 실활 치수조직을 제거한 후 감염 조절만으로도 지속적인 근단부의 성장을 보고하여 왔다(Das1980; Cameron 1986). Lieberman과 Trowbridge(1983)는 실활 치수 상악 영구 절치가 어떠한 치료 없이도 치근첨 폐쇄가 이루어진 증례를 보고했다.

치근단형성술에 대한 많은 접근법에 관계없이, CH는 1960년대 이래로 치근단형성술에 있어 첫번째 선택의 재료가 되었다. 이는 주로 Frank(1966)의 기념비적인 논문의 영향 때문인데 여기서 그는 수산화칼슘(CH)과 CMCP 페이스트 사용을 제안했다. 페이스트 적용 후 치아는 방사선학적으로 또는 임상적으로(근관치료 기구로 치근단을 탐지할 때 경조직 barrie가 나타나는 것으로) 치근단 폐쇄가 결정될 때까지 3~6 개월마다 평가가 필요하다. 그는 이와 같은 술식의 임상적인 결과들은 다를 수 있다고 제안했으며 다음과 같다: (1) 최소한이지만 명확한 근관의 퇴축(recession)을 동반한 근첨 폐쇄(근첨부는 폐쇄(obliterated)된 것처럼 보이지만 성장을 지속한다); (2) 근관 공간의 어떠한 변화없이 폐쇄된(obliterated) 근첨으로 성장을 지속하는 경우; (3) 방사선학적으로 치근첨과 근관의 성장 양상은 볼 수 없지만 근관으로 기구 삽입 시 근관 충전을 가능케 하는 분명한 stop을 확인할 수 있는 근첨 밀폐; (4) 방사선적으로 확인할 수 있는 석회화 가교(calcific bridge)가 치근첨 직상방(just coronoal to the apex)에 형성되는 경우. 이와 유사하게 Feiglin(1985) 역시 CH를 이용한 치근단형성술에서 치근단 형성의 다양한 양상을 분류했으며 다음과 같다 : (1) 골성백악질(osteocementum) 또는 골성상아질(osteodentin)로 추정되는 경조직으로 된 근첨부 가교(apex bridge) ; (2) 손상 지점부터 근첨까지 완벽하게 정상적인 치근첨; (3-4) 손상 지점 위 쪽에 남아있는 다양한 양의 생활 치수조직이 근관을 치유시키거나 가교 형성을 유도하고, 근첨부를 지속적으로 형성시키거나 석회화시키는 경우; 그리고 (5) 치아 맹출과정에서 분리된 근첨(apex lifted off)

미성숙 영구치의 감염 조절

미성숙 영구치의 근관 치료시 특별히 어려운 상황은 넓게 열린 근첨뿐만 아니라 얇은 상아질 벽이다(그림 5.3). 이 때문에 치수조직 제거(debridement) 과정에서 치수 잔사 제거와 근관 소독은 주로 화학적 방법을 쓰게 된다. 또한 치수조직을 완벽하게 제거하고 근관 공간 내에만 한정하여 치료재를 적용하기 위해서 근관장의 정확한 측정이 중요하다. 이런 과정은 매우 소중하게 남은 부분인 HERS (Herttwig's Epithelial Root Sheath)가 손상 받는 것을 예방할 것이다(그림 5.4).

일반적으로, 전자 근관장 측정 장치는 근첨이 넓게 열린 치아에서는 정확성이 없다(Hulsmann과 Pieper 1989). 방사선적 근관 측정법이 정확한 근관장을 결정할 수 있는 가장 좋은 방법이다(그림 5.5).

차아염소산 나트륨(NaOCl)과 수산화칼슘(CH)은 좋은 항균활성 뿐 아니라 조직 용해성을 가진다(The 1979; Cunningham & Balekjian 1980;Cunningham & Joseph 1980; Morgan 등. 1991; Baumgart-

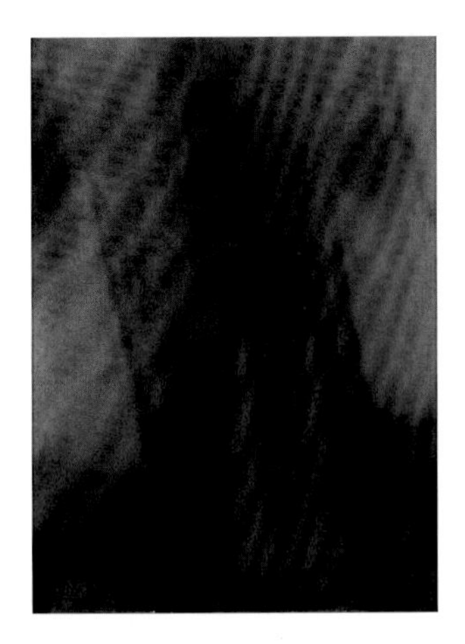

그림 5.3 열린 근첨과 얇은 상아질 벽을 갖는 미성숙 영구절치의 방사선 사진

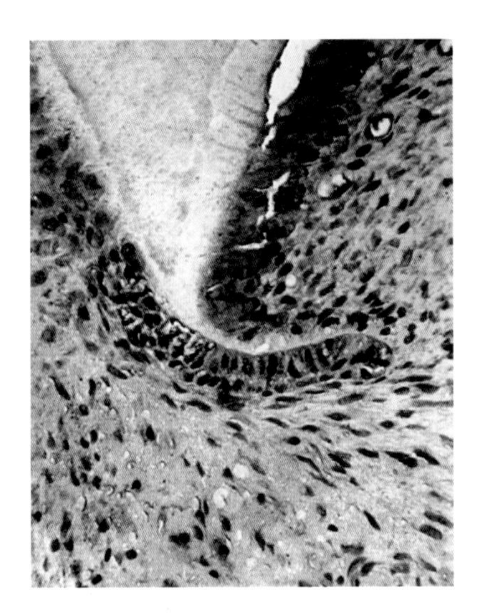

그림 5.4 BMP-2 면역 염색을 통한 HERS(Herttwig's Epithelial Root Sheath)

ner & Cuenin 1992;Yang 등. 1995; Turkun & Cengiz 1997; Wadachi 등. 1998; Gomes 등. 2001).

NaOCl은 사용하는 과정 중에 효과를 나타내지만, CH의 작용에는 더 긴 시간이 필요하다. CH를 근관내에 일주일 정도 CH로 첩약하면 잔여 치수 조직을 용해시켜 제거할 수 있게 할 뿐만 아니라 근관내의 소독도 가능해 진다(Sjogren 등. 1991; Turkun & Cengiz 1997). 용이성에도 불구하고, 몇몇 연구자들은 근관내를 완벽하게 소독하는데 대한 NaOCl의 능력에 관한 결점을 보고했다(ShabaHang 등. 2003;Waltimo 등. 2005; Siqueira & Rocas 2008). 발표된 결과와의 불일치는 방법론적인 차이 또는 실제 임상에서의 사용 프로토콜 때문일 것이다. 사실 NaOCl은 사용 직전 용액에 혼합할 때 가장 효과적이며(John-

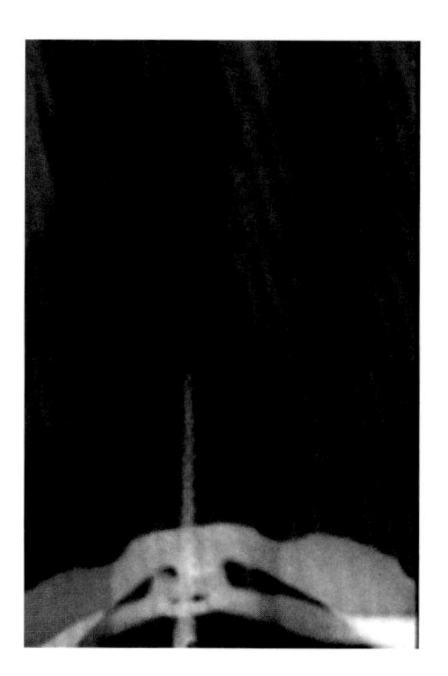

그림 5.5 넓고 열린 근첨을 가진 절치의 방사선학적 근관장 측정 사진

son &Remeikis 1993), 열이나 빛 또는 산소에 노출되면 즉시 불활성화된다(Gerhardt & Williams 1991; Clarkson 등. 2001).

또한 CH에 오랜 시간 노출된 상아질은 해로운 영향을 받게 된다. 한 달 이상 치근 상아질을 CH에 노출시키는 치료술식은 상아질의 구조적 변화를 유도하여 치근 파절에 대한 감수성을 상당히 증가시킨다(Andreasen 등. 2002, 2006; White 등. 2002; Doyon 등. 2005; Rosenberg 등. 2007; Hatibovic-Kofman 등. 2008; Tuna 등. 2011; Bakland and Andreasen 2012).

이전의 보고에 따르면 치근단형성술의 실패에 대한 주요 원인은 치경부 치근 파절이다(Cvek 1992). 파절의 원인은 얇은 상아질벽뿐만 아니라 과도한 CH의 상아질 접촉에도 있다.

최근에, 몇몇 연구 그룹들이 근관소독을 위해 항균 물질의 사용을 다시 논의하고 있다. 항균물질의 사용이 근관을 소독하는데 있어서 새로운 접근은 아니다. 1980년에 Das(1980)는 근관내 debridement 후에 oxytetracycline HCl 연고제를 항균제로 적용하여 성공적으로 치근단형성술을 시행한 증례를 보고했다. 지난 10년 동안 debridement 술식에 항균제제를 첨가하는 것이 다시 인기를 얻고 있다.

2003년, Torabinejad와 그의 그룹은 NaOCl이나 기존의 근관 세척액보다 개선된 BioPure MTAD의 장점을 설명하는 일련의 연구결과를 발표했다. BioPure MTAD는 doxycycline, 구연산(citric acid), 계면활성제(detergent)의 혼합물이다(Bel tz등. 2003; Shabahang 등. 2003; Shabahang & Torabinejad 2003;Torabinejad 등. 2003a, b, c). BioPure MTAD는 도말층(smear layer)을 제거하고 근관을 소독하기 위해 근관충전 전단계에서 사용하는 아주 효과적인 최종 세척액이다.

2001년, Iwaya와 동료들은(2001) 괴사된 치수 및 광범위한 치근단 주위 방사선투과성 병소가 있는 감염된 소구치를 소독하기 위하여 이중 항균 페이스트(double antibiotic paste)의 유효성을 설명하는 증례를 발표했다; 뒤이어 Banchs와 Trope(2004)도 유사한 증례를 발표했다. 추가적인 연구와 함께 Trope 그룹은 metronidazole, ciprofloxacin, minocycline의 혼합물을 추천했다. In vitro 연구에서 이 같은 항균물질의 조합이 근관계 소독에 잠재적 효과가 있음이 보여졌다(Hoshino 등. 1996; Sato 등. 1996). 동물실험을 통해서 삼중 항균 페이스트(triple antibiotic paste)의 소독이 1.25%의 NaOCl을 사용하는 생역학적인 debridement에 비해 월등한 소독효과가 있음을 보여주었다(Windley 등. 2005). Minocycline의 장기간 노출은 변색을 유발할 잠재적인 가능성이 크기 때문에(Kim 등.2010;Nosrat등. 2012), 일부 연구자들은 minocycline은 제외하고 이중 항균 혼합제제를 사용하고 있다.

치근단형성술(Apexification)

만약 미성숙 영구치에서 치수괴사가 일어난다면, 근첨이 열려 있으므로, 전통적 근관 치료보다는 대안적 치료 접근이 필요하다. 치수가 상실된 어린이의 미성숙 치아는, 얇고 부서지기 쉬운 벽을 가지는데 이는 근관을 충분히 세척하고 근단부 밀폐를 형성하는 것을 어렵게 만든다(Frank 1966). 전통적인 방법은 통상적으로 근관 세척 후 치근단형성술을 유도하는 CH를 이용하는 것이다(Seltzer 1988). 근관치료의 완료는 치근단 형성을 통해 근첨 폐쇄가 이루어질 때까지 미뤄진다. 치근단형성술(apexification)은 "열린 근첨을 가진 치근에 calcified barrier를 유도하거나 괴사된 치수를 가진 치아에서 미성숙 치근의 지속적인 근단부 성장을 유도하는 방법"으로 정의된다(작자미상 2003). CH 단독 혹은 다른것과 조합된 CH를 이용한 치근단형성술은 미성숙 영구치 실활 치수 치료분야에서 긴 역사를 가지고 있다.

수산화칼슘을 이용한 치근단형성술 : 치료결과

수산화칼슘을 이용해 치근단 폐쇄를 달성하는데 소요되는 시간과 성공률에 대한 많은 연구가 수행되었다. 1970년, Heithersay(1970)은 21개의 임상적 증례를 보고했는데, 14~75개월 관찰 기간 동안 수산화칼슘(in a methylcellulose carrier, Pulpdent)을 적용했다. 지속적인 근단부 성장이 진행되고 있는 치아에서, 방사선학적으로는 명확한 근단부 근관을 확인할 수 있었으나 임상적으로 명확한 apical barrier를 관찰할 수 없었다. 그들의 1987년 보고서에 따르면, Ghose와 동료들은(1987) 외상을 받은 성장 중인 영구 중절치로 8-12세, 43명의 어린 환자의 치료에 Calasept를 사용했다. 모든 치아는 치수 노출과 치관 파절의 손상을 받은 상태였다. 1개월에서 3년까지 구강 환경에 노출된 치아의 치수는 모두 괴사된 상태였다. 51개 치아 중 49개 치아에서 임상적으로나 방사선학적으로 확인할 수 있는 apical barrier가 형성되었다. 경조직의 apical barrier를 형성하는데 소요된 시간은 3개월에서 10개월 사이였다. Morfis과 Siskos(1991)는 CH를 사용하여 치근단형성술을 시행한 34개의 증례에 대한 결과를 보고했다. 모든 증례에서 화학적으로 고순도의 수산화칼슘 분말이 마취용액과 혼합되어 사용되었다. 12명의 환자는 27~40세였고 나머지 22명은 8~20세였다. 6개 증례에서 지속적인 치근의 성장이 이뤄졌고, 3개 증례에서는 지속적인 치근의 성장 및 가교 형성(bridge formation)이 일어났으며, 21개 증례에서는 가교 형성만이 관찰되었고, 4개 증례에서는 치근단 폐쇄가 일어나지 않았다. 경조직의 가교 형성이 근단부 폐쇄의 가장 전형적인 양상이었다(Morfis & Siskos, 1991). 유사한 연구에서는 치근단 병소의 유무에 관계없이 7세에서 10세 사이의 어린이를 대상으로 32개의 외상으로 인해 괴사된 미성숙 영구 절치에서 평균적인 근단부 폐쇄의 기간은 10주에서 14주로 보고했다(Lee 등.2010). 15개 실활 치수 미성숙 영구 절치에서 CH를 사용하여 치근단을 폐쇄시키는 후향적 분석(retrospective analysis)에서는 1년 이내에 100 % 성공률을 보였다(Walia 등. 2000). 근첨 형성에 요구되는 시간에 영향을 미치는 몇몇 변수들이 확인되었다. 좁고 열린 근첨을 갖는 나이 많은 아이들은 나이 어린 아이들보다 치료기간이 더 짧다. ; 근단주변 감염이 없는 치아는 근단주변 감염상태의 치아에 비해 치근 성장과 근단부 폐쇄가 더 빨리 일어난다. 치근단형성술식으로 생성된 석회와 가교(calcific bridge)는 다공성 구조를 갖는다고 연구자들은 보고했다(Walia 등. 2000). Dominguez Reyes 등(2005)은 괴사된 치수와 열린 근첨을 갖는 26개 젊은 영구 절치로 구성된 표본에서 치근단 폐쇄를 얻기까지 걸리는 시간에 대해 조사했다. 연구된 증례 100%에서 치근단 폐쇄가 일어났다. 이 중 88.4%는 치근단 폐쇄를 위해 3~4 회(평균3.23회)의 CH적용이 시행되었다. ; CH를 적용한 평균 기간은 12.19개월이었다. 술전 증상과 근단부 병소의 유무는 결과에 영향을 미치지 않았다(Dominguez Reyes 등. 2005). 6~13세 어린이의 28개 괴사된 절치를 증례로 한 연구에서는 모든 증례에서 치근단 폐쇄가 확인 되었다. 치근단 폐쇄에는 평균 8.6개월, 3.24~13.96개월이 걸렸으며, 근단부의 조직 유형은 백악 바탕질(cementoid) 조직(85.72%)과 골(osseous)조직(14.28%)으로 분류되었으며 비외과적 근관치료 완료 후 2년 동안 치아를 관찰했고 증례 중 7.1%에서 재감염이 발생했다(Mendoza 등. 2010).

불행하게도, Frank 술식은 종종 예지성이 없다(그림 5.6). 다양한 종류의 apical barrier 형성 외에도, CH를 사용하는 치근단형성술에서 각각의 증례마다 다른 사항은 다음과 같다: 치근단 폐쇄에 필요한 시간, 완전한 폐쇄에 필요한 첩약(dressing) 횟수, 그리고 감염의 역할. 연구에 따르면, barrier의 형성 속도는 3~24개월로 다양하다(Frank 1966; Finucane & Kinirons 1999; Kinirons 등 2001). 수산화칼슘을 재적용하는 첩약 횟수도 연구마다 차이가 있다(Webber 1984; Yates 1988; Morse 등 1990; Sheehy & Roberts 1997; Abbott 1998; Mackie 1998; Mackie & Hill 1999). 첩약(dressing) 재료를 재적용하는 기간에 따라서 생성되는 barrier의 수준(quality)에 대한 의견도 일치 되지 않았다. 추천되는 CH 교체 시기는 연구자에 따라 다양해서 한 달부터 세 달, 6~8달, 혹은 전혀 바꾸지 않는다(Chosack 등. 1997; Sheehy & Roberts 1997; Abbott 1998; Kinirons 등 2001; Felippe 등 2005). 감염의 영향에 대해서는 아직까지 일치하는 의견이 없다. 몇몇 연구에서는 감염이 존재할 때 치근단 형성에 오랜 시간이 소요된다고 보고했다(Cvek 1972; Kleier & Barr 1991). 그리고 다른 연구자들은 통계적으로 중요한 차이가 없다고 설명했다(Ghose 등. 1987;Yates 1988; Mackie 1998; Finucane & Kinirons 1999). 추가적으로, Torneck과 Smith(1970)는 이차원적인 방사선 사진에서 완전한 가교(bridging)의 양상을 보인다 하더라도 실제 불

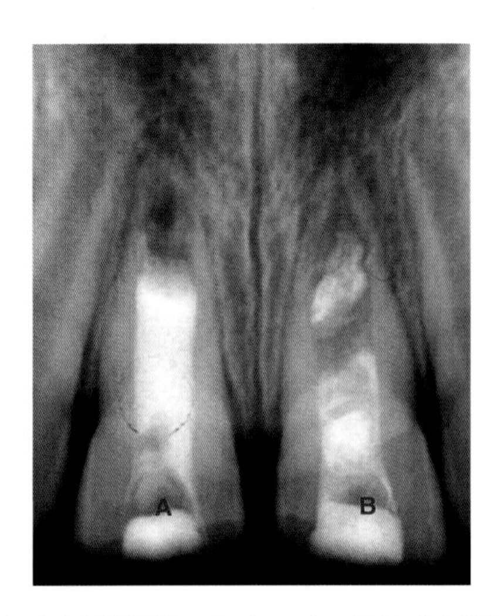

그림 5.6 수산화칼슘 치근단형성술: (A) 불완전한 apical barrier 형성; (B) 완전한 apical barrier 형성

완전한 가교(bridging)일 수 있다는 것을 보여주었다. 근단부 가교의 틈새에 존재하는 괴사된 치수조직의 잔재로 인하여 근단부 주위 염증이 지속될 수 있다. 그러므로, 방사선학적, 임상적으로 근첨이 폐쇄되었다 고해도 그 주위가 반드시 정상 치주조직임을 의미하는 것은 아니다(Koenigs 등. 1975).

CH를 사용하는 치근단형성술식의 또 다른 주된 문제점은 CH의 장기간 적용이 치근 상아질의 구조에 영향을 미친다는 것이다. 전술한 바와 같이, CH에 대한 상아질의 장기간 노출은 파절에 저항하는 상아질의 능력을 현저하게 감소시킨다(Andreasen 등.2002, 2006; White 등.2002; Doyon 등. 2005; Rosenberg 등. 2007; Hatibovic-Kofman 등. 2008; Tuna 등. 2011;Bakland & Andreasen 2012).

실활 치수 치료(Non-vital pulp therapy)

apical barrier 유도를 통한 치근단 폐쇄

장기간에 걸쳐 여러 번의 내원을 요구하는 치료는 인내심의 상실과 지리적인 이주에 따른 환자의 내원 중단을 야기할 위험성이 있다. 만약 어린이가 치료 과정 중 멀리 이사를 하게 된다면, apical barrier가 형성될 때까지 필요한 만큼 CH교체를 확실히 하기 어렵게 된다. 마찬가지로, 환자가 여러 번 내원해야 한다면 치료에 대한 순응도(compliance)에 문제가 생길 수 있다. 바쁜 스케줄속에서 여러 번의 반복적인 내원은 힘들고 어려운 경우가 많다. 그 결과 환자는 일상생활에 지장이 생기고 필요한 내원을 중단한다(Heling 등. 1999). 또한 불편함이 없고 치아가 임상적으로 정상적인 것처럼 여겨지기 때문에 내원 약속을 쉽게 잊게 된다. 다른 문제점으로는, 1회 내원으로 치근단형성술식이 끝난다면 해결될 문제이지만, 어린 환자에게 매우 불편함을 야기하는 치료로 인하여 치료 받기를 꺼리게 만든다. 치과 방문을 두려워하는 어린이들은 치과 방문이 반복되면서 트라우마(trauma)를 입게 된다. 이런 반응은 보다 많은 치료 내원을 필요로 하는 넓은 개방 근첨을 가지는 어린 아이에게서 증폭된다. CH를 이용한 치근단형성술의 복잡성을 고려해 볼 때, 임상가들은 계속적으로 대안적 치료 방법을 찾아 왔으며 신뢰할 만한 1회 내원의 치근단형성술식이 필요한 상황이다.

몇몇 연구자들은 영구치의 비외과적 근관 치료에 있어서 상아질을 이용한 apical plug사용에 대해 설명했다(Tronstad 1978; Holland 등. 1980,1983; Holland 1984; Brady 등. 1985). 1967년 Michanowicz & Michanowicz는 apical plug를 위한 CH사용을 기술했고 이는 열린 근첨을 갖는 실활 치수 치아에 있어서 거타퍼쳐 충전 전 단계에서 이뤄지는 것이다. CH apical plug를 형성한 치아는 그렇지 않은 치아보다 상당히 낮은 평균 누출값(leakage value)을 나타냈다(Weisenseel 등. 1987). Pitts과 공동 연구진은(1984) 성숙한 9마리 고양이의 36개 송곳니의 근첨을 기계적으로 확장하여 CH와 상아질 plug를 조직학적으로 비교했다. 두 plug 모두 근관충전재가 근관 내에만 적용되도록 효과적으로 작용하였다. 그러나 상당수의 CH plug는 1개월이 지나자 씻겨 나갔다. 반면 상아질 plug는 그대로 남아있었다. 한달 후 상아질 plug을 이용한 대부분의 표본에서는 석회화 조직 매트릭스(calcified tissue matrix)를 명확하게 형성한 반면, CH plug의 표본에서는 3개월까지 근단공의 석회화가 관찰되지 않았다. $Ca_3(PO_4)_2$(tricalcium phosphate) 또한 1회 내원의 술식에서 aplical plug로써 제안되어 왔다(Coviello & Brilliant 1979; Harbert 1991, 1996). 여러 번 내원해야 하는 CH-CMCP paste 치료술식과 비교해 봤을 때, $Ca_3(PO_4)_2$는 인간 영구치의 실험에서 과충전(overfills)되지 않는 결과를 나타냈다. 대조적으로 CH치료는 근관 충전재의 누출(overextension)을 보이는 몇몇 경우를 나타냈다. $Ca_3(PO_4)_2$는 큰 입자 크기 때문에 압축에 대해 개선된 저항성을 가지므로 CH plug와 비교해서 근관재의 누출이 감소하게 된다(Coviello&Brilliant 1979). Brandell과 공동 연구진(1986)은 원숭이를 대상으로 탈회된(demineralized) 상아질, 수산화 인회석(hydroxyapatite), 상아질 조각(dentin chip)을 이용하여 치근단 폐쇄를 평가했다. 6개월간 관찰 기간에서 탈회된 상아질 plug는 치근단 폐쇄를 보이지 못했고, 수산화인회석(hydroxyapatite) plug는 66%에서 완전한 치근단 폐쇄를 나타냈다. 상아질 조각 plug에서는 50%가 완전한 치근단 폐쇄를 보여주었다. 저자는 상아질의 유기질 성분이 치근단 경조직 형성을 유도시키는데 효과적이지 못하다고 결론지었다.

MTA (Mineral trioxide aggregate) apical plug

Mineral trioxide aggregate(MTA)는 주요 구성성분으로 tricalcium silicate, tricalcium aluminate, tricalcium oxide, silicate oxide를 포함하고 있으며 대략 20년 동안 상업적으로 이용되어 왔다. MTA는 1993년 역근관 충전 재료로 치의학계에 처음 소개되었다. MTA를 이용한 대부분의 연구가 치근단 충전에서 MTA 사용의 명백한 이점에 주목했고, 이 같은 특징으로 MTA는 실활 미성숙 치아의 치료에 있어서 매력적인 재료가 되었다. 이 재료의 물리, 화학, 구조적 측면은 이 책의 여러 부분에서도 깊이 있게 다뤄지고 있다. MTA는 수분의 존재하에 경화되는 미세 친수성 입자(fine hydrophilic particles)로 구성되어 있는 분말로 단단한 구조로 경화되는 콜로이드 겔(colloidal gel)을 형성한다(Torabinejad 등. 1995b). 수많은 누출 연구(leakage study)를 통해서 MTA는 아말감, IRM, Super EBA, 전통적 근관충전재인 거타퍼쳐-실러에 비해 현저히 낮은 누출을 보여주었다. 또한 MTA는 혈액 존재하에서도 경화가 이루어지는 추가적인 이점을 가지고 있다. 더욱이 MTA의 높은 pH (10.2로 보고되었고, 3시간 그 후에 12.5로 상승)(Torabinejad 등. 1995b)는 CH과 유사하여 경조직 형성을 촉진시키는 요인 중 하나이다. 실활된 미성숙 영구치에서 apical plug로 사용되는 것과 관련하여 MTA의 가장 중요한 특징 중 하나는 치근단 주위영역에서 백악질조직을 유도시키는 능력이다(Torabinejad등. 1995a). 그러므로, 실활 치수 미성숙 영구치의 치료에서 apical plug로써 MTA의 적용은 복잡한 치료술식을 단순화 시킬 수 있는 커다란 잠재력을 가지고 있다. 경조직 형성을 촉진시키는 MTA 능력은 MTA 상방에 형성되는 백악질에 의한 생물학적 밀폐의 잠재성을 보여주었다(Shabahang 등. 1999). 실활 미성숙 영구치 치료 후 치근주위 조직의 치유에서 MTA의 생물학적 역할은 외과적 근관치료 시 역근관충전의 치유과정에서 MTA가 보여준 역할로 미루어 추론되어 왔다. 하지만 Shabahang과 그 동료들은(1999) 열린 근첨을 보이는 치아에 MTA가 apical plug로 놓여졌을 때 치근 주위 조직의 치유에 대한 MTA의 역할에 직접 초첨을 맞췄다. 그들은 osteogenic protein-1, MTA 그리고 CH를 이용해서 근첨이 열려 있는 치아를 치료한 후 경조직 형성과 염증반응에 대해 조직, 형태학적으로 연구했다. 각각의 치아에서 염증의 정도와 경조직 형성 양은 세가지 실험군에서 통계학적으로 차이가 나지 않았지만, MTA가 가장 일정하게 경조직 형성을 유도시켰다. MTA와 CH 치근단형성술로 치료된 원숭이의 실활 미성숙 영구치의 치유를 비교한 또 다른 연구에서는, MTA가 보다 적은 염증반응과 더 많은 경조직 형성을 나타냈다(Ham *et al.* 2005). 개로 수행된 연구에서 MTA apical plug가 놓여지기 전 단계에서 CH 페이스트 적용의 필요성을 조사했다. 근관 형성(root canal preparation)후 사용된 MTA는 근단부 치근 형성과 근단 주위 조직의 치유를 촉진시켰으며 CH페이스트를 먼저 사용하는 것은 근단부 치근 형성 과정에 반드시 필요하지 않았다. 하지만 MTA를 apical plug로 사용하기 전에 CH를 첩약하는 것은 MTA가 치근첨 밖으로 누출되는 현상이나 barrier가 근관벽 경계 너머에 형성되는 현상과 상당한 상관관계가 있었다(Felippe 등. 2006). Hachmeister 등은 미성숙 실활치의 모델에서 박테리아 누출 유형에 대해서 조사했으며 결과에 가장 큰 영향을 주는 요인은 MTA 자체 보다는 MTA를 적용하는 술식에 달려 있음을 제안하였다(Hachmeister 등. 2002). 일주일 동안 CH의 근관내 적용은 MTA apical plug의 변연 적합성을 향상시킬 수 있을 것이다(Bidar 등. 2010). 이러한 사실은 조직 잔여물을 제거하는 CH의 능력과 관련되어 있을 것이며 이로 인해 상아질벽에 대한 MTA의 적합성이 향상되었을 것이다.

적용 술식

근관 세정이 완료되면, 거타퍼쳐 수직 열가압법을 위해 통상적으로 사용하는 일련의 플러거를 근관에 순차적으로 느슨하게 적합시켜본다(그림 5.7 A-D). 가장 작은 플러거는 근관장 ~0.5mm까지 느슨하게 적용 되어야 한다. 그 후 MTA를 상업적으로 이용 가능한 전달 시스템 중 하나를 이용하여 근관의 근단부

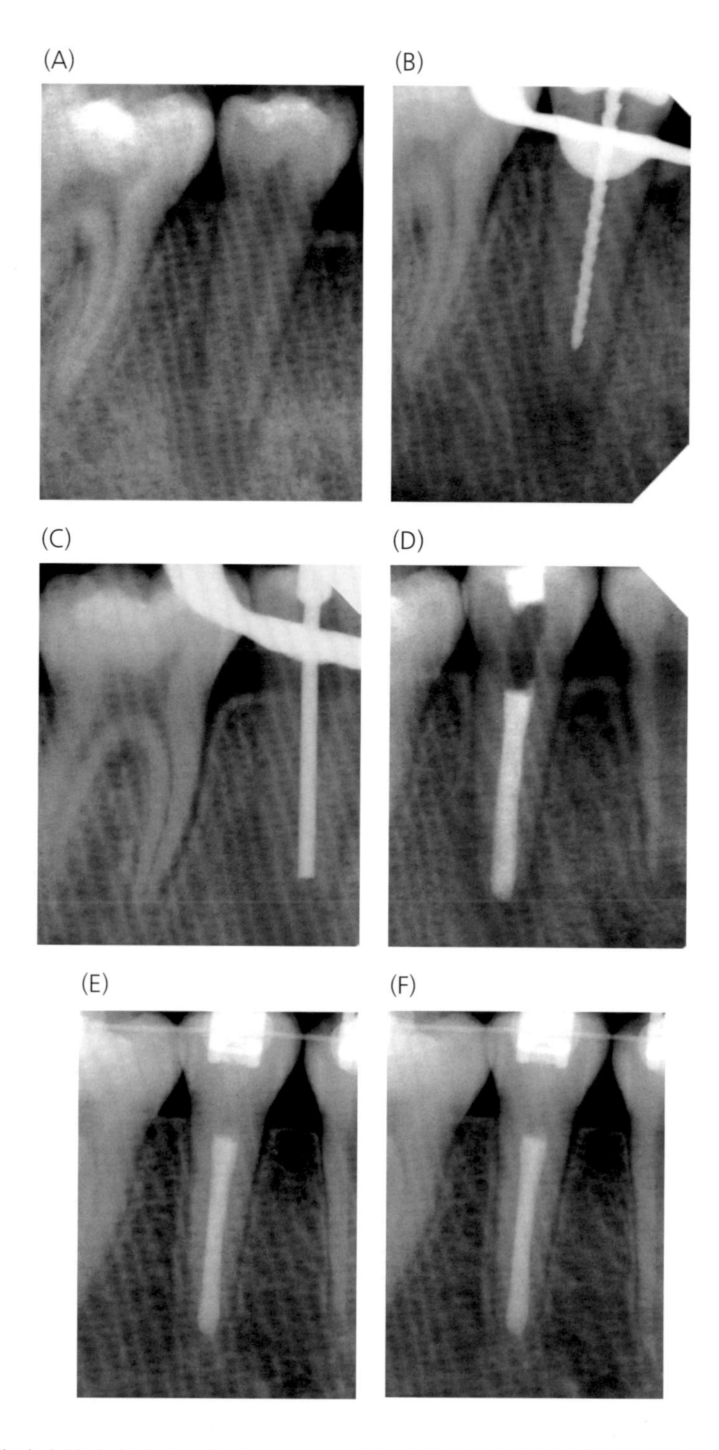

그림 5.7 (A) 12세 남성 환자의 치수 괴사를 동반한 미성숙 제 2 소구치의 술전 사진 (B)근관장(working length) 방사선 사진 (C) 플러거 적합 방사선 사진 (D)술후 방사선 사진 (E) 술후 15 개월 방사선 사진 (F) 술후 33개월 방사선 사진

1/3에서 중간부위까지 적용하고 전단계에서 맞춰진 일련의 플러거로 다져나간다. 플러거는 MTA가 치근단쪽으로 충전될 수 있도록 초음파로 진동을 가할 수 있다. 부가적인 초음파의 적용은 치근단쪽으로 MTA를 다져지게 할 것이다(Matt 등. 2004; Yeung 등. 2006; Holden 등. 2008; Kim 등. 2009). 일반적으로 근단 주위 조직으로 MTA의 유출을 예방하고자 하는 추가적인 apical matrix의 사용은 적절하지 않다. 일단 MTA의 적절한 apical plug가 근관장에 맞추어 다져지고 방사선 사진으로 확인되면, 근관의 치경부와 중간부에 있는 여분의 MTA는 멸균수로 세척하여 제거될 수 있다. MTA의 apical plug는 최소한의 누출을 허용하기 위해서 대략 3~5mm 두께를 가져야 한다(de Leimburg 등. 2004; Lawley 등. 2004; Matt 등. 2004; Al-Kahtani 등. 2005; Martin 등. 2007; Holden 등. 2008; Kim 등. 2009; Lolayekar 등. 2009). MTA상방 근관의 나머지 부위는 코어 재료로 채워질 수 있다. 코어층은 근관의 치관부 1/3까지 확장될 수 있는데 이는 치아의 파절 저항성을 향상시킨다(Lawley 등. 2004). 마지막으로 컴포짓은 코어재료 위로 접착되어 층을 이루게 되며 치수강 부위를 채우게 된다.

치료결과

몇몇 증례 보고서는 실활 치수 미성숙 영구치의 치료에 있어서 MTA의 성공적인 사용에 대해 자세히 설명했다(Torabinejad & Chivian, 1999; Shabahang & Torabinejad, 2000; Witherspoon & Ham, 2001; Bishop & Woollard, 2002; Giuliani 등. 2002; Levenstein, 2002; Lynn & Einbender, 2003; Maroto 등. 2003; Steinig, 등. 2003; Hayashi 등. 2004). 증례 보고서 중 하나는 특히 흥미로운데 이는 다음과 같다. 초기에 통상적인 CH 치근단형성술로 치료했고; 치료는 성공적이지 못했다. 그 후 MTA의 apical plug를 이용해 성공적인 치료결과를 얻었다(Morato 등. 2003). 일련의 연구에서는 미성숙 영구치에서 MTA의 apical plug를 조사했다. 두 연구는 MTA apical plug를 전통적인 치근단형성술과 직접 비교했다. 15명의 어린이들에서, 이들 각각은 치근단 폐쇄가 필요한 적어도 2개의 괴사된 영구치를 가졌고, El-Meligy와 Avery는 12개월 follow-up에서 CH로 처리된 2개 치아는 재감염이 발생 하였으나 MTA apical plug로 처리된 모든 치아는 임상적으로나 방사선학적으로 성공적인 결과를 보여주었다. 그들은 MTA가 치근단형성술식에 있어서 CH의 적절한 대체물이라고 결론내렸다(El-Meligy & Avery, 2006). 20개의 미성숙 치근단을 갖는 실활 상악 영구 절치의 유사한 연구에서, 치아는 MTA 또는 CH로 처리하였다. MTA 그룹은 근관에 CH를 첩약하여 7일간 살균 후 근관의 apical 1/3에 MTA를 충전했고 남아있는 공간은 거터퍼쳐와 실러로 충전되었다. 치근단형성술 그룹은 CH를 적용하여 임상적, 방사선학적으로 apical stop의 증거가 있을 때까지 유지시켰다.

근관은 MTA와 같은 방식으로 거터퍼쳐와 실러로 충전했다. CH 그룹에서는 치근단 폐쇄에 평균 7 ± 2.5개월이 소요되었다. 근단부 방사선 투과성 병소는 MTA그룹에서는 4.6 ± 1.5개월, CH 그룹에서는 4.4 ± 1.3개월만에 치유되었다. 전체적인 치료 기간은 MTA 그룹은 0.75 ± 0.5개월 CH그룹은 7 ± 2.5개월이 소요되었다(Pradhan 등. 2006).

또 다른 증례에서, 미성숙 치근단을 갖는 11개 치아를 1-2주 동안 CH로 근관내에 처리했고 그 후 MTA로 3-5mm apical plug를 형성했다. 치료 후 2년간의 추적조사에서 11개 증례 중 10개에서 치유가 이루어졌고 하나는 불완전한 치유를 보였다(Pace 등. 2007). 비슷한 증례 보고에서 괴사된 치수를 갖는 5개 미성숙 치아를 1-6주 동안 CH 페이스트로 근관내 첩약 한 후 MTA apical plug를 형성했다. 2년간 추적 조사를 통해 5개 치아 중 4개가 임상적, 방사선학적으로 치유되었고 MTA가 치근단을 넘어서 밀려나간 한 가지 증례에서는 치유가 일어나지 않았다(Erdem & Sepet, 2008).

Sarris와 동료들은(2008) 평균 나이 11.7세인 15명의 어린이들 중 17개 실활 치수 미성숙 영구절치에 대해 평가했다. 치아는 적어도 1주일간 CH로 처리되었고 그 후 3-4mm의 MTA apical plug를 형성했다. MTA 적용 상태는 17개 치아 중 13개에서 적절한 것으로 평가되었다. 술후 평균 추적 기간은 12.5개월, 6-16개월 범위였다. 전반적으로 94.1 %의 임상적 성공률과 76.5 %의 방사선학적 성공률을 보였다.

후향적 분석(retrospective analysis)을 통해서 Holden과 동료들은(2008) 19명 환자에서 20개의 열린 근첨 치아를 연구했다. 모든 치아는 적어도 1주일 간 CH를 첩약했고 그 후 4mm의 MTA apical plug를 형성하여 근관을 밀폐했으며 전체적으로 85 %에서 치유를 보였다. 여기에는 영구치의 몇몇 재치료 증례를 포함한다. 이러한 증례들을 제외시키고 미성숙 영구치에 초점을 맞춘 것은 16개 증례들이 있으며, 이는 평균 26.7개월, 12 - 44개월의 추적기간(follow-up)을 가진다. 이들 증례에서 periradicular index score(1이나 2)와 임상적 징후(sign)와 증상(symptom)이 없는 것을 기준으로 한 성공률은 93.75%였다(Holden 등. 2008).

Nayar와 Bishop은 MTA apical plug로 치료한 미성숙 영구치의 38개 증례 결과에 대해 보고했다. 모든 치아들은 치료 후 최종 12개월의 추적 조사기간에서 임상적, 방사선학적으로 성공적이었다. 그들은 이 증례에 있어서 MTA의 apical plug 술식이 예상대로 성공적 결과를 보였다고 결론지었으며 apical barrier를 형성하기 위해 필요한 시간과 내원 횟수는 CH를 사용하는 전통적인 술식보다 뚜렷하게 적었다. 흥미롭게도, 술전 근단 주위 방사선 투과성의 존재는 결과에 영향을 주지 않았다(Nayar 등. 2009).

Annamalai와 Mungara(2010)는 실활된 30개의 미성숙 영구치에 대한 보고서를 발표했다. 30개 모두 4-5mm apical plug 로 치료된 단근치이다. 12개월의 추적조사 연구에서 임상적, 방사선학적 결과를 기반으로 100 % 성공률을 보고했다. 증례 중 86.6 %에서 완전한 치근단 폐쇄를, 30 %에서는 치근 성장을 보였다. Moore와 동료들은 21명의 어린이를 대상으로 22개 실활 치수 미성숙 영구 절치에 대한 결과를 보고했다. 코호트 조사를 위한 평균연령은 10세 였다. 그들은 먼저 CH를 적용한 후 white MTA apical barrier를 형성했다. 평균 관찰기간은 23.4개월이었으며 임상적, 방사선학적으로 95.5 %의 성공률을 보고했다(Moore 등. 2011). 또한 치아의 22.7 %에서 치관부 변색이 관찰되었음을 함께 보고했다.

실활된 미성숙 영구치에 대한 두 건의 광범위한 연구가 있었다. 이 전향적 연구는(prospective study) 1회 내원의 MTA apical plug로 치료한 열린 근첨을 가진 50명의 환자 중 57개 치아를 조사하였다. CH는 적용하지 않았으며 43개 증례에서 최소한 12개월의 관찰 기간을 가졌다. 치근단 색인 점수(PAI score,

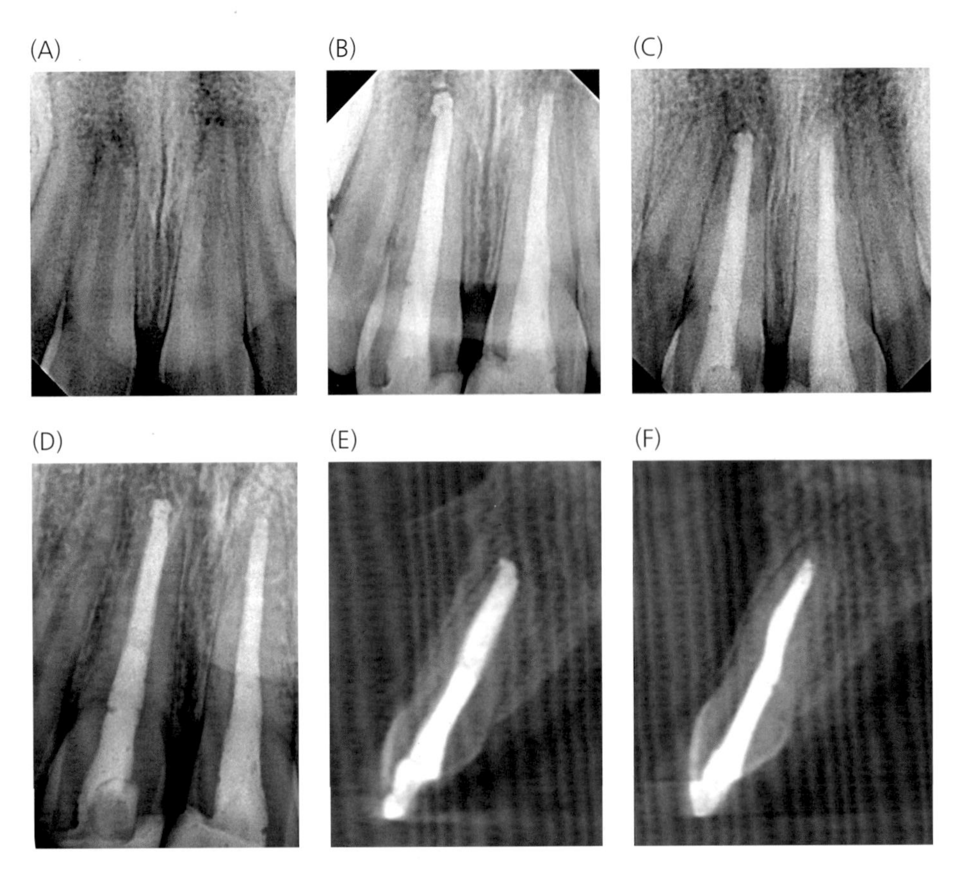

그림 5.8 (A) 외상성 손상의 결과로 치수 괴사를 갖는 미성숙 좌,우 중절치의 술전 방사선 사진(11살 남자 환자).(B)술후 방사선 사진;(C) 술후 36개월 방사선 사진;(D) 술후 85개월 방사선 사진;(E) 술후 85개월 CBCT에 의해 촬영된 우측 중절치의 시상면;(F) 술후 85개월에서 CBCT에 의해 촬영된 좌측 중절치의 시상면

periapical index score)(Orstavik, 등. 1986; Orstavik, 1988)와 치근단 병소의 크기 감소를 평가 기준으로 사용하였고, 81% 치유를 보고하였다. 저자는 MTA의 apical plug를 사용하는 1회 내원의 "치근단 형성술"이 예지성 있는 치료로서 CH사용의 대안이 될 수 있는 것으로 결론지었다(Simon 등. 2007). 다른 연구에서는 1999년에서 2006년까지 한 곳의 개인 근관치료 의원에서 치료 받은 116명 환자의 144개 치아를 후향적 분석(retrospective analysis)하였다. 92개의 치아는 1회 내원으로 치료를 완료하였고 나머지 52개 치아는 근관내 CH약제를 3주정도 적용하는 2회 내원으로 치료하였다. 치아의 54 %(78/144)가 추적조사되었으며 (1회 내원 60.3 %와 2회 내원 39.7 %) 조사의 최대 기간은 4.87년, 평균 기간은 19.4개월이었다. 1년이상 추적된 증례에서 치유율은 1회 내원 치료에서 93.5 %, 2회 내원 치료에서 90.5%였다 (Witherspoon 등. 2008). 이 연구는 비록 열린 근첨을 가졌지만 미성숙 영구치로 분류되지 않은 증례를 포함하고 있다. 결과에서 이러한 증례를 제외한다면 다음과 같다: 자료는 119개 실활 치수 미성숙 영구치로 구성된다. 치료한 치아 중 74개는 1회 내원으로 치료가 완료되었고 나머지 45개 치아는 통상 3주간 CH를 적용한

2회 내원으로 치료되었다. 치아의 57%(68/119)를 추적조사 평가에 이용할 수 있었다(1회 내원 60.3%와 2회 내원 39.7%). 1년이상 추적된 증례 중 1회 내원 치료에서 96.5%(그림 5.8), 2회 내원 치료에서 89%의 치유율을 보였다. 치료범주별로 각각 하나씩의 증례만이 성공적이지 못했다. 그러나 초기에 CH를 적용했던 4개의 증례에서는 적절한 시기에 치료를 완료하지 못했고 6년 후에 내원한 한 증례에서 치아는 더 이상 회복될 수 없었다(Witherspoon 등. 2008). 또한 영구치를 대상으로 광범위하게 수행된 MTA apical plug 밀폐술식에 대한 후향적 연구에서는 84%의 치료성공을 보였다. 이 주제에 관해서는 이 책의 여러 부분에서 보다 자세히 기술되어 있다.

CH 치근단형성술과 MTA apical plug의 결과를 비교하는 체계적인 리뷰와 메타 분석에서, 저자는 두 가지 술식에 대해 임상적 성공률이 비슷하다고 결론내렸다(Chala 등. 2011). 두 가지 재료를 비교하는 두 건의 연구가 50개의 치아를 대상으로 이루어졌다. 하나는 El Meligy와 Avery (2006) 그리고 다른 하나는 Pradhan와 동료들에 의해 수행되었다(Pradhan 등. 2006). 두 가지 모두 앞서 논의되었으며 두 연구의 자료를 종합하여 분석해 보면, 두 가지 치료술식간의 초기 임상적 성공률의 차이는 통계적으로 그리 크지 않다. 그럼에도 불구하고, 마지막 follow-up 내원에서 CH증례 중 92%가 성공적인 것과 비교해서 MTA는 100%가 성공적이었다(Chala 등. 2011).

전반적으로, 이러한 결과를 종합해 보면 MTA apical barrier술식이 미성숙 영구치 치근단을 밀폐하는데 있어 예지성 있는 방법이라는 것을(표 5.1) 말해주고 있다(그림 5.9).

그럼에도 불구하고, 미성숙 실활 영구치의 apical plug로 MTA를 사용하는 것에 대해서는 앞으로 명확하게 설명이 이루어져야 할 몇 가지 의문점이 있다. 하나는 apical barrier형성을 측정하는 것이 치료의 결과를 평가하는데 유효한 기준인지의 여부이다. 그리고 더욱 중요한 사항으로는 apical plug를 형성하기 앞서 한시적으로 근관내 첩약되는 CH의 역할에 관한 것이다. 이 술식의 장기간 치료 결과에 대한 추가적인 연구의 필요성은 상당히 중요한 과제이다.

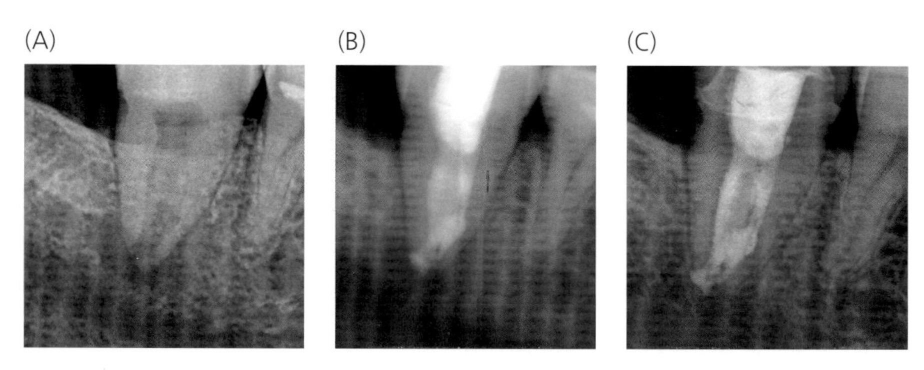

그림 5.9 (A) 치수가 괴사된 제2 대구치 열린 근첨의 술전 방사선 사진; (B)술후 방사선 사진;(C) 술후 36개월 방사선 사진

표 5.1 MTA apical plug의 요약: 치료결과 연구

Reference	No. cases	No recalled	Success	Failure	Median recall (months)	No. visits
Moore *et al. Dent Trauma.* 27:166-73, 2011	22	22	21	1	23.4	2
Annamalai & Mungara J *Clin Ped Dent.* 35:149-55, 2010	30	30	30	0	12	?
Nayar *et al. Eur J Prosth & Rest Dent.* 17:150-6, 2009	38	38	38	0	?	?
Mente *et al. J Endod.* 35:1354-8, 2009	78	56	47	8	30.9	2
Erdem & Sepet *Dent Trauma.* 24:e38-41, 2008	5	5	5	0	24	2
Witherspoon *et al. J Endod.* 34:1171-6, 2008	92	47	46	1	19.4	1
Witherspoon *et al. J Endod.* 34:1171-6, 2008	52	31	26	1	19.4	2
Holden *et al. J Endod.* 34:812-7, 2008	43	20	17	2	24.45	2
Sarris *et al. Dent Trauma.* 24:79-85, 2008	17	17	13	1	12.5	3
Pace *et al. Int Endod J* 40:478-84, 2007	11	11	10	0	24	2
Simon *et al. Int Endod J.* 40:186-97, 2007	57	43	35	6	15.8	1
El-Meligy & Avery *Ped Dent.* 28:248-53, 2006	15	15	15	0	12	?
Pradhan *et al. J Dent Child* 73:79-85, 2006	10	10	10	0	12	?
Totals	470	345	313	20	19.45	
Cumulative percentages		73%	91%	6%		

참고문헌

Abbott, P. V. (1998) Apexification with calcium hydroxide – when should the dressing be changed? The case for regular dressing changes. *Australian Endodontic Journal: the Journal of the Australian Society of Endodontology* **24**(1), 27–32.

Al-Kahtani, A., Shostad, S., Schifferle R, *et al.* (2005) In-vitro evaluation of microleakage of an orthograde apical plug of mineral trioxide aggregate in permanent teeth with simulated immature apices. *Journal of Endodontics* **31**(2), 117–19.

Andreasen, J. O., Farik, B., Munksgaard, E. C., *et al.* (2002) Long-term calcium hydroxide as a root canal dressing may increase risk of root fracture. *Dental Traumatology* **18**(3), 134–7.

Andreasen, J. O., Munksgaard, E. C., Bakland, L. K., *et al.* (2006) Comparison of fracture resistance in root canals of immature sheep teeth after filling with calcium hydroxide or MTA. *Dental Traumatology* **22**(3), 154–6.

Annamalai, S., Mungara, J. (2010) Efficacy of mineral trioxide aggregate as an apical plug in non-vital young permanent teeth: preliminary results. *Journal of Clinical Pediatric Dentistry* **35**(2), 149–55.

Anonymous (2003) *Glossary of Endodontic Terms*. Chicago, American Association of Endodontists.

Bakland, L. K., Andreasen, J. O. (2012) Will mineral trioxide aggregate replace calcium hydroxide in treating pulpal and periodontal healing complications subsequent to dental trauma? A review. *Dental Traumatology* **28**(1), 25–32.

Ball, J. (1964) Apical root formation in a non-vital immature permanent incisor. *British Dental Journal* **116**: 166–7.

Banchs, F., Trope, M. (2004) Revascularization of immature permanent teeth with apical periodontitis: new treatment protocol? *Journal of Endodontics* **30**(4), 196–200.

Baumgartner, J. C., Cuenin, P. R. (1992) Efficacy of several concentrations of sodium hypochlorite for root canal irrigation. *Journal of Endodontics* **18**(12), 605–12.

Beltz, R. E., Torabinejad, M., Pouresmail, M. (2003) Quantitative analysis of the solubilizing action of MTAD, sodium hypochlorite, and EDTA on bovine pulp and dentin. *Journal of Endodontics* **29**(5), 334–7.

Bidar, M., Disfani, R., Gharagozloo, S., *et al.* (2010) Medication with calcium hydroxide improved marginal adaptation of mineral trioxide aggregate apical barrier. *Journal of Endodontics* **36**(10), 1679–82.

Binnie, W. H., Rowe, A. H. (1973) A histological study of the periapical tissues of incompletely formed pulpless teeth filled with calcium hydroxide. *Journal of Dental Research* **52**(5), 1110–16.

Bishop, B. G., Woollard, G. W. (2002) Modern endodontic therapy for an incompletely developed tooth. *General Dentistry* **50**(3), 252–6; quiz 257–8.

Bogen, G., Kim, J. S., Bakland, L. K. (2008). Direct pulp capping with mineral trioxide aggregate: an observational study. [Erratum appears in J Am Dent Assoc. 2008 May;139(5), 541]. *Journal of the American Dental Association* **139**(3), 305–15; quiz 305–15.

Brady, J. E., Himel, V. T., Weir, J. C. (1985) Periapical response to an apical plug of dentin filings intentionally placed after root canal overinstrumentation. *Journal of Endodontics* **11**(8), 323–9.

Brandell, D. W., Torabinejad, M., Bakland, L. K., *et al.* (1986) Demineralized dentin, hydroxylapatite and dentin chips as apical plugs. *Endodontics & Dental Traumatology* **2**(5), 210–14.

Cameron, J. A. (1986) The use of sodium hypochlorite activated by ultrasound for the debridement of infected, immature root canals. *Journal of Endodontics* **12**(11), 550–4.

Camp, J. H. (1980) Pedodontic endodontic treatment. In: *Pathways of the Pulp* (S. Cohen and R. C. Burns, eds), Mosby, St Louis, pp 622–56.

Camp, J. H. (2008) Diagnosis dilemmas in vital pulp therapy: treatment for the toothache is changing, especially in young, immature teeth. *Journal of Endodontics* **34**(7 Suppl), S6–12.
Chala, S., Abouqal, R., Rida, S. (2011) Apexification of immature teeth with calcium hydroxide or mineral trioxide aggregate: systematic review and meta-analysis. *Oral Surgery Oral Medicine Oral Pathology Oral Radiology & Endodontics* **112**(4), e36–42.
Chosack, A., Sela, J., Cleaton-Jones, P. (1997) A histological and quantitative histomorphometric study of apexification of nonvital permanent incisors of vervet monkeys after repeated root filling with a calcium hydroxide paste. *Endodontics & Dental Traumatology* **13**(5), 211–17.
Citrome, G. P., Kaminski, E. J., Heuer, M. A. (1979) A comparative study of tooth apexification in the dog. *Journal of Endodontics* **5**(10), 290–7.
Clarkson, R. M., Moule, A. J., Podlich, H. M. (2001) The shelf-life of sodium hypochlorite irrigating solutions. *Australian Dental Journal* **46**(4), 269–76.
Cooke, C., Rowbotham, T. C. (1960) The closure of open apices in non-vital immature incisor teeth. *British Dental Journal* **108**, 147.
Coviello, J., Brilliant, J. D. (1979) A preliminary clinical study on the use of tricalcium phosphate as an apical barrier. *Journal of Endodontics* **5**(1), 6–13.
Cunningham, W. T., Balekjian, A. Y. (1980) Effect of temperature on collagen-dissolving ability of sodium hypochlorite endodontic irrigant. *Oral Surgery, Oral Medicine, Oral Pathology* **49**(2), 175–7.
Cunningham, W. T., Joseph, S. W. (1980) Effect of temperature on the bactericidal action of sodium hypochlorite endodontic irrigant. *Oral Surgery, Oral Medicine, Oral Pathology* **50**(6), 569–71.
Cvek, M. (1972) Treatment of non-vital permanent incisors with calcium hydroxide. *I. Follow-up of periapical repair and apical closure of immature roots. Odontologisk Revy* **23**(1), 27–44.
Cvek, M. (1992) Prognosis of luxated non-vital maxillary incisors treated with calcium hydroxide and filled with gutta-percha. A retrospective clinical study. *Endodontics & Dental Traumatology* **8**(2), 45–55.
Cvek, M., Cleaton-Jones, P. E., Austin, J.C., *et al.* (1982). Pulp reactions to exposure after experimental crown fractures or grinding in adult monkeys. *Journal of Endodontics* **8**(9), 391–7.
Das, S. (1980) Apexification in a nonvital tooth by control of infection. *Journal of the American Dental Association* **100**(6), 880–1.
de Leimburg, M. L., Angeretti, A., Ceruti, P., *et al.* (2004) MTA obturation of pulpless teeth with open apices: bacterial leakage as detected by polymerase chain reaction assay. *Journal of Endodontics* **30**(12), 883–6.
Dominguez Reyes, A., Munoz Munoz, L., Aznar Martín, T. (2005) Study of calcium hydroxide apexification in 26 young permanent incisors. *Dental Traumatology* **21**(3), 141–5.
Doyon, G. E., Dumsha, T., von Fraunhofer, J.A. (2005) Fracture resistance of human root dentin exposed to intracanal calcium hydroxide. *Journal of Endodontics* **31**(12), 895–7.
Duell, R. C. (1973) Conservative endodontic treatment of the open apex in three dimensions. *Dental Clinics of North America* **17**(1), 125–34.
Dylewski, J. J. (1971) Apical closure of nonvital teeth. *Oral Surgery, Oral Medicine, Oral Pathology* **32**(1), 82–9.
El-Meligy, O. A. S., Avery, D. R. (2006) Comparison of apexification with mineral trioxide aggregate and calcium hydroxide. *Pediatric Dentistry* **28**(3), 248–53.
Erdem, A. P., Sepet, E. (2008) Mineral trioxide aggregate for obturation of maxillary central incisors with necrotic pulp and open apices. *Dental Traumatology* **24**(5), e38–41.
Feiglin, B. (1985) Differences in apex formation during apexification with calcium hydroxide paste. *Endodontics & Dental Traumatology* **1**(5), 195–9.

Felippe, M. C. S., Felippe, W. T., Marques, M. M., *et al.* (2005) The effect of the renewal of calcium hydroxide paste on the apexification and periapical healing of teeth with incomplete root formation. *International Endodontic Journal* **38**(7), 436–42.

Felippe, W. T., Felippe, M. C. S., Rocha, M. J. (2006) The effect of mineral trioxide aggregate on the apexification and periapical healing of teeth with incomplete root formation. *International Endodontic Journal* **39**(1), 2–9.

Finucane, D., Kinirons, M. J. (1999) Non-vital immature permanent incisors: factors that may influence treatment outcome. *Endodontics & Dental Traumatology* **15**(6), 273–7.

Frank, A. L. (1966) Therapy for the divergent pulpless tooth by continued apical formation. *Journal of the American Dental Association* **72**(1), 87–93.

Friend, L. A. (1966) The root treatment of teeth with open apices. *Proceedings of the Royal Society of Medicine* **59**(10), 1035–6.

Friend, L. A. (1967) The treatment of immature teeth with non-vital pulps. *Journal of the British Endodontic Society* **1**(2), 28–33.

Friend, L. A. (1969) Root canal morphology in incisor teeth in the 6–15 year old child. *Journal of the British Endodontic Society* **3**(3), 35–42.

Fulling, H. J., Andreasen, J. O. (1976) Influence of maturation status and tooth type of permanent teeth upon electrometric and thermal pulp testing. *Scandinavian Journal of Dental Research* **84**(5), 286–90.

Fuss, Z., Trowbridge, H., Bender, I. B., *et al.* (1986) Assessment of reliability of electrical and thermal pulp testing agents. *Journal of Endodontics*. **12**(7), 301–5.

Garber, S. E., Shabahang, S., Escher, A.P., *et al.* (2009) The effect of hyperglycemia on pulpal healing in rats. *Journal of Endodontics* **35**(1), 60–2.

Gerhardt, D. E., Williams, H. N. (1991) Factors affecting the stability of sodium hypochlorite solutions used to disinfect dental impressions. *Quintessence International* **22**(7), 587–91.

Ghose, L. J., Baghdady, V. S., Hikmat, Y. M. (1987) Apexification of immature apices of pulpless permanent anterior teeth with calcium hydroxide. *Journal of Endodontics* **13**(6), 285–90.

Giuliani, V., Baccetti, T., Pace, R., *et al.* (2002) The use of MTA in teeth with necrotic pulps and open apices. *Dental Traumatology* **18**(4), 217–21.

Goldman, M. (1974) Root-end closure techniques including apexification. *Dental Clinics of North America* **18**(2), 297–308.

Gomes, B. P., Ferraz, C. C., Vianna, M. E., *et al.* (2001) In vitro antimicrobial activity of several concentrations of sodium hypochlorite and chlorhexidine gluconate in the elimination of *Enterococcus faecalis*. *International Endodontic Journal* **34**(6), 424–8.

Granath, L. E. (1959) Some notes on the treatment of traumatized incisors in children. *Odontology Reviews* **10**: 272.

Gutmann, J. L., Heaton, J. F. (1981) Management of the open (immature) apex. 2. Non-vital teeth. *International Endodontic Journal* **14**(3), 173–8.

Hachmeister, D. R., Schindler, W. G., Walker, W. A. 3rd, *et al.* (2002) The sealing ability and retention characteristics of mineral trioxide aggregate in a model of apexification. *Journal of Endodontics* **28**(5), 386–90.

Ham, J. W., Patterson, S. S., Mitchell, D. F. (1972) Induced apical closure of immature pulpless teeth in monkeys. *Oral Surgery, Oral Medicine, Oral Pathology* **33**(3), 438–49.

Ham, K. A., Witherspoon, D. E., Gutmann, J. L., (2005). Preliminary evaluation of BMP-2 expression and histological characteristics during apexification with calcium hydroxide and mineral trioxide aggregate. *Journal of Endodontics* **31**(4), 275–9.

Harbert, H. (1991) Generic tricalcium phosphate plugs: an adjunct in endodontics. *Journal of Endodontics* **17**(3), 131–4.

Harbert, H. (1996) One-step apexification without calcium hydroxide. *Journal of Endodontics* **22**(12), 690–2.

Harman, K., Lindsay, S., Adewami, A., *et al.* (2005) An investigation of language used by children to describe discomfort expected and experienced during dental treatment. *International Journal of Paediatric Dentistry* **15**(5), 319–26.

Hatibovic-Kofman, S., Raimundo, L., Zheng, L, (2008) Fracture resistance and histological findings of immature teeth treated with mineral trioxide aggregate. *Dental Traumatology* **24**(3), 272–6.

Hayashi, M., Shimizu, A., Ebisu, S. (2004) MTA for obturation of mandibular central incisors with open apices: case report. *Journal of Endodontics* **30**(2), 120–2.

Heithersay, G. S. (1970) Stimulation of root formation in incompletely developed pulpless teeth. *Oral Surgery, Oral Medicine, Oral Pathology* **29**(4), 620–30.

Heling, I., Lustmann, J., . Hover, R., *et al.* (1999) Complications of apexification resulting from poor patient compliance: report of case. *Journal of Dentistry for Children* **66**(6), 415–18.

Herbert, W. E. (1959) Three cases of disturbance of calcification of a tooth and infection of the dental pulp following trauma. *Dental Practice* **9**, 176–80.

Holden, D. T., Schwartz, S. A., Kirkpatrick, T. C., *et al.* (2008) Clinical outcomes of artificial root-end barriers with mineral trioxide aggregate in teeth with immature apices. *Journal of Endodontics* **34**(7), 812–17.

Holland, G. R. (1984) Periapical response to apical plugs of dentin and calcium hydroxide in ferret canines. *Journal of Endodontics* **10**(2), 71–4.

Holland, R., de Souza, V., Russo, M. de C. (1973) Healing process after root canal therapy in immature human teeth. *Revista Da Faculdade de Odontologia de Aracatuba* **2**(2), 269–79.

Holland, R., De Souza, V., Nery, M.J. *et al.* (1980) Tissue reactions following apical plugging of the root canal with infected dentin chips. A histologic study in dogs' teeth. *Oral Surgery, Oral Medicine, Oral Pathology* **49**(4), 366–9.

Holland, R., Nery, M. J., Souza, V, (1983) The effect of the filling material in the tissue reactions following apical plugging of the root canal with dentin chips. A histologic study in monkeys' teeth. *Oral Surgery, Oral Medicine, Oral Pathology* **55**(4), 398–401.

Hoshino, E., Kurihara-Ando, N., Sato, I, (1996). In-vitro antibacterial susceptibility of bacteria taken from infected root dentine to a mixture of ciprofloxacin, metronidazole and minocycline. *International Endodontic Journal* **29**(2), 125–30.

Hulsmann, M., Pieper, K. (1989) Use of an electronic apex locator in the treatment of teeth with incomplete root formation. *Endodontics & Dental Traumatology* **5**(5), 238–41.

Ingle, J. I. (1965) *Endodontics*. Lea & Febiger, Philadelphia.

Iwaya, S. I., Ikawa, M., Kubota, M. (2001) Revascularization of an immature permanent tooth with apical periodontitis and sinus tract. *Dental Traumatology* **17**(4), 185–7.

Johnson, B. R., Remeikis, N. A. (1993) Effective shelf-life of prepared sodium hypochlorite solution. *Journal of Endodontics* **19**(1), 40–3.

Kaiser, H. J. (1964) Management of wide open apex canals with calcium hydroxide. *21st Annual Meeting of the American Association of Endodontists*. Washington DC.

Kim, J.-H., Kim, Y., Shin, S. J., *et al.* (2010) Tooth discoloration of immature permanent incisor associated with triple antibiotic therapy: a case report. *Journal of Endodontics* **36**(6), 1086–91.

Kim, U.-S., Shin, S.-J., Chang, S. W, (2009) In vitro evaluation of bacterial leakage resistance of an ultrasonically placed mineral trioxide aggregate orthograde apical plug in teeth with wide open apexes: a preliminary study. *Oral Surgery Oral Medicine Oral Pathology Oral Radiology & Endodontics* **107**(4), e52–6.

Kinirons, M. J., Srinivasan, V., Welbury, R.R., *et al.* (2001) A study in two centres of variations in the time of apical barrier detection and barrier position in nonvital immature permanent incisors. *International Journal of Paediatric Dentistry* **11**(6), 447–51.

Kleier, D. J., Barr, E. S. (1991) A study of endodontically apexified teeth. *Endodontics & Dental Traumatology* **7**(3), 112–17.

Klein, H. (1978) Pulp responses to an electric pulp stimulator in the developing permanent anterior dentition. *Journal of Dentistry for Children* **45**(3), 199–202.

Koenigs, J. F., Heller, A. L., Brilliant, J. D., *et al.* (1975) Induced apical closure of permanent teeth in adult primates using a resorbable form of tricalcium phosphate ceramic. *Journal of Endodontics* **1**(3), 102–6.

Lawley, G. R., Schindler, W. G., Walker, W. A. 3rd, *et al.* (2004) Evaluation of ultrasonically placed MTA and fracture resistance with intracanal composite resin in a model of apexification. *Journal of Endodontics* **30**(3), 167–72.

Lee, L.-W., Hsiao, S.-H., Chang, C. C., *et al.* (2010) Duration for apical barrier formation in necrotic immature permanent incisors treated with calcium hydroxide apexification using ultrasonic or hand filing. *Journal of the Formosan Medical Association* **109**(8), 596–602.

Levenstein, H. (2002) Obturating teeth with wide open apices using mineral trioxide aggregate: a case report. *South African Dental Journal* **57**(7), 270–3.

Lieberman, J,. Trowbridge, H. (1983) Apical closure of nonvital permanent incisor teeth where no treatment was performed: case report. *Journal of Endodontics* **9**(6), 257–60.

Lolayekar, N., Bhat, S. S., Hegde, S. (2009). Sealing ability of ProRoot MTA and MTA-Angelus simulating a one-step apical barrier technique – an in vitro study. *Journal of Clinical Pediatric Dentistry* **33**(4), 305–310.

Lynn, E. A., Einbender, S. (2003) The use of mineral trioxide aggregate to create an apical stop in previously traumatized adult tooth with blunderbuss canal. Case report. *New York State Dental Journal* **69**(2), 30–2.

Mackie, I. C. (1998) UK National Clinical Guidelines in Paediatric Dentistry. Management and root canal treatment of non-vital immature permanent incisor teeth. Faculty of Dental Surgery, Royal College of Surgeons. *International Journal of Paediatric Dentistry* **8**(4), 289–93.

Mackie, I. C., Hill, F. J. (1999) A clinical guide to the endodontic treatment of non-vital immature permanent teeth. *British Dental Journal* **186**(2), 54–8.

Marmasse, A. (1953) *Dentisterie Operatoire*. JB Bailliére, Paris.

Maroto, M., Barberia, E., Planells, P., *et al.* (2003) Treatment of a non-vital immature incisor with mineral trioxide aggregate (MTA). *Dental Traumatology* **19**(3), 165–9.

Martin, R. L., Monticelli, F., Brackett, W. W, (2007) Sealing properties of mineral trioxide aggregate orthograde apical plugs and root fillings in an in vitro apexification model. *Journal of Endodontics* **33**(3), 272–5.

Matsumiya, S., Susuki, A., Takuma, S. (1962) Atlas of clinical pathology. *The Tokyo Dental College Press* **1**.

Matsuo, T., Nakanishi, T., Shimizu, H., *et al.* (1996) A clinical study of direct pulp capping applied to carious-exposed pulps. *Journal of Endodontics* **22**(10), 551–6.

Matt, G. D., Thorpe, J. R., Strother, J. M., *et al.* (2004) Comparative study of white and gray mineral trioxide aggregate (MTA) simulating a one- or two-step apical barrier technique. *Journal of Endodontics* **30**(12), 876–9.

Mendoza, A. M., Reina, E. S., García-Godoy, F. (2010) Evolution of apical formation on immature necrotic permanent teeth. *American Journal of Dentistry* **23**(5), 269–74.

Mente, J., Hage, N., Pfefferle, T, (2009) Mineral trioxide aggregate apical plugs in teeth with open apical foramina: a retrospective analysis of treatment outcome. *Journal of Endodontics* **35**(10), 1354–8.

Michanowicz, J. P., Michanowicz, A. E. (1967) A conservative approach and procedure to fill an incompletely formed root using calcium hydroxide as an adjunct. *Journal of Dentistry for Children* **34**(1), 42–7.

Moore, A., Howley, M. F., O'Connell, A. C. (2011) Treatment of open apex teeth using two types of white mineral trioxide aggregate after initial dressing with calcium hydroxide in children. *Dental Traumatology* **27**(3), 166–73.

Morfis, A. S., Siskos, G. (1991) Apexification with the use of calcium hydroxide: a clinical study. *Journal of Clinical Pediatric Dentistry* **16**(1), 13–19.

Morgan, R. W., Carnes, Jr., D. L., Montgomery, S. (1991) The solvent effects of calcium hydroxide irrigating solution on bovine pulp tissue. *Journal of Endodontics* **17**(4), 165–8.

Morse, D. R., O'Larnic, J., Yesilsoy, C. (1990) Apexification: review of the literature. *Quintessence International* **21**(7), 589–98.

Nayar, S., Bishop, K., Alani, A. (2009) A report on the clinical and radiographic outcomes of 38 cases of apexification with mineral trioxide aggregate.[Erratum appears in Eur J Prosthodont Restor Dent. 2010 Mar;18(1),42]. *European Journal of Prosthodontics & Restorative Dentistry* **17**(4), 150–6.

Nevins, A., Wrobel, W., Valachovic, R., *et al.* (1977) Hard tissue induction into pulpless open-apex teeth using collagen-calcium phosphate gel. *Journal of Endodontics* **3**(11), 431–3.

Nevins, A., Finkelstein, F. *et al.* (1978) Induction of hard tissue into pulpless open-apex teeth using collagen-calcium phosphate gel. *Journal of Endodontics* **4**(3), 76–81.

Nosrat, A., Homayounfar, N., Laporta, R., *et al.* (2012) Drawbacks and unfavorable outcomes of regenerative endodontic treatments of necrotic immature teeth: a literature review and report of a case. *Journal of Endodontics* **38**(10), 1428–34.

Orstavik, D. (1988) Reliability of the periapical index scoring system. *Scandinavian Journal of Dental Research* **96**(2), 108–11.

Orstavik, D., Kerekes, K., Eriksen, H. M. (1986) The periapical index: a scoring system for radiographic assessment of apical periodontitis. *Endodontics & Dental Traumatology* **2**(1), 20–34.

Pace, R., Giuliani, V., Pini Prato, L. (2007) Apical plug technique using mineral trioxide aggregate: results from a case series. *International Endodontic Journal* **40**(6), 478–84.

Patel, S. (2010) The use of cone beam computed tomography in the conservative management of dens invaginatus: a case report. *International Endodontic Journal* **43**(8), 707–13.

Pinkham, J. R. (1997) Linguistic maturity as a determinant of child patient behavior in the dental office. *Journal of Dentistry for Children* **64**(5), 322–6.

Pitts, D. L., Jones, J. E., Oswald, R. J. (1984) A histological comparison of calcium hydroxide plugs and dentin plugs used for the control of Gutta-percha root canal filling material. *Journal of Endodontics* **10**(7), 283–93.

Pradhan, D. P., Chawla, H. S., Gauba, K., *et al.* (2006) Comparative evaluation of endodontic management of teeth with unformed apices with mineral trioxide aggregate and calcium hydroxide. *Journal of Dentistry for Children (Chicago, Ill)* **73**(2), 79–85.

Roberts, S. C., Jr., Brilliant, J. D. (1975) Tricalcium phosphate as an adjunct to apical closure in pulpless permanent teeth. *Journal of Endodontics* **1**(8), 263–9.

Rohner, W. (1940) Calxyl als wurzelfullings material nach pulpa extirpation. *Schweizer Monatsschrift fur Zahnmedicin* **50**, 903–48.

Rosenberg, B., Murray, P. E., Namerow, K. (2007) The effect of calcium hydroxide root filling on dentin fracture strength. *Dental Traumatology* **23**(1), 26–9.

Rule, D. C., Winter, G. B. (1966) Root growth and apical repair subsequent to pulpal necrosis in children. *British Dental Journal* **120**(12), 586–90.

Sarris, S., Tahmassebi, J. F., Duggal, M. S., *et al.* (2008) A clinical evaluation of mineral trioxide aggregate for root-end closure of non-vital immature permanent incisors in children-a pilot study. *Dental Traumatology* **24**(1), 79–85.

Sato, I., Ando-Kurihara, N., Kota, K., *et al.* (1996) Sterilization of infected root-canal dentine by topical application of a mixture of ciprofloxacin, metronidazole and minocycline in situ. *International Endodontic Journal* **29**(2), 118–24.

Seltzer, S. (1988) The root apex. In: *Endodontology: Biologic Considerations in Endodontic Procedures* (S. Seltzer & P. Krasner, eds) Lea & Febiger, Philadelphia, pp 1–30.

Shabahang, S., Torabinejad, M. (2000) Treatment of teeth with open apices using mineral trioxide aggregate. *Practical Periodontics & Aesthetic Dentistry* **12**(3), 315–20; quiz 322.

Shabahang, S., Torabinejad, M. (2003) Effect of MTAD on *Enterococcus faecalis*-contaminated root canals of extracted human teeth. [Miscellaneous Article]. *Journal of Endodontics September* **29**(9), 576–9.

Shabahang, S., Pouresmail, M., Torabinejad, M. (2003) In vitro antimicrobial efficacy of MTAD and sodium hypochlorite. *Journal of Endodontics* **29**(7), 450–2.

Shabahang, S., Torabinejad, M., Boyne, P.P., *et al.* (1999) A comparative study of root-end induction using osteogenic protein-1, calcium hydroxide, and mineral trioxide aggregate in dogs. *Journal of Endodontics* **25**(1), 1–5.

Sheehy, E. C., Roberts, G. J. (1997) Use of calcium hydroxide for apical barrier formation and healing in non-vital immature permanent teeth: a review. *British Dental Journal* **183**(7), 241–6.

Simon, S., Rilliard, F., Berdal, A., *et al.* (2007) The use of mineral trioxide aggregate in one-visit apexification treatment: a prospective study. *International Endodontic Journal* **40**(3), 186–97.

Siqueira, J. F., Jr., Rocas, I. N. (2008) Clinical implications and microbiology of bacterial persistence after treatment procedures. *Journal of Endodontics* **34**(11), 1291–301.e1293.

Sjogren, U., Figdor, D., Spångberg, L., *et al.* (1991) The antimicrobial effect of calcium hydroxide as a short-term intracanal dressing. *International Endodontic Journal* **24**(3), 119–25.

Steiner, J. C., Dow, P. R., Cathey, G. M. (1968) Inducing root end closure of nonvital permanent teeth. *Journal of Dentistry for Children* **35**(1), 47–54.

Steiner, J. C., Van Hassel, H. J. (1971) Experimental root apexification in primates. *Oral Surgery, Oral Medicine, Oral Pathology* **31**(3), 409–15.

Steinig, T. H., Regan, J. D., Gutmann, J. L. (2003) The use and predictable placement of Mineral Trioxide Aggregate in one-visit apexification cases. *Australian Endodontic Journal: the Journal of the Australian Society of Endodontology* **29**(1), 34–42.

Stewart, D. J. (1963) Root canal therapy in incisor teeth with open apices. *British Dental Journal* **114**: 249–54.

Strobl, H., Haas, M., Norer, B., *et al.* (2004) Evaluation of pulpal blood flow after tooth splinting of luxated permanent maxillary incisors. *Dental Traumatology* **20**(1), 36–41.

The, S. D. (1979) The solvent action of sodium hypochlorite on fixed and unfixed necrotic tissue. *Oral Surgery, Oral Medicine, Oral Pathology* **47**(6), 558–61.

Toole, R. J., Lindsay, S. J., Johnstone, S., *et al.* (2000) An investigation of language used by children to describe discomfort during dental pulp-testing. *International Journal of Paediatric Dentistry* **10**(3), 221–8.

Torabinejad, M., Chivian, N. (1999) Clinical applications of mineral trioxide aggregate. *Journal of Endodontics* **25**(3), 197–205.

Torabinejad, M., Watson, T. F., Pitt Ford, T. R. (1993) Sealing ability of a mineral trioxide aggregate when used as a root end filling material. *Journal of Endodontics* **19**(12), 591–5.

Torabinejad, M., Hong, C. U., Lee, S. J., *et al.* (1995a) Investigation of mineral trioxide aggregate for root-end filling in dogs. *Journal of Endodontics* **21**(12), 603–8.

Torabinejad, M., Hong, C. U., McDonald, F., *et al.* (1995b) Physical and chemical properties of a new root-end filling material. *Journal of Endodontics* **21**(7), 349–53.

Torabinejad, M., Cho, Y., Khademi, A.A., *et al.* (2003a) The effect of various concentrations of sodium hypochlorite on the ability of MTAD to remove the smear layer. *Journal of Endodontics* **29**(4), 233–9.

Torabinejad, M., Khademi, A. A., Babagoli, J, (2003b) A new solution for the removal of the smear layer. *Journal of Endodontics* **29**(3), 170–5.

Torabinejad, M., Shabahang, S., Aprecio, R. M., *et al.* (2003c) The antimicrobial effect of MTAD: an in vitro investigation. *Journal of Endodontics* **29**(6), 400–3.

Torneck, C. D., Smith, J. (1970) Biologic effects of endodontic procedures on developing incisor teeth. I. Effect of partial and total pulp removal. *Oral Surgery, Oral Medicine, Oral Pathology* **30**(2), 258–66.

Torneck, C. D., Smith, J. S., Grindall, P. (1973) Biologic effects of endodontic procedures on developing incisor teeth. IV. Effect of debridement procedures and calcium hydroxide-camphorated parachlorophenol paste in the treatment of experimentally induced pulp and periapical disease. *Oral Surgery, Oral Medicine, Oral Pathology* **35**(4), 541–54.

Tronstad, L. (1978) Tissue reactions following apical plugging of the root canal with dentin chips in monkey teeth subjected to pulpectomy. *Oral Surgery, Oral Medicine, Oral Pathology* **45**(2), 297–304.

Tuna, E. B., Dincol, M. E., Gençay, K., *et al.* (2011) Fracture resistance of immature teeth filled with BioAggregate, mineral trioxide aggregate and calcium hydroxide. *Dental Traumatology* **27**(3), 174–178.

Turkun, M., Cengiz, T. (1997) The effects of sodium hypochlorite and calcium hydroxide on tissue dissolution and root canal cleanliness. *International Endodontic Journal* **30**(5), 335–42.

Vojinovic, O., Srnie, E. (1975) Introduction of apical formation by the use of calcium hydroxide and Iodoform-Chlumsky paste in the endodontic treatment of immature teeth. *Journal of the British Endodontic Society* **8**(1), 16–22.

Wadachi, R., Araki, K., Suda, H. (1998) Effect of calcium hydroxide on the dissolution of soft tissue on the root canal wall. *Journal of Endodontics* **24**(5), 326–30.

Walia, T., Chawla, H. S., Gauba, K. (2000) Management of wide open apices in non-vital permanent teeth with Ca(OH)2 paste. *Journal of Clinical Pediatric Dentistry* **25**(1), 51–6.

Waltimo, T., Trope, M., Haapasalo, M., *et al.* (2005) Clinical efficacy of treatment procedures in endodontic infection control and one year follow-up of periapical healing. *Journal of Endodontics* **31**(12), 863–6.

Webber, R. T. (1984) Apexogenesis versus apexification. *Dental Clinics of North America* **28**(4), 669–97.

Webber, R. T., Schwiebert, K. A., Cathey, G. M. (1981) A technique for placement of calcium hydroxide in the root canal system. *Journal of the American Dental Association* **103**(3), 417–21.

Wechsler, S. M., Fishelberg, G., Opderbeck, W. R. (1978). Apexification: a valuable and effective clinical procedure. *General Dentistry* **26**(5), 40–43.

Weisenseel, J. A., Jr., Hicks, M. L., Pelleu, G. B. Jr (1987). Calcium hydroxide as an apical barrier. *Journal of Endodontics* **13**(1), 1–5.

White, J. D., Lacefield, W. R., Chavers, L. S., *et al.* (2002) The effect of three commonly used endodontic materials on the strength and hardness of root dentin. *Journal of Endodontics* **28**(12), 828–30.

Windley III, W., Teixeira, F., Levin, L., *et al.* (2005) Disinfection of immature teeth with a triple antibiotic paste. *Journal of Endodontics* **31**(6), 439–43.

Witherspoon, D. E., Ham, K. (2001) One-visit apexification: technique for inducing root-end barrier formation in apical closures. *Practical Procedures & Aesthetic Dentistry: Ppad* **13**(6), 455–60; quiz 462.

Witherspoon, D. E., Small, J. C., Regan, J. D., *et al.* (2008) Retrospective analysis of open apex teeth obturated with mineral trioxide aggregate. *Journal of Endodontics* **34**(10), 1171–6.

Yang, S. F., Rivera, E. M., Baumgardner, K. R., *et al.* (1995) Anaerobic tissue-dissolving abilities of calcium hydroxide and sodium hypochlorite. *Journal of Endodontics* **21**(12), 613–16.

Yates, J. A. (1988) Barrier formation time in non-vital teeth with open apices. *International Endodontic Journal* **21**(5), 313–19.

Yeung, P., Liewehr, F. R., Moon, P. C. (2006) A quantitative comparison of the fill density of MTA produced by two placement techniques. *Journal of Endodontics* **32**(5), 456–9.

6 재생적 근관치료(Regenerative Endodontics) (Revitalization/Revascularization)

Mahmoud Torabinejad,[1] Robert P. Corr,[2] and George T.-J. Huang[3]

[1]Department of Endodontics, Loma Linda University School of Dentistry, USA
[2]Private Practice, USA
[3]Department of Bioscience Research, University of Tennessee Health Science Center, USA - 역자 신준세, 이규형

Mineral Trioxide Aggregate: Properties and Clinical Applications, First Edition.
Edited by Mahmoud Torabinejad.

개요

치수 괴사는 보통 치아 우식에 의한 세균 감염이나, 경색(infraction), 또는 치수가 구강오염원에 노출되어서 발생한다(Kakehashi *et al.* 1965). 혈액 공급이 중단 되는 외상성 탈구로 인해서 치수가 허혈, 괴사되거나 세균의 이차 감염이 유발되는 경우도 있다(Tsukamoto-Tanaka *et al.* 2006). 괴사되고 감염된 치수는 일반적으로 근관의 세정, 확대, 충전으로 치료되고, 장기적으로 높은 성공률을 보이고 있다(Tor-abinejad *et al.* 2007). 하지만 미성숙 치아의 치수가 괴사되면 치근 발달이 중단되므로 통법의 근관 치료 방법과 재료의 사용이 곤란해진다. 미성숙 치아는 치근첨이 열려 있고, 끝부분이 벌어져 있어(divergent), 통법의 근관 충전재로는 완전한 세정과 충전이 어려울 수 있다. 게다가 치근의 벽이 얇아 치료 후에 파절되기도 쉽다(Kerekes *et al.* 1980).

적절한 근단 밀폐를 얻는 것은 근관 치료의 기본 원칙이다(Schilder 1967). 치수가 괴사된 미성숙 치아는 충전 과정에서 임상의를 어렵게 만든다. 인공적인 치근단 폐쇄를 얻는 근첨형성술(apexification)은 충전 재료를 충전할 수 있게는 해주지만 치근을 형성시키지 못하고, 치근 벽의 파절 저항도 높여 주지 못한다.

치수가 괴사된 미성숙 치아의 이상적인 치료방법은 치수 조직이 근관내로 재생(regeneration)되어 치근 발달이 지속될 수 있게 하는 것이다. 치수 재생의 장점은 경조직이 침착되어 상아질 벽을 보강하고, 근단부 발달을 지속시켜 향후 치근의 형태가 통법의 근관 치료에 적절하게 되도록 유도하는 것이다.

여러 치과 문헌에 재혈관화(revascularization)의 잠재력과 재식된 치아의 지속적인 성장에 관해서 많이 기술되어 있다. 하지만 감염은 이런 과정을 방해하는 요인으로 보고되어 왔다(Ham *et al.* 1972; Kling *et al.* 1986; Cvek *et al.* 1990b). 그래서 일반적으로 감염된 치아에서는 성공적인 재혈관화(revascular-ization)를 기대할 수 없다고 여겨져 왔다. 하지만, 치수가 괴사되고 치근단 병변이 있는 미성숙 치아에서도 성공적인 치수 공간의 재혈관화(revascularization)를 통해 치근이 계속해서 성장한다는 많은 근거 자료가 있다. 독립적인 19건의 임상 증례와 14건의 증례 모음에서 급성 치근단 농양을 보이는 미성숙 치아에서 치근 벽을 따라 경조직이 침착되며 명백한 치근의 성장이 있음을 보고한 결과들도 있다(Rule & Winter 1966; Nevins *et al.* 1977; Iwaya *et al.* 2001;Banchs& Trope 2004; Chueh& Huang 2006; Cotti *et al.* 2008; Jung *et al.* 2008;Shah *et al.* 2008; Chueh *et al.* 2009; Ding *et al.* 2009; Bose *et al.* 2009; Reynolds *et al.* 2009; Shin *et al.* 2009; Mendoza *et al.* 2010; Petrino *et al.* 2010; Thomson &Kahler 2010; Nosrat *et al.* 2011; Cehreli *et al.* 2011, 2012; Chen *et al.* 201 1;Jung *et al.* 2011; Aggarwal *et al.* 2012; Jadhav *et al.* 2012; Jeeruphan *et al.* 2012; Kim *et al.* 2012; Lenzi& Trope 2012; Miller *et al.* 2012; Chen *et al.* 2013; Keswani& Pandey 2013; Soares Ade *et al.* 2013; Yang *et al.* 2013).

대다수의 케이스에서 혈병을 비계(scaffold)로 사용했다. PRP(Platelet-rich plasma)가 재활성화(revitalization)와 재생적 근관치료(regenerative endodontic procedure)에서 이상적인 scaffold로 제안

되었다(Hargreaves *et al.* 2008; Ding *et al.* 2009). PRP에는 많은 성장인자가 포함되어 있으며, 콜라겐 형성을 자극하고, 다른 세포들을 손상 부위로 유도하고, 국소적 염증반응을 조절하며, 혈관 형성과 세포 분화를 유도하고 염증반응을 조절하며 연조직과 경조직 손상의 치유를 촉진한다(Hiremath *et al.* 2008). Torabinejad와 Turman은 치수가 괴사된 미성숙 상악 소구치의 revitalization를 위한 scaffold로 전혈을 이용하는 대신 PRP를 사용하였다(Torabinejad&Turman 2011). 5.5개월 후, 치근단병소가 치유되면서 치근 성장이 계속되고, 상아질이 두꺼워지고 있음을 방사선 사진으로 확인할 수 있었다. 임상적으로 치아는 vitality test에 반응하였다. 저자들은 PRP를 재생적(regenerative)/재활성적(revitalization) 술식에 이상적인 scaffold로 제안하였다.

재식(Replantation)과 자가치아이식(Autotransplantation)후의 Revascularization

치아의 외상은 치수로의 혈액 공급을 단절시키고, 허혈로 인한 조직의 괴사를 유발한다(Tsukamoto-Tanaka *et al.* 2006). 외상 후 치수공간의 revascularization을 통한 정상 경조직 형성의 잠재력에 대해서 많은 기술이 있다. 많은 임상 보고에서 재식된 치아가 revascularization을 통해 치근이 두꺼워지고, 치근단이 폐쇄되고, 열자극 및 전기치수검사에 반응하며, 정상적인 laser doppler test반응을 보였다고 보고하였다(Fuss 1985; Johnson *et al.* 1985;Mesaros& Trope 1997). Andreasen 등은 94개의 미성숙 치아로 수행한 전향적 연구(prospective study)에서 revascularization의 성공률을 34%로 보고하였다(Andreasen *et al.* 1995). 비슷한 결과의 다른 연구 결과들도 있다(Sheppard &Burich 1980; Klingd't al. 1986; Cveketal. 1990a; Yanpiset& Trope2000). 비록 보고된 revascularization 술식에 대한 성공률이 낮게 보일 수도 있지만, in vivo 동물실험에서 국소적 항생제를 전처치해서 revascularization의 성공률을 90%까지 향상 시킬 수 있었다(Yanpiset& Trope 2000; Ritter *et al.* 2004).

쥐, 고양이, 개, 원숭이를 이용한 많은 동물 실험들이 수행되었고, 재식후 일어나는 revascularization에 관한 조직사진을 얻을 수 있었다(Kvinnsland&Heyeraas 1989; Yanpiset& Trope 2000;Ritter *et al.* 2004; Tsukamoto-Tanaka *et al.* 2006). 동물 실험에서 재식된 치아는 일반적으로 느린 치수 변성(degeneration)을 보였고, 이어서 치근단공을 통해 새로운 조직이 자라 들어와 변성된 조직을 대체하였다. 이 연구에서는 연조직이 치관측 부위까지 자라 올라와 괴사된 치관치수를 대체하였으며 재식 30일 후에는 치수강 공간을 모두 채운 것을 확인하였다(Monsour 1971;Skoglund&Tronstad 1981; Kvinnsland &Heyeraas 1989; Tsukamoto-Tanakaetal.2006). 그러나 정상 상아질모세포층(odontoblastic layer)과 상아세관이 있는 상아질(tubular dentin)을 가지는 정상 치수조직을 보이는 치아는 거의 없었으며, 대다수의 표본에서는 상아질모세포층은 없었고, 원래 치수강의 대부분은 골이나 백악질과 유사한 경조직으로 채워져 있었다. 많은 연구자들은 이를 골성상아질(osteodentin)이라 기술하였다(Kvinnsland & Heyeraas 1989; Yanpiset& Trope 2000; Ritter *et al.* 2004). 정상 치수의 형태학적 특징을 갖는 연조직은 실험적으로 재식된 미성숙 치아에서는 관찰하기 어려웠다. Osteodentin의 형성은 revascularization 후 치수 공간에서 볼 수 있는 전형적인 치유양상이다.

자가치아 이식은 외과적으로 무균적 통제하에 구강 외에 있는 시간을 최단 시간으로 하는 조건에서 수행되지만, 외상에 의해 탈구된 치아의 임상적 상황과 매우 유사하다. 이상적인 조건하에서는 94%의 성공률이 보고되었다(Bauss *et al.* 2002). Zhao 등은 green fluorescent protein (GFP)을 이식한 쥐의 치아를 정상적인 쥐의 발치와에 이식했다(Zhao *et al.* 2007). GFP 유전자 치아를 이식 받은 정상적인 쥐는 추후 이식편(donor) 대 숙주(host)간의 분화 반응을 시작한다. 면역형광 표지자(immunohistochemical marker)를 이용하여, 연구자들은 revascularization된 치수 조직에서 골과 상아질 matrix를 확인하였다. 상아질 matrix와 연관된 모든 세포는 GFP에 면역양성(+)을 보인다는 사실은 이식 치수 세포가 상아질 matrix를 형성한다는 것을 시사한다. GFP 면역음성(−) 세포 즉, 숙주 세포가 치수 안에서 발견되지 않는다는 사실은 숙주의 발치와 내의 치근단 간엽 조직(mesenchymal tissue)이 상아질모세포로 분화될 수 없음을 의미한다. 이런 결과는 이식 치유 후에 상아질모세포가 존재하기 위해서는 원래 치수 조직의 일부가 필요하다는 것을 의미한다.

비록 재식 및 이식된 치아에서의 revascularization에 관한 많은 보고들이 있지만, 이러한 증례가 외상 없이 치수가 괴사된 치아까지 직접 적용될 수는 없다. 탈구된 치아의 치수는, 구강 외에서 보관하는 과정에서 세균에 오염되지 않았다면, 일반적으로 감염되어 있지 않다(Love 1996). 더구나 재식된 치아는 치수강 내에 절단된 치수 조직편을 가지고 있어 revascularization에 영향을 미칠 수 있다. 비록 이러한 절단된 치수는 발치 후에 변성이 진행되지만(Skoglund 1981), 일부 조직은 근단부의 영양분 확산(diffusion)에 의해 외상에서도 살아남을 수 있을 것이다. 이식된 조직편의 혈관이 재문합(re-anastamosis)되거나 nonvital conduit를 제공하여 혈관 구조(vasculature)를 형성한다는 설이 제시되었다(Barrett & Reade 1981;Goncalves *et al.* 2007).

동물의 실활-감염치에서의 Revitalization

1972년에 Ham과 연구진들은 실험적으로 3마리의 원숭이에서 17개의 미성숙 치아의 치수를 노출시켜 치근단 치주염(apical periodontitis)을 유도했다(Ham *et al.* 1972). 근관은 broach와 NaOCl로 세척하였다. camphorated parachlorophenol (CMCP)를 묻힌 페이퍼포인트를 각 근관에 3일간 적용한 후에 더 큰 직경의 H-file을 순차적으로 사용하여 근관을 확장하고, 너도밤나무 크레오소트(creosote : 너도밤나무 목타르를 정제한 페놀혼합물. 과거 치통 치료제로도 사용됨)를 수일간 적용하였다. 일부 치아는 수산화칼슘과 cavit로 충전했다. 나머지 치아는 혈병(blood clot)을 생성한 후 치관부 수복을 시행하였다. 실험동물들은 최대 165일의 다양한 간격을 두고 희생하였다. 구강 내에 노출되었던 대조군의 반 이상은 근관의

1/3에서 절반 정도에서 일부 vital pulp tissue를 가지고 있었다. 일부 근단부 가교(bridging)가 수산화 칼슘을 적용한 치아에서 관찰되었다. 일부 치아에서는 골조직이 근관 내로 형성되어 들어갔고, 일부에서는 근관 벽을 따라 석회화된 조직들이 침착되었다. 결합조직이 이주함에 따라 세포성 백악질(cellular cementum)이 근관 내로 형성되어 들어갔다. 세균 배양에서 양성반응을 보인 표본 모두는 치근단 폐쇄를 보이지 못했고, 상아질로 판단되는 어떠한 조직도 관찰할 수 없었다. 실험 그룹에서 지속적인 revitalization를 관찰하지 못했던 이유는 근관 충전을 시행하기 전에 세균이 존재한 것, 부적절한 치관 수복, 근관 내에 부식성(caustic) 약제를 사용한 것 때문일 것이다.

Torneck 등은 감염된 치아에서 조직제거(debridement)와 감염 조절의 효과에 대하여 연구하였다(Torneck *et al.* 1973). 원숭이의 미성숙 치아 8개를 구강 내에 노출시켜 치수질환과 치근단 질환을 유도하였다. 근관형성 후 식염수로 세척한 뒤, Camphorated parachlorophenol (CMCP)를 넣고 조직학적 샘플을 얻기 전까지 아말감으로 최대 2개월 동안 임시 가봉하였다. 잔여 치수와 염증 조직이 근단부에서 관찰되었으며 심한 염증상태에도 불구하고 근단 부위에서 경조직 침착을 보여주었다(그림 6.1). 연구자들은 기계적인 근관세정, 성형과정이 잠재적 재생에 필요한 세포의 수를 줄이고, 자극을 주는 약제가 치수 세포의 활동성을 감소시켰다고 결론지었으며, 불충분한 감염조절의 영향에 대한 언급은 하지 않았다.

Myers와 Founatin은 1974년 연구에서, 원숭이의 치수를 감염시킨 후 치근단 넘어 2mm까지 biome-

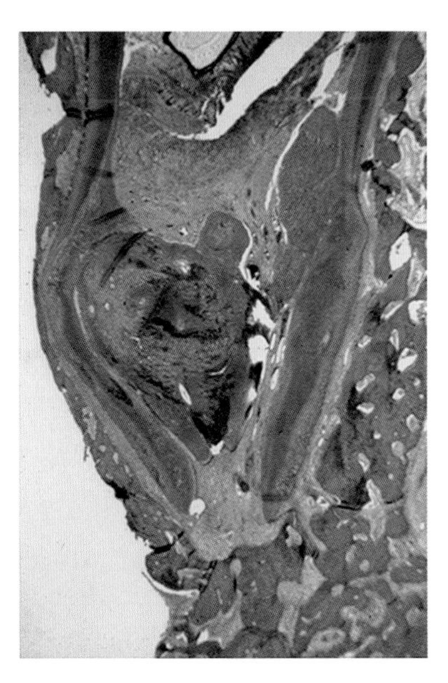

그림 6.1 치수가 제거된 후 오염된 상태에서 밀봉된 치아절편의 조직분석. 낮은 수준의 농양이 있었지만 Hertwig's epithelial root sheath는 일부 살아 남아있고 근관의 끝부분에 상아질-유사 조직을 형성한 것을 볼 수 있다. 출처: Courtesy of Dr. Calvin Torneck

chanical한 근관 세정을 시행하였고 5.25% NaOCl을 근관 세척액으로 사용하였다(Myers & Fountain 1974). 치수강을 혈액으로만 채운 그룹, 혈액과 gelfoam으로 채운 그룹, 아무것도 채우지 않은 3개의 실험군으로 나누었다. 치관부는 Cavit로만 임시 가봉하였으며, 조직학적으로 6개월까지 조사하였다. 치근단부위에서 매우 제한적인 조직의 유입이 관찰되었다. 연구자들은 대다수의 케이스에서 치근단 염증을 발생했으며, 근관 내 세균 집락이 발견되었다고 보고하였다. 일부 치아에서는 배농이 필요한 급격한 감염을 보였다. 저자들은 치관부 누출이 revitalization 실패의 요인이라고 제안하였다.

1976년 Nevins 등은 rhesus 원숭이의 치아에서 치수를 제거한 후 근관을 구강 내에 7일간 노출시켜 감염을 유도하였다(Nevins *et al.* 1976). 치아는 근관 형성과 세정 후에, 면구와 IRM을 이용하여 가봉되었다. 모든 치아에서 세균배양에 양성(+)임에도 불구하고 3일 뒤에 실험적인 콜라겐 인산 겔(experimental collagen phosphate gel)이 모든 근관에 적용되었다. 12주 뒤에 조직학적인 관찰이 수행되었으며, 수산화칼슘을 적용했던 치아에서는 예상대로 치근단 형성(apexification)을 보여주었다. 콜라겐-칼슘 인산 겔로 충전한 21개의 치아 중 15개는 유사 백악질(cementum-like) 조직이 근관벽에 침착되어 근단공과 근관내강(lumen)을 좁게 만들며 성공적인 revitalization양상을 보여주었다. 성공적으로 revitalization된 치아의 치근에서는 백악질, 골조직, 수복 상아질(reparative dentin)이 대부분의 근관내벽에서 관찰되었다(그림 6.2). 찢겨진 잔여 치수조직(remnants)이 수복상아질을 형성한 것으로 생각되었다. 연구자들은 치근 상아질에 인접한 백악모세포(cementoblast)가 증식하여 치관방향으로 백악질을 분비한다고 결론지었다. 또한 그들은 치근단 PDL의 간엽세포(mesenchymal cell)가 증식하고 분화하여 근관 내의 공간에 경조직을 형성하였다고 가정하였다.

Das와 동료들은 개코원숭이의 22개의 치아에서 치수를 제거하였고 근관을 60일간 구강 내에 개방시켜 오염시켰다(Das *et al.* 1997). 근관은 통상적인 방식으로 파일링(filing) 하거나 broache를 사용하여 세척하기만 하였다. 근관 세척 후, 파일링 그룹과 파일링 하지 않은 그룹 각각을 반으로 나누어 포르모크레졸(formocresol)이나 테트라사이클린에 적신 페이퍼 포인트를 근관 내에 적용하였다. 1주 뒤에 페이퍼 포인트를 제거하였고 치관부는 IRM과 아말감으로 가봉하였으며 실험동물은 6개월 뒤에 희생되었다. 테트라사이클린으로 처리한 치아 9개 중 7개에서 치근성장이 완료된 양상을 보였지만, formocresol을 적용한 10개의 치아에서는 3개에서만 완료 양상이 관찰되었다. 파일링(Filing)을 시행한 치아 9개 중 3개에서 치근 완성이 이루어졌으며 파일링(Filing)하지 않은 치아 13개 중 7개에서 치근 완성을 보여주었다. 이러한 결과는 조직 잔사(tissue remnants)의 존재가 조직이 안으로 자라도록(in-growth) 하는데 기여하며, 기계적인 근관 성형이나 부식성의 화학물질의 사용은 이러한 과정을 유도하는 중요한 세포를 제거한다는 가설을 뒷받침 한다.

Thibodeau 등은 치수가 괴사되고 치근단 치주염이 있는 개의 미성숙 치아를 이용한 연구를 수행하였다(Thibodeau *et al.* 2007). 그들은 감염된 개의 견치 48개에 치태를 치수강에 넣고 치관부를 임시가봉한 후 방사선학적으로 확인 할 수 있는 치근단 치주염(apical periodontitis)을 유도하였다. 치아는 다시 개

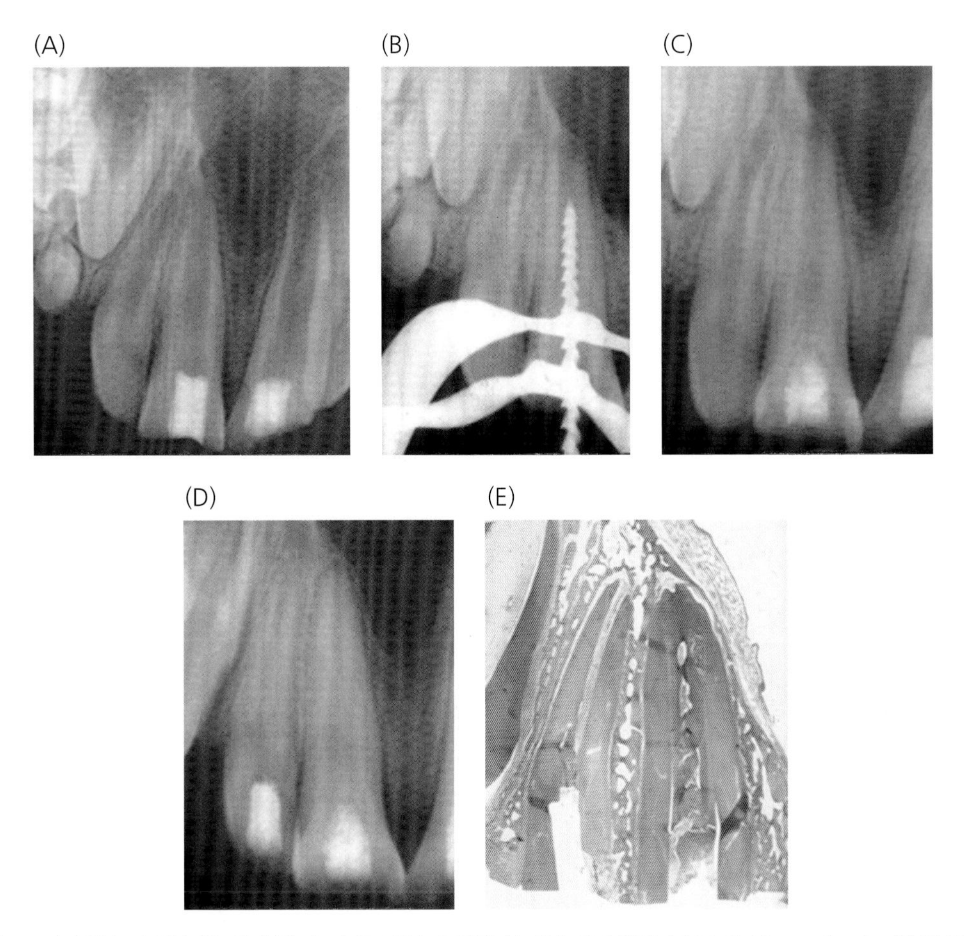

그림 6.2 (A)원숭이 치수를 제거 한 후 수일 동안 오염된 상태로 유지했다.(B)그 후 biomechanical하게 기구조작을 시행하였다. (C)collagen-phosphate gel 또는 수산화 칼슘을 적용하고 IRM으로 가봉하였다. (D)6개월 후, 방사선사진, 근첨 폐쇄와 근관 벽의 비후를 보인다.(E)수산화칼슘을 적용한 치아의 조직 소견에서는 근첨 형성을 볼 수 있고(우측 측절치), collagen-phosphate gel을 적용한 우측 중절치의 근관에서는 백악질, 골, 수복상아질이 근관을 따라 배열되어 있음을 확인 할 수 있다. 출처: Courtesy of Dr. Alan Nevins

방되었고, 기계적인 기구조작 없이 1.25% NaOCl로 세척 후 triple antibiotic paste를 근관 내에 첩약하였다. 한 그룹은 MTA와 아말감으로 치관부를 밀봉하였고 다른 치료는 시행하지 않았으며, 다른 그룹은 근관 세정을 통해 항생제를 제거하고, blood clot을 유도한 후, 콜라겐 용액 또는 콜라겐 용액과 혈병의 혼합물로 근관을 채우고 치관부를 밀봉하였다. 3개월 뒤, 치근단 폐쇄, 치근벽의 비후(thickening), 근관내 생활 치수조직의 존재를 평가를 하기 위해 방사선학적, 조직학적 검사를 시행하였다. 치근벽의 비후, 치근단 폐쇄는 각각 49%와 55%에서 확인하였으며, 생활치수는 29%에서 발견되었다. 그룹 간에 통계적 유의성은 보이지 않았지만, 저자들은 근관내의 혈병(blood clot)이 revitalization에 도움이 된다고 보고하였다.

Wang 등은 Thibodeau그룹의 연구에서 관찰되었던 치수강 내로 유입된 조직을 조직학적으로 평가하

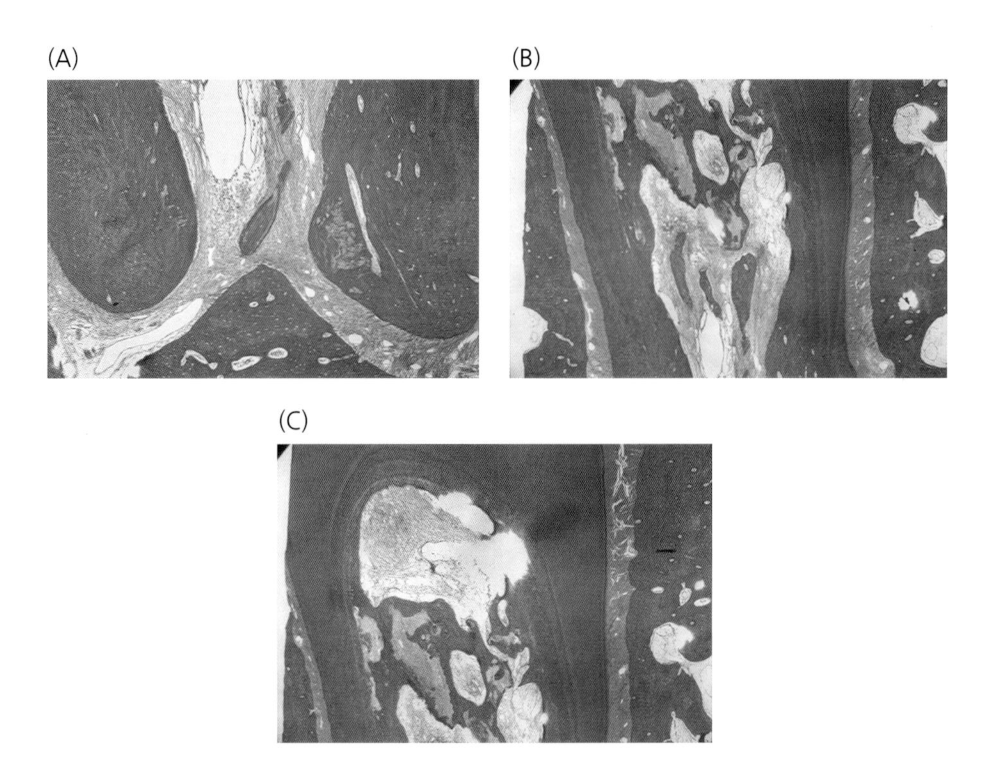

그림 6.3 미성숙 개의 치아에서 근단부 치주염을 유도한 후 triple antibiotics를 적용해 소독을 시행하였다. 항생제를 제거한 후 혈병, 콜라겐 용액 또는 콜라겐과 혈병을 조합한 것을 scaffold로 사용하였다. 그 후 MTA로 밀폐를 시행하고 아말감으로 치관부를 수복하였다. 3개월 후 조직학적 관찰 결과 근관 공간으로 골조직이 자라 들어온 것을 볼 수 있다. (A)근단 (B)치근 중간 (C)치관부의 단면. 출처: Courtesy of Dr. B Thiodeau.

였다(Wang *et al.* 2010). 이전의 동물 실험에서와 유사하게, 백악질-유사, 골-유사 조직이 근관 내에서 관찰되었다. 백악질-유사, 골-유사 조직은 치근벽을 두껍게 만들었으며, 근첨에 침착된 백악질은 근관 길이를 증가시켰다(그림 6.3). 그들은 이 조직들이 치수 기원이 아니며, revitalization의 치료 결과는 재생적(regenerative)이라기 보다는 조직 치유(tissue repair)라고 결론지었다.

Zuong과 연구팀은 개의 미성숙 치아에 치근단 치주염을 유도한 후 revitalization과 근첨형성술 간의 치근 발달과 치근단 치유에 대하여 비교하였다. 각각 3개의 치아에 대해서 revitalization와 apexification이 수행되었고, 술후 1, 4, 8주에 방사선 검사를 시행하였으며, 8주 후 각 실험군을 희생시켰다. revitalization그룹은 더 일관된 근단부 치유양상을 보였다. 근첨 폐쇄는 명확히 관찰되었으며, 치근첨형성술(apexification) 실험군과 비교하여 상아질 두께의 변화는 유의한 차이를 보이지 않았다. 조직학적으로 revitalization된 치근에는 육아조직과 많은 석회화 조직이 근관벽에서 관찰되었다.

da Silva와 동료들은 개의 감염된 미성숙 치아에서, 두 가지 서로 다른 술식에 대한 염증의 정도와 치근단 조직의 치유 정도를 조사하였다(da Silva *et al.* 2010). 이 연구에서 56개의 치근을 평가하였으며 과산화수소와 NaOCl을 사용하였다. 28개의 치근에서는 근단부에 음압을 가하는 EndoVac 시스템을 이용하여 NaOCl으로 세척하였고, 나머지 28개의 치근에는 NaOCl을 양압을 가해 사용하고, triple antibiotics를 2주간 적용했다. 모든 근관은 멸균 생리식염수로 세척하였고, 페이퍼 포인트로 건조 후 MTA 와 아말감으로 치관부를 수복하였다. 3개월 뒤에 조직학적 평가를 시행하였다. 근단 부위 세척 시 음압을 적용한 그룹에서 양압을 적용한 그룹보다 유의하게 더 적은 염증세포의 침윤을 보였다. 또한, 치주 조직에서 유래한 결합조직(섬유모세포, 혈관)의 유입(in-growth)이 두 실험군 모두에서 관찰되었다. 저자는 치근단 치주염을 갖는 괴사된 미성숙 치아의 revitalization 술식에서 EndoVac 시스템을 triple antibiotics의 대안으로 제시하였다.

Yamauchi 등은 개 6마리의 치근단 치주염이 있는 치아 64개에 각각의 revitalization 술식을 적용한 결과에 대해서 연구를 수행하였다. 다음과 같은 4가지 다른 종류의 술식이 근관 내에 적용되었다: 혈병, 혈병과 collagen scaffold, 혈병과 EDTA를 처리해 노출된 collagene matrix를 갖는 상아질, 혈병에 collagene matrix와 EDTA를 첨가한 것. 3.5개월 뒤의 실험결과에서 모든 치아에서 치근단 병소가 해소되었으며, 치근벽의 두께가 증가했다. Collagene scaffold가 있는 실험군에서 더 많은 치근단 폐쇄가 나타났으며, 콜라겐 scaffold를 사용하지 않은 실험군에 비해 유의하게 많은 양의 광화된 조직(mineralized tissue)이 나타났다. EDTA를 사용한 그룹에서는, hair-like projection 모양의 상아질-연관 광화된 조직이 상아질 벽에 함입된 것을 조직학적으로 관찰하였으며, 이는 EDTA를 사용하면 광화된 조직이 치근 벽에 부착하는 것을 촉진시켜주는 효과가 있음을 보여준다.

Scarparo와 연구진들은 미성숙 쥐 어금니를 이용하여 생활 치수 조직을 갖는 치아, 치수가 괴사된 치아, 괴사 치수조직에 revitalization 술식을 수행한 치아 간의 치근 발달비교에 관한 연구를 수행하였다(Scarparo *et al.* 2011). 36개의 치아에 근관 와동을 형성하고 치수를 제거한 후 구강 내에 3주 동안 노출시켜 치근단 병소를 만들었다. 18개의 치아는 개방된 상태로 유지했으며, 18개의 치아는 치경부 1/3 까지만 기계적인 기구조작을 한 후, NaOCl로 세척하고, triple antibiotics를 첩약 후 면구와 아말감으로 임시 가봉하였다. 3, 6, 9주 후에 조직학적인 관찰이 수행되었다. 생활 치수를 갖는 대조군에서는 염증을 보이지 않았으며 예상한 대로 정상적인 치근 발달을 보였다. 괴사된 치수를 갖은 대조군에서는 근단부 병소를 보였고, 치근 길이와 벽의 두께 감소를 보였다. revitalization 술식을 시행한 실험군에서는 치근단 병소가 줄어들었고, 치근 길이와 벽의 두께가 증가하였다. revitalization 그룹의 절반에서는 백악질-유사 조직이 치근단 부분에서 관찰되었고, 나머지 절반에서는 근관 내로 결합조직이 유입되는 것을 보여주었다.

2011년, Buhrley 등은 흰담비(ferret)의 감염되지 않은 미성숙 견치를 발수 후 혈병을 유도하여 치유 반응을 연구하였다(Buhrley *et al.* 2011). 3주 뒤에 조직학적 관찰에서는 치근단과 인접한 골조직의 유입이 관찰되었다(그림 6.4).

접근 가능한 문헌들을 토대로 보면, revitalization 술식이 치수괴사와 치근단 치주염을 보이는 경우에도 가능하다는 강력한 증거들이 있어 보인다. 이전의 연구에서, 조직학적인 표현형은 골, 백악질, 결합조직

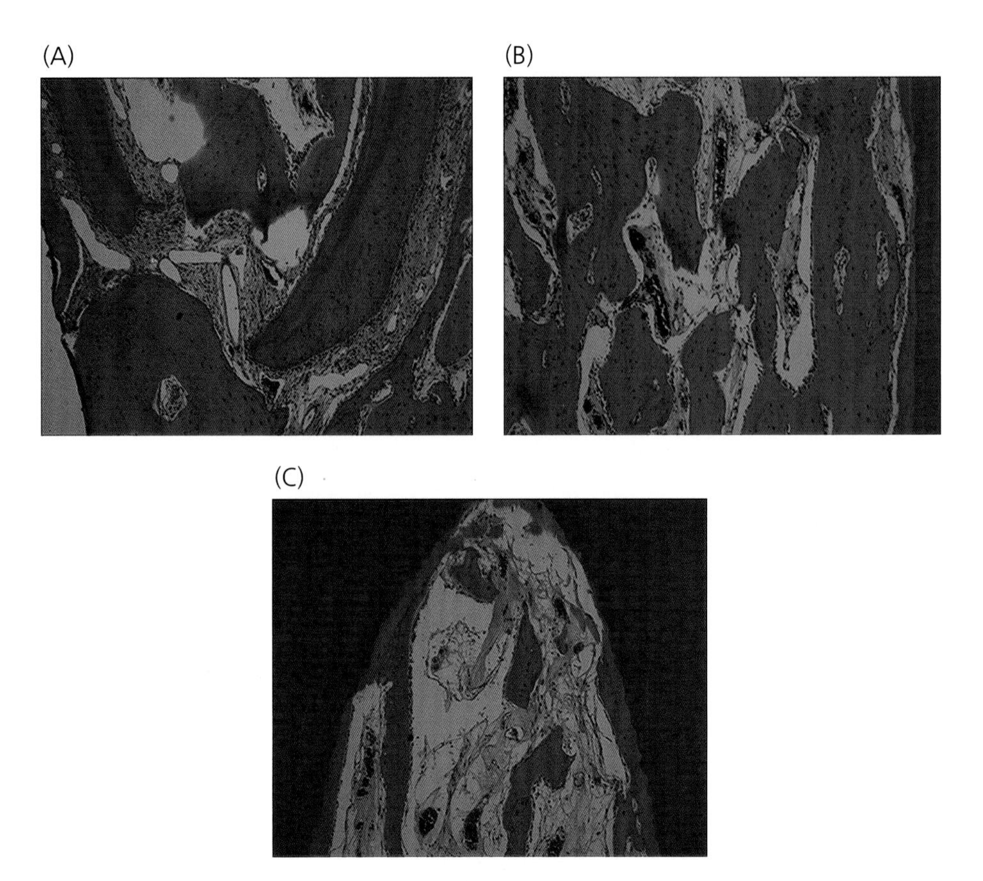

그림 6.4 미성숙 흰담비의 치아에서 치수를 제거하고 혈병이 형성된 후 MTA와 영구 수복재로 밀봉하였다. 3개월 후 조직학적 사진에서는 근관 공간 내로 골조직이 자라 들어온 것을 보여준다. (A)근첨부 (B)중간부위 (C)치관부 단면

과 유사한 조직이었다. 조직학적 결과의 대부분은 수십 년 전에 발표된 것으로, 세균 감염이 나타나기도 했고, 치관부 누출에 효과적으로 저항할 수 없는 재료를 사용하기도 했다. 이전 연구의 또 다른 제한점은 근관 내 치수조직의 제거 시 통상적인 파일링(filing)과 부식성 약제 및 소독제의 사용에 있다. 이것은 잠재적으로 revitalization과정에 관여하는 조직의 손상을 야기했을 것이다.

비록 근관의 폐쇄와 근관 벽의 비후에 대한 방사선적 소견이 정상이므로 기능적인 치수 재생이 일어난 것처럼 보일지라도, 현재의 조직학적 증거는 이러한 추론을 뒷받침 하지 않으며, 더 많은 연구가 필요하다.

인간의 실활-감염치에서 Revitalization에 대한 임상적 증거

몇몇 임상 보고에서 실활, 괴사, 감염 상태의 미성숙 치아를 revitalization하려는 가능성에 대해 기술하였는데, 방사선학적 치근 두께 증가, 근첨부 폐쇄, 열과 전기자극에 대한 감각 회복 등을 치료결과에 대

한 평가요소로 삼고 있다. 1966년, Rule과 Winter는 누공이 있는 실활 미성숙 하악 소구치에서 지속적인 치근 성장을 보고하였다(Rule & Winter 1966). 치아는 마취 없이 근관 와동형성 후 출혈이 보일 때까지 조직을 제거하고, 세척한 후 다양한 항생제를 혼합하여 첩약하였다. 2주 뒤에 근관을 다시 개방하여 항생제를 제거하고 흡수성 iodoform을 적용하고 ZOE와 아말감으로 이중 밀봉하였다. 치근은 지속적으로 두꺼워졌고 술후 3년 뒤에는 치근단 폐쇄를 보여주었다.

Nevin과 동료들은 외상으로 인해 비가역적 치수염의 증상과 치근단 치주염을 보이는 어린이의 상악측 절치를 연구하였다. 근관 와동 형성 후 화농성 치수조직들이 관찰되었다. 근관의 기계적인 debridement, 식염수 세척이 시행되었다. 근단부의 치수조직 일부를 제외하고는 모두 제거하였으며, 콜라겐-칼슘 인산 겔(collagen-calcium phosphate gel)을 치수강에 넣고 근관 밀폐를 시행하였다. 아이는 증상이 없었으며, 7주에 치근단 유도(apexogenesis)를 보였고, 이후 추적 관찰 기간 동안 더욱 명확한 치근단 유도를 볼 수 있었다(그림 6.5).

Iwaya 등은 치외치의 파절로 급성 치근단 농양을 보이는 한 어린이의 괴사된 미성숙 하악 소구치에 대한 치료 결과를 보고하였다(Iwaya et la. 2001). 와동 형성 후 화농성 삼출액이 발생했으며, 치아는 수차례에 걸쳐 NaOCl, 과산화수소, 근관내 항생제 첩약 등으로 치료되었다. 생활 조직(vital tissue)이 근관 입

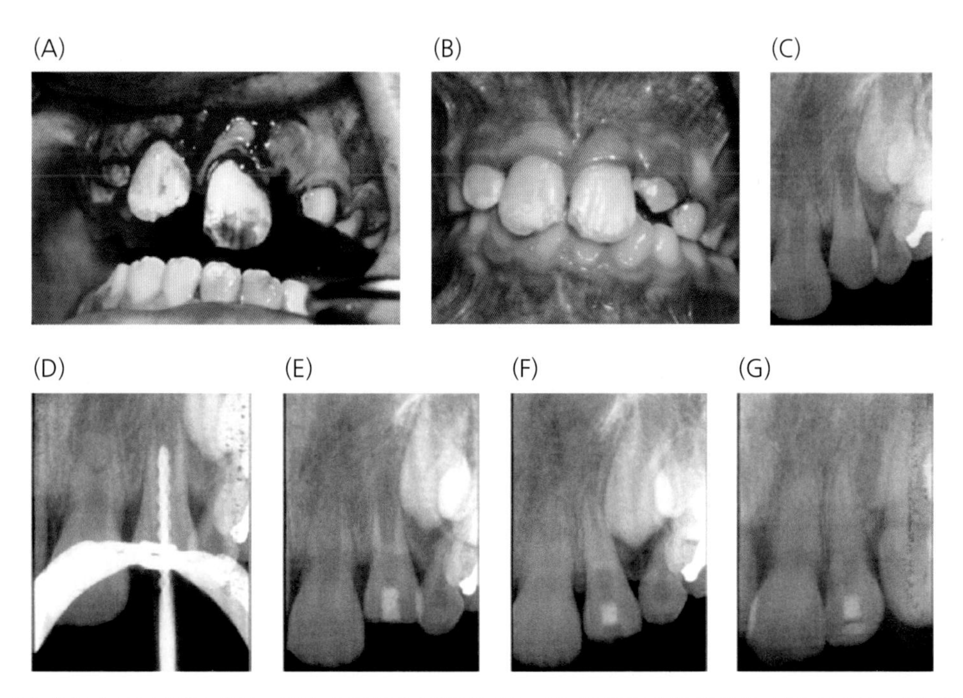

그림 6.5 (A)사고로 인해 아이는 상악 측절치가 함입되었다. (B) 치아를 다시 원위치 시킨 후 8주 사진 (C)비가역적 치수염과 근단부 치주염이 발생 (D)instrumentation (E)collagen-calcium phosphate gel을 근관에 적용 (F) 와 (G) 1년,3년 후 방사선 사진에서 근첨이 닫히고 치근 벽이 두꺼워진 것을 확인할 수 있다. 출처: Courtesy of Dr. Alan Nevins.

구 하방 5mm에서 관찰되었을 때 수산화칼슘과 접착성 수복물로 치관부를 수복하였다. 술후 2.5년의 추적 관찰에서 치근단 농양의 치유와 치근첨의 완전한 폐쇄를 볼 수 있었다.

Banchs와 Trope는 어린이에서 치외치의 파절로 인해 괴사된 하악소구치에서 유사한 보고를 했다(Branchs & Trope 2004). 임상적으로 부종과 누관이 보였으며, 치수 개방 시 화농성 삼출액을 볼 수 있었다. NaOCl과 Peridex로 근관을 세척하였고, 근관벽에 기계적인 세정을 시행하지 않았다. Triple antibiotics를 근관내에 1개월 동안 적용하였다. 1개월 후에 근관내 항생제를 제거하고 혈병(blood clot)을 유도한 후 MTA와 레진으로 수복하였고 2년 이상 추적 관찰하였다. 치아는 방사선 소견 상 계속 성장했고, 2년 후 냉자극에 정상적으로 반응하였다.

Chueh와 Huang는 어린이에서 하악 소구치 치외치 파절로 인해 괴사된 4개의 유사한 임상증례를 보고하였다(Chueh & Huang 2006). 치아는 NaOCl로 세척하고 수산화칼슘을 적용하였으며, 네 증례 모두에서 지속적인 치근 발달을 볼 수 있었다. 저자들은 증례에서 치관부에 경조직의 침작이 부족하게 일어난 이유는 수산화칼슘을 근관내에 깊이 적용했기 때문이라고 기술하였다.

Cotti 등은 어린이에게서 외상에 의해 괴사되어 누공이 있는 미성숙 상악 절치의 증례를 보고하였다(Cotti *et al.* 2008). 근관와동 형성 후 spoon excavator로 괴사된 치수조직을 제거하였고, NaOCl로 세척 후 수산화칼슘을 적용하였다. 15일 후 누공은 소실되었고, 수산화칼슘을 제거하였다. 치근첨에 출혈을 유도한 후 MTA 및 최종수복을 시행하였다. 2.5년 후 리콜에서 지속적인 치근 발달의 증후와 상아질 벽이 두꺼워지는 것을 방사선적으로 확인할 수 있었다.

Jung 등은 어린이에게서 치수가 괴사되고 치근단 치주염이 있는 미성숙 영구치의 증례를 보고하였다(Jung *et al.* 2008). 치수가 괴사된 4개의 케이스에서 NaOCl로 세척한 후 triple antibiotics를 첩약 하고, 혈병을 만들기 위해 출혈을 유도한 후 MTA를 적용하고, 최종 수복을 시행하였다. 다른 다섯 건의 증례에서는 근관 내에 생활 치수조직의 일부가 남아 있었고, 이러한 증례에서는 출혈 유도를 제외하고는, 같은 술식을 적용하였다. 근첨 폐쇄와 상아질 벽의 비후, 치근 길이의 증가를 모든 증례에서 볼 수 있었다.

Shah 등이 연구한 증례 모음에서, 치근단 치주염을 갖는 14개의 실활 미성숙 치아를 revitalization 술식 시행 후 6개월부터 최대 3년 동안 추적 관찰하였다(Shah *et al.* 2008). 와동을 형성하고 최소한의 기계적 기구 조작을 시행한 후 과산화수소와 NaOCl로 세척 후 formocresol로 소독하였다. 이후, 치근단 조직에서 출혈을 유도시키고 MTA를 사용하지 않고 GI cemetn로 수복하였다. 14개 중 11 케이스에서 병소의 증후나 증상이 관찰되지 않았고, 14개 중 8개에서는 상아질 벽의 비후를 동반한 치근단 치유가 보였으며, 14개 중 10개에서는 치근의 길이 증가가 관찰되었다.

Ding 등은 어린이에서 치근단 병소의 임상적 증후가 있거나 없는 괴사된 미성숙 치아 12개를 연구하였다(Ding *et al.* 2009). 치근은 NaOCl로 세척하고 triple antibiotics를 첩약 하였다. 1주 뒤에 파일을 이용해 출혈을 유도했고, MTA와 복합레진으로 수복하였다. 리콜 체크에서 증상이 해소되지 않는 6개의 치아에 대해서 근첨형성술(apexification)이 시행되었다. 3명의 환자는 리콜에 응하지 않았다. 단지 3개의 치아에서만 증상이 없었다. 3개의 치아는 15개월 뒤 완전한 치근 발달을 보여 주었으며, 치수 생활력 검사에서도 양성 반응을 보였다. 저자는 근관 소독 후 출혈 유도의 실패가 치료 실패의 요인 중의 하나임을 언급하였다.

Bose 등은 revitalization 술식을 거친 48개의 치아와 근첨형성술(apexification)이나 일반적인 비외과적 근관치료를 시행한 48개의 치아에서 지속적인 치근 발달과 상아질 벽의 비후 정도를 비교했다(Bose *et al.* 2009). Revitalization 술식을 받기 전의 미성숙 영구치는 괴사된 상태였고, 치근단병소의 증후가 있는 경우도 있고 없는 경우도 있었다. 감염된 근관은 triple antibiotics와 수산화칼슘, formocresol로 처리되었다. triple antibiotics나 수산화칼슘으로 revitalization을 시행한 그룹에서 근첨형성술(apexification)이나 비외과적 근관치료를 시행한 실험군보다 더 많은 치근의 길이 증가를 관찰하였으며, triple antibiotics를 사용한 쪽에서 수산화칼슘을 사용한 경우보다 더 많은 상아질 벽의 두께 증가도 발견하였다. 저자들은 수산화칼슘이 revitalization 술식에서 근관내 첩약으로 사용될 때에는 근관의 치관부 절반에 한정되어야 한다고 결론지었다.

Reynold 등의 임상 증례에서는 치수가 괴사되고 만성 치근단 치주염이 있는 미성숙 하악소구치 2개를 NaOCl, 식염수, 클로르헥시딘을 사용하여 revitalization 술식으로 치료하였다(Reynold *et al.* 2009). triple antibiotics를 첩약하기 전에, triple antibiotics로 인한 치관부 변색을 방지하기 위해 치관부 와동의 내면에 접착제를 도포하였다. 치근단 출혈을 유도한 후 근관을 MTA로 밀폐하고 복합레진으로 수복하였다. 18개월의 관찰 기간에서 치아는 냉자극에 정상적으로 반응하였고, 증상도 없었다. 또한, 치관부 변색을 보이지 않았고, 지속적인 치근 발달양상을 보였다.

Shin 등은 한 아이에서 부분적으로 괴사하고, 만성 치근단 농양을 갖는 미성숙 하악 소구치의 증례를 보고하였다(Shin *et al.* 2009). 1회 내원으로 NaOCl, 식염수, 클로르헥시딘으로 근관을 세척하고 revitalization 술식을 시행하였다. 기계적인 기구조작은 하지 않았으며, 근관의 건조 후 치관부 절반에만 MTA로 밀폐를 시행하였다. 누공 또한 클로르헥시딘으로 세척하였다. 지속적인 치근 발달과 상아질 벽 두께 증가의 증후를 7개월간의 추적 관찰 기간 동안 볼 수 있었다. 비록 치근단 치유와 치근벽의 비후를 보이는 방사선학적 양상을 보였지만, 치수 반응은 19개월까지 음성으로 나타났다.

Mendoza와 동료들은 21명의 어린이에게서 28개의 괴사된 미성숙 영구치를 NaOCl로 세척하고, 수산화칼슘을 적용한 후 IRM과 GI 수복물로 치료한 증례를 보고했다(Mendoza *et al.* 2010). 이들은 2년간의 관찰에서 치근 길이의 증가와 치근단 폐쇄의 증후가 85%에서 나타났고, 백악질-유사 조직이 15%에서 관찰되었다고 보고하였다.

Petrino 등은 어린이 3명에서 치근단 치주염이나 만성 치근단 농양을 보이는 6개의 괴사된 미성숙 치아에 관한 임상 증례 모음을 보고했다(Petrino *et al.* 2010). 프로토콜로는 NaOCl, 식염수, 클로르헥시딘 세척을 시행한 후, triple antibiotics를 첩약하였다. 3주 뒤에 근단부 출혈을 유도하고 근관은 MTA와 복합레진으로 수복하였다. 1년간의 추적관찰 후에, 모든 치아에서 치근단 병소의 해소가 관찰되었고, 3개의 치아에서는 지속적인 치근 발달이, 2개의 치아에서는 치수 생활력의 회복을 보였다.

Thomson과 Kahler는 한 어린이에서 만성 치근단 농양을 갖는 괴사한 미성숙 하악 소구치에 관한 유사한 증례를 보고했다(Thomson과 Kahler 2010). 증상과 증후의 소실이 나타나지 않아 근관을 기계적인 조작 없이 NaOCl로 세척하고, triple antibiotics를 2회 첩약하였다. 6주 뒤, 환자의 증상은 소실되었고, NaOCl로 세척한 후 출혈을 유도하고 근관을 MTA, GI, 복합레진으로 수복하였다. 치아는 생활력 테스트에 정상적으로 반응하고, 18개월간의 추적관찰 기간동안 지속적인 치근 발달의 증후를 보였다.

Nosrat 등은 치근단 치주염과 만성 치근단 농양이 있는 괴사된 미성숙 하악대구치를 가진 어린이의 임상케이스 두 건을 보고했다(Nosrat *et al.* 2011). 근관은 NaOCl로 세척하고, triple antibiotics로 소독했다. 3주 뒤에 출혈을 유도한 후 calcium enriched mixture(CEM)와 아말감으로 수복했다. 15~18 개월 후, 치수 생활력 반응에서 음성을 나타냈지만, 두 치아에서 모두 지속적인 치근 발달을 관찰할 수 있었다.

Cehreli 등의 임상 증례 모음에서는 적어도 1개 이상의 치근에서 만성 치주염 및 실활 치수 상태인 6개의 미성숙 대구치가 revitalization 술식으로 치료되었다(Cehreli *et al.* 2011). 4개의 치아는 이전에 근관 확대가 시행된 병력이 있었다. 근관은 NaOCl로 세척 후 수산화칼슘으로 소독되었다. 3주 뒤에, 근관을 NaOCl로 다시 세척하고, 출혈을 유도한 후 MTA와 GI로 수복하였다. 최종 수복은 3주 뒤에 완료되었다. 10개월 후, 모든 치아는 증상을 보이지 않았고, 방사선학적으로 상아질의 비후를 보였으며, 치근첨 폐쇄가 완전히 진행되거나 상당히 진행되었다. 근관 확대가 시행된 2개 치아는 생활력 검사에 반응하였다.

Chen 등은 치근단 치주염이나 농양이 있는 20개의 미성숙 치아의 임상 증례모음을 보고하였다(Chen *et al.* 2011). 치료 프로토콜은 최소한의 근관 확대를 하고 NaOCl로 세척한 후 수산화칼슘을 근관내에 첩약했다. 임상적 증상 및 증후가 소실된 후 근관 내 출혈을 유도하고 MTA와 복합레진으로 수복했다. 6~26개월간의 리콜에서 모든 치아에서 치근단 병소가 해소되었고, 상아질 벽의 비후, 지속적인 치근 발달, 치수 공간의 폐쇄(obliteration), MTA 하방의 석회화 방벽(calcific barrier), 치근단 폐쇄가 관찰되었다.

Jung 등은 치수가 감염되고 근단부 방사선 투과상이 있는 미성숙 하악소구치 2개에 대한 임상 증례를 발표했다(Jung *et al.* 2011). 첫 번째 증례는 근첨형성술(apexification)을 위해 vitapex로 충전을 했고 두 번째 증례는 revitalization 술식으로 치료를 시행했다. 두 번째 증례에서는 주치근(main root)에서 분리된 root tip이 관찰되었다. revitalization 술식을 위해 근관을 2.5% NaOCl로 세척하고 triple antibiotics를 2주간 적용하였다. 2.5% NaOCl로 triple antibiotics를 세척한 후 출혈을 유도하고, MTA와 복합레진으로 수복했다. 31개월 후, 치근단 방사선 투과상이 완전히 해소되었지만 주 치근(main root)의 길이나 두께 증가는 관찰되지 않았다. 하지만 이 증례에서 흥미로운 점은 주 치근에서 분리되었던 치근의 근단부 1/3에서 상아질 벽이 지속적으로 두꺼워지고, 근단부 폐쇄가 관찰되었다는 점이다.

Kim 등은 revitalization 술식을 시행한 3개의 괴사된 치아 증례를 보고했다(Kim *et al.* 2012). 3% NaOCl로 근관을 소독하고 페이퍼 포인트로 건조한 후, ciprofloxacin, metronidazole, cefaclor를 혼합

한 triple antibiotics제제를 2주간 첩약하고, Cavit으로 근관입구를 가봉하였다. 항생제는 3% NaOCl과 식염수로 제거하였고, K 파일로 근단부 출혈을 유도한 후 MTA로 밀폐하고 거타퍼쳐와 복합레진으로 MTA 상방을 수복하였다. 2년 후에 치근단 치유와 치근벽과 길이의 증가, 완전한 치근단 폐쇄가 관찰되었다. 두 번째와 세 번째 증례에서도 동일한 revitalization치료를 시행하였고, 4년 뒤 추적 조사에서 두 증례 모두 치근단의 완전한 치유와 치근 두께 증가가 관찰되었다.

Aggarwal 등은 한 환자의 괴사된 치아 두 개에서 각각 수산화칼슘 근첨형성술(apexification)과 revitalization 술식을 비교했다(Aggarwal *et al.* 2012). 상악 우측 중절치는 근첨형성술로, 상악 좌측 중절치는 최소한의 기구조작을 시행하며 5.25% NaOCl, 생리 식염수, 2% 클로로헥시딘으로 근관을 세척하고 revitalization 술식으로 치료했다. 다음 내원에서 triple antibiotics제제를 첩약했고, 1주 뒤에 항생제를 제거하고 출혈을 유도한 후, MTA 밀폐를 시행하고 복합 레진으로 수복했다. 2년 후 revitalization된 치아는 완전한 치근단 치유와 치근벽의 비후 및 치근 길이의 증가를 관찰할 수 있었다. 우측 중절치에서는 치근 길이나 두께의 변화는 관찰되지 않았다.

Miller 등은 탈구된 중절치에서 재식 8주 후 revitalization 술식을 시행한 증례를 보고하였다(Miller *et al.* 2012). 근관 와동 형성 시 치근단 1/3에서 생활 치수조직이 남아 있었으며, 치아는 2% 클로로헥시딘과 EDTA로 소독했다. 페이퍼 포인트로 근관을 건조한 후 triple antibiotics를 근관에 넣고 GI로 임시 수복했다. 6주 후 triple antibiotics를 2% 클로로헥시딘과 17% EDTA로 제거하고 페이퍼 포인트로 건조 후 출혈을 유도했다. 형성된 혈병 위에 MTA를 적용하고 GI와 Geristore(resin ionomer)로 최종수복했다. 18개월 후 환자는 증상을 보이지 않았고, 치아는 CO_2 ice test에 반응하였으며, 근단 폐쇄와 치근 성장이 관찰되었다.

Lenzi와 Trope는 외상을 입은 미성숙 중절치 두 개를 치료한 증례를 보고했다(Lenzi & Trope 2012). 두 근관은 2.5% NaOCl로 세척한 후 triple antibiotics를 첩약했다. 근관을 페이퍼 포인트로 건조한 후 triple antibiotics를 진하게 혼합하여 lentulo spiral filler를 이용하여 근관에 적용한 후 GI로 임시 수복을 시행하였다. 35일 후에 멸균 생리식염수로 근관을 세척하고, 치근단을 넘어가는 기구조작을 통해 혈병을 유도했다. MTA로 밀폐를 시행한 후 복합레진으로 최종수복을 하였다. 21개월 후 연구자들은 상악 우측 중절치에서 상아질 벽의 두께증가, 근첨 폐쇄, 치근단 방사선 투과상의 해소를 관찰했지만, 상악 좌측 중절치에서는 상아질의 두께 증가를 보이지 않았다. 그러나 치근단 폐쇄와 경조직 방벽(hard tissue barrier)의 형성은 관찰되었다.

Cehreli 등은 두 개의 탈구된 중절치의 revitalization 치료 증례를 보고했다(Cehreli *et al.* 2012). 재식 1주 뒤에 수산화칼슘을 근관내 첩약했다. 3주 뒤에 치근단 출혈을 유도한 후 혈병 위에 MTA를 밀폐했다. 18개월 후 치아는 냉자극에 정상적으로 반응하고, 치근의 길이와 두께가 증가됨을 관찰할 수 있었다.

Torabinejad와 Turman은 근첨이 열린 채로 괴사된 상악 제2 소구치의 증례를 보고했다(Torabinejad & Turman 2011). 치수는 완전히 괴사되어 치근단 치주염의 증상을 동반하고 있었다(그림 6.6). 근관 와동

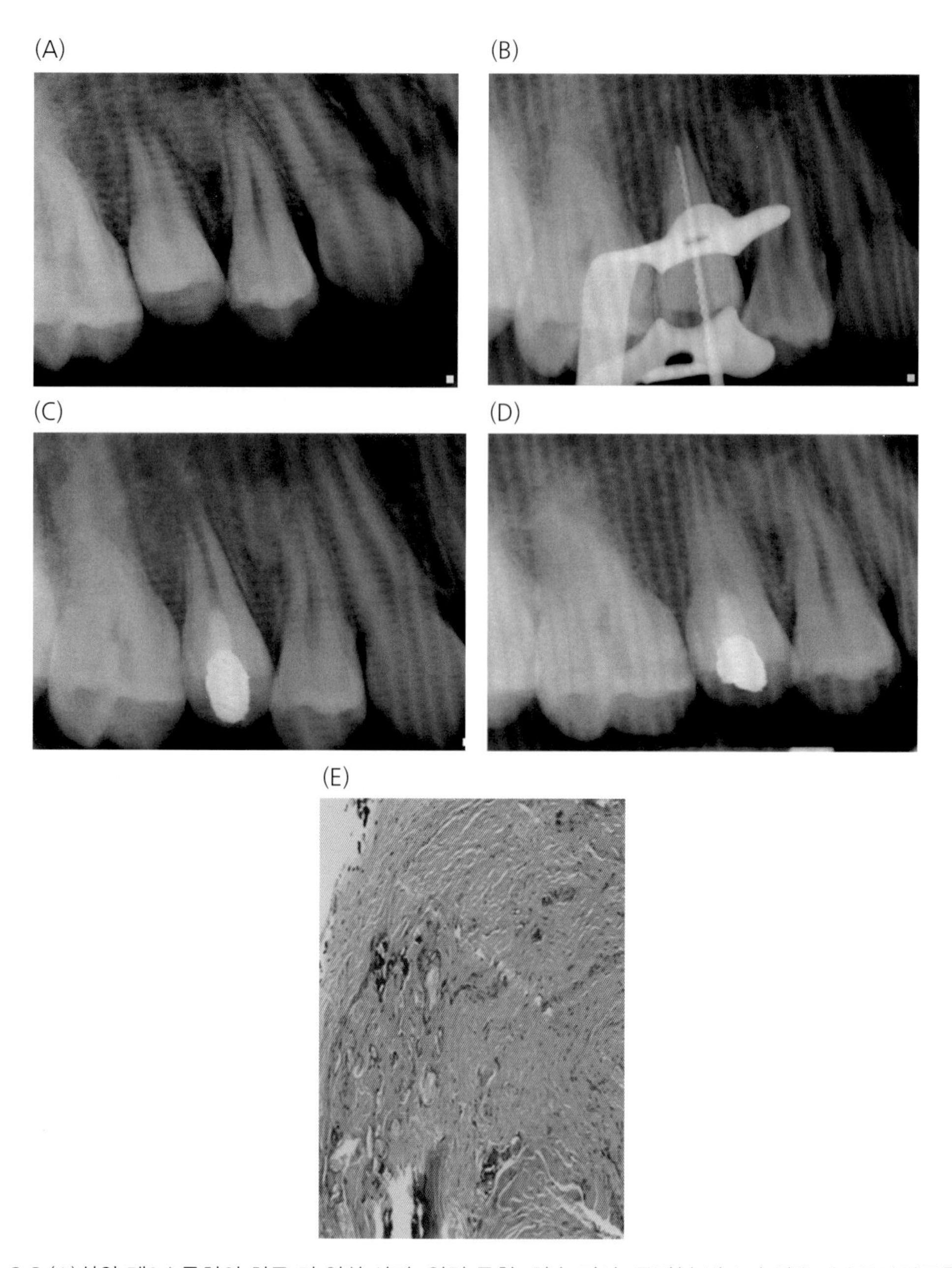

그림 6.6 (A)상악 제2소구치의 치료 전 임상 사진, 열린 근첨, 치수 괴사, 근단부 병소가 있음. (B)근관치료를 위해 치수강을 개방, 근관을 세척하고 triple antibiotics를 적용하여 소독을 시행함 (C)3주 후에 PRP를 근관에 적용하고, MTA와 Cavit을 이용하여 밀봉하였다. 수주 후 치수강 와동에 영구수복을 시행하였다.(D) 15개월 후에 방사선 사진에서는 치근단 병소가 사라지고 치근 벽이 비후된 모습을 확인할 수 있다. 치아는 cold & electric test에 반응하였다. 자극에 대한 민감성 때문에 치아의 근관치료가 시행되었다. (E)근관내 조직은 어떠한 염증소견도 없는 결합조직임을 알 수 있다.

형성 후 NaOCl로 세척 한 후 triple antibiotics를 적용하였다. 3주 뒤 환자 본인의 혈액에서 추출한 PRP가 근관 내에 주입되었다. 근관을 MTA로 밀폐한 후 Cavit, 아말감으로 수복을 시행하였다. 5.5개월 뒤 방사선학적인 소견에서 치근단 병소의 치유, 지속적인 치근 발달, 근관벽의 비후 양상을 볼 수 있었다. 치아는 치수 생활력 검사에 정상적으로 반응했다. 저자는 PRP를 revitalization 술식의 이상적인 scaffold로 제안했다. 치수 공간의 성공적인 revitalization이 명확함에도 불구하고, 환자는 치아의 민감성을 호소했고, 결과적으로 근관치료를 하게 되었다. revitalization이 이루어진 조직을 제거하여 조직학적 검사를 시행하였으며, 정상 치수와 유사한 생활 결합조직(vital connective tissue)을 관찰하였다. 이것은 인간의 치아에서 PRP의 사용 후 치수가 재생될 수 있음을 임상적으로 보인 첫 번째 보고이다.

이러한 revitalization 술식의 임상 증례들은 감염되고 괴사된 치아의 근관에도 특정한 조건하에서 지속적인 경조직 침착이 일어날 수 있다는 것을 보여준다. 또한 이러한 임상 증례는 revitalization에 대한 표준화된 술식의 부재를 보여주기도 한다. 다양한 scaffold, 약제, debridement 술식, 최종 수복물이 이용되어 왔으며, 시간이 지날수록 발전할 것이다. 하지만 일관되고 성공적인 치료결과를 얻기 위한 최적의 치료 조합에 관한 많은 연구가 수행되어야 한다. 현재 인체의 조직학적인 수준에서 실제 일어나고 있는 과정에 대한 근거는 제한적이다. revitalized된 치수 공간에서 어떤 타입의 조직이 유도되었는지를 명확히 밝히기 위해서는, 더 많은 조직학적 근거가 필요하다. 접근 가능한 제한된 근거들로 추론해 보자면 치수와 상아질모세포(odontoblast)의 진정한 재생(regeneration)은 이루어지지 않은 듯이 보인다.

문헌에서는 이 술식이 성공되기 위한 다음 세 가지 요인이 언급되었다(Hargreaves *et al.* 2007): 경조직을 형성할 수 있는 줄기세포(stem cell), 세포의 분화와 성장을 지지할 수 있는 3차원적인 물리적 scaffold, 세포의 자극, 증식, 분화를 일으킬 수 있는 신호 분자(signaling molecule)이다.

근관내 조직 생성과 재생에서 줄기세포의 잠재적 역할

상아질 형성을 형성할 수 있는 정상 치수의 재생(regenerative)을 위해서는 새로운 상아질모세포를 생성할 수 있는 미분화 세포(undifferentiated cell)의 잠재력이 필요하다. 인간 치수 줄기세포(DPSCs, Human dental pulp stem cells)의 존재가 Gronthos 등에 의해 보고되었다(Gronthos et al 2000). DPSCs는 간엽 줄기세포(MSC, Mesenchymal Stem Cell)의 소집단으로서, 골수에서 유래한 것으로 가장 유명한 MSC(Bone marrow-derived MSCs, BMMSCs) 혹은 골수 유래 matrix 세포(BM-derived stromal cells, BMSCs)와는 다르게 행동한다. DPSCs와 BMMSCs는 다른 유전자형을 갖고, 다른 분화 잠재력을 갖는다. hydroxyapatite/tricalcium phosphate와 혼합하여 in vivo환경에 이식되면, BMMSCs는 해면골(bone trabecule)과 골수(bone marrow)를 포함하는 이소성 소골편(ectopic ossicle)을 형성하는 반면, DPSCs는 치수/상아질 복합체(pulp/dentin complex)를 형성하며 골수 조직을 형성하지는 않는다(Huang *et al.* 2009).

DPSCs 세포는 치수 조직의 미세혈관계(microvasculature)와 연관되어 있는 것으로 보인다(Shi & Gronthos 2003). 연구를 위해서 DPSCs를 추출하기 위해 면역선택술(immunoselection procedure)이 이용된다(Gronthos *et al.* 2002). Gronthos 등은 DPSCs를 분리하고 면역시스템을 약화시킨(immuno-compromised) 쥐의 피하 조직에 이식했다. 그들은 상아질-치수와 유사한 구조를 갖는 결합조직이 재생되는 것을 발견했고, 이는 치수 내에 분화 가능한 줄기세포가 존재하는 증거가 되었다. 술 후 3개월 뒤 이식편을 회수하였으며, 15%의 세포가 숙주(host) 유래인 것으로 나타났다. 이는 제공된 줄기세포의 자가재생능력(self-renewal capacity)을 보여준다.

다른 연구들에서도 유사한 결과가 보고되었다. Batouli 등은 숙주 치아의 상아질과 연관이 있거나 혹은 연관이 없는 인체 DPSCs를 분리하고 쥐의 피하 조직에 이식했다(Batouli *et al.* 2003). DPSCs는 4주 뒤에 상아질모세포로 분화하였고, 면역형광염색법을 통하여 상아질로 확인된 경조직을 형성했다. 이식 8주 뒤에는 상아질-치수 복합체가 관찰되었고, 치수 유사 조직을 포함하는 결합조직, 혈관, 새로 형성된 상아질과 관련이 있는 상아질모세포가 관찰되었다. 이식된 상아질에서는 수복상아질(reparative dentin)이 발견되었다. 성숙한 상아질-치수 복합체는 16주에 관찰되었다. 저자들은 DPSCs가 상아질모세포로만 분화될 수 있는 것이 아니라, 다른 숙주세포를 모으고(recruit), 치수-유사 복합체를 형성할 수 있는 잠재력을 가지고 있다고 결론지었다.

Huang과 연구진은 in vitro DPSCs 연구를 시행했으며, 상아질 표면과 접촉한 줄기세포가 상아질모세포 형태로 분화되는 것을 확인했고, 또한 분화된 세포가 상아세관쪽으로 확장되는 돌기(process)를 형성하는 양상도 관찰하였다(Huang *et al.* 2006; Zhao *et al.* 2007). 그들은 상아질의 산처리가 다양한 noncollagenous matrix성분과 성장인자(growth factor)를 용해시켜 상아질모세포 전구세포(odonto-blast progenitor cells)의 분화를 유도한다는 가설을 기술했다.

Sonoyama 등에 의해 DPSCs와 유사한 인체 줄기세포들이 발견되었으며, SCAP(stem cells from the apical papilla)라고 명명하였다. 이런 줄기세포는 근단부 papilla에 존재하고, 발달 중인 치근의 치근단에 위치한다(Sonoyama *et al.* 2006, 2008). SCAP는 DPSCs와 약간 다르다: (i) SCAP는 CD24와 survivin을 발현하지만, DPSCs는 그렇지 않다. (ii) SCAP는 DPSCs와 비교했을 때 더 높은 population doubling, telomerase 활성, 이주 능력, 증식률(proliferation rate), 상아질 재생 능력을 갖는다(Sonoyama *et al.* 2006). 이러한 특징을 종합하여 보면, SCAP는 DPSCs보다 더 미성숙한 종류의 줄기세포로 여겨지고, 치근의 상아질모세포, 즉 치근의 형성에 더 중요한 역할을 하는 것 같다.

이후에 Huang과 동료들은 비어있는 근관내의 공간에서 SCAP와 DPSCs을 이용하여 *de novo* regeneration을 보여주었다(Huang *et al.* 2010a). 그들은 치수 조직이 재생될 수 있음을 보여줬을 뿐 아니라 새롭게 형성된 상아질-유사 경조직이 근관벽에 침착되는 것을 확인했다. 이러한 발견은 DPSCs와 SCAP가 상실된 치수 조직을 재구성 할 수 있고 상아질모세포-유사 세포로 분화하여 기존의 상아질 벽에 새롭게 상아질 형성을 유도할 수 있음을 보여준다.

Revitalization과 재생적 근관치료에서 DPSCs과 SCAP의 역할

앞에서 언급한 연구에서 치수와 apical papilla에 줄기세포가 존재하면 자가-재생(self-renewal)이 가능함(상아질모세포로 분화할수 있는 잠재력을 포함)을 의미한다. 그렇다면 충분한 DPSCs와 SCAP가 있으면 감염된 이후에도 살아남을 수 있는지, 이러한 세포가 감염의 치료 과정 동안 보존 될 수 있는지, 치근 형성을 완료하고 상아질을 침착시킬 수 있는 능력을 가진 치수 조직의 재생에 기여할 수 있는 충분한 수의 세포가 존재하는지에 대해 논리적으로 궁금증이 생길 수 있다.

Lin과 동료들은 치근단 치주염이 있는 치아에서 구조적으로 건전하고 정상 기능을 가지고 있는 생활 치수의 비율에 대한 연구를 수행했다(lin *et al.* 1984). 연구자들은 근단부 방사선 투과상을 보이는 치아의 치수를 채취하여 조직학적인 검사를 시행했다. 많은 치아에서 정상적이고 건강한 치수가 치근단 부위에 존재함을 발견할 수 있었다. 이러한 치수조직의 존재는 치수 공간에 정상 치수조직이 다시 성장(repopulation)하게 할 수 있는 잠재적 가능성을 가지고 있다(Huang *et al.* 2008).

Lovelace 등은 치수 기원의 줄기세포의 양과 사람의 전체 혈액에서의 줄기세포의 양을 비교했다(Lovelace *et al.* 2011). 괴사한 미성숙 영구치의 치근단 조직을 자극한 뒤 혈액 샘플을 채취해서 MSC marker(CD73, CD105, STRO-1)를 molecular technique으로 분석한 뒤 체순환계에서 얻은 혈액 샘플의 그것들과 비교했다. 근단부 샘플에서 줄기세포의 marker는 순환계에서보다 600배 이상 많이 발견되었다. 하지만, 이 발견에는 두 가지 함정이 있다. 첫번째는, 다른 종류의 MSC에 대한, 예를 들면 BMMSCs vs. DPSCs/SCAP에 특징적인 marker는 존재하지 않는다. SCAP에는 다소 특별한 marker인 CD24가 있지만 DPSCs나 BMMSCs에서는 발현되지 않는다. 그러므로 세포 표면의 MSC marker만을 찾는 것으로는 그들이 DPSCs나 SCAP임을 의미하지 않는다. DPSC marker는 골형성 세포에서도 발현될 수도 있으므로 특이적이지 않다. 둘째로 근관을 통해 채취한 혈액 샘플에는 전신 순환계의 혈액에서보다 명백히 더 많은 MSC가 포함되어있다. 혈액을 채취하기 위해 치근단을 3-5mm를 넘어가는 기구조작은 치근단주위 조직을 쉽게 파괴할 수 있어서 이곳에 존재하는 골형성 세포와 MSC가 근관내에 혈액에 유입되어 채취될 수 있다. 그러므로 이러한 CD105, CD73, STRO-1을 발현하는 세포를 발견하는 것을 예상했어야 했다. 반면에 BMMSCs는 순환계 혈액에서는 거의 발견되지 않는다고 알려져 있다(Kuznetsov *et al.* 2007).

치수 재생이 미성숙 치아에서 감염을 제거한 후 생존한 치수와 apical papilla 조직의 존재에 의존함을 예상할 수 있다. 치수를 완전히 상실하고, apical papilla가 감염된 증례에서는 치수가 재생되기가 쉽지 않아 보인다. 기껏해야 근관 내에(그림 6.7과 6.8) 백악질, 골, PDL과 같은 치주조직들이 재생될 것이다(Huang *et al.* 2008; Huang 2009). 반면에 치수와 apical papilla가 살아 남아 있다면, revitalization/regenerative 술식이 전체 치수의 재생과 근관벽에 새로운 상아질의 침착을 촉진할 수 있을 것이다.

재생적 근관치료(revitalization)를 위한 성장인자와 Scaffolds

근관 내에 남아있는 무언가가 revitalization에 영향을 준다는 증거가 있다. scaffold가 없는 경우는

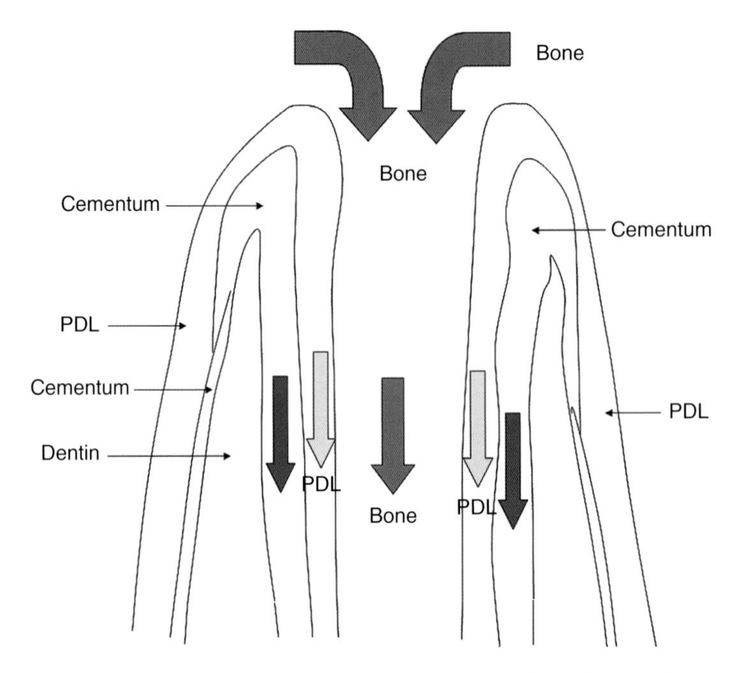

그림 6.7 치주 조직의 치조골, 치근막, 백악질을 포함한 치주조직이 치수 공간 내로 성장

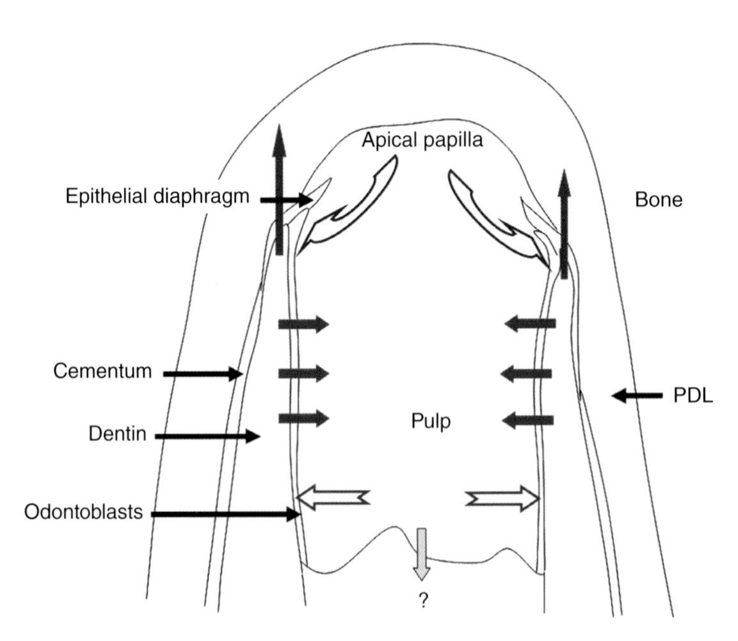

그림 6.8 남아있는 치수로부터 유도되는 치수 재생(pulp regeneration)의 가설, 비어있는 치수 공간으로 치수가 재생되어가는 과정은 아직까지 의문으로 남아있다(물음표).

revitalization이 촉진되지 않는다. 개의 40개의 미성숙 치아에서 발수를 시행하고, 반은 Cavit (England & Best1977)으로 가봉하고 나머지 반은 개방된 상태로 두었다(England & Best 1977). 근첨 폐쇄의 비율은 높았고, 근첨 부위에서 명확한 백악질의 침착이 관찰되었다. 하지만 치수 공간이 revitalized 되는 양상은 보이지 않았으며, 지속적인 치근의 비후(thickening) 양상은 관찰할 수 있었다.

Ostby(1961)은 혈액이 revitalization의 matrix가 된다고 주장 했고, Myers와 Fountain은 그들의 연구를 통해 혈병이 흡수되지 않았으며, 조직이 자라 들어오기(in-growth) 위한 matrix로서 작용한다고 보고 하였다(Myers& Fountain 1974). Thibodeauete 등은 유입된 혈액이 matrix로서 작용 할 때가 matrix가 없거나 콜라겐 matrix가 사용되었을 때 보다 더 좋은 결과를 나타내었다고 보고하였다(Thibodeau *et al.* 2007). Chang 등은 in vitro실험에서 콜라겐은 수축현상 때문에 regeneration을 위한 matrix로서 적합하지 않다고 결론지었다(Chang *et al.* 1998). PRP(Platelet-Rich Plasma)는 보통의 혈액 샘플보다 3.5배이상 풍부한 혈소판(platelet)을 함유하고 있는 자가기원의 혈액원(autologous blood source)이다(Lindeboom *et al.* 2007). 혈소판은 다양한 메커니즘으로 상처 치유를 개선하고, 성장인자(growth factor)의 풍부한 원천으로 여겨진다. 이러한 성장인자에는 혈소판 유래 성장인자(PDGF, Platelet-Derived Growth Factor), TGF (Transforming Growth Factor), 혈관 상피 유래인자(VEGF, Vascular Endothelial Growth Factor), 섬유모세포 유래인자(FGF, Fibroblast Growth Factor), osteonectin 과 osteocalcin, interleukin-1(IL-1)을 포함하고 있다(Loe 1967; Broughton *et al.* 2006; Graziani *et al.* 2006). PDGF는 상처부위에 matrix의 침착을 가속화하고 PMN과 대식세포(macrophage), 섬유모세포(fibroblast) 그리고 평활근 세포(smooth muscle cell)의 화학주성(chemotaxsis)을 증진시키며 신생혈관화(angiogenesis)를 촉진한다(Senior *et al.* 1983; Graziani *et al.* 2006). TGF는 대식세포와 섬유모세포의 화학주성을 증진하고 콜라겐의 침착과 성숙을 가속화하고, 신생혈관화를 촉진하며, 콜라겐의 분해를 저해하는 역할을 한다(Marx *et al.* 1998; Graziani *et al.* 2006). VEGF는 angiogenesis와 vasculogenesis를 유도하는 역할을 한다(Knighton *et al.* 1983; Graziani *et al.* 2006).

PRP는 정맥혈을 채취하여 준비한다. 그 양은 제조자에 따라 다양하며, 채취된 혈액은 PRP가 준비되기 전 응고를 막기 위해 혈액의 칼슘과 결합할 수 있는 시트르산(citrate)이나 결정포도당(dextrose)이 포함된 항-응고제를 첨가한다. 전혈은 원심분리를 통하여 밀도 차이에 따라 구성 성분으로 나뉘게 되며, 세 가지 층으로 분리가 된다 : 적혈구층(RBC), PRP층, PPP층(platelet poor plasma). PRP층은 많은 양의 혈소판을 함유한다. 이 층을 분리하고 염화칼슘 트롬빈 용액(calcium chloride thrombin solution)과 같은 응고제를 첨가하면, 젤과 같은 용액을 형성하게 되고 다양한 외과적인 술식에 적용할수 있는 PRP가 만들어지게 된다(Harnack *et al.* 2009; Rutkowski *et al.* 2010).

PRP는 외과 수술이나 치주 연조직 술식(periodontal soft tissue procedure)같은 치의학의 분야에서 사용되어 왔다(Marx *et al.* 1998; Anitua 2001; Camargo *et al.* 2002, 2005; Kim *et al.* 2002;

Lekovic *et al.* 2002; Nikolidakis& Jansen2008). 수술 후 합병증이나 사랑니 발치 후의 골의 치유에 관하여, Rutkowski등은 PRP를 사용하면 사용하지 않은 경우보다 발치와의 치유에서 유의하게 골 밀도증가를 보였다고 보고하였다(Rutkowski *et al.* 2010). 또한 골이식에서 PRP를 사용한 경우는 골형성과정이 증진되었고, 장골이식을 시행한 치조열(alveolar cleft) 환자에서 술 후 골흡수가 감소한 것을 보여주었다(Oyama *et al.* 2004). 골의 재형성을 가속화하는 효과는 Marx 등이(1998) 보고하였다.

PRP가 연조직 치유를 증진시키는 기전은 다음을 포함한다 : 육아조직을 자극하고, 염증반응을 감소시키며, 콜라겐 성분을 증가시키고, 초기 상처부위를 강화시킨다(Pierce *et al.* 1992; Bashutski& Wang 2008). 10명의 상악동 거상술식을 시행한 환자에서 점막의 microvascular capillary density를 평가한 임상실험에서, Lindeboomet등은 PRP를 적용한 그룹에서 대조군에 비해 수술 후 첫 10일동안 점막의 치유가 유의성있게 촉진되었다고 보고하였다(Lindeboom *et al.* 2007). 다른 성장인자를 이용한 연구에서도 상처의 치유가 촉진되는 유사한 결과를 얻었다(Pierce *et al.* 1988; Wieman *et al.* 1998; Smiell *et al.* 1999).

Zhu와 동료들은 개를 이용한 실험에서 치수의 revitalization을 위해 PRP와 DPSCs를 이용하였다. 그들은 PRP를 단독으로 또는 DPSCs와 혼합하여 사용하였을 경우, 성숙한 또는 미성숙한 영구치에서 치수의 재생을 촉진하는 결과를 관찰하지 못했다(Zhu *et al.* 2012, 2013). 대신에 백악질-유사 조직, 치주-유사 조직, 그리고 골조직이 근관내에 생성되었다고 보고하였다(그림 6.9). PRP를 DPSCs와 섞었을 때 치수재생을 증진시키지 못하는 이유는 명확하지 않다. 이 연구에서 DPSCs 단독으로 치수재생을 할 수 없었기 때문에, PRP의 효과를 명확히 정의할 수 없다.

2세대 농축 혈소판인, PRF(Platelet-Rich Fibrin)는 다른 화학 물질을 넣지 않고 원심분리를 통해서 만들어진다. PRF는 PRP와는 달리 준비과정에서 항응고제, bovine thrombin, 염화칼슘, 기타 외인성 활성제(exogenous activator)를 사용하지 않는다. 따라서 임상적으로 진료실내에서 PRF를 준비하기가 PRP에 비하서 편리하고 쉽다. PRF는 저렴한 자가 fibrin 막(autologous fibrin membrane)을 만들수 있고, 상처치유를 가속화하는 matrix로 작용하는 섬유소붕대(fibrin bandage)로 사용할 수 있다. 반면, PRP는 젤과 유사한 형태이다(Dohan *et al.* 2006). PRP는 인공적으로 빠르게 중합(polymerization)되며, PRF는 혈액에 존재하는 자연적인 트롬빈에 의해 천천히 중합되는 과정을 거친다.

이렇게 천천히 생성되는 중합구조는 삼차원적인 피브린구조를 만들어내고, 자연적인 피브린 매트릭스와 상당히 유사하여 효율적인 세포의 이주와 증식을 유도할 수 있다. 중합 방식의 차이는 각 매트릭스의 구조와 생물학적인 특성에 영향을 미친다. 피브린이 조합될(assembled) 수 있는 서로 다른 두 개의 구조에는 bilateral junction과 equilateral junction이 있다. bilateral junction은 PRP형성에 사용되는 것처럼 고농축의 높은 트롬빈농도에서 형성된다. 이는 피브린중합체를 두껍게 만들며, 사이토카인(cytokine)을 내부에 함입시키거나, 세포의 이주에는 적당하지 않다. PRF내의 적은 농도의 트롬빈은 equilateral junction을 형성하며, 사이토카인의 내부 함입(enmeshment)과 세포의 이주를 가능하게 하는 미세한 네트워크를

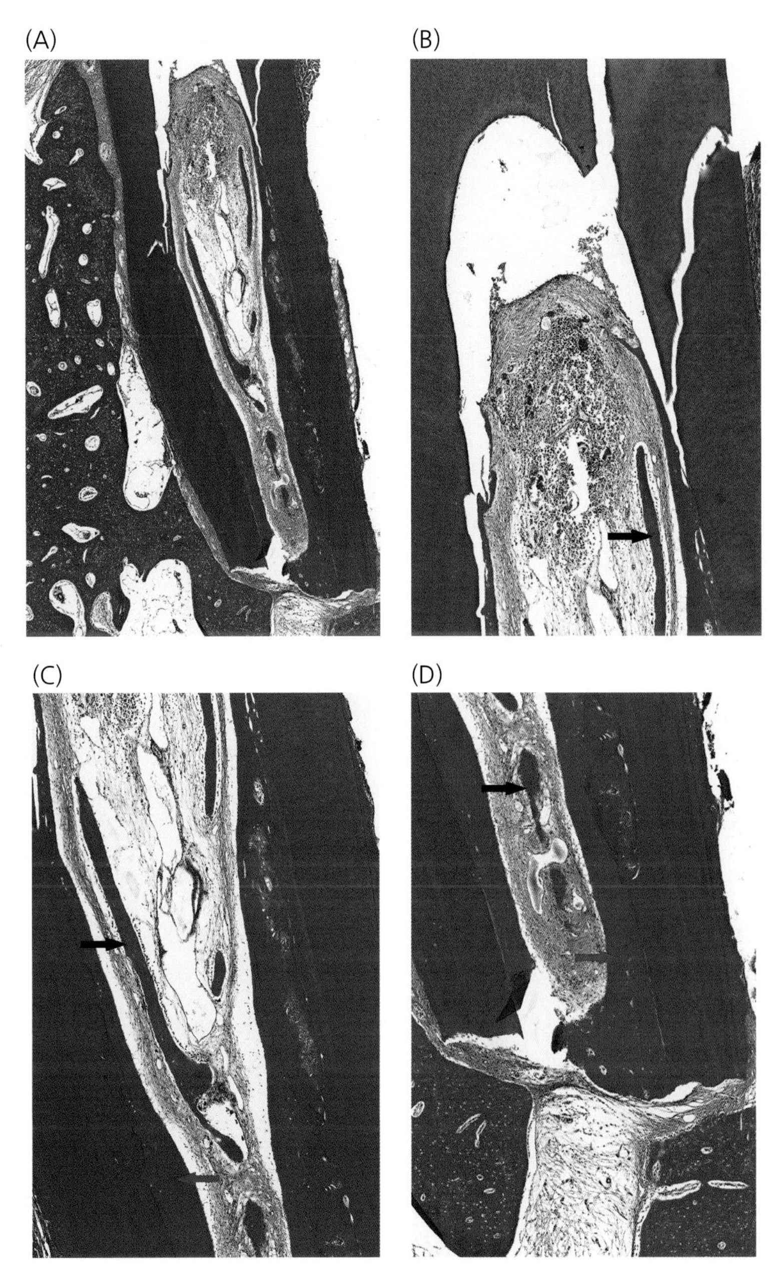

그림 6.9 근관 공간에서 형성된 조직의 조직학적 사진(in vivo). 개의 치아는 감염되었고, 소독과정을 거쳐 치수 세포와 PRP를 이식하였다. 90일째 희생하여 하여 조직학적 검사를 시행하였다.(A)치아의 장축방향으로 자른 시편에서는 vital tissue로 치수 공간이 채워져 있음을 볼 수 있다. (B)근관 공간의 치관부 1/3의 확대 사진에서는 염증세포의 침윤이 있는 섬유성 혈관 조직이 보인다. 근관벽을 따라 백악질-유사조직의 층이 보이고, 해면골-유사 조직(화살표)이 치수 공간으로 자라 들어온 양상을 볼수 있다. (C)근관의 중앙부위를 확대해서 보면 골-유사조직(검은 화살표)과 근관벽에 백악질-유사조직이 발견된다(푸른 화살표). (D)근단부 1/3을 확대해서 보면 골-유사 조직이 보이고(검은 화살표),백악질-유사 조직의 두꺼운 층을 볼 수 있고, 내부에 세포가 보인다.(파란 화살표)
출처: Zhu *et al.* 2013 with permission.)

형성한다. 그리고 강도를 유지하며 높은 탄성도를 가지고 있다. 따라서 PRF membrane은 치유를 위해 보다 좋은 생리적인 구조를 가지고 있다. PRF의 준비과정은 높은 농도의 비활성상태인, 기능적이고, 온전한 혈소판을 함유한 fibrin matrix를 생성한다. 그리고 7일 이상 일정한 농도로 성장인자(growth factor)를 방출한다(Carroll *et al.* 2005). PRF는 천천히 fibrin network를 형성하면서 사이토카인, 다당체사슬(glycanic chain), 구조 당단백질(sturctural glycoprotein)을 함유하게 된다(Pradeep *et al.* 2012).

안면 성형, 상악동 거상, 치주적인 결손 등의 다양한 술식에서 PRF의 장점에 관한 많은 연구결과가 있다. 또한 in vitro실험에서는 사람의 골막세포의 성장을 위한 scaffold로 효과를 보여주었다(Pradeep *et al.* 2012). 그러나 이러한 물질의 성분을 완전히 이해하기 위해서는 더 많은 연구가 필요하다.

혈소판을 농축시키는 다른 방법과 비교했을 때 PRF술식이 갖는 단점은 채혈 후 즉각적인 원심분리과정에 이르는 재빠른 조작이 필요하다는 것이다. 만약 채혈과 원심분리 사이에 시간을 지체하게 된다면, 중합반응이 실패를 하게 된다. PRF는 채혈과 원심분리 후 바로 사용해야 하고, PRP는 사용 전에 활성화를 위해 수 분의 시간이 필요하다(Pradeep *et al.* 2012).

Huang(2010b) 등은 치아 치수 세포(DPCs)에 대한 PRF의 생물학적 효과를 연구하였다. 6명의 건강한 지원자에게서 PRF를 채취했고 DPCs는 건강한 개인으로부터 발치한 제3대구치에서 이용하였다. 세포 증식, Osteoprotegerin(OPG)의 발현, Alkaline phosphatase(ALP)활성을 조사하였다. 이 실험에서 PRF가 DPCs의 세포 생존(cell viability)을 방해하지 않으며, DPCs의 끝에 부착 할 수 있음을 위상차 현미경을 통하여 확인하였다. PRF는 DPC의 증식, OPG의 발현, ALP활성의 상향조절(up-regulation)을 유의성 있게 촉진하였다. 이는 PRF가 잠재적으로 생체활성을 갖는 scaffold로서 치수 재생에 이용할 수 있음을 보여주는 것이다.

DPSCs와 같은 미성숙 줄기 세포가 분화하는데 있어 성장인자가 필요함을 보여준 연구결과가 있다(Friedlander *et al.* 2009). PDGF나 TGF와 같이 신호를 유도할 수 있는 능력이 있는 성장인자(growth factor)가 PRP에서 발견되었다(Graziani *et al.* 2006). Kim과 동료들은 근관 내에 PDGF, VEGF, bFGF, BMP와 같은 사이토카인을 주입하고 효과를 연구하였다(Kim *et al.* 2010). 발치한 인간 치아의 치수를 제거한 후 사이토카인을 넣고, 시편을 쥐의 배면(dorsa)에 3주 동안 매식하였다. 성장 인자가 줄기세포를 끌어들여 치아 내부에 새로운 치수-유사 조직을 형성하였다. PDGF와 IGF는 미성숙 줄기세포가 치수 조직으로 발현하는 것을 증진시킨다. 치수 재생의 가능성은 PDGF와 IGF의 적용을 통해 입증되었다(Howell *et al.* 1997;Denholmetal. 1998).

Pulp Revitalization을 위한 임상술식

아래는 미국 근관치료학회에서 권고한 치수 revitalization을 위한 수정된 임상 술식이다.

첫 번째 내원

국소마취와 러버댐을 장착한 후 근관와동 형성을 한다. 충분한 양의 1.5% NaOCl세척을 시행하며, 세척액이 근단주위 조직으로 누출될 가능성이 적은 적절한 세척 장치를 이용해 철저히 조심스럽게 세척을 한다. 근관을 건조하고 근관계를 소독하기 위해 antibiotic paste나 수산화칼슘을 적용한다. Triple antibiotics를 사용하는 경우에는 변색의 가능성을 줄이기 위해 치수강 내부에 상아질 접착제를 사용하는 것을 고려한다. Triple antibiotics를 사용할 때는 ciprofloxacin: metronidazole: minocycline을 1:1:1로 혼합하고 독성을 줄이기 위해 낮은 농도(0.01–0.1 mg/mL)를 사용한다. triple antibiotics는 lentulo spiral, MAP system 또는 시린지를 이용하여 근관내에 적용하고, CEJ 하방까지만 적용한 것을 확인하여 치관부 변색을 예방한다. 3–4mm 두께의 Cavit으로 근관와동을 밀폐하고 GI로 수복한다(그림 6.10 A–C).

두 번째 내원

최초 치료 후 3–4주 뒤에 반응을 평가한다. 지속적인 감염의 증후가 존재한다면 같은 항생제 혹은 다른 항생제로 부가적인 항생제 치료를 고려하고, 환자를 3–4주 후에 다시 평가한다. 만약 지속적인 감염의 증후나 증상이 없다면 revascularization 술식의 두 번째 단계로 넘어간다.

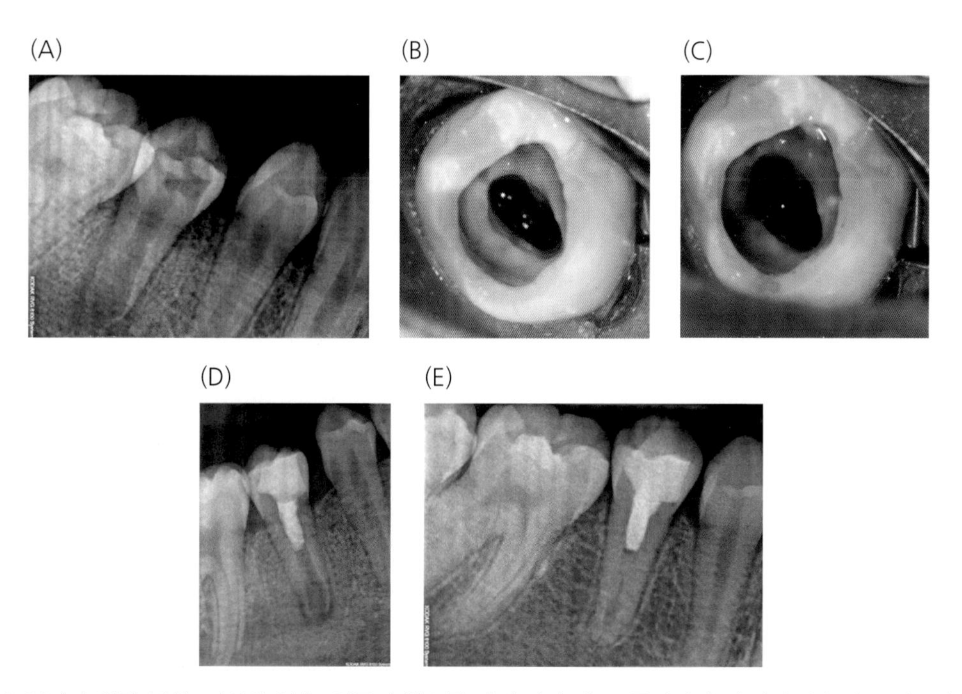

그림 6.10 (A) 열린 근첨, 괴사된 치수, 치근단 병소를 가진 하악 제2소구치의 술전 사진. (B) 접근 와동이 형성되었고, 괴사된 치수가 보인다.(C) 근관의 세정, 소독을 시행하고, 근관내에 출혈을 유도했다. (D)MTA층은 혈병 상방에 위치하고 있다. (E) 15개월 후 방사선 사진은 치근단 병소가 사라지고 치근벽이 두꺼워진 것을 보여준다.
출처: Courtesy of Dr.Debby Knoup.

근단부 출혈을 더 잘 유도하기 위해 혈관 수축제가 포함되지 않은 3% mepivacaine으로 마취를 시행한다. 러버댐을 장착하고 임시 수복 재료를 제거한다. 충분한 양의 1.5% NaOCl로 근관을 세척한 후 17% EDTA 20ml로 세척한다. 세척제가 치근단 조직으로 넘어갈 가능성을 줄여 주는 근관 세척 장치를 이용해 생리식염수로 최종 세척을 시행한다. 근관을 페이퍼 포인트로 건조한다. #10-15번 파일을 이용해 근관내 출혈을 유도하고, 출혈은 CEJ 하방3mm 정도로 유지한다. 약 10분간 혈병이 형성되도록 기다린다. 부가적으로 PRP나 PRF를 scaffold로 사용할 수 있다. 어떤 임상가는 CollaPlug/collacote를 scaffold 상방에 적용하여 MTA의 높이를 조절하도록 제안하기도 한다. 3-4mm의 MTA를 적용한 후 젖은 면구를 넣어 MTA가 완전히 경화하도록 하고 임시 수복 재료로 밀봉한다(그림 6.10D).

MTA가 경화된 후 임시 충전 재료를 제거하고 근관와동을 복합레진과 같은 수복재료로 밀폐한다. 다른 방법으로는, MTA상방에 RMGI를 직접 적용한 후 영구수복을 시행할 수도 있다. 심미적인 부위에서는 치수강 내부에 상아질 접착제를 도포하여 MTA로 인한 변색의 위험을 줄일 수 있다.

임상적 방사선적인 추적 관찰

환자는 술 후 매 3-6개월마다, 최소 1-2년간 평가되어야 한다. 추적 관찰 기간이 끝날 때쯤 임상 증상의 소실, 방사선적 치근단 병소의 해소, 치근 벽의 두께와 길이 증가의 소견을 볼 수 있다면 성공적인 임상 결과이다.(Video)

참고문헌

Aggarwal, V., Miglani, S., Singla, M. (2012) Conventional apexification and revascularization induced maturogenesis of two non-vital, immature teeth in same patient: 24 months follow up of a case. *Journal of Conservation Dentistry* **15**(1), 68–72.

Alsousou, J., Thompson, M., Hulley, P., *et al.* (2009) The biology of platelet-rich plasma and its application in trauma and orthopaedic surgery: a review of the literature. *Journal of Bone and Joint Surgery of Britain* **91**(8), 987–96.

American Association of Endodontists. Considerations for Regenerative Procedures. Available at: http://www.aae.org/uploadedfiles/clinical_resources/regenerative_endodontics/considerationsregendo7-31-13.pdf

Andreasen, J.O., Borum, M.K., Jacobsen, H.L., *et al.* (1995) Replantation of 400 avulsed permanent incisors. 2. Factors related to pulpal healing. *Endodontics and Dental Traumatology* **11**(2), 59–68.

Anitua, E. (2011) The use of plasma-rich growth factors (PRGF) in oral surgery. Practical Procedures in Aesthetic Dentistry **13**(6), 487–93; quiz 487–93.

Banchs, F., Trope, M. (2004) Revascularization of immature permanent teeth with apical periodontitis: new treatment protocol? *Journal of Endodontics* **30**(4), 196–200.

Barrett, A.P., Reade, P.C. (1981) Revascularization of mouse tooth isografts and allografts using autoradiography and carbon-perfusion. *Archives of Oral Biology* **26**(7), 541–5.

Bashutski, J.D., Wang, H.L. (2008) Role of platelet-rich plasma in soft tissue root-coverage procedures: a review. *Quintessence International* **39**(6), 473–83.

Batouli, S., Miura, M., Brahim, J., *et al.* Comparison of stem-cell-mediated osteogenesis and dentinogenesis. *Journal of Dental Research* **82**(12), 976–81.

Bauss, O., Schilke, R., Fenske, C., *et al.* (2002) Autotransplantation of immature third molars: influence of different splinting methods and fixation periods. *Dental Traumatology* **18**(6), 322–8.

Bose, R., Nummikoski, P., Hargreaves, K. (2009) A retrospective evaluation of radiographic outcomes in immature teeth with necrotic root canal systems treated with regenerative endodontic procedures. *Journal of Endodontics* **35**(10), 1343–9.

Broughton, G., 2nd, Janis, J.E., Attinger, C.E. (2006) Wound healing: an overview. *Plastic and Reconstructive Surgery* **117**(7 Suppl), 1e-S–32e-S.

Buhrley, M.R., Corr, R., Shabahang, S., *et al.* (2011) Identification of tissues formed after pulp revascularization in a Ferret model. *Journal of Endodontics* **37**(3), 29.

Camargo, P.M., Lekovic, V., Weinlaender, M., *et al.* (2002) Platelet-rich plasma and bovine porous bone mineral combined with guided tissue regeneration in the treatment of intrabony defects in humans. *Journal of Periodontal Research* **37**(4), 300–6.

Camargo, P.M., Lekovic, V., Weinlaender, M., (2005) A reentry study on the use of bovine porous bone mineral, GTR, and platelet-rich plasma in the regenerative treatment of intrabony defects in humans. *International Journal of Periodontics and Restorative Dentistry* **25**(1), 49–59.

Carroll, R., Amoczky, S., Graham, S., *et al.* (2005) *Characterization of Autologous Growth Factors in Cascade Platelet Rich Fibrin Matrix (PRFM)*. Musculoskeletal Transplant Foundation, Edison, NJ.

Cehreli, Z.C., Isbitiren, B., Sara, S., *et al.* (2011) Regenerative endodontic treatment (revascularization) of immature necrotic molars medicated with calcium hydroxide: a case series. *Journal of Endodontics* **37**(9), 1327–30.

Cehreli, Z.C., Sara, S., Aksoy, B. (2012) Revascularization of immature permanent incisors after severe extrusive luxation injury. *Journal of the Canadian Dental Association* **78**, c4.

Chang, M.C., Lin, C.P., Huang, T.F., *et al.* (1998) Thrombin-induced DNA synthesis of cultured human dental pulp cells is dependent on its proteolytic activity and modulated by prostaglandin E2. *Journal of Endodontics* **24**(11), 709–13.

Chen, M.Y., Chen, K.L., Chen, C.A., *et al.* (2012) Responses of immature permanent teeth with infected necrotic pulp tissue and apical periodontitis/abscess to revascularization procedures. *International Endodontics Journal* **45**(3), 294–305.

Chen, X., Bao, Z.F., Liu, Y., *et al.* (2013) Regenerative endodontic treatment of an immature permanent tooth at an early stage of root development: a case report. *Journal of Endodontics* **39**(5), 719–22.

Chueh, L.H., Huang, G.T. (2006) Immature teeth with periradicular periodontitis or abscess undergoing apexogenesis: a paradigm shift. *Journal of Endodontics* **32**(12), 1205–13.

Cotti, E., Mereu, M., Lusso, D. (2008) Regenerative treatment of an immature, traumatized tooth with apical periodontitis: report of a case. *Journal of Endodontics* **34**(5), 611–16.

Cvek, M., Cleaton-Jones, P., Austin, J., *et al.* (1990a) Effect of topical application of doxycycline on pulp revascularization and periodontal healing in reimplanted monkey incisors. *Endodontics and Dental Traumatology* **6**(4), 170–6.

Cvek, M., Cleaton-Jones, P., Austin, J., *et al.* (1990b) Pulp revascularization in reimplanted immature monkey incisors– predictability and the effect of antibiotic systemic prophylaxis. *Endodontics and Dental Traumatology* **6**(4), 157–69.

da Silva, L.A., Nelson-Filho, P., da Silva, R.A., *et al.* (2010) Revascularization and periapical repair after endodontic treatment using apical negative pressure irrigation versus conventional irrigation plus triantibiotic intracanal dressing in dogs' teeth with apical periodontitis. *Oral surgery, Oral Medicine, Oral Pathology, Oral Radiology, and Endodontics* **109**(5), 779–87.

Das, S., Das, A.K., Murphy, R.A. (1997) Experimental apexigenesis in baboons. *Endodontics and Dental Traumatology* **13**(1), 31–5.

Denholm, I.A., Moule, A.J., Bartold, P.M. (1998) The behaviour and proliferation of human dental pulp cell strains in vitro, and their response to the application of platelet-derived growth factorBB and insulin-like growth factor-1. *International Endodontics Journal* **31**(4), 251–8.

Ding, R.Y., Cheung, G.S., Chen, J., *et al.* (2009) Pulp revascularization of immature teeth with apical periodontitis: a clinical study. *Journal of Endodontics* **35**(5), 745–9.

Dohan, D.M., Choukroun, J., Diss, A., *et al.* (2006) Platelet-rich fibrin (PRF): a second-generation platelet concentrate. Part I: technological concepts and evolution. *Oral Surgery, Oral Medicine, Oral Pathology, Oral Radiology, and Endodontics* **101**(3), e37–44.

England, M.C., Best, E. (1977) Noninduced apical closure in immature roots of dogs' teeth. *Journal of Endodontics* **3**(11), 411–17.

Friedlander, L.T., Cullinan, M.P., Love, R.M. (2009) Dental stem cells and their potential role in apexogenesis and apexification. *International Endodontics Journal* **42**(11), 955–62.

Fuss, Z. (1985) Successful self-replantation of avulsed tooth with 42-year follow-up. *Endodontics and Dental Traumatology* **1**(3), 120–2.

Goncalves, S.B., Dong, Z., Bramante, C.M., *et al.* (2007) Tooth slicebased models for the study of human dental pulp angiogenesis. *Journal of Endodontics* **33**(7), 811–14.

Graziani, F., Ivanovski, S., Cei, S., *et al.* (2006) The in vitro effect of different PRP concentrations on osteoblasts and fibroblasts. *Clinical Oral Implants Research* **17**(2), 212–19.

Gronthos, S., Brahim, J., Li, W., *et al.* Stem cell properties of human dental pulp stem cells. *Journal of Dental Research* **81**(8), 531–35.

Gronthos, S., Mankani, M., Brahim, J., *et al.* (2000) Postnatal human dental pulp stem cells (DPSCs) in vitro and in vivo. *Proceedings of the National Academy of Sciences of the U S A* **97**(25), 13625–30.

Ham, J.W., Patterson, S.S., Mitchell, D.F. (1972) Induced apical closure of immature pulpless teeth in monkeys. *Oral Surgery, Oral Medicine, Oral Pathology* **33**(3), 438–49.

Hargreaves, K.M., Giesler, T., Henry, M., *et al.* (2008) Regeneration potential of the young permanent tooth: what does the future hold? *Journal of Endodontics* **34**(7 Suppl), S51–6.

Harnack, L., Boedeker, R.H., Kurtulus, I., *et al.* (2009) Use of platelet-rich plasma in periodontal surgery – a prospective randomised double blind clinical trial. *Clinical Oral Investigations* **13**(2), 179–87.

Hiremath, H., Gada, N., Kini, Y., *et al.* (2008) Single-step apical barrier placement in immature teeth using mineral trioxide aggregate and management of periapical inflammatory lesion using platelet-rich plasma and hydroxyapatite. *Journal of Endodontics* **34**(8), 1020–4.

Howell, T.H., Fiorellini, J.P., Paquette, D.W., *et al.* (1997) A phase I/II clinical trial to evaluate a combination of recombinant human platelet-derived growth factor-BB and recombinant human insulin-like growth factor-I in patients with periodontal disease. *Journal of Periodontology* **68**(12), 1186–93.

Huang, G.T. (2009) Apexification: the beginning of its end. *International Endodontics Journal* **42**(10), 855–66.

Huang, G.T., Sonoyama, W., Chen, J., *et al.* (2006) In vitro characterization of human dental pulp cells: various isolation methods and culturing environments. *Cell and Tissue Research* **324**(2), 225–36.

Huang, G.T., Sonoyama, W., Liu, Y., *et al.* (2008) The hidden treasure in apical papilla: the potential role in pulp/dentin regeneration and bioroot engineering. *Journal of Endodontics* **34**(6), 645–51.

Huang, G.T., Gronthos, S., Shi, S. (2009) Mesenchymal stem cells derived from dental tissues vs. those from other sources: their biology and role in regenerative medicine. *Journal of Dental Research* **88**(9), 792–806.

Huang, G.T., Yamaza, T., Shea, L.D., *et al.* (2010a) Stem/progenitor cell-mediated de novo regeneration of dental pulp with newly deposited continuous layer of dentin in an in vivo model. *Tissue Engineering Part A* **16**(2), 605–15.

Huang, F.M., Yang, S.F., Zhao, J.H., *et al.* (2010b) Platelet-rich fibrin increases proliferation and differentiation of human dental pulp cells. *Journal of Endodontics* **36**(10), 1628–32.

Iwaya, S.I., Ikawa, M., Kubota, M. (2001) Revascularization of an immature permanent tooth with apical periodontitis and sinus tract. *Dental Traumatology* **17**(4), 185–7.

Jadhav, G., Shah, N., Logani, A. (2012) Revascularization with and without platelet-rich plasma in nonvital, immature, anterior teeth: a pilot clinical study. *Journal of Endodontics* **38**(12), 1581–7.

Jeeruphan, T., Jantarat, J., Yanpiset, K., *et al.* (2012) Mahidol study 1: comparison of radiographic and survival outcomes of immature teeth treated with either regenerative endodontic or apexification methods: a retrospective study. *Journal of Endodontics* **38**(10), 1330–6.

Johnson, W.T., Goodrich, J.L., James, G.A. (1985) Replantation of avulsed teeth with immature root development. *Oral Surgery, Oral Medicine, Oral Pathology* **60**(4), 420–27.

Jung, I.Y., Lee, S.J., Hargreaves, K.M. (2008) Biologically based treatment of immature permanent teeth with pulpal necrosis: a case series. *Journal of Endodontics* **34**(7), 876–87.

Jung, I.Y., Kim, E.S., Lee, C.Y., *et al.* (2011) Continued development of the root separated from the main root. *Journal of Endodontics* **37**(5), 711–14.

Kakehashi, S., Stanley, H.R., Fitzgerald, R.J. (1965) The effects of surgical exposures of dental pulps in germ-free and conventional laboratory rats. *Oral Surgery, Oral Medicine, Oral Pathology* **20**, 340–9.

Kerekes, K., Heide, S., Jacobsen, I. (1980) Follow-up examination of endodontic treatment in traumatized juvenile incisors. *Journal of Endodontics* **6**(9), 744–8.

Keswani, D., Pandey, R.K. (2013) Revascularization of an immature tooth with a necrotic pulp using platelet-rich fibrin: a case report. *International Endodontics Journal* **46**(11), 1096–104.

Kim, S.G., Kim, W.K., Park, J.C., *et al.* (2002) A comparative study of osseointegration of Avana implants in a demineralized freeze-dried bone alone or with platelet-rich plasma. *Journal of Oral and Maxillofacial Surgery* **60**(9), 1018–25.

Kim, D.S., Park, H.J., Yeom, J.H., *et al.* (2012) Long-term follow-ups of revascularizedimmature necrotic teeth: three case reports. *International Journal of Oral Science* **4**(2), 109–13.

Kim, J.Y., Xin, X., Moioli, E.K., *et al.* (2010) Regeneration of dental pulp-like tissue by chemotaxis-induced cell homing. *Tissue Engineering Part A* **16**(10), 3023–31.

Kling, M., Cvek, M., Mejare, I. (1986) Rate and predictability of pulp revascularization in therapeutically reimplanted permanent incisors. *Endodontics and Dental Traumatology* **2**(3), 83–9.

Knighton, D.R., Hunt, T.K., Scheuenstuhl, H., *et al.* (1983) Oxygen tension regulates the expression of angiogenesis factor by macrophages. *Science* **221**(4617), 1283–5.

Kuznetsov, S.A., Mankani, M.H., Leet, A.I., *et al.* (2007) Circulating connective tissue precursors: extreme rarity in humans and chondrogenic potential in guinea pigs. *Stem Cells* **25**(7), 1830–9.

Kvinnsland, I., Heyeraas, K.J. (1989) Dentin and osteodentin matrix formation in apicoectomized replanted incisors in cats. *Acta Odontologica Scandinavica* **47**(1), 41–52.

Lekovic, V., Camargo, P.M., Weinlaender, M., *et al.* (2002) Comparison of platelet-rich plasma, bovine porous bone mineral, and guided tissue regeneration versus plateletrich plasma and bovine porous bone mineral in the treatment of intrabony defects: a reentry study. *Journal of Periodontology* **73**(2), 198–205.

Lenzi, R., Trope, M. (2012) Revitalization procedures in two traumatized incisors with different biological outcomes. *Journal of Endodontics* **38**(3), 411–14.

Lin, L., Shovlin, F., Skribner, J., *et al.* (1984) Pulp biopsies from the teeth associated with periapical radiolucency. *Journal of Endodontics* **10**(9), 436–48.

Lindeboom, J.A., Mathura, K.R., Aartman, I.H., *et al.* (2007) Influence of the application of platelet-enriched plasma in oral mucosal wound healing. *Clinical Oral Implants Research* **18**(1), 133–9.

Loe, H. (1967) The Gingival Index, the Plaque Index and the Retention Index Systems. *Journal of Periodontology* **38**(6):Suppl, 610–16.

Love, R.M. (1996) Bacterial penetration of the root canal of intact incisor teeth after a simulated traumatic injury. *Endodontics and Dental Traumatology* **12**(6), 289–93.

Lovelace, T.W., Henry, M.A., Hargreaves, K.M., *et al.* (2011) Evaluation of the delivery of mesenchymal stem cells into the root canal space of necrotic immature teeth after clinical regenerative endodontic procedure. *Journal of Endodontics* **37**(2), 133–38.

Marx, R.E., Carlson, E.R., Eichstaedt, R.M., *et al.* (1998) Plateletrich plasma: Growth factor enhancement for bone grafts. *Oral Surgery, Oral Medicine, Oral Pathology, Oral Radiology, and Endodontics* **85**(6), 638–46.

Mendoza, A.M., Reina, E.S., Garcia-Godoy, F. (2010) Evolution of apical formation on immature necrotic permanent teeth. *American Journal of Dentistry* **23**(5), 269–74.

Mesaros, S.V., Trope, M. (1997) Revascularization of traumatized teeth assessed by laser Doppler flowmetry: case report. *Endodontics and Dental Traumatology* **13**(1), 24–30.

Miller, E.K., Lee, J.Y., Tawil, P.Z., *et al.* (2012) Emerging therapies for the management of traumatized immature permanent incisors. *Pediatric Dentistry* **34**(1), 66–69.

Monsour, F.N. (1971) Pulpal changes following the reimplantation of teeth in dogs: a histological study. *Australian Dental Journal* **16**(4), 227–31.

Myers, W.C., Fountain, S.B. (1974) Dental pulp regeneration aided by blood and blood substitutes after experimentally induced periapical infection. *Oral Surgery, Oral Medicine, Oral Pathology* **37**(3), 441–50.

Nevins, A.J., Finkelstein, F., Borden, B.G., *et al.* (1976) Revitalization of pulpless open apex teeth in rhesus monkeys, using collagen-calcium phosphate gel. *Journal of Endodontics* **2**(6), 159–65.

Nevins, A., Wrobel,W., Valachovic, R., *et al.* (1977) Hard tissue induction into pulpless open-apex teeth using collagen-calcium phosphate gel. *Journal of Endodontics* **3**(11), 431–3.

Nevins, A., Finkelstein, F., Laporta, R., *et al.* (1978) Induction of hard tissue into pulpless open-apex teeth using collagen-calcium phosphate gel. *Journal of Endodontics* **4**(3), 76–81.

Nikolidakis, D., Jansen, J.A. (2008) The biology of platelet-rich plasma and its application in oral surgery: literature review. *Tissue Engineering. Part B, Reviews* **14**(3), 249–58.

Nosrat, A., Seifi, A., Asgary, S. (2011) Regenerative endodontic treatment (revascularization) for necrotic immature permanent molars: a review and report of two cases with a new biomaterial. *Journal of Endodontics* **37**(4), 562–7.

Ostby, B.N. (1961) The role of the blood clot in endodontic therapy. An experimental histologic study. *Acta Odontologica Scandinavica* **19**, 324–53.

Oyama, T., Nishimoto, S., Tsugawa, T., *et al.* (2004) Efficacy of platelet-rich plasma in alveolar bone grafting. *Journal of Oral Maxillofacial Surgery* **62**(5), 555–8.

Petrino, J.A., Boda, K.K., Shambarger, S., *et al.* (2010) Challenges in regenerative endodontics: a case series. *Journal of Endodontics* **36**(3), 536–41.

Pierce, G.F., Mustoe, T.A., Senior, R.M., *et al.* (1988) In vivo incisional wound healing augmented by platelet-derived growth factor and recombinant c-sis gene homodimeric proteins. *Journal of Experimental Medicine* **167**(3), 974–87.

Pierce, G.F., Tarpley, J.E., Yanagihara, D., *et al.* (1992) Plateletderived growth factor (BB homodimer), transforming growth factor-beta 1, and basic fibroblast growth factor in dermal wound healing. *Neovessel and matrix formation and cessation of repair. American Journal of Pathology* **140**(6), 1375–88.

Pradeep, A.R., Rao, N.S., Agarwal, E., *et al.* (2012) Comparative evaluation of autologous platelet-rich fibrin and platelet-rich plasma in the treatment of 3-wall intrabony defects in chronic periodontitis: a randomized controlled clinical trial. *Journal of Periodontology* **83**(12), 1499–1507.

Reynolds, K., Johnson, J.D., Cohenca, N. (2009) Pulp revascularization of necrotic bilateral bicuspids using a modified novel technique to eliminate potential coronal discolouration: a case report. *International Endodontics Journal* **42**(1), 84–92.

Ritter, A.L., Ritter, A.V., Murrah, V., *et al.* (2004) Pulp revascularization of replanted immature dog teeth after treatment with minocycline and doxycycline assessed by laser Doppler flowmetry, radiography, and histology. *Dental Traumatology* **20**(2), 75–84.

Rule, D.C., Winter, G.B. (1966) Root growth and apical repair subsequent to pulpal necrosis in children. *British Dental Journal* **120**(12), 586–90.

Rutkowski, J.L., Johnson, D.A., Radio, N.M., *et al.* (2010) Platelet rich plasma to facilitate wound healing following tooth extraction. *Journal of Oral Implantology* **36**(1), 11–23.

Scarparo, R.K., Dondoni, L., Bottcher, D.E., *et al.* (2011) Response to intracanal medication in immature teeth with pulp necrosis: an experimental model in rat molars. *Journal of Endodontics* **37**(8), 1069–73.

Schilder, H. (1967) Filling root canals in three dimensions. *Dental Clinics of North America* Nov: 723–44.

Senior, R.M., Griffin, G.L., Huang, J.S., *et al.* (1983) Chemotactic activity of platel*et al*pha granule proteins for fibroblasts. *Journal of Cell Biology* **96**(2), 382–5.

Shah, N., Logani, A., Bhaskar, U., *et al.* (2008) Efficacy of revascularization to induce apexification/apexogensis in infected, nonvital, immature teeth: a pilot clinical study. *Journal of Endodontics* **34**(8), 919–25; Discussion 1157.

Sheppard, P.R., Burich, R.L. (1980) Effects of extra-oral exposure and multiple avulsions on revascularization of reimplanted teeth in dogs. *Journal of Dental Research* **59**(2), 140.

Shi, S., Gronthos, S. (2003) Perivascular niche of postnatal mesenchymal stem cells in human bone marrow and dental pulp. *Journal of Bone and Mineral Research* **18**(4), 696–704.

Shin, S.Y., Albert, J.S., Mortman, R.E. (2009) One step pulp revascularization treatment of an immature permanent tooth with chronic apical abscess: a case report. *International Endodontics Journal* **42**(12), 1118–26.

Skoglund, A. (1981) Vascular changes in replanted and autotransplanted apicoectomized mature teeth of dogs. *International Journal of Oral Surgery* **10**(2), 100–10.

Skoglund, A., Tronstad, L. (1981) Pulpal changes in replanted and autotransplanted immature teeth of dogs. *Journal of Endodontics* **7**(7), 309–16.

Smiell, J.M., Wieman, T.J., Steed, D.L., *et al.* (1999) Efficacy and safety of becaplermin (recombinant human platelet-derived growth factor-BB) in patients with nonhealing, lower extremity diabetic ulcers: a combined analysis of four randomized studies. *Wound Repair and Regeneration* **7**(5), 335–46.

Soares Ade, J., Lins, F.F., Nagata, J.Y, *et al.* (2013) Pulp revascularization after root canal decontamination with calcium hydroxide and 2% chlorhexidine gel. *Journal of Endodontics***39**(**3**), 417–20.

Sonoyama, W., Liu, Y., Fang, D., *et al.* (2006) Mesenchymal stem cell-mediated functional tooth regeneration in swine. *PLoS One* **1**, e79.

Sonoyama, W., Liu, Y., Yamaza, T., *et al.* (2008) Characterization of the apical papilla and its residing stem cells from human immature permanent teeth: a pilot study. *Journal of Endodontics* **34**(2), 166–71.

Thibodeau, B., Teixeira, F., Yamauchi, M., *et al.* (2007) Pulp revascularization of immature dog teeth with apical periodontitis. *Journal of Endodontics* **33**(6), 680–9.

Thomson, A., Kahler, B. (2010) Regenerative endodontics – biologically-based treatment for immature permanent teeth: a case report and review of the literature. *Australian Dental Journal* **55**(4), 446–52.

Torabinejad, M., Turman, M. (2011) Revitalization of tooth with necrotic pulp and open apex by using platelet-rich plasma: a case report. *Journal of Endodontics* **37**(2), 265–8.

Torabinejad, M., Anderson, P., Bader, J., *et al.* (2007) Outcomes of root canal treatment and restoration, implant-supported single crowns, fixed partial dentures, and extraction without replacement: A systematic review. *Journal of Prosthetic Dentistry* **98**(4), 285–311.

Torneck, C.D., Smith, J.S., Grindall, P. (1973) Biologic effects of endodontic procedures on developing incisor teeth. 3. Effect of debridement and disinfection procedures in the treatment of experimentally induced pulp and periapical disease. *Oral Surgery, Oral Medicine, Oral Pathology* **35**(4), 532–40.

Tsukamoto-Tanaka, H., Ikegame, M., Takagi, R., *et al.* (2006) Histochemical and immunocytochemical study of hard tissue formation in dental pulp during the healing process in rat molars after tooth replantation. *Cell and Tissue Research* **325**(2), 219–229.

Wang, X., Thibodeau, B., Trope, M., *et al.* (2010) Histologic characterization of regenerated tissues in canal space after the revitalization/revascularization procedure of immature dog teeth with apical periodontitis. *Journal of Endodontics* **36**(1), 56–63.

Wieman, T.J., Smiell, J.M., Su, Y. (1998) Efficacy and safety of a topical gel formulation of recombinant human platelet-derived growth factor-BB (becaplermin) in patients with chronic neuropathic diabetic ulcers. A phase III randomized placebo-controlled double-blind study. *Diabetes Care* **21**(5), 822–7.

Yamauchi, N., Yamauchi, S., Nagaoka, H., *et al.* (2011) Tissue engineering strategies for immature teeth with apical periodontitis. *Journal of Endodontics* **37**(3), 390–97.

Yang, J., Zhao, Y., Qin, M., *et al.* (2013) Pulp revascularization of immature dens invaginatus with periapical periodontitis. *Journal of Endodontics* **39**(2), 288–92.

Yanpiset, K., Trope, M. (2000) Pulp revascularization of replanted immature dog teeth after different treatment methods. *Endodontics and Dental Traumatology* **16**(5), 211–17.

Zhao, C., Hosoya, A., Kurita, H., *et al.* (2007) Immunohistochemical study of hard tissue formation in the rat pulp cavity after tooth replantation. *Archives of Oral Biology* **52**(10), 945–53.

Zhu, X., Zhang, C., Huang, G.T., *et al.* (2012) Transplantation of dental pulp stem cells and platelet-rich plasma for pulp regeneration. *Journal of Endodontics* **38**, 1604–9.

Zhu, W., Zhu, X., Huang, G.T., *et al.* (2013) Regeneration of dental pulp tissue in immature teeth with apical periodontitis using platelet-rich plasma and dental pulp cells. *International Endodontics Journal* **46**(10), 962–70.

Zuong, X.Y., Yang, Y.P., Chen, W.X., *et al.* (2010) [Pulp revascularization of immature anterior teeth with apical periodontitis]. *Hua Xi Kou Qiang Yi Xue Za Zhi* **28**(6), 672–4.

7 치근 천공의 치료 시 MTA 적용 (Use of MTA as Root Perforation Repair)

Mahmoud Torabinejad[1] and Ron Lemon[2]

[1]Department of Endodontics, Loma Linda University School of Dentistry, USA

[2]UNLV, School of Dental Medicine, USA - *역자 김태성, 오진욱*

Mineral Trioxide Aggregate: Properties and Clinical Applications, First Edition.
Edited by Mahmoud Torabinejad.

개요

다양한 원인에 의해 이미 천공된 치아를 수복할 때에는 많은 요인들을 고려해야 한다. 하지만 그 전에 치료 중 발생하는 의원성 천공을 피하기 위해 치료 대상의 선택, 자신의 임상 기술, 치과용 수술 현미경 등의 보조 장비 동원력 등을 꼼꼼히 살핀 후 근관 치료에 임해야 한다. 예방이 치료보다 중요하며, 자신의 임상 실력이나 경험치에서 벗어난 치료는 가급적 근관 치료 전문가에게 의뢰하는 것이 낫다. 또한 치아 천공이 성공적으로 치료되었다 하더라도 장기간의 예후에서는 치아의 구조적 소실과 그에 따른 불편감, 그리고 치근 파절, 치주 조직 붕괴 등으로 이어질 수 있으므로 치근 천공 치료의 예후에 영향을 미치는 중요한 요인 즉, 치근 천공 후의 경과 시간, 천공 부위의 위치, 크기에 대해 반드시 숙지하고 있어야 한다(Petersson *et al.* 1985; Fuss & Trope 1996). 이러한 요인들이 충분히 반영된다면 다양한 유형의 치아 천공에서 양호한 예후를 보이므로, 치아가 천공되었다고 해서 발치를 권유하기보다는 우선 치료를 시도해 보려는 노력이 필요하다. 근관 치료 시에 환자로부터 받는 치료 전 동의서에는 치아 천공에 관한 내용이 포함되어야 하며 이런 내용에 대해 환자와 충분히 대화해야 한다.

천공된 치아를 수복할 것인지 또는 발치할 것인지를 판단할 때는 자연 치아를 살리고자 하는 환자의 의지, 천공 치료의 예후, 환자 구강의 수복물 또는 치주 상태 등을 고려해야 한다

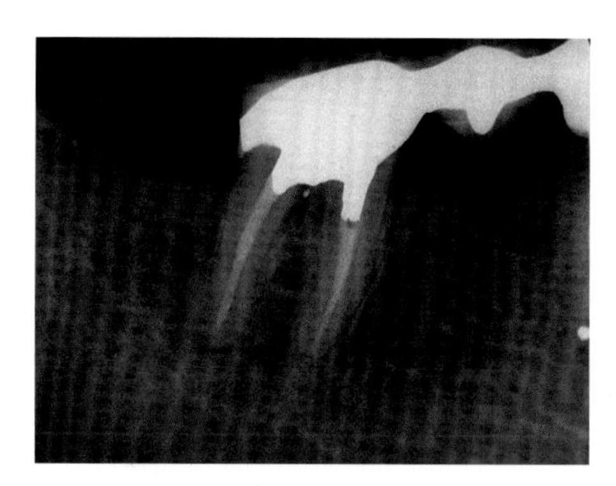
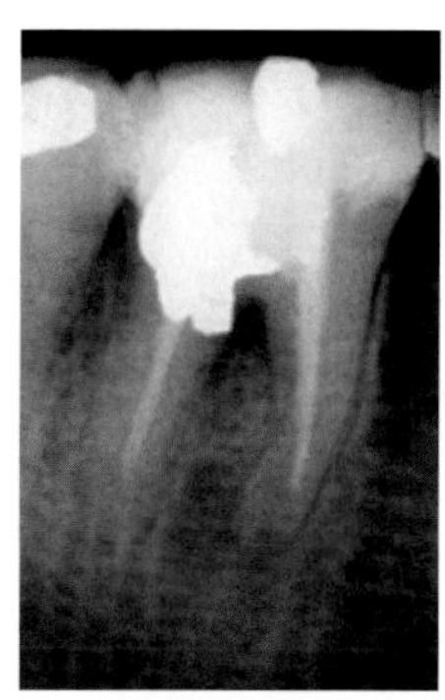

그림 7.1 MTA가 소개되기 전에는 천공된 부위를 수복하기 위해 아말감과 같은 재료가 쓰였으며, 이러한 재료들은 구강내 수분이나 부정확한 적용으로 인해 실패하는 경우가 많았다. 위 그림의 두 증례 모두 치주 조직의 붕괴로 이어진 실패 사례이다.

부적절한 구강 관리로 인해 치주가 건강하지 못한 경우는 치아 천공 치료의 예후에도 영향을 미친다. 전반적인 치아 수복 치료를 진행하는 환자의 경우, 천공된 치아를 치료하는데 있어서 추가 비용을 요구하지 않는 것이 좋다.

과거에 비해 치아 천공 치료의 예후가 개선되고 있는데, 이는 보다 정확한 원인의 파악이 가능해졌고 최근에는 MTA (MTA; Dentsply Tulsa Dental, Tulsa, OK)와 같이 생물학적 활성을 지닌 재료가 등장한 것과 관련이 있다. 이러한 재료가 등장하기 전에는 아말감이나 IRM, 글래스 아이오노머, 컴포짓 레진 등의 재료가 사용되어 왔으나 수분에 노출되기 쉬운 천공 부위의 특성상 밀폐성에 한계를 보인 것이 사실이다(Seltzer *et al.* 1970; Alhadainy 1994; Fuss & Trope 1996; Regan *et al.* 2005;Tsesis & Fuss 2006). 기존의 재료들은 조절 가능하게 적용하는 것도 쉽지 않았지만 종종 적절한 밀폐가 이루어지지 않거나 과적용된 재료가 누출되어 치주 조직을 손상시키기도 했다(그림 7.2).

수분을 조절하고 수복 재료의 누출을 막기 위해 "내부 기질(internal matrix)"을 이용한 방법이 개발되었는데, 이는 hydroxyapatite 또는 calcium sulfate 등 생물학적으로 수용되는 이식재를 천공된 부위로 채워 넣어 골조직의 손상을 메꾸는 방법을 말한다. 이렇게 하면 수분에 의한 오염이 줄어들 뿐 아니라 재료의 적용 또한 조절이 가능해져 재료의 누출 가능성을 줄일 수 있다(Lemon 1990, 1992).

1998년 MTA가 처음 소개되었을 때 생물학적 수복의 시대가 열렸다고 볼 수 있다. MTA의 특별하면서도 바람직한 특성들은 이 책의 앞에서도 설명했으며, MTA가 천공부위에 생물학적인 회복을 유도한다는 사실을 보여준 바 있다. MTA가 인산염 이온(phosphate ion)을 포함한 생리식염수(balanced salt solution)에서 수화되면 그 표면에 hydroxyapatite 결정이 형성되는데(Sarkar *et al.* 2005), 이것은 광화(mineralization)과정에서 필수적인 물질이다. 생물학적 수복(repair)이란 백악질(cementum)이나 골조직이 경화된 MTA 표면을 덮을 수 있다는 것을 의미하며 무엇보다 다른 재료에 비해 만성 염증을 최소화(그림 7.3) 할 수 있다(Pitt Ford *et al.* 1995; Torabinejad *et al.* 1995; Koh *et al.* 1997; Keiser *et al.*

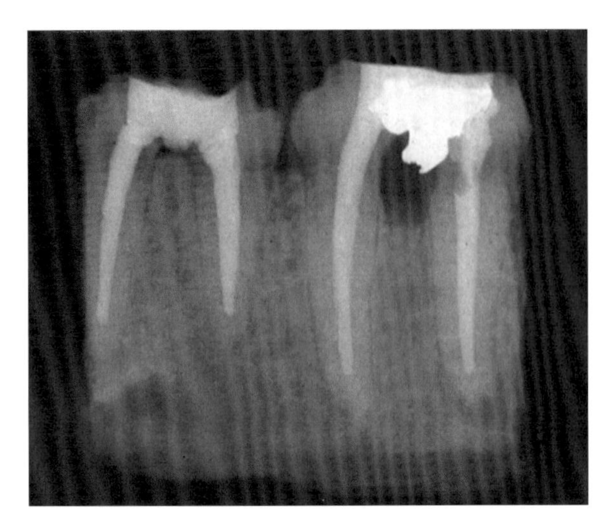

그림 7.2 아말감을 이용한 수복은 밀폐성이 떨어져 치주조직을 손상시키고 치근 이개부에 만성 염증을 유발했다. 반면, MTA를 이용한 인접 치아의 경우는 반대 결과를 보였다.

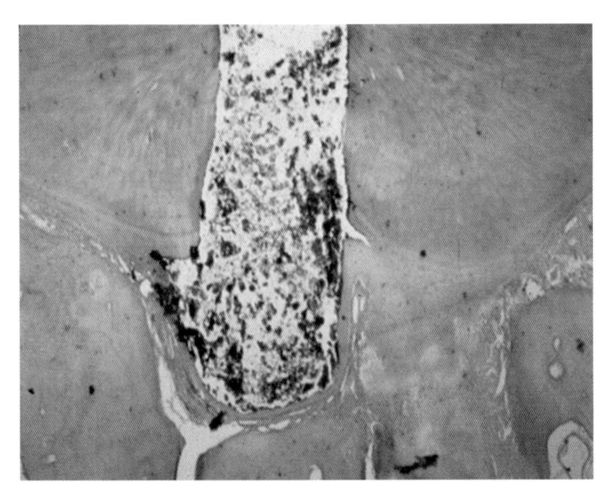

그림 7.3 개의 소구치 치근 이개부의 천공에 MTA를 이용하여 수복한 경우 그 주위에 백악질이 형성되었으며, 치주인대의 염증 또한 관찰되지 않았다.

2000; Holland *et al.* 2001; Rafters al. 2002; Camilleri & Pitt Ford 2006; Ribeiro *et al.* 2006; Souza *et al.* 2006; Camilleri 2008; Komabayashi & Spangberg 2008; Wang *et al.* 2009; Brito-Junior *et al.* 2010; Samiee *et al.* 2010; Silva Neto *et al.* 2010; Fayazi *et al.* 2011).

1995년 Pitt Ford 등은 개의 소구치에 치근 이개부 천공을 만든 후 아말감이나 MTA를 이용하여 즉시 또는 일주일 후에 천공 부위를 수복하는 실험을 진행했는데, 아말감을 이용한 수복과는 달리 MTA로 수복된 대부분의 표본에서 그 하방에 백악질이 형성되었음을 조직학적으로 보여주었다.

또한 이 실험에서는 천공 후 시일이 지나서 오염이 일어난 뒤에 MTA를 이용하여 치료하는 것보다는 오염되지 않은 상태에서 즉시 치료를 하는 것이 훨씬 나은 결과를 보였다. 2005년 Yildirim 등이 개의 치아를 이용하여 MTA와 Super EBA를 비교한 실험에서는 6개월간의 관찰에서 모든 MTA표본 하방에 백악질이 형성된 반면 Super EBA표본에서는 백악질 형성이 없었을 뿐만 아니라 다소의 염증 소견을 보이기도 했다. Noetzel등의 2006년 연구에서는 12주간 개의 치아를 관찰한 결과, MTA에 비해 tricalcium phosphate 시멘트로 수복한 치아 천공 부위에서 현저한 염증 반응을 보였다.

2007년 Al-Daafas 와 Al-Nazhan 또한 세균으로 오염된 개의 치아에서 치근 이개부 천공의 수복 재료로서 gray MTA와 아말감을 비교하는 실험을 진행하였으며, 이 실험에서 MTA 하방 차단제(barrier)로서 calcium sulfate의 효과에 대해서도 고찰해 보았다. 앞서 언급한 연구에서와 마찬가지로 MTA를 이용한 표본은 아말감을 이용한 것에 비해 훨씬 적은 염증 반응과 우수한 골형성을 보였다. 또한 MTA의 누출(extrusion)을 막기 위해 사용된 calcium sulfate는 경도 또는 중등도의 만성 염증과 수복된 천공 부위 주변에 중층편평상피의(stratified squamous epitheilium) 형성을 유발한다는 것도 보여주었다. Vladimirov 등은 2007년 연구에서 ProRoot MTA 또는 Titan 시멘트로 수복된 개의 천공 치아를 30일 동안 관찰한 결과 Titan 시멘트에 비해 ProRoot MTA 쪽에서 보다 얇은 캡슐(capsule)과 적은 수의 염증세포의 존재를 확인했다.

이러한 정보들을 통해 MTA가 치아 천공 치료를 위해 쓰이는 다른 어떤 천공 수복 재료보다 우수한 조직학적 결과를 보이며, MTA 하방의 차단제(barrier)의 사용은 치료의 성공에 크게 영향을 미치지 못한다는 사실을 알 수 있었다. 더 나아가 세균 오염을 배제한 상태에서 즉시 치료를 진행하는 것이 더 좋은 결과를 얻을 수 있다는 사실도 알 수 있었다.

MTA와 치아 계면 사이에 형성된 hydroxyapatite 결정은 MTA의 월등한 밀폐성과 관련이 있다 (Koh *et al.* 1997; Holland *et al.* 1999; Regan *et al.* 2002; Main *et al.* 2004;Juarez Broon *et al.* 2006; Pace *et al.* 2008; Roberts *et al.* 2008; Miranda *et al.*2009; Mente *et al.* 2010). MTA의 적절한 사용 덕분에 다양한 종류의 치아 천공 치료에서 그 성공률이 현저하게 높아지고 있다.

천공성 손상의 유형

근관 와동형성(access preparation)과 관련된 천공

석회화 근관 탐침시 천공이 일어날 수 있으며, 치조정 레벨보다 치관측에 있는 천공은 아말감이나 컴포짓 레진 등으로 수복할 수 있으나(그림 7.4), 치조정 레벨 하방에서 천공된 경우에는 MTA를 이용해 수복해야 한다. 치아 천공이 성공적으로 치료되었다 하더라도 치아가 약해지고 파절되기 쉬우므로 근관 와동형성(access preparation)과 관련된 천공이 발생하지 않도록 항상 주의해야 한다. 이를 예방하기 위한 방법은 다음과 같다:

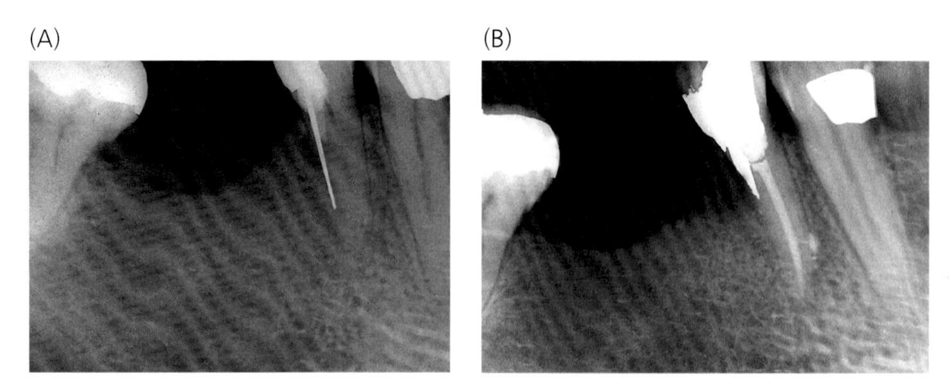

그림 7.4 (A) 제2소구치 원심면에 우발적으로 생긴 치관부 천공과 그로 인한 병소 (B)근관을 찾아서 세정하고 밀폐한 후 아말감으로 수복된 모습

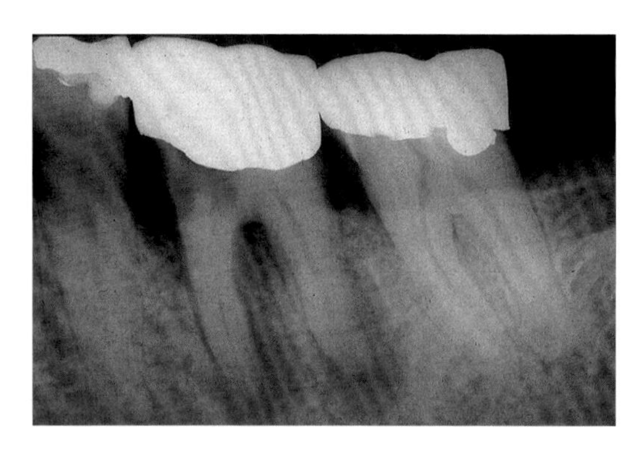

그림 7.5 부적절한 근관 와동 형성은 충분한 시야와 접근성을 불가능하게 만들어 천공을 유발하기 쉽다.

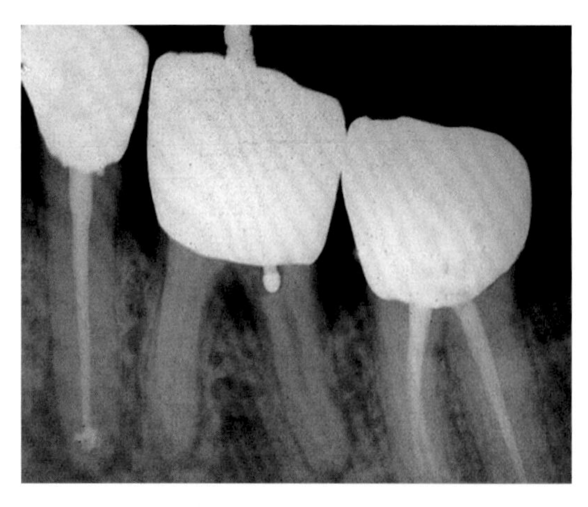

그림 7.6 작은 라운드버를 치수강저 부위에 놓고 방사선 사진을 촬영하면 석회화된 근관을 찾는데 많은 도움이 된다.

1 술전 방사선 사진의 세심한 판독. 치수강의 석회화, 치근축의 기울기, 치아의 형태 등이 고려되어야 한다. 방사선상의 수평 기울기(근심,원심)는 근관 와동형성 시에 부수적인 정보를 제공한다.
2 근관 와동형성의 유형에 따른 적절한 외형 설정. 부적절한 디자인은 충분한 시야 확보와 접근을 어렵게 한다(그림 7.5).
3 확대와 조명. 충분한 시야는 술자로 하여금 상아질의 미묘한 색깔과 질감(consistency)의 변화를 통해 근관 입구의 위치를 찾는데 도움을 준다. 기존의 치관 수복물이 불량해 교체가 필요한 경우에는 근관 와동형성을 시행하기 전에 그 수복물을 제거해서 보다 나은 시야를 확보할 수 있다. 근관이 석회화 되었거나 기존 보출물을 뚫어서 근관치료를 하는 것 같은 어렵지만 해볼만한 케이스는 현미경을 사용해야 한다.
4 근관 와동형성 중의 방사선 사진촬영.

금속 클램프가 시야를 방해하는 경우에는 원심측이나 인접 치아로 클램프를 옮기고 "분리댐(split dam)"을 사용해 문제를 해결할 수 있다. 어떤 경우에는 러버댐을 적용하기 전에 근관이나 치수강의 위치를 미리 파악해두는 것이 필요하다. 치수강이나 근관의 위치 파악에 필요한 깊이를 알기 위해 술전 방사선 사진을 판독해야 하며, 이 깊이까지 형성했음에도 치수강이나 근관 입구가 나타나지 않으면 방사선 사진을 다시 찍어서 그 방향을 확인해야 한다(그림 7.6).

근관 세정과 성형에 관련된 천공("strip")

이러한 유형의 천공은 대부분 적절한 근관 치료 술식을 통해 예방할 수 있다. 천공 예방을 위해서는 각각의 치아에 대한 치근의 해부학적 형태를 알고 있어야 하며, 근관의 만곡을 보기 위해 술전 또는 근관장 측정용 방사선 사진은 필수적이다(그림 7.7). MTA를 이용한 천공 치료 시 근단부보다는 치관부쪽에 위치한 천공을 치료하는 것이 더 어렵다. 근관의 크기에 비해 너무 큰 기구를 사용하거나 다근치에서 근관이 치근 이개부에 가까운 것을 인지하지 못하는 경우가 이러한 천공이 발생하는 가장 흔한 원인이다(그림 7.8).

흡수와 관련된 천공(내흡수/외흡수)

내흡수는 치수 조직이 원인이 되어 일어나므로 통상적인 근관 치료만으로도 내흡수의 진행을 막을 수 있다. 치근단 주위 조직으로 천공이 진행되기 전에 치료가 이루어진다면 그 예후 또한 매우 좋기 때문에 MTA를 이용한 수복이 반드시 필요한 것은 아니다.

하지만 이미 천공이 일어난 경우라면 MTA를 이용한 밀폐가 좋은 선택이 될 것이다(그림 7.9). 염증성 외흡수도 근관 내부로까지 천공을 유발하기도 하는데(그림 7.10), 그 예후는 외흡수의 원인과 손상된 상아질의 양에 따라 결정된다. 대체 흡수(유착, ankylosis)는 백악질층(cementum barrier)의 소실로 인해 발생하는데, 이런 현상은 주로 탈구된 치아의 재식과 관련이 있다.

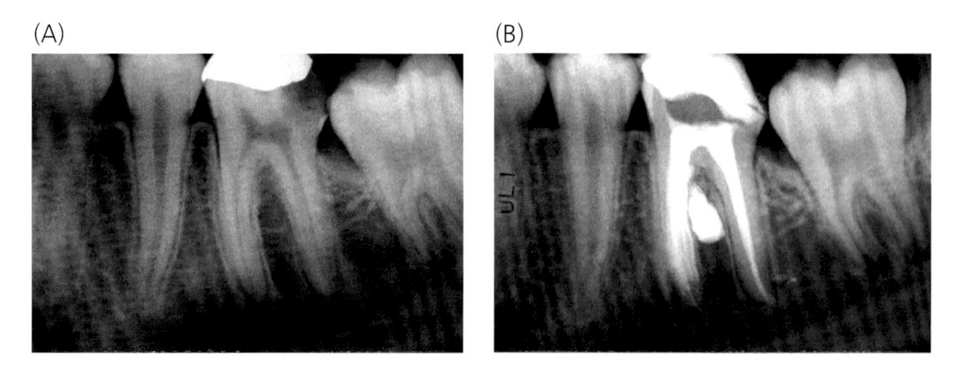

그림 7.7 근심 치근의 해부학적 형태에 대한 인지가 부족해 하악 구치에 심각한 strip 천공을 유발했다.

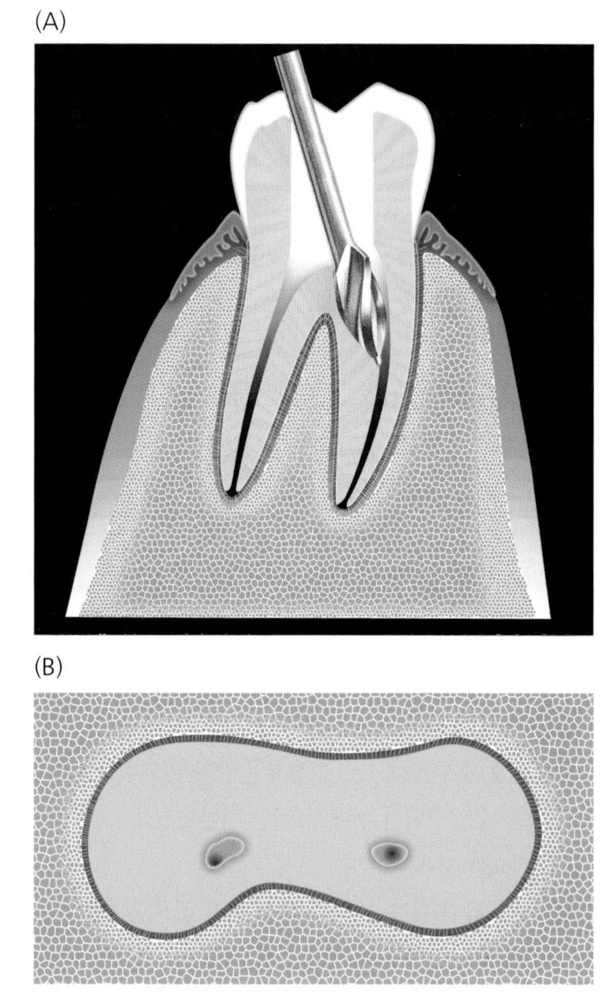

그림 7.8 (A)가느다란 근관에 굵은 직경의 회전형 삭제 도구를 사용한 경우나 (B)다근치에서 근관이 치근 이개부에 근접해 있다는 사실을 간과하는 경우에 strip 천공이 가장 흔하게 일어난다.

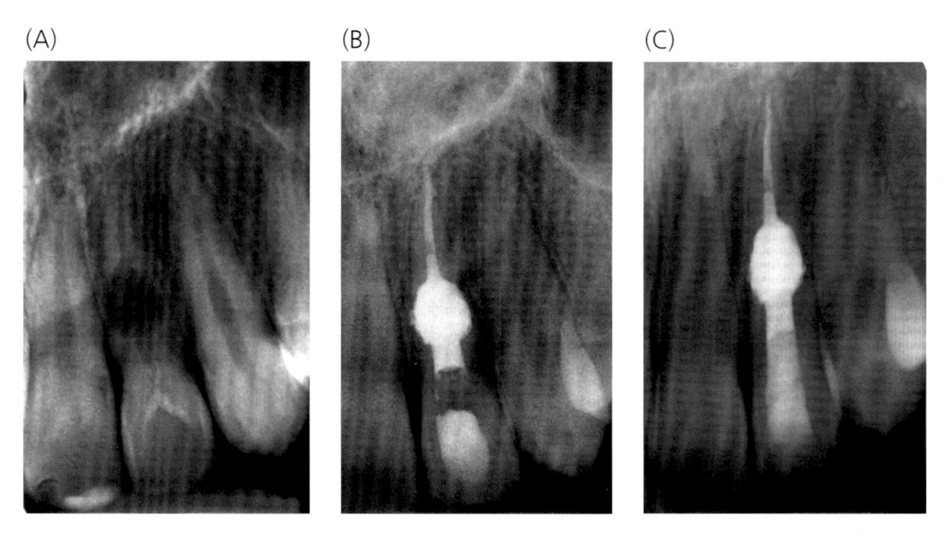

그림 7.9 (A) 치수 기원의 내흡수. (B) 가타퍼처-실러를 이용한 통상적인 근관 치료로 근단부를 충전하였고, 내흡수된 부위는 MTA로 밀폐되었다. (C) 1년 후 촬영한 방사선 사진에서 매우 좋은 결과를 보였다.

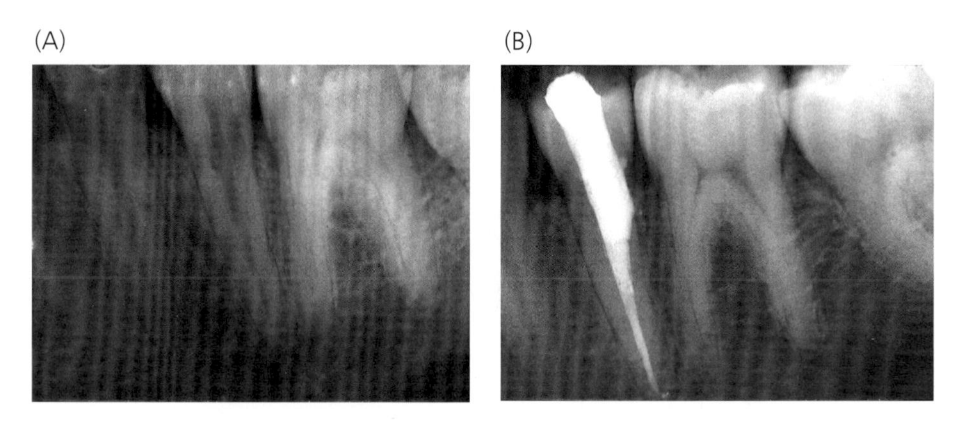

그림 7.10 (A) 하악 제2소구치의 침습적 치근 외흡수(extracanal invasive root resorption)가 보인다. 근관 세정을 시행하고 근관의 입구를 확인한 후 전체근관을 완전히 충전했다.(B) 2년 후 촬영한 방사선 사진에서 치근 흡수가 멈춘 것을 볼 수 있다.

MTA가 이러한 과정을 멈추게 하는데 얼마나 유용한지는 의문이다. 괴사된 치수 조직이 원인이 되어 일어나는 염증성 흡수는 MTA로 밀폐된 경우 그 과정이 중단될 것이지만, 그 예후는 조심스럽다.

천공 치료의 예후에 영향을 주는 요소(표 7.1)

천공의 크기

천공의 크기가 커질수록 주변 조직의 손상 또한 커지기 때문에 커다란 천공 부위를 치료하는 일은 더욱 복잡하다. 출혈을 조절하는 것이 더 어렵고 보통은 근관내에 internal matrix를 사용해야 한다. 천공 부위가 매우 큰 경우 matrix로써 Collatape(Zimmer Dental, Carlsbad, CA)와 같은 재료의 사용이 추천되는데, 이것은 지혈을 돕고 MTA가 경화되는데 필요한 부가적인 수분을 제공해 주는 콜라겐 섬유로 구성되어 있다. 이 콜라겐 섬유는 몇 주 후에 흡수되어 사라질 것이다.

천공의 위치

치근 천공은 근관 와동형성(access preparation) 동안 세정과 성형, 또는 포스트 공간 형성을 하는 과정에서 다양한 위치에 발생할 수 있다(그림 7.11). 치아의 형태와 천공의 위치가 손상 부위 수복의 난이도와 예후에 영향을 미칠 것이다(표 7.1과 7.2).

치수강 천공(Pulp chamber Perforation)

원인

치수강을 찾거나 석회화된 근관의 입구를 찾는 과정에서 치수강 천공이 발생할 수 있다. 다근치에서 석회화된 치수강을 bur로 삭제할 때 치근 이개부에서 천공이 발생할 수 있다(그림 7.12). 또한 치아의 장축과 crown의 장축이 맞지 않을 때에도 치수강이나 치근의 천공이 일어나기 쉽다.

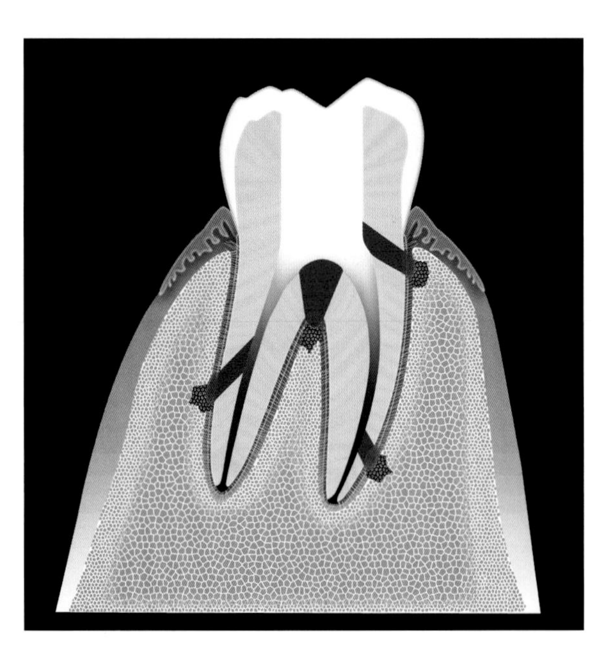

그림 7.11 치근은 근관 와동형성, 세정과 성형 그리고 포스트 공간 형성 과정 중 다양한 부위에서 천공될 수 있다. 천공 부위가 클수록 그 부위를 밀폐하거나 수복 재료를 적용하는 일이 더욱 어려워진다.

표 7.1 천공의 위치 : 단근치.

위치	수복 재료	고려 사항
치조정보다 치관측	Geristore, 아말감, 컴포짓, 글래스 아이오노머 시멘트	수복 재료 적용시 조절이 어렵다 수술적 치료가 필요할 수 있다 심미성을 저해할 수 있다
치조정 하방에서 근단측 치경부 3분의1	MTA ± collagen matrix	치주낭이 천공 부위와 연결되면 불량한 예후를 보일 수 있다 근관의 patency 유지가 힘들다 근관충전 이전에 MTA가 경화되어야한다. (1주일)
중간 / 근단측 3분의1	MTA±collagen matrix	시야 확보가 힘들다 천공 부위부터 치관측 방향으로 MTA를 이용해 밀폐시켜야 한다 MTA를 수화 (1주일간 젖은 코튼 적용)

표 7.2 천공의 위치: 다근치(치근 이개부) - 그림 참조.

위치	수복 재료	고려 사항
치조정부터 치관측 (치근외부 표면)	Geristore, 아말감, 컴포짓, 글래스아이오노머	수복 재료 적용의 조절이 어렵다 수술적 치료가 필요할 수 있다 치주조직 건강을 저해할 수 있다
치근 이개부 (치수강저)	MTA ± collagen matrix	치주낭이 천공 부위와 만나면 불량한 예후를 보일 수 있다 근관 세정과 성형에 앞서 천공 부위가 수복되어야 한다
strip 천공 (치근 이개부)	MTA ± collagen matrix	시야 확보가 어렵다 먼저 천공 부위를 수복한 후 patency를 확보해야 한다; Patency 확보를 위해 실러를 바르지 않은 GP cone을 넣어둔다(1주일) 젖은 코튼으로 MTA를 수화한다
중간 / 근단측 3분의1	MTA ± collagen matrix	시야 확보가 어렵다 천공 부위부터 치관측 방향으로 MTA를 이용해 밀폐시켜야 한다 MTA를 수화 (1주일간 젖은 코튼 적용) 포스트 공간 형성이 필요한 경우라면, MTA가 경화되기 전에 필요한 레벨까지 MTA를 제거한다.

예방법

여러 수평각도에서 방사선을 촬영하면 치수강의 위치, 크기, 치수강의 범위, 석회화 여부를 확인할 수 있다. 석회화된 치수강이나 Crown 치료된 치아에서 치수강에 접근하거나 신경관의 입구를 찾을 때 확대경이나 현미경을 사용하면 천공 예방에 도움이 된다. 석회화된 근관의 입구를 찾을 때, 작은 bur를 근관 입구 근처에 위치시키고, 엑스레이 촬영을 하면 매우 유용하다(그림 7.6).

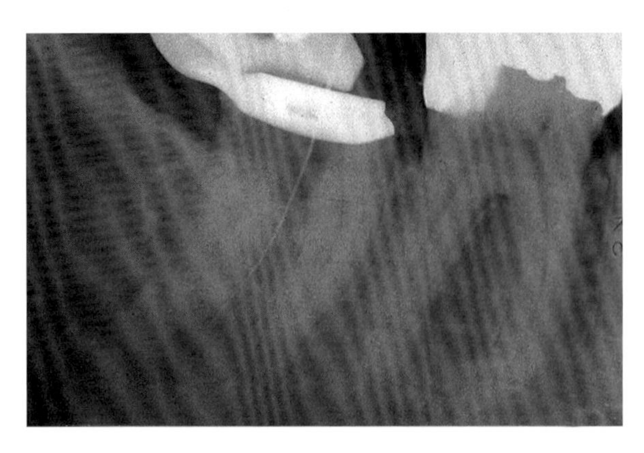

그림 7.12 파일이 치근 이개부를 통과해 치주인대와 치조골에 위치하는 것은 치근천공의 주요 지표이다.

치수강 천공의 인지와 치료

치수강 천공을 알수 있는 주요 지표는 치료 과정에서의 지속적인 출혈과, 엑스레이상에서 파일이 치아를 통과해 치주인대나 치조골에 위치한 것이 확인되는 경우이다(그림 7.12). 때때로 증상이 없는 환자에게서 천공으로 인해 통증이 발생하는 경우도 있는데, 전자 근관장 측정기를 이용해 천공을 확인할 수도 있다.

치아에 발생한 Gouging은 전치부에선 레진, 구치부에선 아말감으로 수복해 줄 수 있다. 다만, 치관이 너무 약해진 경우는 full crown 치료를 시행해야 한다.

측벽 천공 시의 치료

만약, 치관의 천공이 치조정 상방이고 접근이 용이하다면 천공의 크기에 따라 레진, 아말감 또는 크라운으로 치료해야 한다. 치은연하로 천공되거나, 치조정 약간 하방이라면 치아를 정출시키거나, 치관 연장술을 시행해야 한다(그림 7.4).

치근 이개부 천공의 치료

치근 이개부 천공의 수복재료로 아말감, 거타퍼챠, ZOE, cavit, 수산화칼슘, indium foil 등이 임상이나 동물실험에서 사용되었다. MTA의 개발 전에는 손상부위를 밀폐하는데 아말감을 사용하였다(그림 7.1). 그러나, 아말감을 사용한 증례의 높은 실패율과 MTA의 높은 성공율로 인해 현재는 대부분의 치근 천공의 치료에 MTA를 사용하고 있다. 치근 이개부 천공은 근관의 위치를 확인한 후에 즉시 MTA를 이용해 밀폐해야 한다. 이때, 근관이 막히지 않도록 근관내에 파일을 위치시킨다(그림 7.13).

Oliveira 등이 2008년 발표한 증례보고에서는 제1대구치에서 MTA로 치근 이개부 천공을 치료한 뒤 20개월 후 치료부위의 병소와 임상증상이 완전하게 해소되었다고 하였다. Pace와 동료들은(Pace *et al.* 2008) internal matrix 없이 NaOCl, EDTA, 초음파 tip으로 천공부위를 세척하고 MTA로 밀폐한 10개

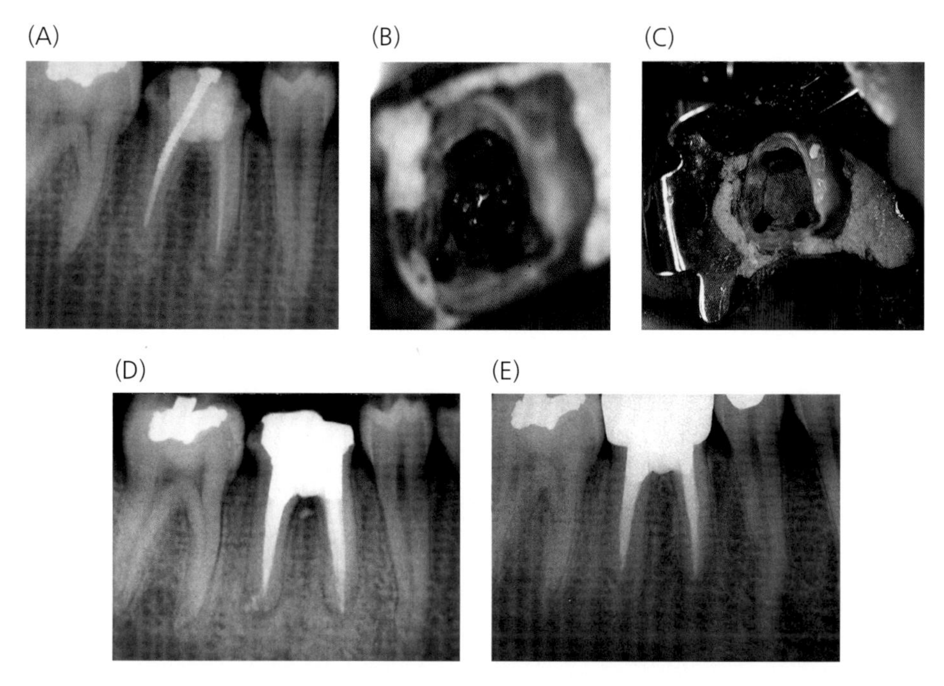

그림 7.13 (A)치근 이개부 천공이 발생했을 때, 근관의 patency는 반드시 유지되어야 한다. (B)천공의 위치를 확인한 후, (C)MTA로 천공부위를 수복하는 동안 파일을 근관내에 위치시킨다. (D)internal matrix는 사용하지 않았다. (E)26개월 후 치근 이개부 천공됐던 곳에 치주낭이 발견되지 않았다. 출처: Dr. Mahmoud Torabinejad와 Dr. Randy Garland의 증례

의 치근 이개부 천공 증례를 발표했다. 이 치아들은 근관치료 후 치관부 영구 수복물로 치료한 뒤 6개월, 1년, 2년, 5년 간격으로 follow-up했다. 10개의 치아 중 9 증례에서 기능을 하고 있었고 방사선학적 병소나 통증, 부종을 보이지 않았다. 이러한 관찰에 근거해 저자는 치근 천공에서 internal matrix를 사용하지 않는 MTA가 치근천공에 대한 효과적인 밀폐성을 제공하고 주변 치주조직의 임상적 치유를 유도한다고 결론지었다.

근관 세정과 성형 과정에서의 치근 천공

치근은 세정 및 성형을 하는 동안 다양한 레벨(치관, 치근 중간, 치근단)에서 천공이 일어날 수 있다. 천공의 위치에 따라 치료 계획과 예후가 크게 달라질 수 있다.

치관측 치근의 천공

원인, 지표와 예방법

치관 쪽 치근의 천공은 치경부 근관에서 파일, Gates-Glidden drills, 또는 Peeso reamers(그림 7.14)

에 의한 과도한 근관 확장에 의해 발생할 수 있다. 근관 입구에 직선적으로 접근하고, 석회화된 근관에서 신중히 탐침하고, 치근단의 크기와 근관의 taper를 종합적으로 고려하면, 치근 천공의 예방에 도움이 된다. 치수강 천공과 같이 갑작스런 많은 출혈, 그리고 파일이 치아를 통과해 치주인대 또는 치조골에 들어간 방사선 소견은 치근 천공의 주요 지표이다(그림 7.14).

치료

천공 부위와 치은열구 사이의 교통을 막는 것이 천공 치료의 예후에 매우 중요하다. 일단 교통로(pathway)가 생성되면 영구적인 치주 병소로 전개되는 것은 불가피하다(그림 7.15). 치관측 치근 1/3 부위의

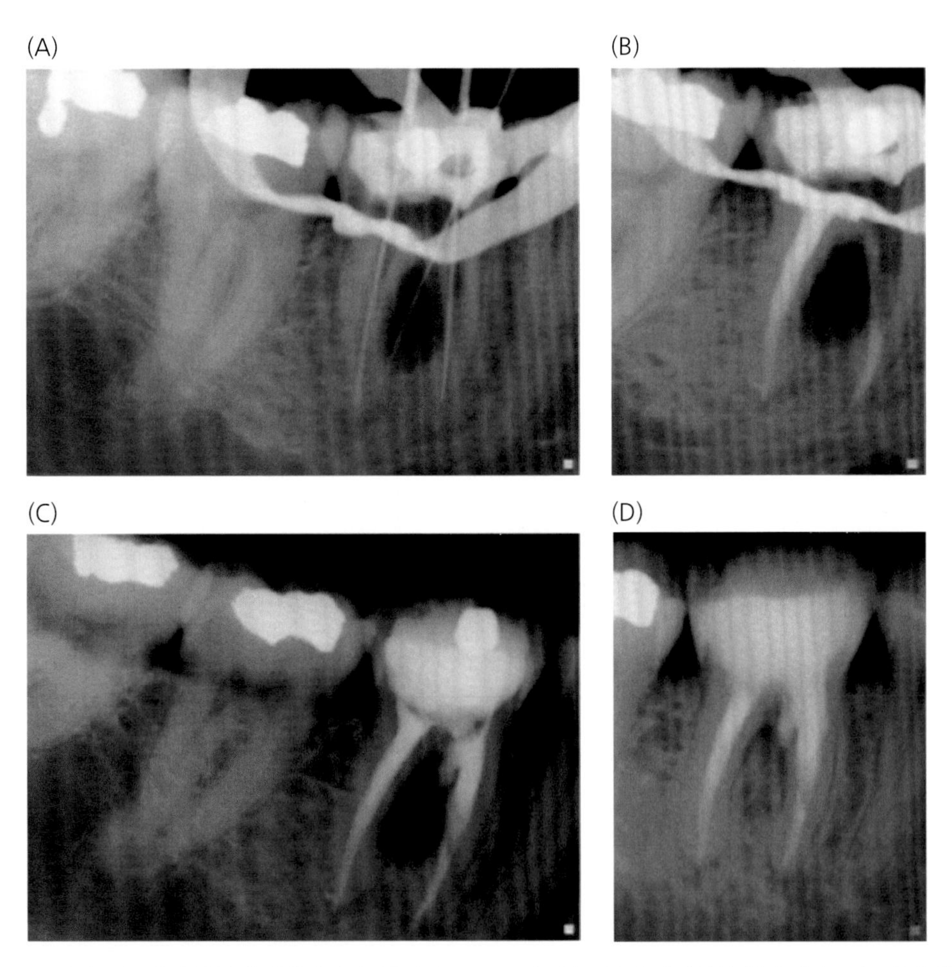

그림 7.14 만약 치근에서 천공이 발생한다면, 근관의 patency는 반드시 유지되어야 한다. (A) strip 천공이 있으며 patency가 확보되었다. (B)원심 근관과 근심 치근단 부위는 gutta-percha와 sealer로 충전했다. (C) 근심치근의 치관부의 천공 부위는MTA로 밀폐했으며 internal matrix는 사용되지 않았다. (D) 9개월 후 골 치유양상이 보이고 천공부위와 교통하는 치주낭도 형성되지 않았다. 출처: Dr. Albert G Goerig.의 증례

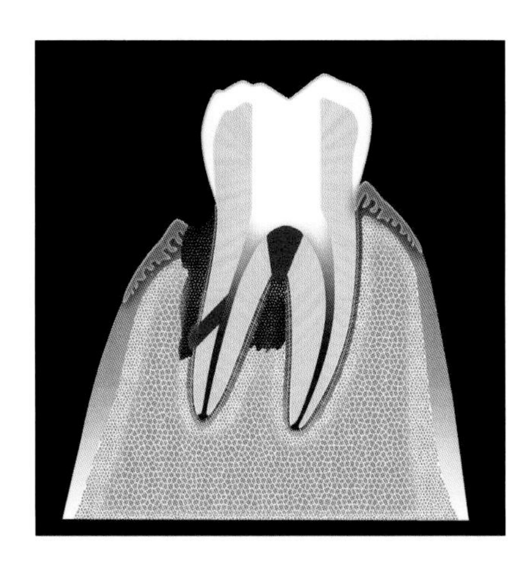

그림 7.15 천공 부위를 밀폐하지 못한 경우, 구강내로 통로가 만들어지고, 영구적인 치주병소를 야기한다.

strip 천공의 수복은 천공의 유형에 관계없이 가장 좋지 않은 장기 예후를 보인다. 이러한 결손은 적절한 치료를 위한 접근이 어렵다. 치료 전 근관을 깨끗이 세정하고, 치근단에서 천공부위까지 gutta-percha와 sealer로 충전하고, 근관의 나머지는 MTA로 밀폐한다. MTA로 전체 근관을 충전하는 시도도 그러한 술식을 알고 있는 임상의에게는 가능하다.

예후

치관측 천공은 치주적인 문제가 발생할 가능성이 높기 때문에 예후가 좋지 않다. 근관 내의 치료가 실패했을 때, 다른 대체 치료 방법을 고려해야 한다. 천공 부위와 치은부착 사이의 변연골이 그대로 남아 있는 상태로 천공부가 외과적으로 보수될 수 있다면, 치주 병소의 발생 가능성은 감소된다. 외과적으로 치경부 천공을 보수하더라도 천공부위의 치근쪽 기저부에서부터 치주낭이 형성되는 것이 보통이다. 병인은 접합상피(junctional epithelium)가 근단쪽으로 증식하여 치은 부착이 소실되기 때문이다. 따라서 치관쪽 치근의 천공이 치조정에 가까운 경우에 비외과적 정출술이나, 외과적 치관연장술을 시행하여 천공부위를 노출시켜야 한다.

측방 천공(Lateral perforations)

원인과 지표

렛지(Ledge)가 형성되고, 잘못된 방향으로 근관 확장을 시행할 경우, 새로운 근관이 생기고 결국엔 치근 중간부위나 치근단 쪽에 천공이 발생한다(그림 7.16). 측방치근 천공의 증후는 다른 천공의 증후와 유사하다. 근관내 갑작스런 출혈, 치수강의 통증, 엑스레이 상에서 원래의 근관에서 벗어난 새로운 근관으로 기구가 보이게 될 경우이다.

치근 중간 부위 천공의 치료

치료는 치관 쪽 치근 천공의 치료와 유사하다. 치근단에서 천공 부위까지 근관 성형과 세정이 시행되어야 한다. 이러한 천공의 경우 치근단에서 천공 부위까지 gutta-percha와 sealer로 근관 충전한 후 나머지 근관은 MTA로 밀폐한다. MTA로 전체 근관을 충전하는 술식을 알고 있는 임상의에게는 MTA로 전체 근관을 충전하는 방법이 유용한데 이는 근관을 밀폐하는 동안 기존 술식으로는 근관내 출혈을 조절하는 것이 어렵기 때문이다.

Lee 등은(1993년) 염료 누출(dye leakage) 연구에서 치근 측방 천공의 치료 시 MTA가 IRM 및 아말감보다 우수함을 보여주었다.

Holland 등은(2001년) 개에서 측방천공을 Sealapex나 MTA로 수복했다. 180일 후 대부분의 MTA표본은 측방 천공 주변에 백악질이 침착 되었고, 염증 소견을 보이지 않았다. 반대로 Sealapex 표본에서는 180일 후에도 염증이 존재했다. 같은 그룹(Holland 등 2007년)에서 개의 치아에 의도적으로 측방 천공을

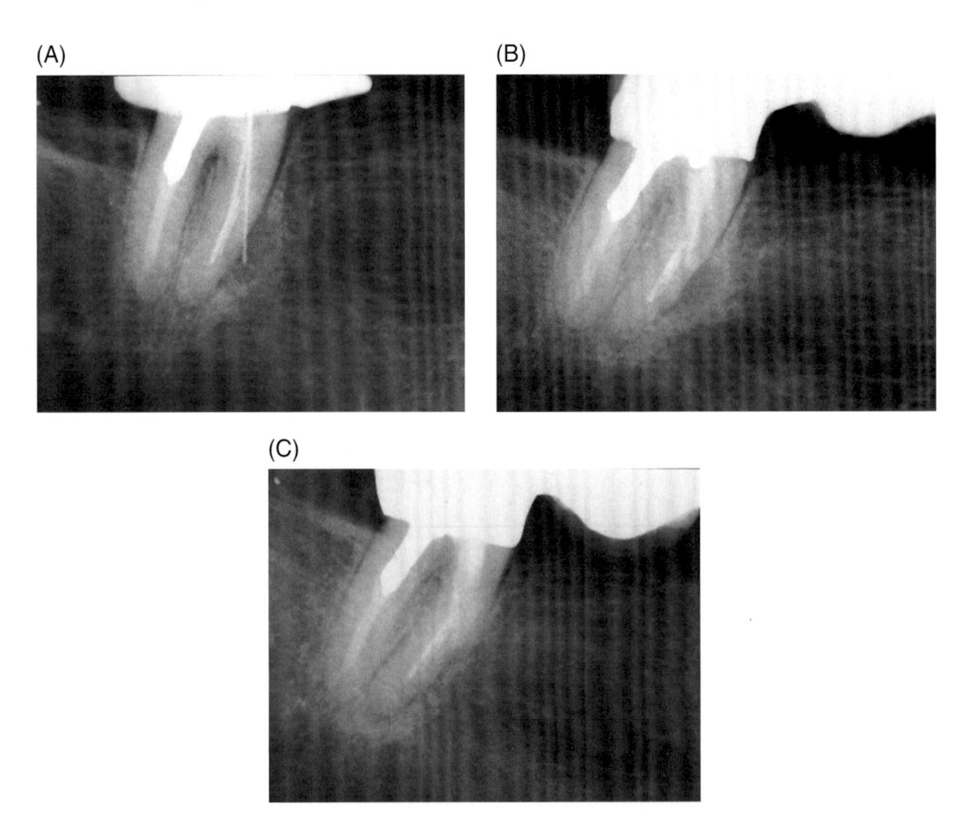

그림 7.16 (A)하악 제1대구치에 치근 측방 천공이 보인다.(B)근관 세정을 시행한 후 천공부위를 확인하고, 전체 근관을 MTA를 이용하여 밀폐하였다. (C)1년 후에 방사선 사진 상에서 측방 병소 부위가 치유된 것을 볼 수 있다.
출처: Courtesy of Dr. Ahmad Fahid.

시키고, 천공 즉시 또는 7일 후 MTA로 천공부위를 수복하였으며, 전처치 약제로 쓰이는 소독제인 수산화칼슘(calcium hydroxide)의 효과에 대해서도 실험하였다. 90일 후 오염 없이 즉시 천공 보수된 표본에서 오염된 표본보다 월등하게 좋은 조직학적인 결과를 보였다. 저자는 천공 부위의 오염이 천공된 치근의 예후에 해로운 영향을 미치며 오염된 천공부위의 치료 전, 수산화칼슘의 처치가 천공의 치유를 개선시키지 않는다고 결론지었다.

예후

치근 중간부위의 천공의 예후는 근관 세정, 근관성형, 출혈의 조절, 근첨에서 천공 부위까지 밀폐정도에 따라 달라진다. 또한 전체 또는 부분적인 debridement 후에 발생하는 것이 세정 전에 발생한 경우보다 더 나은 예후를 보이며, 천공 위치가 치근단 쪽에 가까운 경우가 치조정에 가까운 경우보다 예후가 좋다. 천공의 크기와 외과적 접근성 역시 장기적 예후에 대한 중요한 변수이다. 천공의 크기가 작으면, 밀폐가 더 쉽다. 외과적 접근성 때문에 천공이 안면쪽(facial aspect)에 위치하는 경우가 더 용이하게 치료할 수 있고, 예후 역시 좋다. MTA는 이러한 사고에 대한 외과적, 비외과적 처치에 사용하는 재료이다.

치근단 천공(Apical perforation)

치근단 천공은 과도한 기구 조작으로 근단공을 통해서 발생하거나 만곡근관에서 근관탐색(negotiation)이 실패했을때 치근의 근단부에서 발생할 수 있다.

원인과 지표

부정확한 근관장 측정으로 인해 근단공을 넘어서는 과도한 기구 조작 시 근단공의 천공이 발생하며 근단공을 파열시킨다(그림 7.17(A)). 렛지(ledge)를 형성하거나 잘못된 방향으로 기구를 조작하면 새로운 근관이 형성되고, 치근단 천공이 발생할 수 있다.

근관 내의 출혈이나, 근단 끝에서 파일이나 페이퍼 포인트에 묻어나는 혈흔, apical stop의 부재 등은 치근단 천공의 지표가 된다. 마지막으로 사용한 파일이 방사선상의 근단공을 넘어선 것이 확인되면, 치근단이 천공된 것이다.

치료

근관장을 새롭게 설정하고, apical seat를 만든 뒤 새로운 근관장 길이에 맞춰 근관을 충전한다. apical barrier을 위해 MTA를 사용하거나, 또는 전체 근관을 MTA로 충전하는 것은 충전재료가 근단공을 넘어가는 것을 막아줄 수 있다(그림 7.17 B,C). MTA가 apical barrier 역할을 해주기 위해서는 근단에서 3~4mm를 MTA로 충전한다.

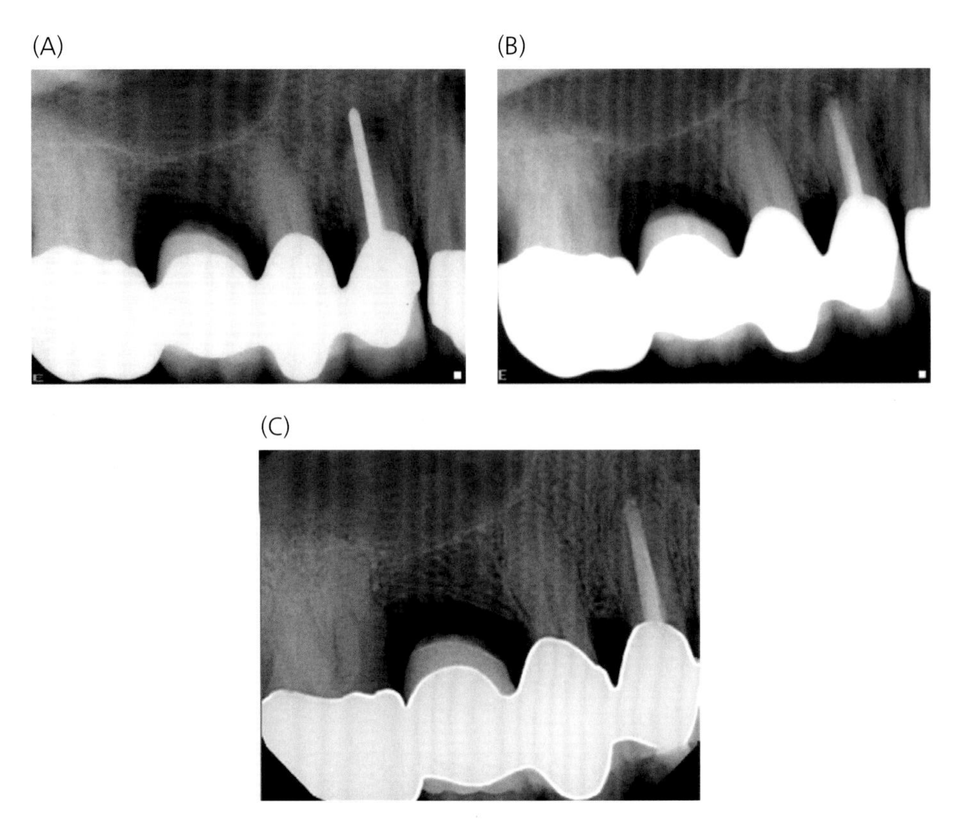

그림 7.17 (A) 부정확한 근관장 측정으로 인한 과도한 기구조작으로 해부학적 근단공을 넘어서는 근단공의 파열이 발생했다. Silver point로 over filling되어 있다. (B) Silver point를 제거하고 근관 세정 후 치근단 3mm를 MTA로 충전했다. MTA가 치근단을 넘어가는 것을 방지하기 위해 Collacote를 사용했다. 근관이 나머지 부분은 gutta-percha와 sealer로 충전 (C) 2년 후 방사선 상에서 치근단 병소가 치유되었다. 출처: Dr. Jeffrey Samyn의 증례

예후

치근단 천공의 크기, 형태, 위치에 따라 예후가 달라진다. 커다란 크기의 치근단 천공은 밀폐가 어려우나, 천공 부위에 MTA를 apical plug 로 사용하면 예후를 향상시킬 수 있다. 또한, 치근단 천공 부위에 외과적으로 접근할 수 있는지에 따라 예후가 달라진다. 일반적으로 전치부 치근단 천공의 치료가 구치부 천공보다 쉽다.

포스트 공간 형성 과정에서의 치근 천공

포스트는 치근의 장축과 평행해야 한다. 폭은 치근 너비의 1/3을, 길이는 근관장 길이의 2/3 이상을 초과하지 말아야 한다.

원인, 지표와 예방법

회전 기구를 사용하여 치아의 장축에서 벗어난 과도한 포스트 공간 형성이 치근 천공의 주원인이다(그림 7.18A). 근관내의 출혈과 방사선 상에서 포스트가 주변 치주조직내로 들어간 것이 확인되는 경우 천공이 발생한 것으로 즉시 판단할 수 있다. 임상적 징후로는 누공(sinus tract stoma)의 형성 또는 탐침 시 포스트 기저부까지 이어지는 결손 등이 있다(그림 7.18 A). Gutta-percha를 가열된 기구나 도구를 사용하여 의도한 지점까지 제거한 후에는 치근 천공을 예방하기 위해서 회전 절삭기구의 사용을 위한 "pilot post space"를 만든다. 포스트 공간 형성 시 절대 치근의 만곡을 넘어서서는 안 된다. 또한 수직 치근 파절의 가능성을 낮추기 위해 치근의 중심부에 형성되어야 한다.

치료

만약 포스트를 제거할 수 있다면, 비외과적인 방법이 좋다(그림 7.18B). 만약 포스트를 제거할 수 없고, 외과적으로는 접근이 가능하다면, MTA를 이용해 외과적으로 치료를 시도해야 한다(그림 7.19).

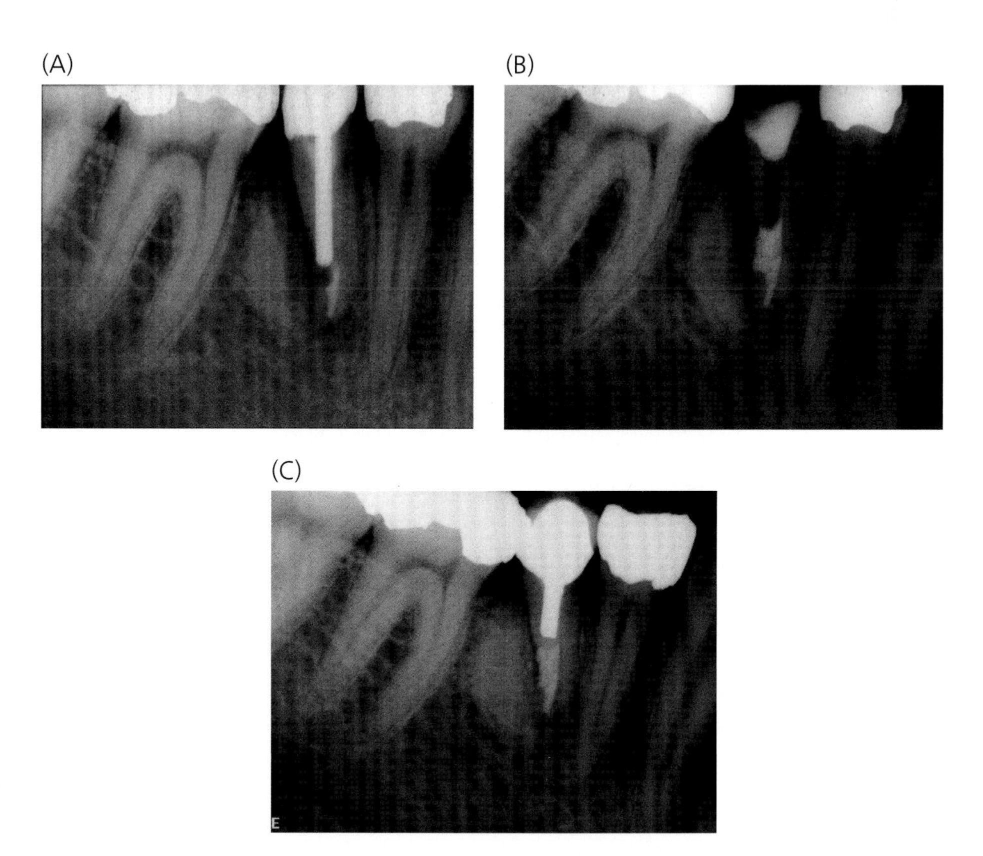

그림 7.18 (A)하악 제2소구치 치근의 원심면이 포스트 형성 과정에서 천공되었다. (B)천공 부위는 MTA로 치료했다. (C)13년 후 방사선 사진 상에서 치근단 병소가 깨끗하게 치유되었다. 출처: Dr. Noah Chivian의 증례

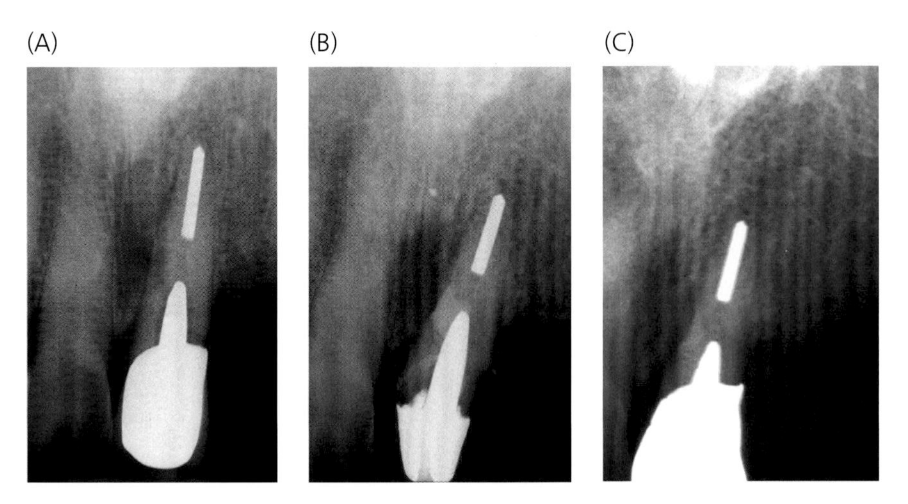

그림 7.19 (A) 상악 측절치의 치관부쪽 근심 설측 면이 포스트 형성 과정에서 천공되었다. (B) 천공 부위는 MTA를 이용해 의도적 재식술(intentional replantation)을 시행했다.(C) 5년 후 방사선 상에서 측방 병소가 상당히 양호하게 치유되었음을 보여준다.

예후

포스트 공간 형성 과정에서 치근 천공된 치아의 예후는 치근의 크기, 접합 상피의 상대적 위치, 접근성에 따라 달라질 수 있다. 만약, 포스트를 제거할 수 있다면, 비외과적인 치료도 바람직하다(그림 7.18C). 치근단 부위의 작은 천공이나 수술적으로 접근하기 쉬운 부위의 천공이 큰 크기의 천공, 치은 열구에 가까운 천공, 접근하기 어려운 부위의 천공보다 훨씬 더 예후가 좋다.

천공 후 시간의 경과(Time elapsed since perforation)

일반적으로, 천공치료에 대한 예후는 천공이 발생한 후 시간이 경과될수록 좋지 않다. 천공과 연관된 염증반응은 치주조직의 파괴를 야기하고, 만약 치주조직과 통로가 형성된다면 치료나 치유과정이 구강 내 세균의 유입으로 인하여 위협받을 것이며 이러한 상황에서 장기적인 예후는 좋지 않을 것이다. 천공에 대한 즉각적인 처치는 가장 좋은 예후를 기대할 수 있게 한다. 근관치료 과정에서 천공이 확인되었다면 근관치료의 진행보다 천공 부위의 즉각적인 치료가 가장 우선되어야 한다.

MTA를 이용한 Internal Repair 술식

MTA는 술식에 민감한 재료이나, 기본 원칙을 따르는 경우 MTA를 사용하는 방법에 익숙해 지는 것은 어렵지 않다. 적당량의 멸균수를 MTA파우더에 첨가해 입자를 적신다. 만약, 혼합물에 광택이나 빛 반사가 보인다면 혼합물에 수분이 너무 많은 것으로 사용 전 멸균 거즈로 가볍게 과량의 수분을 흡수하면 혼합물은 어떤 종류의 캐리어에도 사용할 수 있는 적당한 점조도(consistency)가 된다.

방법

1 *시술부위 준비(site preparation)*

만약 근관 치료가 완료되기 전에 천공이 발생했다면, 근관 치료가 진행되기 전에 반드시 천공 부위의 치료가 우선되어야 한다(그림 7.14). 천공의 치료 진행 중에 근관의 patency는 반드시 유지되어야 한다. 천공 부위의 출혈은 조절되어야 하고 필요하다면 주변 상아질을 소독해야 한다. NaOCl을 적신 면구로 천공 주변 감염 상아질을 2분 정도 누르는 것으로 지혈 및 소독을 할 수 있다. 지혈이 되지 않거나, 천공 부위가 크다면, internal matrix로 collatape을 사용해야 한다. 천공 부위로부터 골 결손 부위 쪽으로 collagen을 충전한다. 앞서 언급한 대로 Collagen은 MTA가 밀려 나가는 것을 최소화 하는 soft matrix로 작용하며 MTA가 경화되는 동안 수분을 공급한다.

2 *MTA 적용*

적당량의 멸균수로 MTA 입자를 적신다. 과량의 물은 소독된 거즈로 가볍게 흡수하여 제거한다. 천공 부위의 치료에 많은 양의 MTA가 필요한 경우, amalgam carrier를 이용하면 편리하다. 작은 천공 부위에는 특별히 제작된 micro carrier(그림 7.20)를 이용한다. MTA를 천공 부위에 위치시킨 후, 멸균된 면구를 이용해 가볍게 수분을 흡수한다. 근관 치료용 plugger는 MTA를 천공 부위에 가볍게 다져주는데 사용할 수 있다. MTA가 충분한 두께가 될 때까지 위 과정을 반복한다. 과량의 재료는 근관 치료용 excavator를 이용해 다듬어준다. MTA는 경화과정에서 추가적인 수분이 필요하므로 젖은 면구를 넣고 임시 가봉제로 밀폐한다(Video).

3 *Follow-up 치료*

일주일 간 MTA가 경화되도록 한다. 천공 처치 부위의 임시 가봉재와 면구를 제거하고 MTA가 경화되었는지 확인한다. 만약, 근관 치료가 끝나지 않았다면 통법의 비외과적 근관 치료를 완료한다. 만약, 천공 부위의 치료 과정에서 근관의 patency를 상실했다면, 치료의 성공률은 낮아질 것이다. 그러므로, MTA의 치료 과정 동안에 근관의 patency를 유지하는 것은 매우 중요하다.

4 *Recall 평가*

1, 3, 6개월 간격으로 recall한다. 치료의 성공 또는 실패는 다음의 기준에서 결정된다. 1개월 후, 환자가 저작 기능을 하는 동안 불편을 느껴서는 안된다. 치료 전 누공이 존재했다면, 재발하지 않고, 치유가 되어야 한다. 만약 치료 전 치주낭(periodontal pocket)이 존재한 경우 치주낭의 깊이 감소를 예상할 수도 있다. 만약 술 전에 존재하지 않았던 치주낭이나 누공이, recall시 나타났다면 치료가 실패한 것이다. 방사선

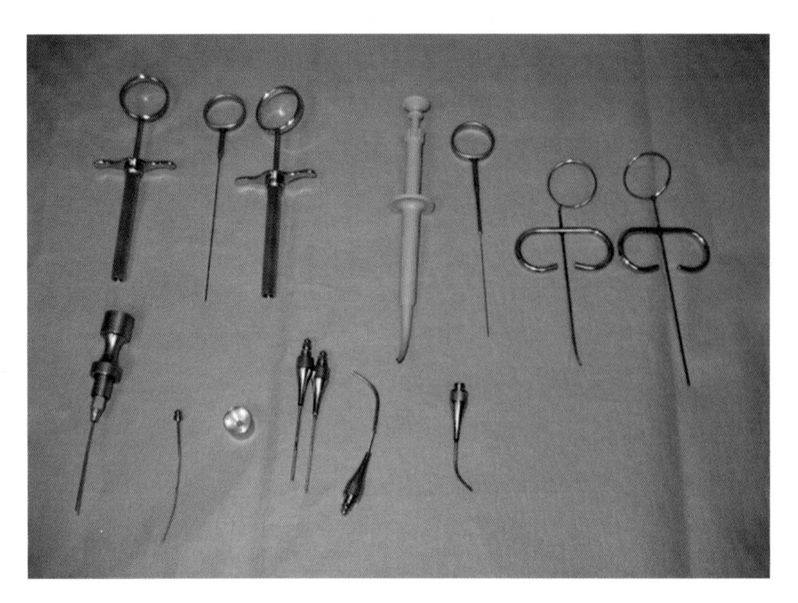

그림 7.20 MTA를 천공 부위와 근단부에 적용하기 위하여 사용하는 다양한 carrier.

상에서 명백한 변화가 나타나지 않을 수도 있다. 동일한 기준이 3개월 6개월 평가에도 적용되며, 초기 골 치유의 증거는 방사선적으로 관찰 가능해야 한다.

새로운 주조 수복물의 치료 시기는 상황에 따라 달라진다. 코아 수복은 천공처치 혹은 근관 치료가 완료된 이후에 시행되어야 하며 새로운 주조 수복물은 최소한 한 달 정도 recall시에 개선된 예후를 보이고 있는 경우 시행하는 것이 추천된다.

5 *예후(Prognosis)*

Main 등(2004)은 MTA로 치료한 16개의 치근 천공에 대한 장기적인 예후를 살펴보았다. 각 3명의 독립된 조사자가 double-blind 방법으로 술전 및 술후 방사선 사진상에서 병소의 존재 여부를 비교해 평가했다. 또한 추가적으로 치주탐침을 포함한 임상검사를 시행했다. 각각 5/16 증례는 측방 천공, 5/16은 strip 천공, 3/16은 치근 이개부 천공, 3/16은 치근단 천공이었다. 모든 증례에서 치료 전 3mm 이상의 치주낭은 존재하지 않았다. 7 증례에서는 천공 치료 전 방사선 투과성을 보이고 있었다. 치료 후 12~45개월 동안 평가가 이루어졌다. 병적인 증후를 보이고 있었던 모든 증례에서 치유의 양상을 보였으며 병적인 증후를 보이지 않았던 어떤 증례에서도 병적인 양상으로 발전하지 않았다.

Mente와 동료들은 (2010) 2000년에서 2006년 사이에 MTA로 치료한 26개의 치근 천공 치료에 대한 치료결과를 발표했다. 치료는 지도하의 치과대학생 (29%), 일반 치과의사(52%), 근관치료 전문의(19%)에 의해 행해졌다. 치료 과정에서 치과용 현미경을 사용했으며 통계적으로 조정된 조사자들에 의해 치료 후

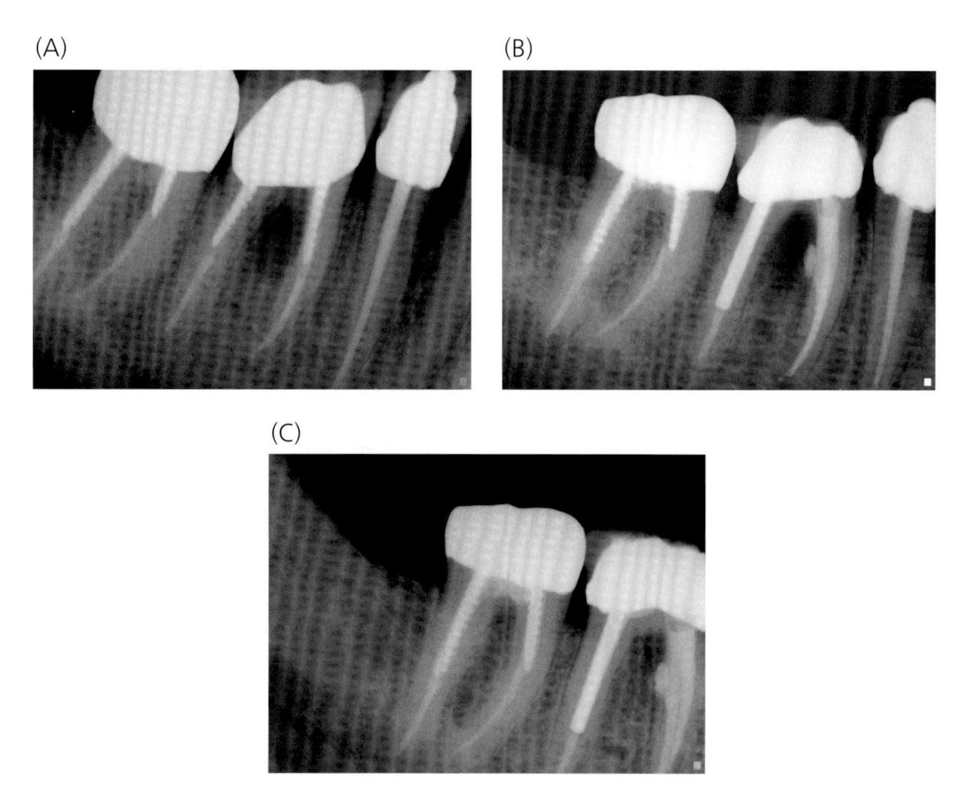

그림 7.21 strip-type 천공의 치료. (A) 치료전 방사선 사진. 치근 이개부의 골 손실이 보인다. (B) MTA를 사용해 비외과적으로 치료했다. (C) 6개월 후 치근 이개부의 골형성을 보인다. 출처: Dr. M. Pouresmail의 증례

12~65개월 사이에 평가가 이뤄졌다. 21개 중 18개(86%) 치아가 치유된 것으로 평가되었다. 이러한 결과에 근거해 논문 저자들은 모든 부위의 치근 천공의 치료에서 MTA는 생체친화성(biocompatible)과 장기간 양호한 예후를 보이는 재료라고 결론지었다.

요약

생체활성적(bioactive) 재료인 MTA는 천공된 치아에서 치료의 예후를 크게 개선시켰다. 재료를 다루는 다양한 적용 술식(delivery techniques)을 이해하는 것이 필요하긴 하지만, 일단 숙달 된다면 가능성이 없다고(hopeless) 여겨졌던 천공 치아의 치료도 성공할 수 있다.

참고문헌

Al-Daafas, A., Al-Nazhan, S. (2007) Histological evaluation of contaminated furcal perforation in dogs' teeth repaired by MTA with or without internal matrix. *Oral Surgery, Oral Medicine, Oral Pathology, Oral Radiology and Endodontics* **103**, e92–9.

Alhadainy, H.A. (1974) Root perforations: A review of literature. *Oral Surgery, Oral Medicine, Oral Pathology* **78**, 368–74.

Brito-Júnior, M., Viana, F.A., Pereira, R.D. *et al.* (2010) Sealing ability of MTA-Angelus with propyleneglycol in furcal perforations. *Acta Odontologica Latinoamerica* **23**, 124–8.

Camilleri, J. (2008) The chemical composition of mineral trioxide aggregate. *Journal of Conservative Dentistry* **11**, 141–3.

Camilleri, J., Pitt Ford, T.R. (2006) Mineral trioxide aggregate: a review of the constituents and biological properties of the material. *International Endodontics Journal* **39**, 747–54.

Fayazi, S., Ostad, S.N., Razmi, H. (2011) Effect of ProRoot MTA, Portland cement, and amalgam on the expression of fibronectin, collagen I, and TGFβ by human periodontal ligament fibroblasts in vitro. *Indian Journal of Dental Research* **22**, 190–4.

Fuss, Z., Trope, M. (1996) Root perforations: Classification and treatment choices based on prognostic factors. *Endodontics and Dental Traumatology* **12**, 55–64.

Holland, R., de Souza, V., Nery, M.J. *et al.* (1999) Reaction of dogs' teeth to root canal filling with mineral trioxide aggregate or a glass ionomer sealer. *Journal of Endodontics* **25**, 728–30.

Holland, R., Filho, J.A., de Souza, V. *et al.* (2001) Mineral trioxide aggregate repair of lateral root perforations. *Journal of Endodontics* **27**, 281–4.

Holland, R., Bisco Ferreira, L., de Souza, V., *et al.* (2007) Reaction of the lateral periodontium of dogs' teeth to contaminated and noncontaminated perforations filled with mineral trioxide aggregate. *Journal of Endodontics* **33**, 1192–7.

Juárez Broon, N., Bramante, C.M., de Assis, G.F. *et al.* (2006) Healing of root perforations treated with Mineral Trioxide Aggregate (MTA) and Portland cement. *Journal of Applied Oral Science* **14**, 305–11.

Keiser, K., Johnson, C.C., Tipton, D.A. (2000) Cytotoxicity of mineral trioxide aggregate using human periodontal ligament fibroblasts. *Journal of Endodontics* **26**, 288–91.

Koh, E.T., Torabinejad, M., Pitt Ford, T.R. (1997) Cellular response to mineral trioxide aggregate. *Journal of Endodontics* **24**, 543–7.

Komabayashi, T., Spångberg, L.S. (2008) Comparative analysis of the particle size and shape of commercially available mineral trioxide aggregates and Portland cement: A study with a flow article image analyzer. *Journal of Endodontics* **34**, 94–8.

Lee, S.J., Monsef, M., Torabinejad, M. (1993) Sealing ability of a mineral trioxide aggregate for repair of lateral root perforations. *Journal of Endodontics* **19**, 541–4.

Lemon, R.R. (1990) Furcation repair management: classic and new concepts. In: *Clark's Clinical Dentistry* (Hardin, J. F., ed.). J B Lippincott Co., Philadelphia, Vol **1**, Chapter 10.

Lemon, R.R. (1992) Nonsurgical repair of perforation defects: internal matrix concept. *Dental Clinics of North America* **36**(2) 439–57.

Main, C., Mirzayan, N., Shabahang, S., *et al.* (2004) Repair of root perforations using mineral trioxide aggregate: a long-term study. *Journal of Endodontics* **30**, 80–3.

Mente, J., Hage, N., Pfefferle, T. *et al.* (2010) Treatment outcome of mineral trioxide aggregate: repair of root perforations. *Journal of Endodontics* **36**, 208–13.

Miranda, R.B., Fidel, S.R., Boller, M.A. (2009) L929 cell response to root perforation repair cements: an in vitro cytotoxicity assay. *Brazilian Dental Journal* **20**, 22–6.

Oliveira, T.M., Sakai, V.T., Silva, T.C. *et al.* Repair of furcal perforation treated with mineral trioxide aggregate in a primary molar tooth: 20-month follow-up. *Journal of Dentistry in Childhood (Chicago)* **75**, 188–91.

Noetzel, J., Ozer, K., Reisshauer, B.H., *et al.* (2006) Tissue responses to an experimental calcium phosphate cement and mineral trioxide aggregate as materials for furcation perforation repair: a histological study in dogs. *Clinical Oral Investigation* **10**, 77–83.

Pace, R., Giuliani, V., Pagavino, G. (2008) Mineral trioxide aggregate as repair material for furcal perforation: case series. *Journal of Endodontics* **34**, 1130–3.

Petersson, K., Hasselgren, G., Tronstad, L. (1985) Endodontic treatment of experimental root perforations in dog teeth. *Endodontics and Dental Traumatology* **1**, 22–8.

Pitt Ford, T.R., Torabinejad, M., McKendry, D.J. *et al.* (1995) Use of mineral trioxide aggregate for repair of furcal perforations. *Oral Surgery, Oral Medicine, Oral Pathology and Endodontics* **79**, 756–63.

Rafter, M., Baker, M., Alves, M. *et al.* (2002) Evaluation of healing with use of an internal matrix to repair furcation perforations. *International Endodontics Journal* **35**, 775–83.

Regan, J.D., Gutmann, J.L., Witherspoon, D.E. (2002) Comparison of Diaket and MTA when used as root-end filling materials to support regeneration of the periradicular tissues. *International Endodontics Journal* **35**, 840–7.

Regan, J.D., Witherspoon, D.E., Foyle, D.M. (2005) Surgical repair of root and tooth perforations. *Endodontic Topics* **11**, 152–78.

Ribeiro, C.S., Kuteken, F.A., Hirata Junior, R., *et al.* (2006) Comparative evaluation of antimicrobial action of MTA, calcium hydroxide and portland cement. *Journal of Applied Oral Science* **14**, 330–3.

Roberts, H.W., Toth, J.M., Berzins, D.W., *et al.* (2008) Mineral trioxide aggregate material use in endodontic treatment: A review of the literature. *Dental Materials* **24**, 149–64.

Samiee, M., Eghbal, M.J., Parirokh, M. *et al.* (2010) Repair of furcal perforation using a new endodontic cement. *Clinical Oral Investigation* **14**, 653–8.

Sarkar, N.K., Caicedo, R., Ritwik, P., *et al.* (2005) Physiochemical basis of the geologic properties of mineral trioxide aggregate. *Journal of Endodontics* **31**(2), 97–100.

Seltzer, S., Sinai, I., August, D. (1970) Periodontal effects of root perforations before and during endodontic procedures. *Journal of Dental Research* **49**, 332–9.

Silva Neto, J.D., Brito, R.H., Schnaider, T.B., *et al.* (2010) Root perforations treatment using mineral trioxide aggregate and Portland cements. *Acta Cirugica Brasilica* **25**, 479–84.

Souza, N.J.A., Justo, G.Z., Oliveira, C.R. *et al.* (2006) Cytotoxicity of materials used in perforation repair tested using the V79 fibroblast cell line and the granulocyte-macrophage progenitor cells. *International Endodontics Journal* **39**, 40–7.

Torabinejad, M., Hong, C.U., Pitt Ford, T.R., *et al.* (1995) Cytotoxicity of four root end filling materials. *Journal of Endodontics* **21**, 489–92.

Tsesis, I., Fuss, Z. (2006) Diagnosis and treatment of accidental root perforations. *Endodontic Topics* **13**, 95–107.

Vladimirov, S.B., Stamatova, I.V., Atanasova, P.K, *et al.* (2007) Early results of the use of ProRoot MT and Titan cement for furcation perforation repair: a comparative experimental study. *Folia Medica (Plovdiv)* **49**, 70–4.

Wang, L., Yin, S.H., Zhong, S.L., *et al.* (2009) Cytotoxicity evaluation of three kinds of perforation repair materials on human periodontal ligament fibroblasts in vitro. *Hua Xi Kou Qiang Yi Xue Za Zhi* **27**, 479–82.

Yildirim, T., Gençoğlu, N., Firat, I., *et al.* (2005) Histologic study of furcation perforationstreated with MTA or Super EBA in dogs' teeth. *Oral Surgery, Oral Medicine, Oral Pathology, Oral Radiology and Endodontics* **100**, 120–4.

8 MTA 근관 충전(MTA Root Canal Obturatoion)

George Bogen,[1] Ingrid Lawaty,[2]
and Nicholas Chandler[3]

[1]*Private Practice, USA*
[2]*Private Practice, USA*
[3]*Faculty of Dentistry, University of Otago, New Zealand* - *역자 유준상, 허준성, 태경석*

Mineral Trioxide Aggregate: Properties and Clinical Applications, First Edition.
Edited by Mahmoud Torabinejad.

개요

MTA (Mineral trioxide aggregate)는 처음에 치근단 절제술 후 치근첨을 막거나 치근 천공 시 천공부위를 밀폐하는 재료로 치과계에 소개되었다(Lee *et al.* 1993; Abedi & Ingle 1995; Torabinejad & Chivian 1999). 친수성을 가진 calcium–silicate 성분의 MTA는 탁월한 생체친화성(biocompatibility)과 우수한 골전도성을 지니고 있다. 생체활성(bioactive)의 특성을 가지는 MTA는 치수복조술, 치수절단술, 치근단 유도술(apexogenesis), 해부학적 형태 이상(anatomical anomalies), 흡수(resorption), 재생적 근관치료(regenerative procedures) 등의 치료로 적용범위가 확대되었고, 최근에는 근관 충전의 재료로도 사용되고 있다(Torabinejad & Chivian 1999; Koh *et al.* 2001; O'Sullivan & Hartwell 2001; White & Bryant 2002; Branchs & Trope 2004; Aggarwal & Singla 2010;Roig *et al.* 2011; Dreger *et al.* 2012). MTA가 근관 천공의 치료와 치근단 밀폐에서 부분적인 근관 충전의 형태를 보여주었기 때문에 전체 근관을 MTA로 충전하는 술식은 한 단계 진보된 형태의 임상적용으로 보이고 이는 MTA가 수술적 치료나 통법의 치료과정에서 의미있는 장점을 제공하는 것이라 볼 수 있다.

광범위한 병적 요인이 존재할 때 전통적인 근관 충전 물질이나 sealer로 치유가 되지 않는 치아의 경우에, MTA 근관 충전이 혁신적인 대안이 될 수 있다. 비록 gutta–percha(GP)가 전통적인 근관 치료에서 핵심적인 근관충전재료로 사용되고 있지만 GP는 구강액에 직간접적으로 노출되었을 때 세균감염에 취약한 단점이 있다(Swanson & Madison 1987; Madison & Wilcox 1988; Khayat *et al.* 1993; Jacobson *et al.* 2002; Yazdi *et al.* 2009). 게다가 세균을 봉쇄하고 근관이 재오염되는 것을 막아주는 능력은, 근관

충전재 자체가 가지고 있는 밀폐능력과 임시-영구적으로 상부구조에 들어가는 크라운수복물의 질적수준에 달려있다(Saunders & Saunders 1994; Ray &Trope 1995; Urangaetal. 1999;Tronstad *et al.* 2000; Siqueira *et al.* 2000; Balto 2002; Weston *et al.* 2008). 많은 치과의사들은 gutta-percha(GP)의 장점이, 재근관 치료 시에 충전물질의 제거가 용이하다는 점을 주장하고 있다. 이러한, GP의 독특한 물성은 시야 확보 기술과 근관치료 기구의 비약적인 발전과 함께, 재근관 치료의 성공률을 향상시키는 데 일조를 해왔다. 그러나 GP에 기반을 둔 충전시스템이 지닌 많은 결점들을 극복할 수 있는 물질을 사용하는 것이 더 유리할 수 있다.

일반적으로, 이상적인 근관 충전 물질은 세균증식에 필요한 영양분공급을 차단하면서 세균 생존에 불리한 환경을 조성함으로써 근관이 재감염되는 것을 막아야만 한다(Sundqvist & Figdor 1998; Carrotte 2004). 그렇기 때문에 이상적인 근관 충전 재료는 다음의 여러가지 성질들을 갖추고 있어야 한다. 즉 치근단 조직에 자극적이지 않아야 하고 정균 작용이 있어야 하며, 방사선 불투과성을 보여 주여야 한다. 또한 멸균상태이어야 하고 변색이 되어서는 안되며 조직액에 의해 용해되지 않은 불용성의 성질을 가져야 하며 측면과 치근단 방향으로 밀폐할 수 있는 밀폐능력이 있어야 한다. 그리고 생체친화성을 보여주어야 하며 쉽게 적용이 가능하고 제거 역시 쉬워야 한다(Grossman 1982). 그런데 만약 근관시스템을 측면과 치근단방향으로 완벽히 밀폐할 수 있는 능력을 가진 근관충전재료라면 제거가 힘들거나 사실상 불가능하다(Torabinejad *et al.* 1993; Boutsioukis *et al.* 2008). 비록 MTA가 제거성이라는 측면에서는 이상적이 아니라 할지라도, MTA는 생체 활성(bioactive)과 생체 유도성(bioinductive)을 가지고 있기 때문에 매우 중요한 장점을 제공한다.

일부 임상가들은 MTA를 이용한 정방향 근관충전 술식(orthograde canal treatment)을 새롭게 출현한 방법으로 바라보는 경향이 있다(O'Sullivan & Hartwell 2001; de Leimburg *et al.* 2004; D'Arcangelo & D'Amario 2007; Bogen & Kutler 2009). 그러나 이러한 근관충전방법은 오래 전부터 존재해왔던 개념이고 19세기 후반 독일에서 제창되었던 개념이다. 이 기간에 MTA와 가장 유사한 Porland 시멘트가 근관 충전뿐만 아니라 치수복조에도 사용되었다(Witte 1878; Schlenker 1880). 서기 400년 전후에 마야인들은 인레이 시멘트로, 비슷한 물질을 사용해 왔다고 한다(Versiani *et al.* 2011). 흥미롭게도, 이러한 근관충전에 대한 초기 보고서들은 치료 후나 치유 기간 동안에 통증이 감소되거나 통증이 사라지면서 "치근단 치주염"의 치유에 근관 충전 물질이 성공적으로 적용되었음을 보여주고 있다. Portland시멘트를 연구한 사람들은 관찰 기간 동안에 실패한 케이스가 없었고 재식술에서 사용한 경우는 근관 밀폐에 성공적인 결과를 이끌어냈다고 주장했다. 그들은 이러한 시멘트가 경화 시 다른 충전재료와 잘 결합되는 "다공성"의 밀폐를 형성하고 유일한 결점은 전치부의 경우, 변색을 초래한다는 점뿐이라고 했다.

19세기 이후로, 근관치료와 관계된 미생물학적, 병인론적인 이해가 넓어지면서 깨끗하게 확대된 근관을 충전하는 재료들에도 상당한 변화가 있었다. 그러한 재료에는 pastes, cements, plastics, 그리고 solids 형태의 물질들이 포함되었다(Grossman 1982). GP 의 경우, 보편적으로 많이 사용되는 재료가 되었는데,

이는 재료를 적용하는데 있어서 수월함이 있었고 생체친화성 역시 인정되었기 때문이었다(Weine 1992; Glick & Frank 1986;Seltzer *et al*. 2004). GP의 여러 가지 물성들을 공유할 수 있는 여러 재료들이 소개되어 왔다.

연구가들은 근관 충전할 때 sealer와 결합되면서 충분한 밀폐능력과 편의성을 보여주는 다양한 충전재료들을 개발해왔다. 이러한 물질들에는 epoxy resin, glass-ionomer, bioceramic, methacrylate, synthetic polyester, 그리고 silicone-based substances을 포함하고 있다. 어떤 연구가들은 코어(core) 충전 물질과 sealer의 조합보다는 resin이나 silicone계열의 sealer만을 사용하여 근관을 충전하는 방법을 추천하기도 했다(Malagnino *et al*.2001; Tanomaru-Filho *et al*. 2007; Guess 2008; Cotton *et al*. 2008; Ordinola-Zapata *et al*. 2009; Williamson *et al*. 2009; Hammad *et al*. 2009; Ari *et al*. 2010;Kato & Nakagawa 2010; Savariz *et al*. 2010; Pameijer & Zmener 2010; Pawiriska *et al*. 2011; Anantula & Ganta 2011; McKissock *et al*. 2011). 새로운 근관 충전재료를 찾기 위한 최근의 연구들은, 비록 GP가 현재 가장 널리 사용되는 충전재료라 할지라도, MTA처럼 이상적인 근관 충전 특성을 가진 물질을 찾는 것에 그 초점이 맞춰져 있다.

MTA 충전의 특별한 장점은 치주 조직과 치아 지지 조직의 재생을 촉진한다는 점이다(Pitt Ford *et al*. 1995; Zhu *et al*. 2000; Holland *et al*. 2001; Zhang *et al*. 2009). 백악질 침착, 골생성 및 PDL 생성을 유도하는 MTA의 세포학적인 치유반응은 오랜 기간 동안 치료가 되지 않은 근관 또는 일반적인 치료가 실패한 근관의 치료에서 실질적인 돌파구를 제공할 수 있을 것으로 보여진다. 친수성의 tricalcium silicate cement는 여러 가지 장점이 있다. 이제부터 MTA의 생체활성(bioactive)에 기여하는 특별한 요소들을 검토해 본다.

성질/조성

충전의 메커니즘

MTA조성상의 몇 가지 특성으로 근관 충전 시의 생체활성(bioactive)과 생체유도성(bioinductive)을 설명할 수 있다. 즉 입자크기, 수화산물, 유지되는 pH, 상아질층에 생성되는 interstitial layer, 밀폐능력, 경화 팽창 그리고 항균성이다(표 8.1).

입자크기

ProRoot MTA, gray MTA(GMTA) 그리고 white MTA(WMTA)의 입자 모양과 입자 크기를 다루고 있는 연구결과를 보면(Lee *et al*. 2004;Dammasckhe *et al*. 2005; Camilleri *et al*. 2005; Camilleri 2007; Asgary *et al*. 2006; Komabayashi & Spangberg 2008a), 전체적으로 WMTA의 입자크기가 GMTA보다 더 세밀하고 더 균일하다는 결론이 내려졌다. Komabayashi와 Spangberg는 GMTA 입자의

표 8.1 근관 충전재로서의 MTA장점

느리게 경화되는 동안 유지되는 알칼리성 pH
Hydroxyapatite와 유사한 상아질 interfacial layer의 형성
SEM에서 관찰되는 zero micron의 밀폐성
상아세관을 통과하여 밀폐할 수 있는 입자크기
Smear layer에 영향 받지 않는 경화특성
*E. faecalis*와 *C. albicans*의 성장 억제
백악질과 치주 인대 형성 촉진
골결합 인자와 골 형성 유도 촉진
상아질의 존재 하에 항균 작용 증진
치근 파절에 대한 저항력증가

직경이 low-power-field (LPF) mode에서 10.48 ± 5.68 μm이고 high-power-field (HPF) mode에서는 3.05 ± 2.44 μm으로 측정되었다고 보고했다. WMTA입자의 크기는 LPF mode에서 9.86 ± 4.73 μm이고 HPF에서는 2.96 ± 2.36μm으로 측정되었다. 그렇기 때문에 WMTA는 좁은 범위 안에서 GMTA보다 더 작은 입자크기를 보여주고 있다. 대략 GMTA와 WMTA의 70%에서 평균 1.5~3.0μm 크기의 입자크기를 보인다. 이 연구에서는 직경이 평균 2-5μm의 상아세관 내부로 MTA입자가 들어갈 수 있다고 설명하고 있다(Garberoglio & Brannstrom 1976). 이러한 점은 친수성 밀폐를 위한 메커니즘을 설명할 수 있을 것이다(Komabayashi & Spangberg 2008b). 근관을 세척하고 확대한 후에도 세균은 상아세관 내부에 잔존한다. 작은 MTA입자 크기와 모양은 이러한 감염된 상아 세관의 밀폐에 유리하다.

수화산물과 pH (Hydration product and pH)

MTA는 경화되는 과정에서 칼슘이온을 방출하며 더 중요한 점은 알칼리 pH가 유지된다는 점이다(Holland *et al.* 2002; Lee etal. 2004; Santos etal. 2005; Bozeman *et al.* 2006; Camilleri 2008a). 12.5 pH로 유지되는 알칼리 환경은 강력한 항균 작용과 항진균 작용을 할 수 있게 해준다(Duarte *et al.* 2003; Al-Nazhan & Al-Judai 2003; Fridland & Rosado 2005; Al-Hezaimi *et al.* 2006a). 또한 MTA는 초기 수화 이후 수일에 걸쳐서 칼슘 이온을 방출한다(Ozdemir *et al.* 2008). 수화 과정 동안에 high-sulfate calcium sulfoaluminate가 형성된다(Taylor 1997;Budig & Eleazer 2008). MTA 경화 과정에서 나오는 지속적인 칼슘 이온 방출은 상아세관을 통해 확산되고 이는 장기간의 경화과정에서 칼슘 이온의 증가를 일으킨다(Fridland & Rosado 2005; Camilleri 2008a; Ozdemir *et al.* 2008).

MTA가 수화 반응 동안 hydroxyl 이온을 방출하고 수산화칼슘(calcium hydroxide)을 형성하기 때문에 생체친화성을 보이는 것일 수도 있다는 가정이 존재해왔다(Camilleri 2008b). 더 나아가 calcium silicate가 calcium silicate hydrate gel을 형성하면서 수산화칼슘(calcium hydroxide)을 생성하는데 이

과정에서, 흔히 존재하는 *Enterococcus faecalis* (Sen *et al*. 1995; Molander *et al*. 1998; Peciuliene *et al*. 2001; Santos *et al*. 2005), *Candida albicans* (Al-Nazhan & Al-Judai 2003; Mohammadi *et al*. 2006; Al-Hezaimi *et al*. 2006a)과 같은 세균들이 생존하기 어려운 알칼리성의 환경을 조성한다. MTA는 세균 제거에 효과적이고 세균 생존을 억제시키는 능력을 보여주고 있다(Ribeiro *et al*. 2006; Jacobovitz *et al*. 2009).

Interstitial layer의 형성

경화 과정이 진행되는 동안 MTA에 의해 방출되는 칼슘이온과 조직액이 서로 접촉할 때 수산화인회석(hydroxyapatite)이 interstitial layer에 생성된다(Lee et. 2004; Bozeman *et al*. 2006). 무정형의 calcium phosphate가 우선 형성되며 이는 최종적으로 apatite가 된다. Calcium-deficient B-type carbonated apatite 결정들이 추후의 상변화를 결정짓는다. 석회화 과정이 본격적으로 이루지는 동안 이러한 무정형 calcium phosphate는 결정형 apatite가 형성되기 전에 만들어지는 중요한 중간 산물로 여겨진다(Tay *et al*. 2007). MTA의 경화 과정 동안 자연적으로 형성된 apatite는 상아질의 콜라겐섬유 안에 침착된다. interfacial layer 형성이 진행되면서, 침착된 인회석(apatite)이 상아질 표면에 미네랄 핵을 유도하고 상아세관 안으로 들어가는 tag-like한 구조를 형성한다(Reyes-Carmona *et al*. 2009; Okiji & Yoshiba 2009). 이러한 Apatite layer로 구성된 물질들은 골과 같은 석회화된 조직과 화학적인 결합을 한다(Holland *et al*. 1999a; Reyes-Carmona *et al*. 2009).

Phosphate 조직액 존재하에서 형성된 상아질-MTA 간의 interfacial layer는 SEM 관찰 시 아말감이나 IRM (Intermediate Restorative Material) 그리고 Super-EBA보다 우수한 경계면 적합성(marginal adaptation)을 보여준다(Torabinejad *et al*. 1993; Sarkar *et al*. 2005). 이러한 layer의 형성은 면과 면 사이에 존재하는 공간을 채움으로써 변연 누출을 최소화하는 매우 중요한 요인이 된다. 이러한 layer는 혼성화층(hybridized interface)으로 여겨지는데 이는 콜라겐과 MTA가 화학적으로 서로 결합되어 있기 때문이다(Torabinejad *et al*. 1993). X-ray 회절분석을 통해서 형성된 layer는 구조나 성분조성이 hydroxyapatite와 유사하다는 것이 밝혀졌다(Sarkar *et al*. 2005; Bozeman *et al*. 2006). 결과적으로 미네랄이 침착된 interstitial layer와 상당 기간 동안(경화후 12.5) 유지된 알칼리 pH의 상호 작용으로 뛰어난 정균 작용과 살균 작용을 제공하고 이러한 작용들은 생존한 세균들을 죽이거나 밀폐시키는 효과를 보이고 있다(Torabinejad *et al*. 1995a; Camilleri *et al*. 2005).

파절 저항

MTA로 충전한 치아는, 치료하지 않은 대조군 치아보다 파절 저항성이 더 큰 것으로 보고되었다(Bortoluzzi *et al*. 2007; Hatibovic-Kofman *et al*. 2008). MTA는 파절에 대한 저항성을 증가시키고 치아 구조를 강화하는데 기여한다. 이러한 특성은 in vivo상에서 발치된 치아를 일년 동안 관찰했을 때 확인된 특성이다(Topcuoglu *et al.* 2012). MTA는 콜라겐 파괴 효소 metalloproteinase-2를 억제할 수 있고 그 결과 MTA로 치료된 치아는 파절 저항성이 높아진다(Tjaderhane 2009; Parirokh & Torabinejad 2010).

근관계의 기계적 소독과 화학적 소독 과정은 통상적인 근관 충전 후 치근을 파절에 취약하게 만들 정도로 상아질을 약화시킨다(Sim *et al.* 2001; Grigoratos *et al.* 2001; Topcuoglu *et al.* 2012). 특히 감염된 근관 내에 과도하게 오랜 기간 동안 적용된 수산화칼슘은 미성숙 치아를 약화시키고 파절 저항성도 상당히 감소시킨다(Andreasen *et al.* 2002). MTA나 다른 calcium silicate-based cement에서 확인된 바처럼, 시간이 지날수록 MTA는 파절 저항성을 증가시킴을 보여준다(Tuna *et al.* 2011). 이러한 MTA의 특성은 치료된 치아의 장기간 예후에 긍정적인 영향을 준다.

밀폐 능력과 경화 팽창

근관을 적절히 밀폐하고 세균 침입을 막기 위해서는 근관 충전 재료가 상아질 벽과 완벽히 접합되어야 하고 경화 후 과도한 팽창이 없는 체적 안정성을 가져야 한다(Storm *et al.* 2008). MTA의 밀폐 능력은 현재 사용되는 어떤 재료보다 우수하다고 알려져 있다(Torabinejad *et al.* 1993, 1995b; Wu *et al.* 1998; Roberts *et al.* 2008). 또한 습한 환경에 놓여있을 때 높은 누출 저항성을 보인다(Torabinejad *et al.* 1995c; Gondim *et al.* 2003; Chogle *et al.* 2007). 이러한 바람직한 특성을 보이는 이유 가운데 한 가지는 경화되는 동안 미세하게 팽창하는 고유의 물성 때문일 것이라고 생각되는데 이는 GMTA뿐만 아니라, 정도는 덜하지만 WMTA에서도 보이는 특성이다(Storm *et al.* 2008; Okiji &Yoshiba 2009; Hawley *et al.* 2010). 칼슘이온과 phosphate이온이 MTA-dentin계면에서, apatite결정형성을 촉진하는 상호작용은 선적 팽창(liner expansion)에 기여하는 것으로 보인다(Sarkar *et al* 2005; Tay *et al.* 2007; Okiji & Yoshiba 2009).

Apical barrier로서 WMTA와 GMTA를 비교하는 연구에서는 GMTA가 우수한 밀폐를 형성하는 것으로 나타났다(Matt *et al.* 2004). 타액에 노출되었을 때는 GMTA가 수직 가압된 GP와 sealer보다 우수한 밀폐력을 보인다(Al-Hezaimi *et al.* 2005). Storm 등(2008)은 GMTA가 24시간 동안 물속에서 1.02%의 선적팽창을 보이고 WMTA는 0.08%의 선적팽창을 보인다고 하였다. Hank's balanced salt 용액과 수화작용을 거쳤을 때에는 GMTA는 0.68%의 팽창을 보이고 WMTA는 0.11%의 팽창을 보인다. 충전재로써 사용될 때 MTA의 선적 팽창이 치근의 불완전 파절을 심화시킬 가능성이 존재한다는 보고가 있다(De Bruyne & De Moor 2008). 따라서 GMTA가 밀폐 능력이 상대적으로 우수하다 해도 불완전 파절이 의심되거나 발견될 때에는 WMTA를 사용하는 것이 유리할 수 있다.

적용/용도

일반적 근관 치료 시 충전

MTA를 근관 충전재료로서 사용하는 것은 일반적인 근관 충전 케이스, 광범위한 감염 근관 케이스에서 모두 받아들여질 수 있는 치료술식이다. 외부의 염증소견을 보이거나 내흡수 치아, 근단공이 열려있는 경우, 또한 환자가 "대체적인(alternative)" 근관 충전 재료를 원하는 경우, MTA 근관 충전이 첫 번째 근관 충전 치료에 있어서 최적의 재료이다. 어떤 임상가들은 MTA로 근관치료를 시행했던 치아를 재근관치료하는데 있어서 어려움을 주장할지 모르지만, 치유 가능성이 낮은 재근관 치료를 고려하기 보다는 외과적인 술식을 고려해야 할 것이다. 첫 번째 치료로 MTA가 선택되었을 때의 장점은 근관 충전 후 치아 상실을 고려하지 않아도 될 만큼 치료 예후가 놀라울 정도로 좋다는 점과 외과적 치근절제술의 용이성에 있다(Kvist & Reit 2000) (그림 8.1).

염증성의 치근흡수 현상은 오랫동안 지속된 치근단 병변의 흔한 합병증이다(Kaffe *et al*. 1984; Laux *et al*. 2000; Vier & Figueiredo 2004). 괴사된 치수 조직을 가진 치아의 치근단은 근단공과 근단주위의

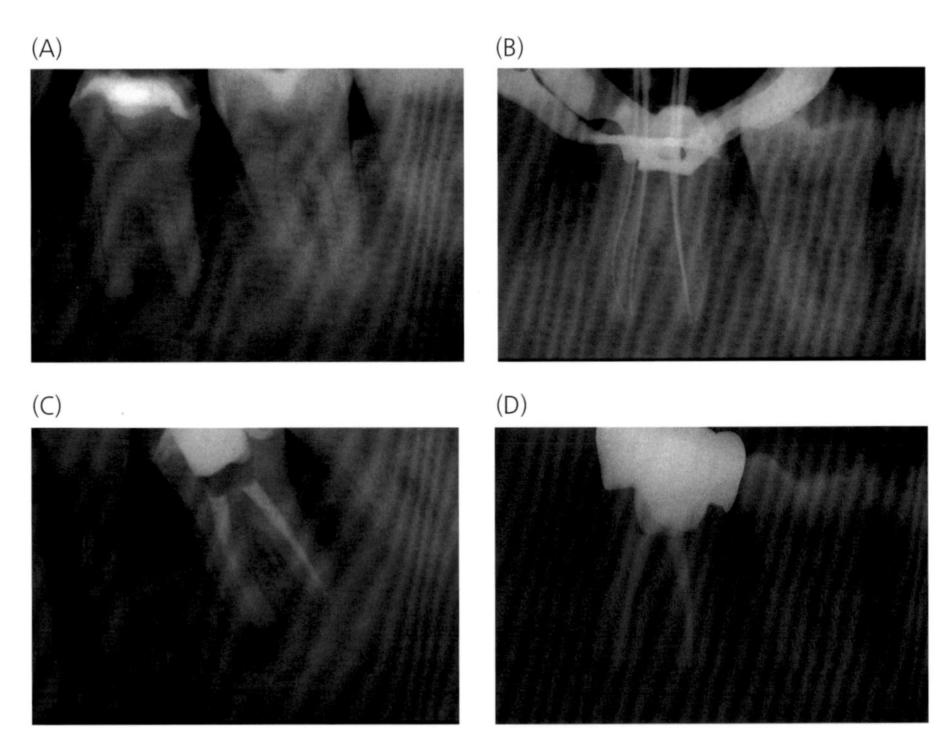

그림 8.1 (A) 하악 좌측 제1대구치에 광범위한 치근단병소를 가진 41세 남자환자. 환자는 GP 에 대해서 염려했고 이에 대한 "대체"치료로서 MTA근관충전을 선택했다. (B) 근관장측정을 위한 방사선사진 (C) 세 갈래의 근관에 치수강까지 MTA충전 (D) 9년 8개월 후 recall. ZPC core와 gold cr으로 수복된 치아. 치근단병소가 존재하지 않음.

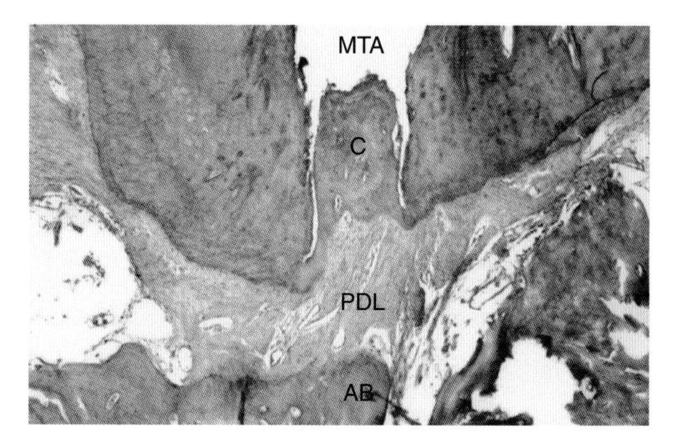

그림 8.2 MTA충전 180일 후 개 치아의 조직학적인 단면. 새로운 백악질(C), MTA plug, 건전한치주인대(PDL), 치조골(AB)에 의해 생물학적으로 밀폐된 주근관(main canal)이 관찰됨.염증세포는 존재하지 않음. 출처: Hematoxylin and eosin, original magnification lOOx. Courtesy of Dr. Roberto Holland, Sao Paulo, Brazil

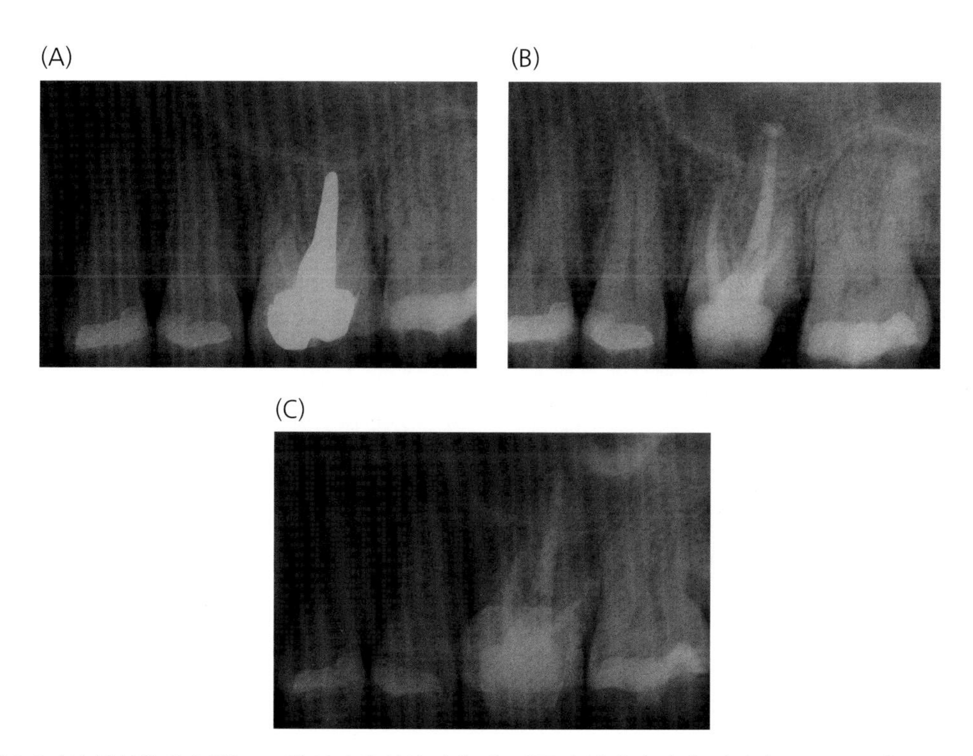

그림 8.3 (A) 증상을 호소하는 38세 여자의 상악 좌측 제1대구치 방사선 사진. 커다란 주조 post와 core 그리고 GP충전되어 있고 치근첨 부위에 방사선 투과상을 보이며 구개측 치근은 흡수소견을 보임. (B) 모든 근관을 MTA로 충전한 술후 방사선 사진. 구개측 치근은 치근단에서 5mm근관충전됨. 근관은 그후에 열가소성 GP로 back fill하고 접착성 core를 축조함. (C) 2년 6개월 후 review한 사진. 도재수복물과 구개측 치근단 주위에 완전한 치유를 보임.

흡수가 일어나는데 그 정도는 질병의 기간에 따라 중등도내지 심한 정도를 보인다. 치근단 병소를 가진 치아의 74.7%~81%에서 내부적인 치근첨 흡수가 확인되었다(Laux *et al.* 2000; Vier & Figueiredo 2002). 이러한 수치는, GP-based 충전재료를 사용하였을 때 치유가 방해받을 수 있다는 것을 의미하는데 이는 GP based 충전 재료가 충분한 밀폐를 제공하지 못하고 치료에 도움이 되지 못하기 때문이다. 게다가 이러한 치근첨 부위에는 Gram(+) 혐기성균이 형성하는 bio-film이 형성되므로 GP가 충전재료로 사용될 때 치근단의 치유를 방해할 수 있다(Takemura *et al.* 2004; Noguchi *et al.* 2005). 광범위한 치근단 병소를 가진 경우, 대부분 근관 내부에는 biofilm이 존재한다(Siqueira & Lopes 2001; Nair *et al.* 2005; Lin *et al.* 2008; Ricucci & Siqueira 2010). 근관 내부에 존재하는 biofilm은 첫번째 근관 치료 시 또는 재근관 치료 시 근관 내에 존재할 수 있다. MTA를 사용한 근관 충전은 근관 내 biofilm이 존재하는 경우 도움을 줄 수 있을 것이다(Yildirim & Gencoglu 2010). 개를 대상으로 한 연구에서는 MTA로 충전한 치아 안에서 주근관과 일부 부근관 내에서 신생 백악질이 생성된 것을 확인할 수 있었다(Holland *et al.* 1999b) (그림 8.2).

만약 방사선상에 치근첨 흡수소견이 보인다면 MTA가 이상적인 충전재료로서 고려되어야만 한다. 더 나아가, 근관을 소독하고 확대하는 과정에서 제어할 수 없는 출혈이 보이는 경우, 치근첨 3-5mm MTA plug는 유리한 치료 옵션일 수 있다(Matt *et al.* 2004; Al-Khatani *et al.* 2005; Pace *et al.* 2008). MTA는 내흡수 부분을 밀폐할 수 있고 감염균의 biofilm이 초래할 수 있는 영향을 억제할 수 있으며 상아세관 내부에 세균을 가둘 수 있다(Matt *et al.* 2004; Ricucci & Siqueira 2010). MTA가 치근첨 밖으로 밀려 나갈 수 있기 때문에 핸드파일이나 plugger를 사용해 시행한다(그림 8.3).

재근관 치료 시 근관충전

처음 근관 충전한 재료가 구강 체액에 오랜 기간 동안 노출된, 실패한 근관 치료 케이스를 재근관치료하는 것은 쉽지 않은 일이다. 쉽게 치료되지 않거나 오염된 근관내에는 *E. faecalis, C. albicans* 와 *Proprionibacterium, Actinomyces, Streptococcus* 그리고 *Peptostreptococcus species*을 포함하는 Gram(+)세균들이 상아세관 속에서 서식하는 것을 발견할 수 있다(Pinheiro *et al.* 2003; Siqueira & Rocas 2004; Williams *et al.* 2006). 오랜 서식 기간 동안 이러한 세균들은 상아질과 치수의 계면에서부터 400~500 μm 떨어진 상아세관까지 서식지를 확대해 나간다(Ørstavik & Haapasalo 1990; Peters *et al.* 2001; Love & Jenkinson 2002; Waltimo *et al.* 2003; Siqueira & Sen 2004). 수산화칼슘을 근관 내에 장기간 적용하더라도, 상아 세관 내 세균들을 제거되는 것은 쉽지 않은 일이다(Stuart *et al.* 2006). 또한 최신의 소독액과 기술을 사용한다 하더라도 이런 세균들을 박멸하는 것은 극도로 어려운 일이다(Stuart *et al.* 2006). MTA 근관 충전은 근관 내부에 깊은 곳에 살아 있는, 통상적인 치료방법으로는 제거할 수 없는 감염 세균들의 생존을 억제할 수 있다(그림 8.4).

기존에 근관치료가 시행되었던, 오랜 기간 동안 지속되는 감염을 가진 치아에 있어서 주된 문제는

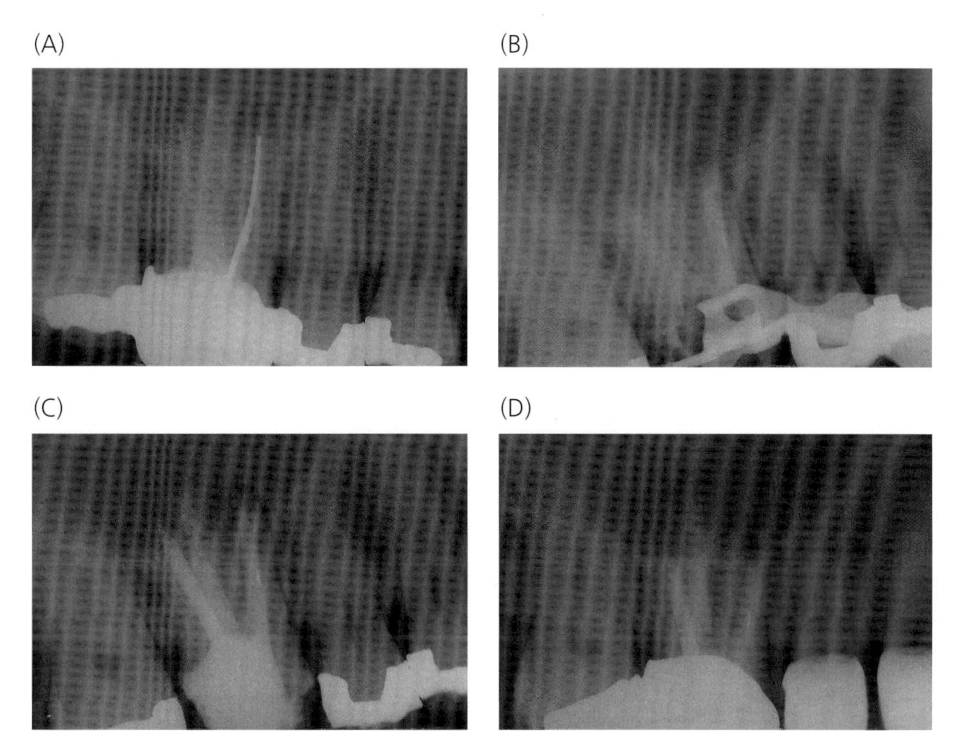

그림 8.4 (A) 상악 우측 제1대구치 부위에 계속적인 증상 호소와 병소를 보이는 42세 환자. 근심 협측 치근에는 치근단병소를 보이고 있는데 silver point로 충전이 되어 있고 원심 협측 치근에는 기구파절이 방사선 사진상에 확인되고 있다. (B) silver point를 제거한 후 초기 근관 충전의 방사선 사진. 두 갈래의 MTA 방출 통로가 보인다 (C) MTA로 세 갈래의 근관을 모두 충전하고 MTA경화 후 접착식의 core를 쌓은 모습 (D) 8년 후 recall에서 치근단부위에 병소가 사라진 모습을 확인할 수 있다. 환자는 증상이 사라졌고 환자의 치아는 온전히 기능을 하고 있다.

isthmuses, cul-de-sacs, 부근관 그리고 다른 해부학적 분지부 안에 광범위한 세균침투가 존재한다는 것이다(Nair *et al*. 2005; Ricucci & Siqueira 2010). 이러한 부위는 제대로 세척이 되지 않고 세균들이 다시 서식할 수 있는 여건을 갖추었는데 이런 경우, 중성적인 pH와 제한적인 항균작용을 가진 GP 나 resin-modified 충전재료를 사용한다면 어려움에 직면할 수 있다. 설사 현미경을 이용해 치료를 하거나 초음파기구, 적절한 근관세척액, 더 나은 세척시스템을 사용하면서 높은 수준의 근관 세척과 확대를 한다고 하더라도, 이런 세균 군락의 제거는, 외과적인 시술이 아니고서는 불가능할지 모른다. 오랜 기간 동안 저항해온 세균 군락은 근관 내에 biofilm을 형성하고 이는 근단공을 넘어서까지 확장될 수 있다(Tronstad *et al*. 1990; Abou Rass & Bogen 1998; Sunde *et al*. 2000; Noguchi *et al*. 2005). 이러한 여러 세균 군락의 생존 특성은 근단공 주위의 치유를 방해할 수 있고 통상적인 근관치료방법을 사용할 경우, 치근단 염증을 치유하기 위해서 수술적인 방법이 필요할 수도 있다. MTA를 사용한 재근관 치료는, 일반적으로 GP로 재근관치료를 하였을 때보다 외과적 수술의 가능성을 줄일 수 있고 더 나은 결과를 유도할 수 있다 (그림 8.5).

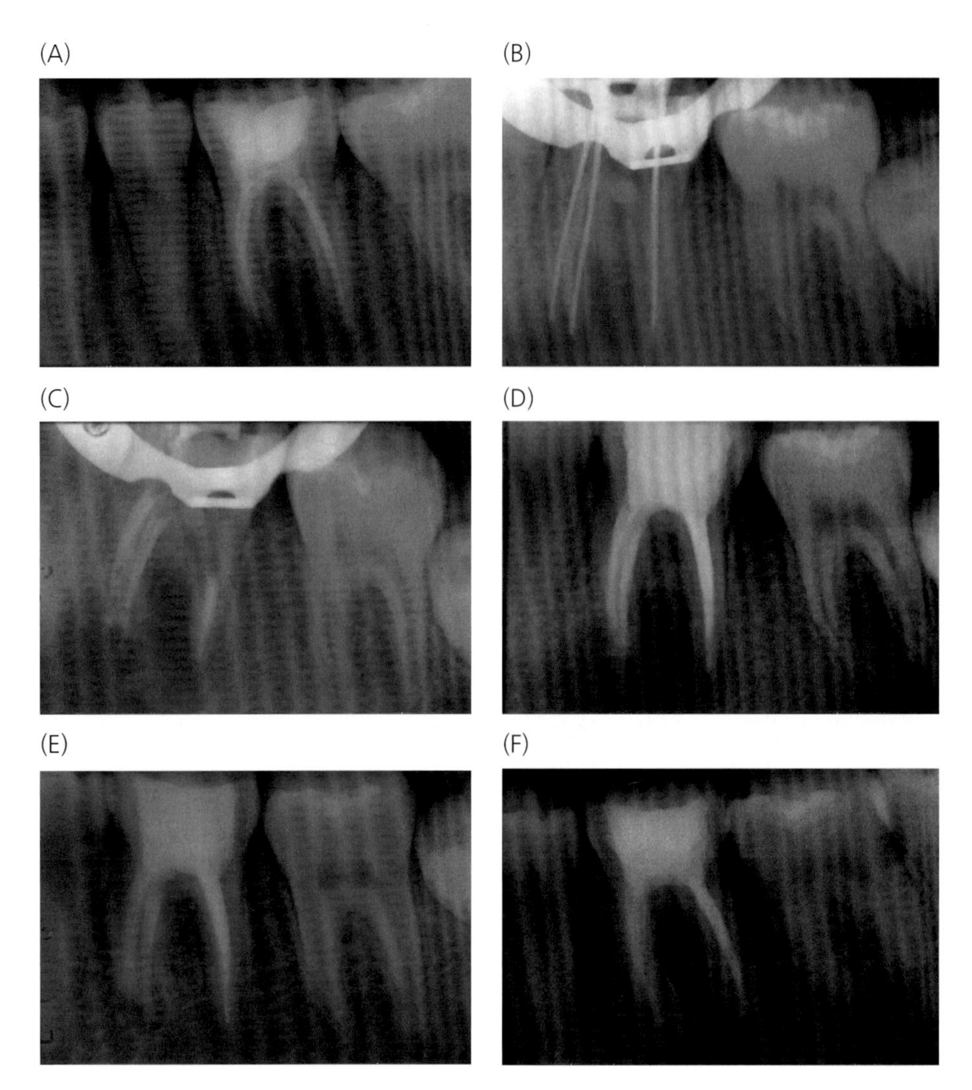

그림 8.5 (A) 12세 남자 환자의 하악 좌측 제1대구치 방사선 사진. 전에 치료되었지만 급성의 치근단 농양이 생기고 악하선극의 감염이 일어났다. (B) 근관장 측정 사진 (C) 원심근관에 5mm길이의 MTA plug 형성 (D) 원심근관의 빈공간은 열가소성 GP와 sealer로 상방부위를 충전함. composite 레진으로 치관부 수복물을 형성. (E) 3년 3개월 후 review (F) 9년 4개월 후 방사선 사진. 영구적인 수복물이 없는 상태이지만 치아는 정상적인 치주낭 검사 결과와 동요도를 보임

치근단 수술 전의 충전(Obturation prior to surgery)

치근단 절제술과 같은 외과적인 치료를 하기 전에, MTA로 근관 충전을 한다면, 해부학적으로 접근하기 어려운 증례에 임상가들이 좀 더 쉽게 다가갈 수 있다. 특별히 하악 제2, 3대구치의 근심, 원심치근과 상악 소구치, 상악 대구치의 구개측 치근이 해당될 수 있다. 하악 제1, 2대구치 원심 설측 치근을 MTA로 근관 충전하면 치근단 절제가 쉬워진다. MTA가 경화된 후에, 치근절제술은 치근단 밀폐에 영향을 주지 않으며

감염된 조직이 제거된 후에는 완벽한 치유에 도움을 준다(Andelin *et al*. 2002; Lamb *et al*. 2003). 이러한 외과적인 술식은, 남아 있는 치근에 대하여 미세거울이나 초음파 팁 그리고 재료의 적용을 위한 접근 경로를 확보할 필요가 없기 때문에 더욱 보존적인 골절단술 부위를 제공할 수 있다. 만약 치근절제술을 시행하고 난 후 절제된 치근단 단면에 GP가 보이는 경우에는 역근관 충전술을 반드시 시행해야 한다. 만약 플라스틱이나 금속 GP carrier가 확인된다면 역시 역근관 충전술을 반드시 시행해야 한다.

근관 계면에 남아있는 GP는 딜레마를 제공하는데, 이는 집요하게 생존하는 Gram(+) 세균과 곰팡이균들이 GP/sealer와 상아질 사이에서 존재할 수 있기 때문이다(Friedman 2008). 기존의 치료들로는 transportation, 치수 잔재, 기포, sealer 공백, 부근관, 치료되지 않은 isthmuse, 파절된 기구 그리고 biofilms 등이 근관 내에 존재하여 치유를 지연 또는 방해할 수 있다. MTA 재근관 치료와 외과적 술식은 이러한 경우 중요한 고려사항이다. MTA로 충전된 근관에 대하여 치근단 절제술을 시행한 후 역근관 충전은 방사선이나 현미경 검사 시 필요하다고 판단될 때에는 반드시 시행되어야 한다(그림 8.6, 8.7). 크고 오래 지속된 병소(5mm가 넘는)는 광범위한 골소실을 보일 수 있고 발치나 임플란트시술이 필요하게 될 수도

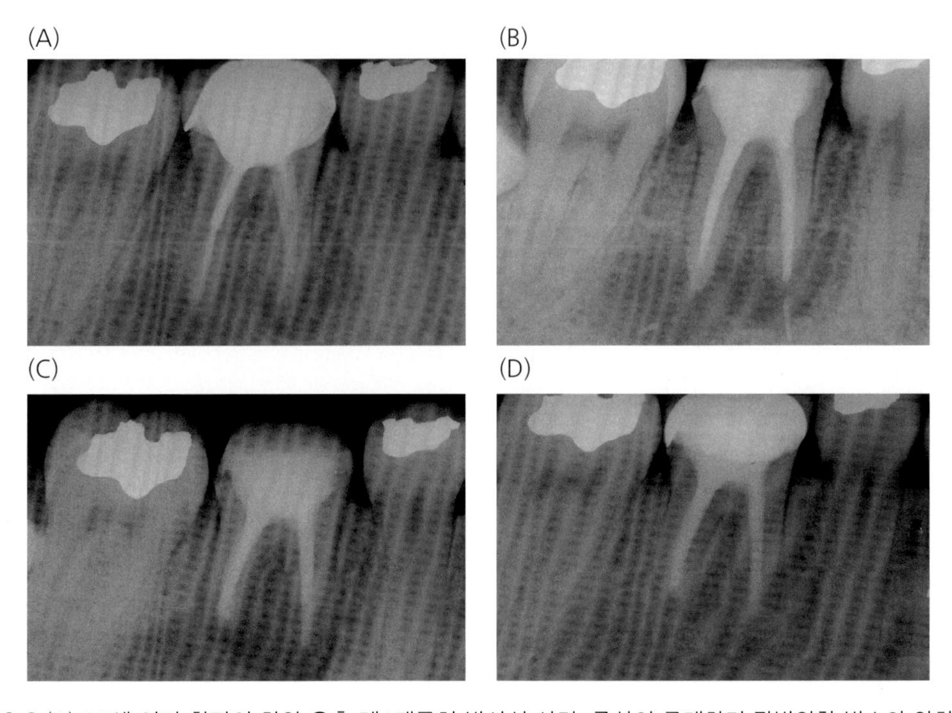

그림 8.6 (A) 26세 여자 환자의 하악 우측 제1대구치 방사선 사진. 증상이 존재하며 광범위한 병소와 악하극 감염이 존재한다. (B) GP 제거 후 MTA로 근관을 충전한 후 술후 방사선 사진. 접착식 core를 형성함. 재근관 치료 후 근단공을 빠져나온 GP 을 주목해야 함.(C) 외과적인 치근절제술을 통해 염증조직을 제거하고 빠져나온 GP을 제거함. 절제술 후 미세현미경검사를 통해 원심 근관벽 계면과 MTA충전 사이에 GP가 남아있다는 것이 발견되었다. (D) 1년 6개월 후 recall. 골절제술이 이루어진 부위에 완벽한 골형성 치유(complete remineralization)가 이루어진 것을 확인할 수 있다.

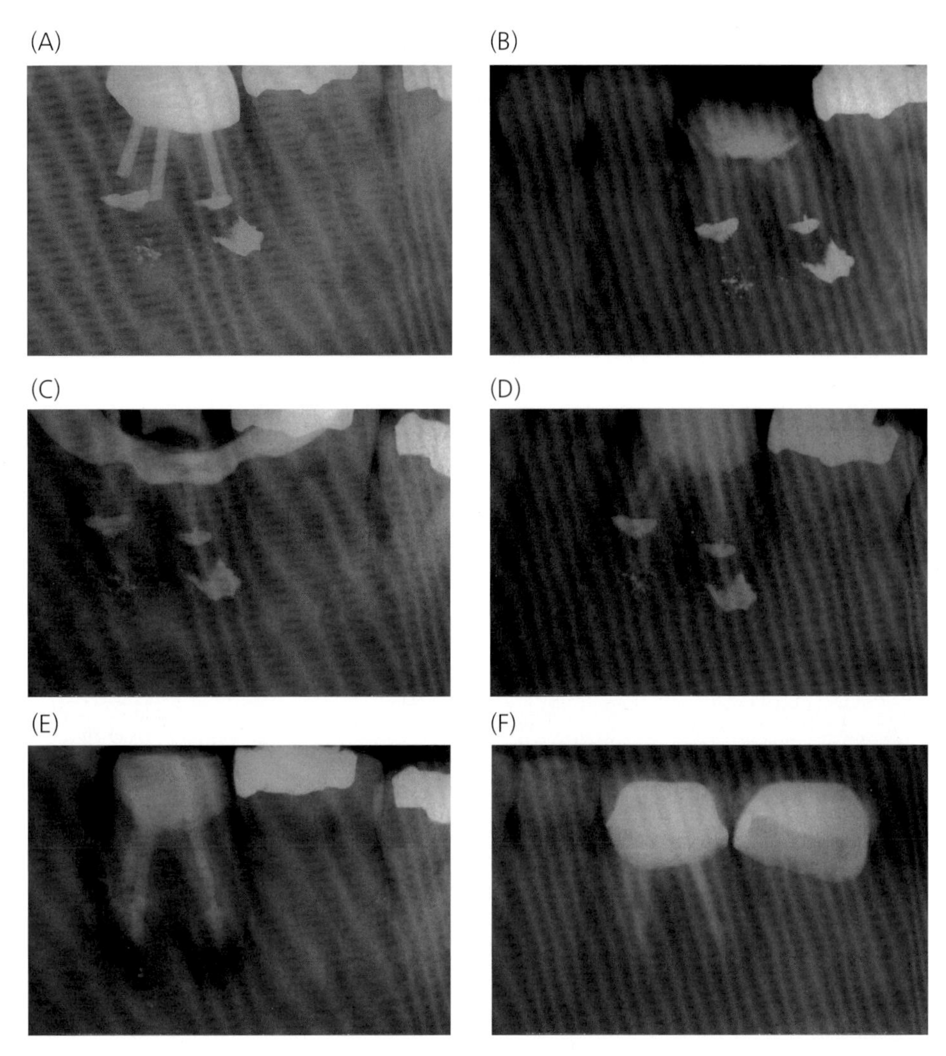

그림 8.7 (A) 세 개의 post를 포함한 하악 좌측 제1대구치를 가진 34세의 남자환자로 증상을 호소하고 있다. 이전에 치근단을 아말감으로 역근관 충전했으나 임플란트를 위해 발치가 계획되었다. (B) 치관 수복물과 post를 제거한 후 수산화칼슘으로 근관 내 소독을 시행했다. (C) MTA로 모든 근관이 충전된 모습 (D) MTA가 경화된 후 post와 core를 축조한 모습 (E) 아말감 역근관 충전된 부분을 제거하고 MTA로 근단을 밀폐시킨 두 번째 수술 후의 방사선 사진 (F) 8년 5개월 후에 recall. osteotomy site에 골형성(remineralization)이 이루어졌고 환자는 증상이 사라진 상태이다.

있다(Greenstein *et al*. 2008). MTA 재근관 치료 후 외과적 치근단 절제술은 향상된 감염균 제어를 통해서 환자의 치아를 살릴 수 있는 기회를 제공할 수 있다(그림 8.8).

근관 천공 시의 충전

천공은 치주조직과 근관 사이에 존재하는 통로인데 의원성이나 병리학적으로 발생한다. MTA는 이러한

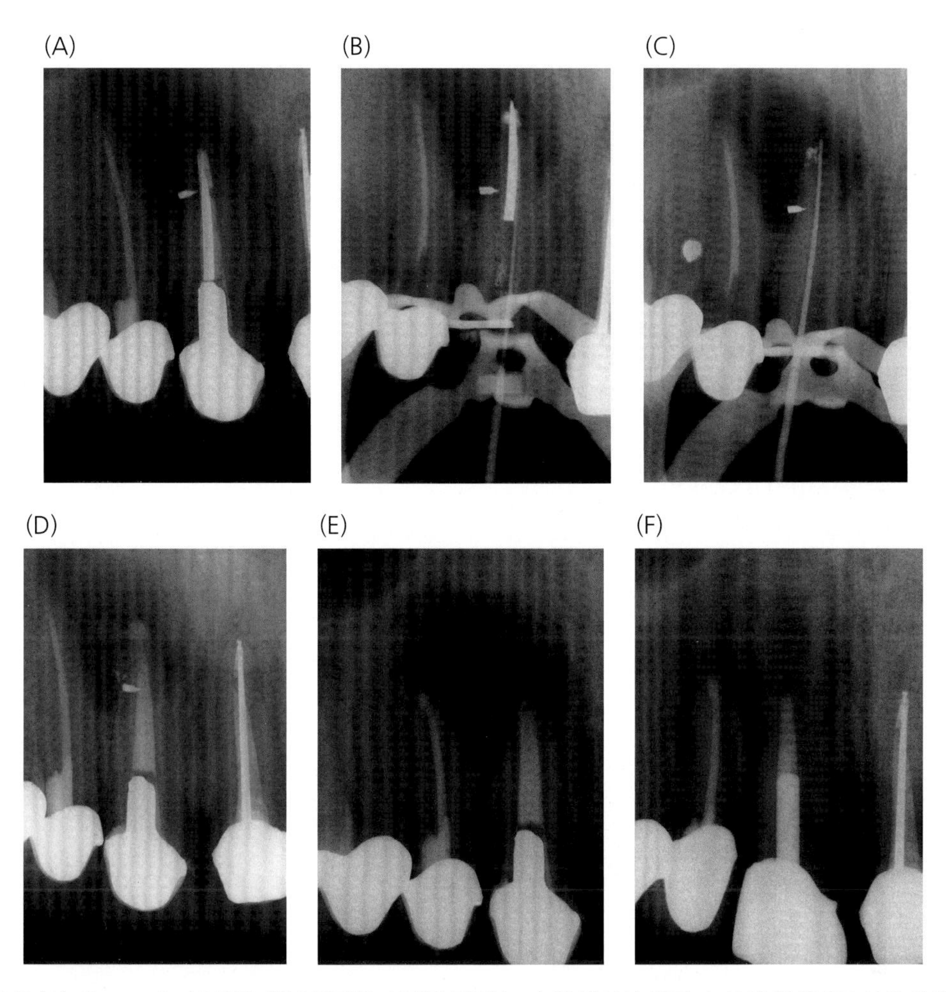

그림 8.8 (A) silver point로 근관 치료 했지만 실패한 케이스. 술전 방사선 사진. 누공이 형성되고 상악 우측 중절치와 연관된 광범위한 치근단 병소가 형성되어 있으며, 병소가 상악 우측 측절치까지 확장되어 있다. (B) 순방향으로 재근관치료를 하기 위해 silver point를 우회하는 시도 중 (C) silver point를 제거한 후 근관충전 물질이 근단공 외부로 누출된 방사선 사진 (D) 분리된 주조post와 core를 임시접착하기 전에 MTA 충전된 사진 (E) 중절치와 측절치 모두 치근절제술을 시행하고 치근첨을 넘어간 충전재료와 silver point를 제거함 (F) 4년 6개월 후 recall. 정상적인 치근단과 치조골 상태를 보이고 있다. 출처: Courtesy of Dr. Laureen M. Roh, Los Angeles, California.

문제를 해결하는데 있어서 우선적으로 선택할 수 있는 재료이다(Main etal. 2004; Pace etal. 2008). MTA를 이용한 천공 보수 시, 천공 부위를 확인 한 후 일정 두께의 MTA를 적용한다. MTA는 천공 부위의 보수와 치유를 증진시키는데 필요한 충분한 밀폐력을 제공할 수 있다. 이러한 과정은 치과수술용 현미경(DOM)을 사용하여 외과적으로 혹은 비외과적으로 시행할 수 있다. 그러나 천공은 GP이나 sealer로 근관을 밀폐 시킬 수 있는 치수강, 접근이 용이한 부위에만 발생하는 것은 아니다. 즉, 천공 부위가 근관 입구 하방에 존재할 때는 두 번째 충전물질인 GP나 sealer로 근관을 밀폐하는 과정에서 천공을 보수한 MTA가 떨어져 나갈 가능성이 있다. 따라서 이 경우 MTA로 천공부위를 보수한 후 GP와 sealer로 두번째 밀폐를 시도하는 술식은 정당화 될 수 없다.

치근 부위의 천공 보수 후 GP나 sealer로 근관 충전을 하는 술식의 장점을 입증하는 자료는 존재하지 않는다. post공간을 형성할 필요가 없다면, 가장 논리적인 결과는 근관 전체를 MTA로 완벽하게 충전하는 것이다. 흡수나 천공이 일어난 부위를 포함하여 근관 전체를 MTA로 충전할 경우 밀폐된 MTA 두께와 안정성 때문에 치료가 예측 가능하게 된다.(Tsai *et al*. 2006). 만약 근관에 post 계획이 있다면, post가 들어갈 수 있도록 MTA가 적용되어야만 한다. 이렇게 천공부위가 존재할 때는 근관 입구까지 완전하게 하나의 재료로 채워질 수 있도록 치료를 단순화 시키는 것을 임상가는 고려해야만 한다(그림 8.9).

치근첨형성술(Apexification)

MTA를 이용한 근첨형성술은 예지성 있는 치료로서 치수 생명력을 상실한 미성숙 영구치를 치료하는 술식이다(Shabahang & Torabinejad 2000; Giuliani *et al*. 2002; Witherspoon *et al*. 2008; Pace *et al*. 2008; Bogen &Chandler 2008; Nayar *et al*. 2009; Gűnes *et al*. 2012).

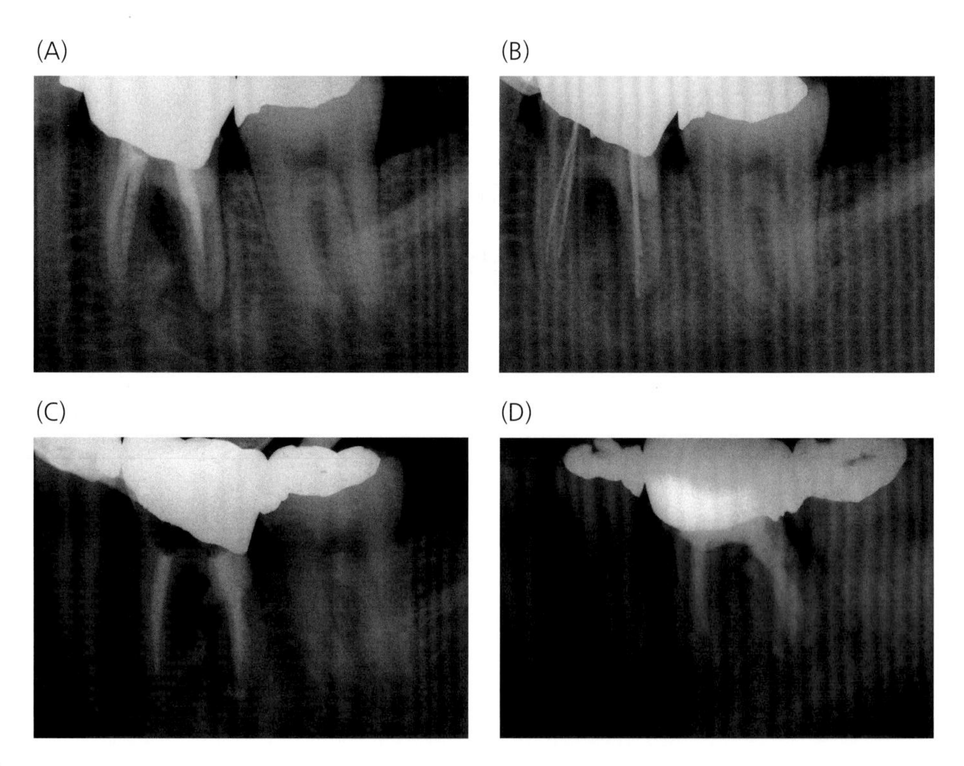

그림 8.9 (A)67세 환자의 좌측 하악 제1대구치에서 실패한 GP의 술전 방사선 사진. 분지부의 골손실에 주목하라. (B)근관장 방사선 사진. 원심 근관의 근단부 흡수 (C) 전체 근관을 gray MTA로 충전했고 분지부 천공된 부분으로 MTA의 유출이 있었다 (D) 18개월 후 완벽한 분지부와 근단부의 완벽한 치유를 보여준다.

만약 재생적 근관 치료(regenerative endodontic procedure)를 할 수 없다면, MTA를 사용해서 root-end plug를 형성하는 것이 치근을 성숙시키는 치료 옵션이 될 수 있다. MTA는 근단부에서 백악질 형성 및 상아질 형성을 자극하여 완전한 치근 형성 및 근단부 밀폐를 이룰 수 있다. 이 과정은 apical papilla에 있는 세포들이 백악모세포 및 상아모세포로 분화함으로써 이루어진다.

개방된 치근첨을 가진 치근의 밀폐 술식 과정에서 근관장까지 적절한 세척과 근관형성은 필수적이다. 세밀한 기구조작의 목적은 치근이 연장된 부분까지 근관벽을 세척하고 치근첨 바깥 부분의 조직을 보존하는데 있다. 근첨 부근이나 근첨 바깥 부분의 조직은 밀폐 과정 동안 자연 방어막이나 격막으로서 역할을 할 것이다. 근단 밀폐는 반드시 부드러운 압력과 세심한 축지를 사용해야 한다. 밀폐부위는 근첨 또는 그보다 1mm 짧은 부위에 위치해야 한다.

충전은 MAF보다 한두단계 작은 파일, 엔도 플러거, 마스터 지피콘이나 페이퍼포인트의 뒷부분으로 하면 된다. 초음파 팁도 사용할 수 있는데 조심스럽게 다루어져야 하며, MTA에 과도한 힘이 가해지는 것을 피하기 위해 초음파 출력을 낮은 단계로 맞추어야 한다. MTA가 근단 밖으로 빈번하게 유출되지만 치료결과에 영향을 주지 않는다(MTA 충전 기술을 보라). apical plug는 4–5mm길이가 이상적이다. 방사선 사진

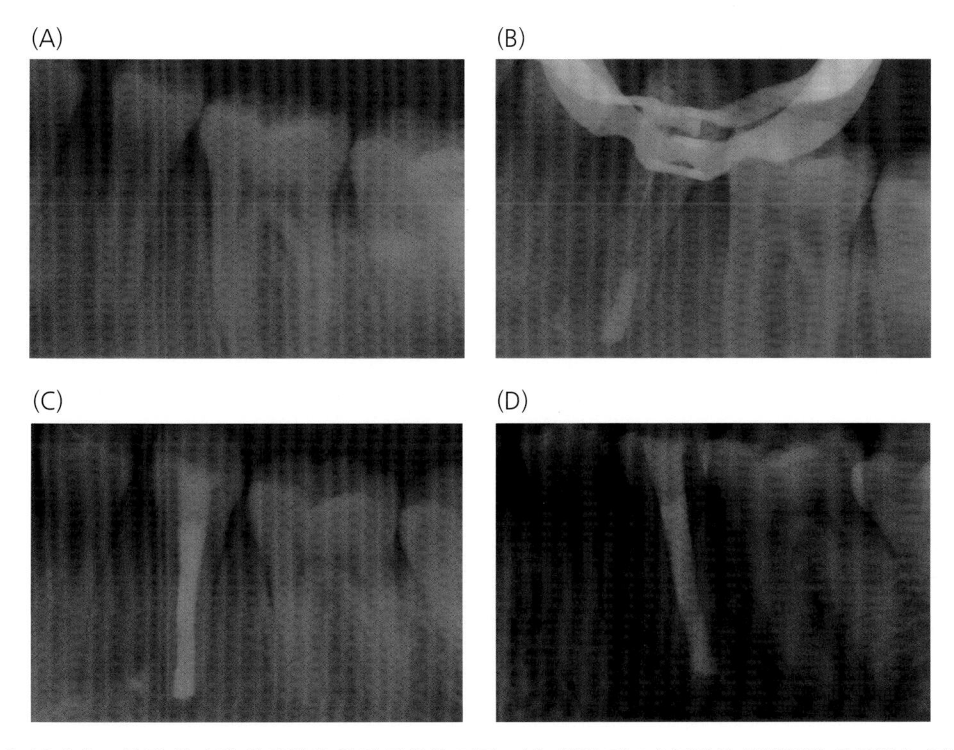

그림 8.10 (A)10살된 환자의 치외치와 열린 근첨을 가진 좌측 하악 제 2소구치의 광범위한 근단병소 (B) gray MTA를 이용하여 근첨에 5mm정도의 apical plug를 형성하였다. (C) 열성형 GP로 마지막 근관 충전후 접착 수복 (D) 9년 후 방사선 사진, 성숙된 근단 형성에 주목

을 통하여 충전의 위치와 밀도를 확인한 후에 근관 1/3부위는 좀 더 큰 플러거를 이용하여 충전할 수 있고 DOM을 사용하는 동안 멸균된 페이퍼 포인트를 이용해서 수분을 제거한다. Flowable RMGI 시멘트 compomer가 MTA 상방에 놓일 수 있고 근관의 나머지 부분은 열가압이나 측방가압 GP를 이용하여 CEJ 근처까지 충전할 수 있다. 이어서 코어가 올려지고 다른 강화 수복재가 근관계를 영구적으로 밀봉하는데 시행될 수 있다.

해부학적 이상 형태의 충전

MTA 충전의 중요한 점은 내흡수나 다양한 해부학적 근관형태를 충전할 수 있다는 점이다. 이러한 근관형태는 치내치, 치외치, 쌍생치, 융합치, C형 근관을 포함한다. 이러한 경우 MTA의 장점은 상당하며 적응증이 다양하다. MTA의 입자가 매우 작기 때문에, 특히 WMTA는 fissures, cul-de-sacs, isthmus와 같은 작은 공간을 부분적 혹은 완전히 채울 수 있다. 치내치에서 MTA 충전은 치수의 다른 부분이 생활력을 유지하는 상태로 오염된 부분의 세균만을 중화시킬 수 있다. C형 근관을 가진 치아 또한 MTA 충전의 훌륭한 후보이다. 이러한 C형 근관에서는 종종 근관충전의 실패가 나타나며, 문제 해결을 위해 역방향의 근관치료를 계획하곤 하지만, MTA 충전으로 재근관 치료를 하게 되면 수술을 피할 수 있다. MTA로 재치료된 C형 근관의 치료 성공율은 대다수의 GP충전된 치아보다 상당히 훌륭하다.

성장기 치열에서 근관치료를 야기하는 대다수의 치관이상 형태는 치외치이다. 몽골계통의 사람들에서 더 높은 유병률을 보이는데, 상하악 소구치가 전형적인 부위이며, 흔히 치수감염으로 진행한다. 치외치에는 교합면에 법랑질이 연장된 부분이나 탈론 교두가 있으며 확대하면 작은 출입구가 보이기도 한다. 연장된 부분이 깨지거나 닳아서 없어지면 치수노출, 급성 근단농양, 개방 치근단, 치근단 부위의 커다란 방사선 투과성 병소 등이 생기게 된다. 근단부에는 재생적인 근관치료 방법을 사용하거나, MTA로 근단 플러그(apical plu)를 형성하고 중간부는 열성형방법으로 충전(backfill)한 후 치관부에 접착성 레진코어를 해주면 치근폐쇄(apical closure), 치근의 성숙, 치근단 병소의 치유를 얻을 수 있다.

근관 충전의 방법

MTA를 충전하는 방법에는 라와티 술식(Lawaty technique), 파일이나 플러거를 이용하는 전통적인 충전 방법, 전동식 NiTi 파일을 역회전으로 이용하는 오거 술식(auger technique)등 다양한 방법이 있다(비디오). MTA를 부분적으로 충전하는 것보다는 전체 근관계를 충전하는 것이 술자 입장에서 더 간단하고, 근관에는 많은 양의 MTA를 넣어 결손 부위를 더 잘 밀폐할 수 있다(비디오).

표준적 충전 술식(Standard compaction technique*)
(*Bogen&Kutler 2008)

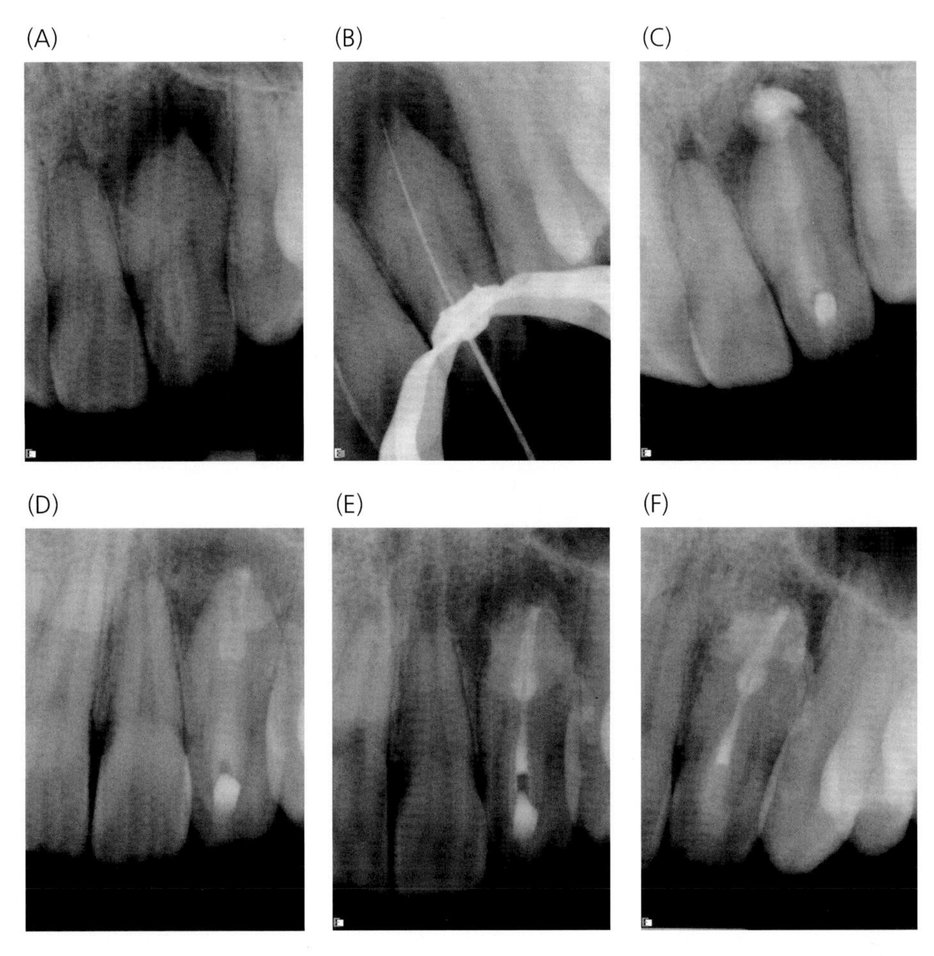

그림 8.11 (A) 16살 환자의 상악 좌측 측절치의 치외치 방사선 사진 (B) 근관장 사진 (c) 수산화 칼슘을 이용하여 근관 충전 (D) 2개월 후 리콜 사진 (E)중앙 근관을 MTA로 충전하고 임시가봉한 방사선 사진 (F) 4년 후 리콜 시 근단의 치유를 보인다. 치아는 증상이 없으며 냉검사에 정상적으로 반응한다.

MTA를 이용한 근관 충전에는 일반적인 GP콘 충전에서와 같은 근관성형 및 세척 과정이 필요하다. 도말층(smear layer)의 존재는 MTA의 interstitial layer 형성에는 영향이 없는 것처럼 보이며, 시간이 지남에 따라 밀폐성을 향상시킨다. 도말층은 MTA가 치근 상아질에 결합하는데 “coupling agent”로 작용하는 것으로 보이는데, 이는 수복 치과학 영역에서 사용되는 자가 부식형 접착 시스템의 혼성층 형성(hybrid layer formation)과 유사하다. 도말층의 제거에 관해 결론에 이르지 못하였기 때문에, 임상의는 도말층을 그대로 두고 MTA로 근관을 충전할 것인지 결정해야 할 것이다.

치근첨이 폐쇄된 비외과적 근관 치료 혹은 재치료중 근관형성시 MAF(master apical file)는 최소한 #25는 되어야 하고, #35나 #40 정도의 MAF가 더욱 바람직하다. White MTA가 더 작은 입자 크기를 갖기 때문에 더 좋은 조작성과 압축성을 갖지만, GMTA가 실험실 조건에서 더 우수한 밀폐성을 보였다.

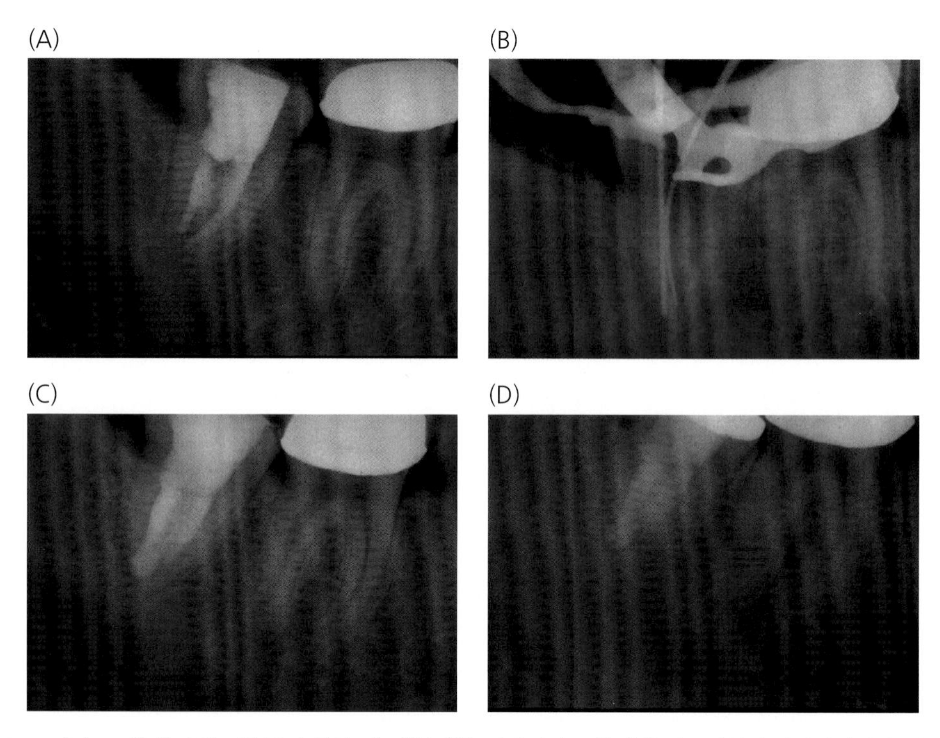

그림 8.12. (A) 28세 환자의 C형 근관 하악 제2대구치를 거타퍼차로 충전한 뒤 4개월이 경과하였지만 환자는 지속적인 통증을 호소했고, 저작력을 가할 수 없었다; 작은 치근단 방사선 투과성을 주목하라. (B) 원심 근관의 성형과 세척 후 파일을 넣은 방사선 사진. (C) MTA 충전과 접착성 코어로 수복 완료 (D) 2년 후 환자는 증상이 소실되었고 정상적으로 기능하였다.

MTA는 식염수나 마취용액 대신에 0.12% 클로르헥시딘으로도 혼합할 수 있고, 이 경우 더 좋은 항균작용을 보인다. 임상가는 어떤 종류의 MTA를 사용하고, 치아의 종류, 심미, 외과적 적응증, 적용의 난이도 등에 따라 어떻게 혼합할 것인지 결정해야 한다.

근관을 멸균 페이어포인트로 건조한 후 혼합한 MTA를 캐리어건으로 적용하고 1/3, 5/7, 9/11 근관 플러거나 Glick 기구로 치근단측으로 밀어넣는다. MAF보다 한두 사이즈 작은 K-file로 치근단 3-5mm의 젖은 MTA를 다진다. MAF 파일을 #35로 잡았으면 #25나 #30 k-file로 MTA를 근관장까지 근단측으로 밀어넣는다. MAF의 pilot tip은 하이스피드 다이아몬드 버로 끝을 평평하게 만들면 apical plug를 형성한 후 MTA를 다지기 쉽게 해줄 수 있다.

처음 몇번의 시멘트 적용으로 근관벽과 k-file의 radial land가 덮일 것이다. 파일을 근관에서 환상형(cicumferrential)으로 빼내고 저항감이 느껴질 때 까지 경도에서 중간정도의 압력으로 밀어넣는다. 치근첨이 밀폐되면 더 강한 압력을 가할 수 있다. 핸드 플러거도 다짐을 마무리하기 위해 사용될 수 있으나 만곡된 근관에서는 사용하기 어려울 수 있다. 근단에 MTA가 압축됨에 따라 근관장이 줄어들 것이고, 근관 플러거(1/3 or 5/7 크기)를 압축된 재료 위에 적용 할 수 있다. 플러거에 저강도 초음파를 적용하면 재료를 더욱 단단하게 압축할 수 있다. 방사선 사진을 찍어 기포가 있거나 충전이 충분한 밀도로 되었는지 확인한다. 새로운 MTA를 근관에 적용하고 더 큰 파일과 플러거를 이용해 근단측으로 압축할 수도 있고 열가소성 GP와 실러로 근관을 충전할 수도 있다.

방사선 사진에서 충전의 밀도가 불충분하다면 기존의(젖은) MTA를 더 작은 K파일로 다시 압축 할 수 있다. 기포가 여전히 남아있으면 MTA를 식염수나 마취용액을(27 혹은 30 게이지 니들사용) 사용하여 높은 압력으로 씻어낼 수 있다. 제거에 실패했을 땐 30 혹은 35번 파일에 초음파를 적용할 수 있다. 이런 과정에도 실패했을 때는 근관을 MTA로 채워놓고 치아의 치유를 관찰하며 수술적인 방법을 고려한다. MTA가 근관입구와 치수 바닥에까지 채워진 경우 물을 가볍게 뿌려 치수저나 근관와동에서 잔여 MTA를 제거할 수 있다.

MTA 충전 후 근관을 GP나 레진 기반의 재료로 충전하기로 결정했으면 근관을 side-venting needle을 이용하여 멸균수로 세척하고 페이퍼포인트로 건조한 뒤 MTA를 적당한 크기의 플러거로 평평하게 다진다. 미성숙 치근첨이나 치근단 치근흡수로 인해 열린 근첨을 가지는 근관에는 조심스럽게 힘을 가해 많은 양의 MTA가 넘어가는 것을 막을 수 있다.

넓은 열린 근첨에서는 MTA를 extra coarse 페이퍼 포인트, GP콘, Glick instrument나 큰 플러거의 끝으로 다질 수 있다. 근관플러거에 저강도의 초음파를 적용할 수 있지만, 치근첨이 열려있는 경우 많은 양의 MTA가 넘어갈 수 있으므로 주의해야 한다. 비록 유출된 MTA가 결과에 영향을 미치지는 않지만 이상적인 방사선학적 결과를 얻기 위해서는 심미적인 적용이 필요할 수 있다. 많은 출혈이 열린 근첨, 천공부위에서 보인다면 많은 양의 MTA를 더 큰 캐리어(아말감 캐리어 등)를 이용해 빠르게 적용하거나 수분을 적게 혼합해서 근관에 한 번에 많은 양을 적용해야 한다. MTA상부의 과도한 수분이나 혈액은 마른 면구로 제거하고 수산화칼슘 파우더를 재료 위에 적용하거나 적용하지 않아도 무방하다. extra coarse 페이퍼포인트의 뒤 끝을 이용해 삼출물이 제어되고 안정화 될 때까지 혼합물을 지속적으로 압박한다. 조절이 되지 않는 출혈이 나타나는 부위에서는 수산화칼슘을 적용하고 임시수복을 하는 것이 추천된다.

라와티 술식(Lawaty technique*)
(*Bogen&Kutler 2008)

MTA 충전을 위한 근관 성형 및 세척 방법은 전통적인 GP 충전을 위한 기계화학적(mechanochemical) 근관 형성과 동일하다. 근관은 .06-.08테이퍼 형성을 피하고 본래의 해부학적 구조물과 근관벽을 더 보전하여 보다 보존적으로 형성될 수 있다. WMTA는 입자 크기가 작기 때문에 #20 K-file 정도의 작은 근단 직경을 갖는 경우에도 glide path를 따라 치근첨까지 잘 들어갈 수 있다(GMTA는 MAF로 최소 #25-30크기의 k-file이 필요하다). .04 테이퍼의 ProFile을 #15에서 #35까지 단계적으로 사용해서 적합한 glide path를 형성한다. 근관을 6.0% NaOCl, 멸균 증류수로 세척한다. EDTA, BioPure™MTAD, QMix™로 도말층을 제거할 수 있지만 도말층이 남아 있어도 치료결과에는 영향이 없을 것이다(Yildirim *et al*. 2008). 근관은 적절한 크기의 페이퍼 포인트로 건조한다.

적절한 양의 WMTA나 GMTA를 유리 dappen dish에서 Glick instrument를 이용하여 멸균 증류수나 마취용액과 혼합한다. 혼합한 MTA의 양은 형성된 근관 입구를 넘어 와동내 치수저를 채울 정도로 충분해야 한다. 과도한 수분은 dappen dish 가장자리를 cotton tip aplicator로 살짝 훔쳐내어 제거한다. Glick instrument는 혼합된 MTA를 치수강으로 옮겨 넣는데 사용된다.

혼합된 MTA는 젖은 모래(wet sand)와 유사해야 하며 dish나 치수강에서 마르기 시작하면 멸균 증류수나 마취용액을 보충하여 점조도(consistency)를 회복시킨다. 치수강내의 MTA는 충전 과정에서 저장소(reservoir)로 작용하며 필요하면 재보충한다. 일련의 k-file을 사용해서 MTA를 근단부까지 이동시킨다. 처음 사용하는 파일은 MAF보다 한 단계 작은 것을 사용하고, 최종 파일은 보통 #60번 정도까지 사용하면 된다. 급격한 만곡이나 dilaceration을 가진 근관에서는 Flexo-file이 유용하다.

최초 k-file에 전자 근관장 측정기를 장착하면 근단의 위치를 확인할 수 있어 MTA 유출의 가능성을

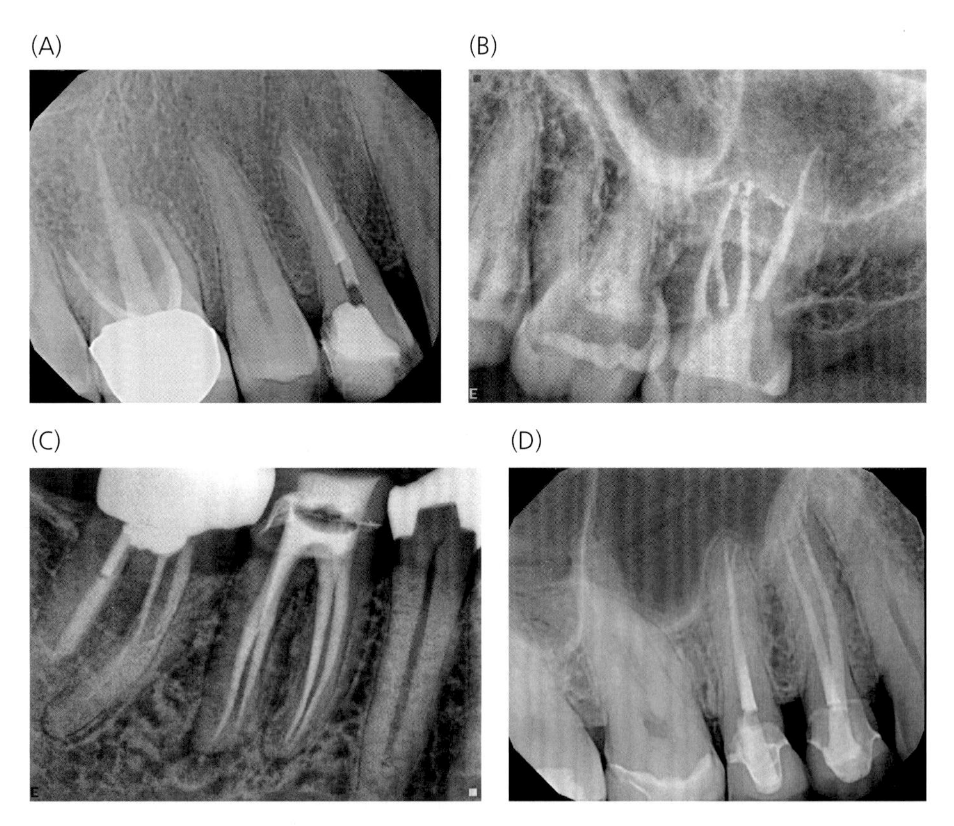

그림 8.13 (A) 상악 우측 제1소구치(2근관)을 MTA 로 충전한 후 임시 수복물로 수복함. (B) 상악 좌측 제2 대구치(4근관)를 MTA와 접착성 레진으로 수복함. (C) 하악 우측 제1 대구치(4근관)를 MTA로 충전하고 아크릴 임시 수복. (D) 상악 우측 제1, 2소구치를 MTA로 충전한 후 1년 뒤 모습

줄일 수 있다. 이 파일을 근관의 glide path를 따라 circumferential, passive하게 사용하며 부드럽게 근단부 pumping motion을 해야 한다. 이때 근관의 치관부쪽 부위는 깔때기처럼 사용된다. MTA가 치수강 저장소에서 근단으로 유입됨에 따라 근관장 측정기의 신호 빈도는 감소하고, apical plug가 형성됨에 따라 저항감을 느끼며 MTA가 파일에 끼이는(binding) 것을 느낄 수 있다. 저항감이 사라지면서 파일을 passive하게 한번 더 조작하면, 근관의 glide path가 짧아진 것이 명확해질 것이다. 일단 근단부 저항감이 사라지면 다음 파일이 연속적으로 사용된다. 이러한 패턴을 사이즈 60번 파일에 이르기까지 반복한다. 기포 형성을 막기 위해서 기구의 순서를 건너 뛰지 않는 것이 중요하다. 충전과정 중에 치근단 방사선 사진을 촬영하여 충전의 밀도를 확인하도록 한다.

근관의 치관측 부위까지 MTA로 충전할 수 있지만 상황에 따라 GP로 back-fill하거나 포스트식립을 위한 공간을 형성할 수 있다. 만약 MTA로 치관부를 충전하기로 했으면 Schilder플러거를 8.0사이즈부터 시작하여 가볍고 수동적인(passive) 스트로크(stroking)로 근관의 측벽에 압력을 가하지 않으면서 진행한

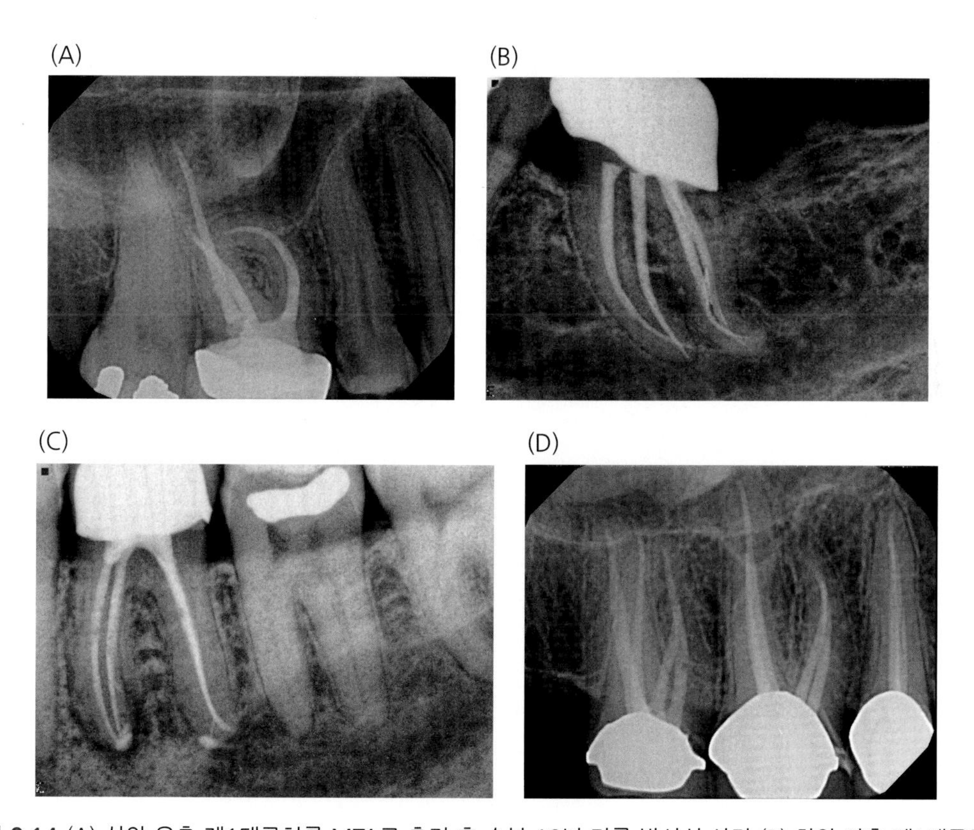

그림 8.14 (A) 상악 우측 제1대구치를 MTA로 충전 후 수복 10년 리콜 방사선 사진 (B) 하악 좌측 제1대구치의 4 근관을 충전한 방사선 사진 (C) 하악 좌측 제1대구치를 MTA로 충전한 후 3개월 리콜 방사선 사진. 몇몇 측방 근관과 소량의 MTA 유출이 보임.(D) 상악 우측 제1, 2대구치와 제2소구치를 MTA로 수직 가압하여 충전한 술후 4년 리콜 방사선 사진.

다. 수복물을 결정하지 않았다면 와동내 잔여 MTA는 치수강저에 다져 넣고 젖은 면구를 위치시킨다. 재료가 경화되면 치수강저에 분포하는 부근관을 밀폐하는데 도움을 주고 치근 이개부의 상아질을 강화할 것이다. 경화된 후 접착성 코어를 이용한 최종 수복물로 마무리될 수 있다. 다른 방법으로는 와동내의 모든 MTA를 two-way 시린지를 이용해 씻어내고 건조한 후 MTA로 충전된 근관 입구상방을 흐름성 레진으로 막고 접착성 복합레진 코어로 치수강저와 근관와동 공간을 채울 수 있다.

오거 술식(Auger technique)

MTA 충전은 회전 전동 기구를 이용해서도 가능하다. 이 과정은 통상적인 .04와 .06 테이퍼 NiTi 전동

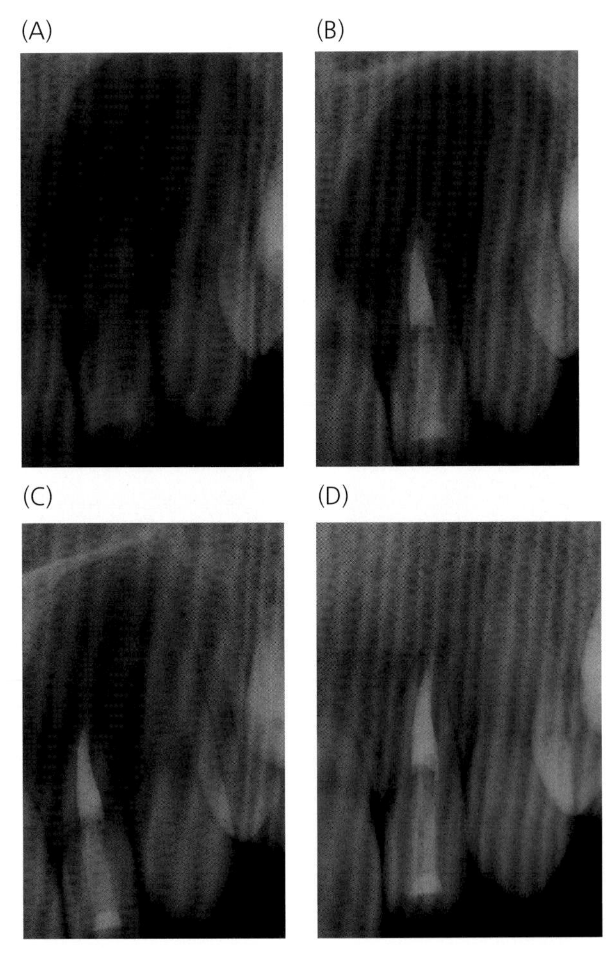

그림 8.15 (A) 12세 남자 환자의 좌측 상악 측절치에 치내치와 광범위한 치근단 병소가 보인다. 환자는 협측 전정에 현저한 부종을 보이고 누공이 관찰되었다. (B) auger techinque를 이용해 MTA를 충전하고 접착성 복합 레진으로 수복함 (C) 술후 3개월 (D) 1년 후 이전의 치근단 병소에서 골형성 치유(remineralization) 가 보임. 환자는 증상이 없어졌고, 정상 기능을 보임.

파일을 역회전 모드로 사용한다. 이 술식은 상대적으로 새로운 방법이고, 치근단 3-5mm를 적절히 충전하려면 적절한 변형이 필요하다. 이 방법에서도 전통적인 방법에서와 동일한 형성 및 세정 과정이 필요하나 일정한 결과를 얻으려면 약간 다른 조정이 필요하다. 종래의 수직 가압법에서 저항 형태가 필요한 것과는 다르게 치근 중간부와 치경부 근관 형성은 치근의 구조를 보존하기 위해 더욱 보존적으로 .04 테이퍼 파일을 이용한다.

상대적으로 직선 형태의 치근과 근첨 형성이 완료된 치아의 전체 근관을 치근첨에서부터 치수저까지 auger technique으로 충전이 가능하다(그림 8.15). 이 방법을 이용할 때 MTA를 너무 건조하지 않고 약간 수분이 많게 혼합하면 치근단 부위로 적용하기 더 쉽다. 이 방법은 MAF보다 한 두 단계 정도 작은 .04 테이퍼 파일로 완성할 수 있다. MTA를 근관에 캐리어 건으로 적용한 다음, MTA를 플러거로 밀어넣고, 전동 기구를 circumferential & pecking motion으로 치근단 끝까지 적용한다. 처음 4~5mm정도를 충전한 뒤에 MTA 혼합물에 수분이 너무 많으면 페이퍼 포인트로 건조할 수 있다. 이 단계에서 충전의 위치와 정도를 평가할 수 있다. 치근 중간에는 큰 전동 파일을 이용해서 동일한 모션으로 치근 중간 부위와 치경부 부위를 마무리 한다.

이 방식에서 가장 유념해야 할 점은 치근단 2-3mm는 파일의 기계적 특성과 MTA의 점조도(consistency) 때문에 밀폐시키기 어렵다는 점이다. 그래서 급격한 치근단 만곡을 갖거나 염증성 치근 흡수 때문에 발생한 열린 근첨이나 미성숙 치근단을 갖는 치아에서는 문제가 될 수 있다. 급격한 치근단만곡을 갖는 경우 MAF보다 한 단계 작은 precurved K-file을 이용하여 치근단 2-3mm를 충전하는 방법이 추천된다. 충전의 치근단 부위가 완전하고 방사선 사진에서도 충전의 위치와 밀도가 확인되면 남은 근관은 적절한 NiTi 파일을 이용해 auger technique으로 충전할 수 있다. 임상적으로 해부학적으로 어려운 형태를 보이거나 조절되지 않는 출혈이 있는 경우 이 방법을 사용해서는 안된다.

이 술식은 새로운 방법이지만, 초음파를 이용한 방법 보다 적은 에너지가 적용되므로 잠재적으로 더 안전하다. 일부 케이스에서 초음파 적용으로 더 높은 충전의 밀도를 보이기도 했지만 치근첨이 열린 경우나 흡수가 많이 된 경우 과충전(overfilling)의 가능성이 존재한다. 게다가 micro CT를 이용한 최근의 연구에서 MTA를 손으로 충전한 경우에서 초음파를 이용한 경우에서 보다 더 낮은 정도의 기포가 관찰되었고, 더 높은 밀도로 근관 충전이 가능함이 밝혀졌다.

수복 시 고려사항

포스트 식립이 필요한 케이스에서 근관을 GP나 레진 계열의 재료로 back-filling 하는 것을 고려할 수 있다. 하악 대구치의 원심근관, 상악 대구치의 구개근관, 상악 소구치의 길고 직선적인 근관, 전치의 근관이 이에 해당한다. 치근단 부위 4-5mm를 MTA로 충전한 후 쉽게 제거 가능한 충전재료를 적용한다. 임시 수복 재료가 오랜 기간동안 미세누출을 막을 수 없기 때문에 수복 치료를 적절한 시기에 시작해야 한다

(Uranga *et al.* 1999; Balto 2002; Naoum & Chandler 2002; Weston *et al.* 2008). 치아에 MTA를 충전하는 데에는 상당한 시간이 걸리고, 치료결과는 증례의 난이도와 술자의 경험에 달려 있을 것이다. 적용 술식(delivery technique) 또한 인내심과 연습이 필요하고 학습 곡선에 달려있다.

단점

MTA 사용에서 종종 간과되어지는 단점은 재료가 수분을 흡수하는 성질이다. 이 재료가 갖는 친수성 성질 때문에 재료 보관 동안 주의사항이 잘 지켜지지 않으면 재료는 경화된다. 개봉한 재료 중 사용되지 않은 부분을 사용하려면 습기를 흡수하지 않도록 밀폐된 용기에 보관해야 한다. 수분이 흡수된 경우, 혼합된 MTA는 정상적으로 보이지만 경화되지 않는다. 이러한 현상으로 인해서 많은 임상가들이 MTA라는 재료가 적절히 잘 경화되지 않는다고 생각하고 다른 재료를 사용하게 된다(표 8.2).

대다수의 환자와 술자가 치료를 적절한 시간 내에 완료하고 싶어하기 때문에 MTA의 느린 경화 특성은 치료선택의 방해요인이 되어왔다. MTA의 경화시간을 단축하는 몇몇 방법들이 제안되어 왔는데 이중에는 염화칼슘을 첨가하거나 황산칼슘을 제거하는 방법이 있다(Bortoluzzi *et al.* 2009). 새로운 기술을 사용한 최근의 연구는 이 문제를 해결하는데 기여할 수 있을 것이다(M. Torabinejad, personal communication). 속경성(fast setting) 칼슘-실리케이트 시멘트의 단점 중에는 interstitial layer 형성이 약해질 가능성, 낮은 초기 pH, 미생물 박멸을 위한 알카리성의 유지여부 등이 있다.

MTA로 충전된 치아의 변색은 심미적인 문제가 될 수 있다. WMTA도 여전히 상아질을 약간 어둡게 만든다(Karabucak *et al.* 2005). MTA충전 전에 치수강 내부를 수용성 레진으로 도포하는 방법은 좋은 결과를 보여주었다(Akbari *et al.* 2012). 또한 MTA는 산성 환경에서는 적절히 경화되지 않고 압축강도, 표면경도, 탈락저항성(resistance to dislodgement)이 낮아진다(Watts *et al.* 2007; Namazikhah *et al.* 2008; Hashem *et al.* 2012). 만약 경화되지 않은 재료가 발견되면 다시 수복해야 한다. MTA는 최종수족을 시행하기 전, 더 긴 기간(예, 1주)동안 경화가 될수록 구조적으로 더 강해진다(Kayahan *et al.* 2009).

표 8.2 MTA로 충전 했을때의 단점

느린 경화 시간
재치료시 제거의 어려움
낮은 pH에서 경화되지 않을 수 있음
상아질의 변색
공기 중 수분을 흡수하는 성질(hygroscopic property)로 인해 사용 전 조기 경화가 일어날 수 있음.
경화 팽창은 기존에 존재하던 치근 균열(infraction) 심화시킬 수 있음

임상적으로 고려해야 할 또 다른 점은 MTA가 경화하는 동안 선 팽창을 보인다는 점이다. 재근관 치료를 해야 할 치아로 진단된 경우 기존의 포스트 식립, 아말감 코어, 과도한 교합력 때문에 발생한 치근 균열(radicular infractions)을 발견하지 못 할 수도 있다(Fuss *et al.* 2001; De Bruyne & De Moor 2008). 이것은 GMTA를 사용할 때 특히 중요하다(Matt etal. 2004; Storm etal. 2008). 일반적으로 MTA충전은 만곡근관을 갖는 치아에서 영구적인 치료로 고려되야만 한다. 직선 근관에서는 초음파 기구를 통해 재료를 제거할 수 있지만 만곡된 아래 부분에 있는 MTA의 제거는 매우 어렵다(Boutsiokis *et al.* 2008). MTA충전 후 치근단 조직의 치유가 되지 않는 경우에는 외과적 근관치료를 고려해야만 한다.

SEALERS

실러는 거타퍼차와 같은 근관 충전 코어 재료와 함께 이용되어 근관과 코어재료 사이의 불규칙한 공간을 밀폐시켜준다.

실러는 일반적으로 다음의 특징을 갖는다.

- 근관과 코어사이의 접착 기능;
- 윤활기능;
- 항균 효과;
- 코어(주충전 재료)가 침투해 들어갈 수 없는 부근관, 내흡수 공간 혹은 기타 공간으로 침투 기능.

이상적인 실러의 조건에는 자극을 일으키지 않을 것, 조직액에서 비용해성, 체적 안정성, 밀폐성, 방사선 불투과성, 정균작용, 근관벽과의 접착성, 변색을 일으키지 않을 것, 충분한 작업시간, 제거 용이성 등이 있다(Grossman *et al.* 1988).

어떤 실러도 이런 모든 조건을 만족시키지는 못하며, 많은 재료들은 적용했을 때 독성을 나타내며(Spangberg & Langeland 1973) 조직액에 노출되면 녹아서 흡수되기 때문에(Ørstavik 1983) 실러의 사용량은 최소한으로 해야 하고 치근단 조직으로의 누출을 방지해야 한다.

현재까지 실러는 7개 그룹으로 나뉠 수 있다:

- 산화 아연 유지놀(Zinc oxide-eugenols)
- 수산화칼슘(calcium hydroxide)
- 에폭시 레진(epoxy resin)
- 글라스 아이오노머(glass ionomer)
- 실리콘계(silicone-based)

- 모노블록 실러 시스템(monoblock sealer systems)
- 칼슘 실리케이트 실러(calcium silicate sealer)

Zinc oxide-eugenol sealers

대부분은 Grossman's formula(Grossman 1958)에 기반한다. 모두 비교적 강도가 약하고 다공성이며 세포독성을 보인다. 다양한 경화시간과 흐름성을 갖도록 개선되어 실러 중에 가장 널리 사용되는 제품군이다.

수산화칼슘 실러(Calcium hydroxide sealers)

수산화칼슘계 실러는 남아 있는 치수 주위의 치유를 자극하고 치근단경조직의 형성을 유도하기 위해 개발되었다(Desai& Chandler 2009b). 밀폐력은 ZOE 계 실러와 유사하지만(Jacobsen *et al*. 1987) 용해성은 장기적으로 조직액에 노출되었을 때 의문이 제기된다(Tronstad *et al*. 1988).

에폭시 레진-기반의 실러(Epoxy resin-based sealers)

최초의 레진 실러인 AH26(De Trey, dentsply, ballaigues, Switzerland)은 에폭시-레진 베이스와 촉진제를 혼합하면 서서히 경화된다. 좋은 밀폐력, 접착력, 항균 작용을 가지고 있으며, 강한 항균효과는 포름알데히드(formaldehyde)의 용출이 그 원인이다(Heling & Chandler 1996). AH 26은 더 적은 세포독성, 얇은 피막도와 낮은 용해도를 갖는 AH Plus로 점차 대체되는 추세이다.

Glass ionomer sealers

글라스 아이오노모가 상아질과 결합할 수 있기 때문에 수복 재료로 도입된 후 많은 연구자들이 실러로의 잠재적 가능성에 대해 연구하였다(Pitt Ford 1979). 근관 치료용으로 상품화되어 오랫동안 사용되었지만 이 종류의 실러는 더 이상 사용되지 않는다.

실리콘-기반의 실러(Silicone-Based sealers)

RoekoSeal (Coltene/Whaledent, Altstatten, Switzerland)은 폴리다이메틸 실록산-기반의(polydimethylsiloxane-based) 실러로 경화 시 0.2% 팽창하고 높은 방사선불투과성을 갖는다. 다양한 실리콘 제제들이 있고, 일부는 거타퍼차 입자와 혼합된 형태로 존재한다. 비록 세포독성이 다른 종류의 실러들보다 낮지만 치근첨 밖으로(Zielinski *et al*. 2008) 재료가 유출되었을 때 잠재적 문제가 발생할 수 있다.

모노블럭 실러(Monoblock sealer systems)

거타퍼차는 상아질과 결합하지 않기 때문에 점도가 낮은 복합레진으로 근관을 밀폐하는 방법이 1970년대 후반에 연구되었다. 생체활성 글라스(bioactive glass), 비스무스와 바륨 염을 필러(fiiler)로 포함하는 폴리카프로락톤(polycaprolactone) 열가소성 물질이 GP의 대안으로 개발되었다(Resilon, Pentron Corp, Wallingford, CT, USA). 이것이 UDMA(urethane dimethacrylate) 기반의 실러(e.g. Epiphany, Pentron Corp)와 결합하여 "monoblock"을 형성할 수 있다(Tay & Pashley 2007). 도말층이 제거된 후 프라이머를 적용하고 이중중합형(dual-cured) 실러를 상아질 벽에 도포한다. 하지만 이 시스템에 대한 문제가 제기되어 왔다. 도말층의 존재, 상아질에 대한 투과성, 실러의 두께와 중합 수축 등은 이 제품의 효율성에 관여된다. 시간 경과에 따른 중합체의 안정성 또한 관심사이다.

칼슘 실리케이트-기반의 실러(Calcium silicate-based sealers)

가장 최근에 개발된 실러는 칼슘 실리케이트 혹은 MTA 기반의 실러이다. 이 재료는 생체친화적이고 치근 벽의 표면을 따라 무정형 칼슘-인산 전구체(amorphous calcium-phosphate precursor)로부터 결정형 수산화인회석(hydroxyapatite)의 침착을 촉진하는 특징이 있다(Weller *et al.* 2008; Camilleri 2009; Salles *et al.* 2012). 코어와 함께 측방가압, 수직 가압 혹은 carrier-based 충전방식과 함께 사용되도록 고안되었지만 코어 없이 독립적으로 사용될 수도 있다. 이런 실러에는 ProRoot Endo sealer (Maillefer, Ballaigues, Switzerland), MTA Fillapex and MTA Obtura (Angelus, Londria, Brazil), Endo-CPM-Sealer (EGEO S.R.L., Buenos Aires, Argentina), Endosequence BC sealer (Brasseler USA, Savannah, GA), 그리고 iRoot SP sealer (Innovative Bioceramix Inc, Vancouver, BC, Canada) 등이 있다.

ProRoot Endo sealer의 분말에는 규산삼칼슘(tricalcium silicate), 알루미늄산삼칼슘(tricalcium aluminate), 규산이칼슘(dicalcium silicate) 등이 포함되어 있고, 경화 지연제(setting retardant)로 황산 칼슘(calcium sulfate)이 포함되어 있다. 산화 비스무스(Bismuth oxide)가 방사선 불투과성을 부여한다. liquid는 점성이 있는 수용성의 polyvinyl-pyrrolidone homopolymer이다(Weller *et al.* 2008). SBF(Simulated Body Fluid)에 보관한 ex vivo 표본에서, 실러는 구형의 무정형 칼슘-유사 상(amorphous calcium-like phases)과 인회석-유사 상(apatite-like phases)을 형성했다. 유사하게 수용성 고분자를 포함한 실험적인 MTA 실러 역시 증류수나 생리적 용액과 접촉했을 때 칼슘 이온을 유리하고 인산 칼슘 결정을 침전시켰다(Camilleri 2009; Massi *et al.* 2011; Camilleri *et al.* 2011).

iRoot SP sealer는 또 다른 새롭게 소개된 칼슘 실리케이트 기반의 실러이고 인회석(apatite)를 형성하는 성질을 가진다. 이러한 광화(mineralization)현상은 Endosequence BC Sealer, Endo-CPM-Selaer (Gomes-Filho *et al.* 2009), MTA Fillapex에서도 나타난다(Salles *et al.*2012). 칼슘 실리케이트 기반의 실러는 전통적으로 점성이 높고 작은 입자 크기를 보여 상아질에 우수한 적합성을 보이며 발치 치아의 중간 및 치근단 1/3에서 우수한 결합 강도를 보였다(Huffman *et al.* 2009; Ersahan & Avdin 2010; Sagsen *et al.* 2011). 칼슘 실리케이트/MTA기반 실러의 우수한 생체친화성과 물리 화학적 성질은 전통적인 근관충전에서 우수한 결과를 보일 수 있고, 장래에도 개발과 적용이 유망해 보인다.

요약

MTA는 근관충전 재료로 사용되었을 때 탁월한 물리화학적 특성을 보이며 위태로운 치아에서도 치유를 촉진시킬 수 있다. MTA의 생체활성 특성은 골모세포의 분화와 골의 침착(deposition) 및 백악질의 치유(repair)를 자극하고 치주인대의 재형성을 촉진한다. 충전 재료로 MTA는 상아질과의 계면에서 interstitial layer 형성, 우수한 밀폐성, 서서히 경화하는 동안 높은 pH를 유지하는 점을 포함하여 많은 우수한 특성을 가지고 있다. 또한 미세한 입자 크기는 상아세관을 투과하여 *E. faecalis*, *C. albicans* 등 기회균주의 성장을 억제한다.

수경성(hydraulic) 칼슘-실리케이트 시멘트의 독특한 특징은 기준에 미치지 못하는 미흡한 정방향 및 역방향 근관치료, 수복물의 미세누출, 염증성 치근 흡수, 해부학적 이상, 미성숙 치근첨과 같은 원인으로 치유가 되지 않는 근관 치료에서 중요한 장점을 제공할수 있다. MTA는 통상적인 근관충전 과정에서 GP를 대체하여 사용할 수 있다. MTA는 현재 발전단계에 있으며, 완벽하게 이상적인 근관 충전 재료는 아니지만 MTA를 단독으로 혹은 외과적 치료와 함께 사용할 경우 어렵고 복잡한 근관치료학적 문제를 가지고 있는 환자에서 보다 향상된 치유 결과를 가져올 수 있다.

참고문헌

Abedi, H.R., Ingle, J.I. (1995) Mineral Trioxide Aggregate: a review of a new cement. *Journal of the Californian Dental Association* **23**, 36–9.

Abou-Rass, M., Bogen, G. (1998) Microorganisms in closed periapical lesions. *International Endodontic Journal* **31**, 39–47.

Aggarwal, V., Singla, M. (2010) Management of inflammatory root resorption using MTA obturation - a four year follow up. *British Dental Journal* **208**, 287–9.

Akbari, M., Rouhani, A., Samiee S., *et al.* (2012) Effect of dentin bonding agent on the prevention of tooth discoloration produced by mineral trioxide aggregate. *International Journal of Dentistry* 2012:563203.

Alani, A., Bishop, K. (2009) The use of MTA in the modern management of teeth affected by dens invaginatus. *International Dental Journal* **59**, 343–8.

Al-Hezaimi, K., Naghshbandi, J., Oglesby, S., *et al.* (2005) Human saliva penetration of root canals obturated with two types of mineral trioxide aggregate. *Journal of Endodontics* **31**, 453–6.

Al-Hezaimi, K., Naghshbandi, J., Oglesby, S., *et al.* (2006a) Comparison of antifungal activity of white-colored and gray colored mineral trioxide aggregate (MTA) at similar concentrations against Candida albicans. *Journal of Endodontics* **32**, 365–7.

Al-Hezaimi, K., Al-Shalan, TA., Naghshbandi, J., *et al.* (2006b) Antibacterial effect of two mineral trioxide aggregate (MTA) preparations against *Enterococcus faecalis* and *Streptococcus sanguis* in vitro. *Journal of Endodontics* **32**, 1053–6.

Al-Kahtani, A., Shostad, S., Schifferle, R., *et al.* (2005) In-vitro evaluation of microleakage of an orthograde apical plug of mineral trioxide aggregate in permanent teeth with simulated immature apices. *Journal of Endodontics* **31**, 117–19.

Al-Nazhan, S., Al-Judai, A. (2003) Evaluation of antifungal activity of mineral trioxide aggregate. *Journal of Endodontics* **29**, 826–7.

Anantula, K., Ganta, A.K. (2011) Evaluation and comparison of sealing ability of three different obturation techniques - Lateral condensation, Obtura II, and GuttaFlow: An in vitro study. *Journal of Conservative Dentistry* **14**, 57–61.

Andelin, W.E., Browning, D.F., Hsu G.H., *et al.* (2002) Microleakage of resected MTA. *Journal of Endodontics* **28**, 573–4.

Andreasen, J.O., Farik, B., Munksgaard, E.C. (2002) Long-term calcium hydroxide as a root canal dressing may increase risk of root fracture. *Dental Traumatology* **18**, 134–137.

Ari, H., Belli, S., Gunes, B. (2010) Sealing ability of Hybrid Root SEAL (MetaSEAL) in conjunction with different obturation techniques. *Oral Surgery Oral Medicine Oral Pathology Oral Radiolology and Endodontics* **109**, e113–e116.

Asgary, S., Parirokh, M., Engbal, M.J., *et al.* (2006) A qualitative X-ray analysis of white and grey mineral trioxide aggregate using compositional imaging. *The Journal of Materials Science: Materials in Medicine* **17**, 187–91.

Balto, H. (2002) An assessment of microbial coronal leakage of temporary materials in endodontically treated teeth. *Journal of Endodontics* **28**, 762–4.

Bogen, G., Kuttler, S. (2009) Mineral trioxide aggregate obturation: a review and case series. *Journal of Endodontics* **35**, 777–90.

Bogen, G., Chandler N. (2008) Vital pulp therapy. In: *Ingle's Endodontics*, 6th edn (eds. Ingle, J.I., Bakland L.K., Baumgartner, J.C.). BC Decker Inc, Hamilton, Ontario, pp.1310–1329.

Bortoluzzi, E.A., Souza, E.M., Reis, J.M., *et al.* (2007) Fracture strength of bovine incisors after intra-radicular treatment with MTA in an experimental immature tooth model. *International Endodontic Journal* **40**, 684–91.

Bortoluzzi, E.A., Broon, N.J., Bramante, C.M., *et al.* (2009) The influence of calcium chloride on the setting time, solubility, disintegration, and pH of mineral trioxide aggregate and white Portland cement with a radiopacifier. *Journal of Endodontics* **35**, 550–4.

Boutsioukis, C., Noula, G., Lambrianidis, T. (2008) Ex vivo study of the efficiency of two techniques for the removal of mineral trioxide aggregate used as a root canal filling material. *Journal of Endodontics* **34**, 1239–42.

Bozeman, T.B., Lemon, R.R., Eleazer, P.D. (2006) Elemental analysis of crystal precipitate from gray and white MTA. *Journal of Endodontics* **32**, 425–8.

Branchs, D., Trope, M. (2004) Revascularization of immature permanent teeth with apical periodontitis: New treatment protocol? *Journal of Endodontics* **30**, 196–200.

Budig, C.G., Eleazer, P.D. (2008) In vitro comparison of the setting of dry ProRoot MTA by moisture absorbed through the root. *Journal of Endodontics* **34**, 712–14.

Camilleri, J. (2007) Hydration mechanisms of mineral trioxide aggregate. *International Endodontic Journal* **40**, 462–70.

Camilleri, J. (2008a) The chemical composition of mineral trioxide aggregate. *Journal of Conservative Dentistry* **11**, 141–3.

Camilleri, J. (2008b) Characterization of hydration products of mineral trioxide aggregate. *International Endodontic Journal* **41**, 408–17.

Camilleri, J. (2009) Evaluation of selected properties of mineral trioxide aggregate sealer cement. *Journal of Endodontics* **35**, 1412–17.

Camilleri, J., Montesin, F.E., Brady, K., *et al.* (2005) The constitution of mineral trioxide aggregate. *Dental Materials* **21**, 297–303.

Camilleri, J., Gandolfik, M.G., Siboni, F., *et al.* (2011) Dynamic sealing ability of MTA root canal sealer. *International Endodontic Journal* **44**, 9–20.

Candeiro, G.T., Correia, F.C., Duarte, M.A., *et al.* (2012) Evaluation of radiopacity, pH, release of calcium ions, and flow of a bioceramic root canal sealer. *Journal of Endodontics* **38**, 842–5.

Carrotte, P. (2004) Endodontics: Part 8. Filling the root canal system. *British Dental Journal* **197**, 667–72.

Cho, S.Y. (2005) Supernumerary premolars associated with dens evaginatus: report of 2 cases. *Journal of the Canadian Dental Association* **71**, 390–3.

Chogle, S., Mickel, A.K., Chan, D.M., *et al.* (2007) Intracanal assessment of mineral trioxide aggregate setting and sealing properties. *General Dentistry* **55**, 306–11.

Cotton, T.P., Schindler, W.G., Schwartz, S.A., *et al.* (2008) A retrospective study comparing clinical outcomes after obturation with Resilon/Epiphany or gutta-percha/Kerr sealer. *Journal of Endodontics* **34**,789–97.

Dammaschke, T., Gerth, H.U., Zuchner, H., *et al.* (2005) Chemical and physical surface and bulk material characterization of white ProRoot MTA and two Portland cements. *Dental Materials* **21**, 731–8.

D'Arcangelo, C., D'Amario, M. (2007) Use of MTA for orthograde obturation of nonvital teeth with open apices: report of two cases. *Oral Surgery Oral Medicine Oral Pathology Oral Radiology Endodontics* **104**, e98–e101.

De Bruyne, M.A., De Moor, R.J. (2008) Influence of cracks on leakage and obturation efficiency of root-end filling materials after ultrasonic preparation: an in vitro evaluation. *Quintessence International* **39**, 685–92.

de Leimburg, M.L., Angeretti, A., Ceruti P., *et al.* (2004) MTA obturation of pulpless teeth with open apices: bacterial leakage as detected by polymerase chain reaction assay. *Journal of Endodontics* **30**, 883–6.

de Lima, M.V., Bramante, C.M., Garcia, R.B., *et al.* (2007) Endodontic treatment of dens in dente associated with a chronic periapical lesion using an apical plug of mineral trioxide aggregate. *Quintessence International*, e124–e128.

Desai, S., Chandler, N. (2009a) The restoration of permanent immature anterior teeth, root filled using MTA: A review. *Journal of Dentistry* **37**, 652–7.

Desai, S., Chandler, N. (2009b) Calcium hydroxide-based root canal sealers: a review. *Journal of Endodontics* **35**, 475–80.

Dreger, L.A., Felippe, W.T., Reyes-Carmona, J.F., *et al.* (2012) Mineral trioxide aggregate and Portland cement promote biomineralization in vivo. *Journal of Endodontics* **38**, 324–9.

Duarte, M.A., Demarchi, A.C., Yamashita, J.C., *et al.* (2003) pH and calcium ion release of 2 root-end filling materials. *Oral Surgery Oral Medicine Oral Pathology Oral Radiolology and Endodontics* **95**, 345–7.

El-Ma'aita, A.M., Qualtrough, A.J., Watts, D.C. (2012) A micro-computed tomography evaluation of mineral trioxide aggregate root canal fillings. *Journal of Endodontics* **38**, 670–2.

Ersahan, S., Aydin, C. (2010) Dislocation resistance of iRoot SP, a calcium silicate-based sealer, from radicular dentine. *Journal of Endodontics* **36**, 2000–2.

Felippe, M.C., Felippe, W.T., Marques, M.M., *et al.* (2005). The effect of the renewal of calcium hydroxide paste on the apexification and periapical healing of teeth with incomplete root formation. *International Endodontic Journal*, 436–42.

Fridland, M., Rosado, R. (2005) MTA solubility: a long term study. *Journal of Endodontics*, 376–9.

Friedman, S. (2008) Expected outcomes in the prevention and treatment of apical periodontitis. In: *Essential Endodontology: Prevention and Treatment of Apical Periodontitis*, 2nd edn. (eds. Ørstavik, D., Pitt Ford, T.R.). Blackwell Science, Oxford, pp. 408–69.

Fuss, Z., Lustig, J., Katz, A., *et al.* (2001) An evaluation of endodontically treated vertical root fractured teeth: impact of operative procedures. *Journal of Endodontics* **27**, 46–8.

Garberoglio, R., Brännström, M. (1976) Scanning electron microscopic investigation of human dentinal tubules. *Archives of Oral Biology* **21**, 355–62.

Giuliani, V., Baccetti, T., Pace R., *et al.* (2002) The use of MTA in teeth with necrotic pulps and open apices. *Dental Traumatology* **18**, 217–21.

Glick, D.H., Frank, A.L. (1986) Removal of silver points and fractured posts by ultrasonics. *Journal of Prosthetic Dentistry* **55**, 212–15.

Gomes-Filho, J.E., Watanabe, S., Bernabé, P.F., *et al.* (2009) A mineral trioxide aggregate sealer stimulated mineralization. *Journal of Endodontics* **35**, 256–60.

Gondim, E. Jr., Zaia, A.A., Gomez, B.P.F.A., *et al.* (2003) Investigation of the marginal adaptation of root-end filling materials in root-end cavities prepared with ultrasonic tips. *International Endodontic Journal* **36**, 491–9.

Greenstein, G., Cavallaro, J., Tarnow, D. (2008) When to save or extract a tooth in the esthetic zone: a commentary. *Compendium of Continuing Education in Dentistry* **29**, 136–45.

Grigoratos, D., Knowles, J., Ng, Y.L., *et al.* (2001) Effect of exposing dentine to sodium hypochlorite and calcium hydroxide on its flexural strength and elastic modulus. *International Endodontic Journal* **34**, 113–19.

Grossman, L.I. (1958) An improved root canal cement. *Journal of the American Dental Association* **56**, 381– 5.

Grossman, L.I. (1982) *Endodontic Practice*, 10th edn. Lea and Febiger, Philadelphia, p. 279.

Grossman L.I., Oliet, S., del Rio C.E. (1988) *Endodontic Practice*, 11th edn. Lea and Febiger, Philadelphia, pp. 242–270.

Guess, G.M. (2008) An alternative to gutta-percha for root canal obturation. *Dentistry Today* **27**, 84, 86, 88.

Güneş, B., Aydinbelge, H.A. (2012) Mineral trioxide aggregate apical plug method for the treatment of nonvital immature permanent maxillary incisors: Three case reports. *Journal of Conservative Dentistry* **15**, 73–6.

Hammad, M., Qualtrough, A., Silikas, N. (2009) Evaluation of root canal obturation: a three-dimensional in vitro study. *Journal of Endodontics* **35**, 541–4.

Hashem, A.A., Wanees Amin, S.A. (2012) The effect of acidity on dislodgment resistance of mineral trioxide aggregate and BioAggregate in furcation perforations: an in vitro comparative study. *Journal of Endodontics* **38**, 245–9.

Hatibović-Kofman, S., Raimundo, L., Zheng, L., *et al.* (2008) Fracture resistance and histological findings of immature teeth treated with mineral trioxide aggregate. *Dental Traumatology* **24**, 272–6.

Hawley, M., Webb, T.D., Goodell, G.G. (2010) Effect of varying water-to-powder ratios on the setting expansion of white and gray mineral trioxide aggregate. *Journal of Endodontics* **36**, 1377–9.

Heling, I., Chandler, N.P. (1996) The antimicrobial effect within dentinal tubules of four root canal sealers. *Journal of Endodontics* **22**, 257–9.

Holland, R., DeSouza V, Nery MJ., *et al.* (1999a) Reaction of rat connective tissue to implanted dentin tubes filled with mineral trioxide aggregate or calcium hydroxide. *Journal of Endodontics* **35**, 703–5.

Holland, R., de Souza, V., Nery, M.J., *et al.* (1999b) Reaction of dogs' teeth to root filling with mineral trioxide aggregate or a glass ionomer sealer. *Journal of Endodontics* **25**, 728–30.

Holland, R., Filho, J.A.O., de Souza, V., *et al.* (2001) Mineral trioxide aggregate repair of lateral root perforations. *Journal of Endodontics* **27**, 281–4.

Holland, R., de Souza, V., Nery, MJ., *et al.* (2002) Calcium salts deposition in rat connective tissue after the implantation of calcium hydroxide-containing sealers. *Journal of Endodontics* **28**, 173–6.

Holt, D.M., Watts, J.D., Beeson, T.J., *et al.* (2007) The anti-microbial effect against *Enterococcus faecalis* and the compressive strength of two types of mineral trioxide aggregate mixed with sterile water or 2% chlorhexidine liquid. *Journal of Endodontics* **33**, 844–7.

Huang, G.T., Sonoyama, W., Liu, Y., *et al.* (2008) The hidden treasure in apical papilla: the potential role in pulp/dentin regeneration and bioroot engineering. *Journal of Endodontics* **34**, 645–51.

Huffman, B.P., Mai, S., Pinna, L., *et al.* (2009) Dislocation resistance of ProRoot Endo Sealer, a calcium silicate-based root canal sealer, from radicular dentine. *International Endodontic Journal* **42**, 34–46.

Jacobovitz, M., Vianna, M.E., Pandolfelli, V.C., *et al.* (2009) Root canal filling with cements based on mineral aggregates: an in vitro analysis of bacterial microleakage. *Oral Surgery Oral Medicine Oral Pathology Oral Radiolology and Endodontics* **108**, 140–144.

Jacobsen, E.L., BeGole, E.A., Vitkus, D.D., *et al.* (1987) An evaluation of two newly formulated calcium hydroxide cements: a leakage study. *Journal of Endodontics* **13**, 164–9.

Jacobson, H.L., Xia, T., Baumgartner, J.C., *et al.* (2002) Microbial leakage evaluation of the continuous wave of condensation. *Journal of Endodontics* **28**, 269–71.

Kaffe, I., Tamse, A., Littner, M.M., *et al.* (1984) A radiographic survey of apical root resorption in pulpless permanent teeth. *Oral Surgery Oral Medicine Oral Pathology* **58**, 109–12.

Karabucak, B., Li, D., Lim, J., *et al.* (2005) Vital pulp therapy with mineral trioxide aggregate. *Dental Traumatology* **21**, 240–3.

Kato, H., Nakagawa, K. (2010) FP core carrier technique: thermoplasticized gutta-percha root canal obturation technique using polypropylene core. *Bulletin of the Tokyo Dental College* **51**, 213–20.

Kayahan, M.B., Nekoofar, M.H., Kazandağ, M., *et al.* (2009) Effect of acid-etching procedure on selected physical properties of mineral trioxide aggregate. *International Endodontic Journal* **42**, 1004–14.

Khayat, A., Lee, S.J., Torabinejad, M. (1993) Human saliva penetration of coronally unsealed obturated root canals. *Journal of Endodontics* **19**, 458–61.

Koh, E.T., Ford, T.R., Kariyawasam, S.P., *et al.* (2001) Prophylactic treatment of dens evaginatus using mineral trioxide aggregate. *Journal of Endodontics* **27**, 540–2.

Komabayashi, T., Spångberg, L.S. (2008a) Comparative analysis of the particle size and shape of commercially available mineral trioxide aggregates and Portland cement: a study with a flow particle image analyzer. *Journal of Endodontics* **34**, 94–8.

Komabayashi, T., Spångberg, L.S. (2008b) Particle size and shape analysis of MTA finer fractions using Portland cement. *Journal of Endodontics* **34**, 709–11.

Kvist, T., Reit, C. (2000) Postoperative discomfort associated with surgical and nonsurgical endodontic retreatment. *Endodontics and Dental Traumatology* **16**, 71–4.

Lamb, E.L., Loushine, R.J., Weller, R., *et al.* (2003) Effect of root resection on the apical sealing ability of mineral trioxide aggregate. *Oral Surgery Oral Medicine Oral Pathology Oral Radiology Endodontics* **95**, 732–5.

Laux, M., Abbott, P.V., Pajarola, G., *et al.* (2000) Apical inflammatory root resorption: a correlative radiographic and histological assessment. *International Endodontic Journal* **33**, 483–93.

Lee, S.J., Monsef, M., Torabinejad, M. (1993) The sealing ability of a mineral trioxide aggregate for repair of lateral root perforations. *Journal of Endodontics* **19**, 541–4.

Lee, Y.L., Lee, B.S., Lin F.H., *et al.* (2004) Effects of physiological environments on the hydration behaviour of mineral trioxide aggregate. *Biomaterials* **25**, 787–93.

Lin, S., Platner, O., Metzger, Z., *et al.* (2008) Residual bacteria in root apices removed by a diagonal root-end resection: a histopathological evaluation. *International Endodontic Journal* **41**, 469–75.

Love, R.M., Jenkinson, H.F. (2002) Invasion of dentinal tubules by oral bacteria. *Critical Reviews in Oral Biology and Medicine* **13**, 171–83.

Madison, S., Wilcox, L.R. (1988) An evaluation of coronal microleakage in endodontically treated teeth. Part III. In vivo study. *Journal of Endodontics* **14**, 455–8.

Main, C., Mirzayan, N., Shabahang, S., *et al.* (2004) Repair of root perforations using mineral trioxide aggregate: a long-term study. *Journal of Endodontics* **30**, 80–3.

Malagnino, V.A., Rossi-Fedele, G., Passariello, P., *et al.* (2011) 'Simultaneous technique' and a hybrid Microseal/PacMac obturation. *Dental Update* **38**, 477–8, 481–2, 484.

Massi, S., Tanomaru-Filho, M., Silva, G.F., *et al.* (2011) pH, calcium ion release, and setting time of an experimental mineral trioxide aggregate-based root canal sealer. *Journal of Endodontics* **37**, 844–6.

Matt, G.D., Thorpe, J.R., Strother, J.M., *et al.* (2004) Comparative study of white and gray mineral trioxide aggregate (MTA) simulating a one- or two-step apical barrier technique. *Journal of Endodontics* **30**, 876–9.

McKissock, A.J., Mines, P., Sweet, M.B., *et al.* (2011) Ten-month in vitro leakage study of a single-cone obturation system. *US Army Medical Department Journal* Jan–Mar, 42–7.

Mohammadi, Z., Modaresi, J., Yazdizadeh, M. (2006) Evaluation of the antifungal effects of mineral trioxide aggregate materials. *Australian Endodontic Journal* **32**, 120–2.

Molander, A., Reit, C., Dahlen, G., *et al.* (1998) Microbiological status of root-filled teeth with apical periodontitis. *International Endodontic Journal* **31**, 1–7.

Namazikhah, M.S., Nekoofar, M.H., Sheykhrezae, M.S., *et al.* (2008) The effect of pH on surface hardness and microstructure of mineral trioxide aggregate. *International Endodontic Journal* **41**, 108–16.

Nair, P.N., Henry, S., Cano V., *et al.* (2005) Microbial status of apical root canal system of human mandibular first molars with primary apical periodontitis after "one-visit" endodontic treatment. *Oral Surgery Oral Medicine Oral Pathology Oral Radiology Endodontics* **99**, 231–52.

Naoum, H., Chandler, N.P. (2002) Temporization for endodontics. *International Endodontic Journal* **35**, 964–78.

Nayar, S., Bishop, K., Alani, A. (2009) A report on the clinical and radiographic outcomes of 38 cases of apexification with mineral trioxide aggregate. *European Journal of Prosthodontics and Restorative Dentistry* **17**, 150–6.

Noguchi, N., Noiri, Y., Narimatsu, M., *et al.* (2005) Identification and localization of extraradicular biofilm-forming bacteria associated with refractory endodontic pathogens. *Applied Environmental Microbiology* **71**, 8738–43.

Okiji, T., Yoshiba, K. (2009) Reparative dentinogenesis induced by mineral trioxide aggregate: A review from the biological and physicochemical points of view. *International Journal of Dentistry* 464280.

Ordinola-Zapata, R., Bramante, C.M., Bernardineli, N., *et al.* (2009) A preliminary study of the percentage of sealer penetration in roots obturated with the Thermafil and RealSeal-1 obturation techniques in mesial root canals of mandibular molars. *Oral Surgery Oral Medicine Oral Pathology Oral Radiology Endodontics* **108**, 961–8.

O'Sullivan, S.M., Hartwell, G.R. (2001) Obturation of a retained primary mandibular second molar using mineral trioxide aggregate: a case report. *Journal of Endodontics* **27**, 703–5.

Ørstavik, D. (1983) Weight loss of endodontic sealers, cements and pastes in water. *Scandinavian Journal of Dental Research* **91**, 316–19.

Ørstavik, D., Haapasalo, M. (1990) Disinfection by endodontic irrigants and dressings of experimentally infected dentinal tubules. *Endodontics and Dental Traumatology* **6**, 142–9.

Ozdemir, H.O., Oznelik, B., Karabucak, B., *et al.* (2008) Calcium ion diffusion from mineral trioxide aggregate through simulated root resorption defects. *Dental Traumatology* **24**, 70–3.

Pace, R., Giuliani, V., Pagavino, G. (2008) Mineral trioxide aggregate as repair material for furcal perforation: case series. *Journal of Endodontics* **34**, 1130–3.

Pameijer, C.H., Zmener, O. (2010) Resin materials for root canal obturation. *Dental Clinics of North America* **54**, 325–44.

Parirokh, M., Torabinejad, M. (2010) Mineral trioxide aggregate: A comprehensive literature review – Part 1: Chemical, physical, and antibacterial properties. *Journal of Endodontics* **36**, 16–27.

Pawińska, M., Kierklo, A., Tokajuk, G., *et al.* (2011) New endodontic obturation systems and their interfacial bond strength with intraradicular dentine – ex vivo studies. *Advances in Medical Science* **22**, 1–7.

Peciuliene, V., Reynaud, A.H., Balciuniene, I., *et al.* (2001) Isolation of yeasts and enteric bacteria in root-filled teeth with chronic apical periodontitis. *International Endodontic Journal* **34**, 429–34.

Peters, L.B., Wesselink, P.R., Buijs, JF., *et al.* (2001) Viable bacteria in root dentinal tubules of teeth with apical periodontitis. *Journal of Endodontics* **27**, 76–81.

Pinheiro, E.T., Gomes, B.P., Ferraz, C.C., *et al.* (2003) Evaluation of root canal microorganisms isolated from teeth with endodontic failure and their antimicrobial susceptibility. *Oral Microbiology and Immunology* **18**, 100–3.

Pitt Ford, T.R. (1979) The leakage of root fillings using glass ionomer cement and other materials. *British Dental Journal* **146**, 273–8.

Pitt Ford, T.R., Torabinejad. M., McKendry, D.J., *et al.* (1995) Use of mineral trioxide aggregate for repair of furcal perforations. *Oral Surgery Oral Medicine Oral Pathology Oral Radiology Endodontics* **79**, 756–63.

Rao, Y.G., Guo, L.Y., Tao, H.T. (2010) Multiple dens evaginatus of premolars and molars in Chinese dentition: a case report and literature review. *International Journal of Oral Science* **2**, 177–80.

Ray, H.A., Trope, M. (1995) Periapical status of endodontically treated teeth in relationship to the technical quality of the root filling and the coronal restoration. *International Endodontic Journal* **28**, 12–18.

Reyes-Carmona, J.F., Felippe, M.S., Felippe, W.T. (2009) Biomineralization ability and interaction of mineral trioxide aggregate and white Portland cement with dentin in a phosphate-containing fluid. *Journal of Endodontics* **35**, 731–6.

Ribeiro, C.S., Kuteken, F.A., Hirata Júnior, R., *et al.* (2006) Comparative evaluation of antimicrobial action of MTA, calcium hydroxide and Portland cement. *Journal of Applied Oral Science* **14**, 330–3.

Ricucci, D., Siqueira, J.F. Jr. (2010) Biofilms and apical periodontitis: study of prevalence and association with clinical and histopathologic findings. *Journal of Endodontics* **36**, 1277–88.

Roberts, H.W., Toth, J.M., Berzins, D.W., *et al.* (2008) Mineral Trioxide Aggregate use in endodontic treatment: A review of the literature. *Dental Materials* **24**, 149–64.

Roig, M., Espona, J., Mercadé, M., *et al.* (2011) Horizontal root fracture treated with MTA, a case report with a 10-year follow-up. *Dental Traumatology* **27**, 460–3.

Salles, L.P., Gomes-Cornélio, A.L., Guimarães, F.C., *et al.* (2012) Mineral Trioxide Aggregate-based endodontic sealer stimulates hydroxyapatite nucleation in human osteoblast-like cell culture. *Journal of Endodontics* **38**, 971–6.

Sagsen, B., Ustün, Y., Demirbuga, S., *et al.* (2011) Push-out bond strength of two new calcium silicate-based endodontic sealers to root canal dentine. *International Endodontic Journal* **44**, 1088–91.

Santos, A.D., Moraes, J.C.S., Araújo, E.B., *et al.* (2005) Physico-chemical properties of MTA and a novel experimental cement. *International Endodontic Journal* **38**, 443–7.

Sarkar, N.K., Caicedo, R., Ritwik, P., *et al.* (2005) Physicochemical basis of the biologic properties of mineral trioxide aggregate. *Journal of Endodontics* **31**, 97–100.

Saunders, W.P., Saunders, E.M. (1994) Coronal leakage as a cause of failure in root canal therapy: a review. *Endodontics and Dental Traumatology* **10**, 105–8.

Savariz, A., González-Rodríguez, M.P., Ferrer-Luque, C.M. (2010) Long-term sealing ability of GuttaFlow versus AH Plus using different obturation techniques. *Medicina Oral Patología Oral y Cirugía Bucal* **15**, e936–e941.

Schlenker, M. (1880) Das füellen der wurzelkanäle mit Portland-cement nach Dr. Witte. *Deutsche Vierteljahrsschrift fuer Zahnheilkunde* **20**, 277–83 [in German].

Seltzer, S., Green, D.B., Weiner, N., *et al.* (2004) A scanning electron microscope examination of silver cones removed from endodontically treated teeth. *Journal of Endodontics* **30**, 463–74.

Sen, B.H., Piskin, B., Demirici, T. (1995) Observation of bacteria and fungi in infected root canals and dentinal tubules by SEM. *Endodontics and Dental Traumatology* **11**, 6–9.

Shabahang, S., Torabinejad, M. (2000) Treatment of teeth with open apices using mineral trioxide aggregate. *Practical Periodontics and Aesthetic Dentistry* **12**, 315–20.

Sim, T.P.C., Knowles, J.C., Ng Y-L., *et al.* (2001) Effect of sodium hypochlorite on mechanical properties of dentine and tooth surface strain. *International Endodontic Journal* **34**, 120–32.

Siqueira, J.F. Jr., Sen, B.H. (2004) Fungi in endodontic infections. *Oral Surgery Oral Medicine Oral Pathology Oral Radiology Endodontics* **97**, 632–41.

Siqueira, J.F. Jr., Lopes, H.P. (2001) Bacteria on the apical root surfaces of untreated teeth with periradicular lesions: a scanning electron microscopy study. *International Endodontic Journal* **34** 216–20.

Siqueira, J.F. Jr., Rocas, I.N. (2004) Polymerase chain reaction-based analysis of microorganisms associated with failed endodontic treatment. *Oral Surgery Oral Medicine Oral Pathology Oral Radiology Endodontics* **97**, 85–94.

Siqueira, J.F. Jr, Rôças, I.N., Favieri, A., *et al.* (2000) Bacterial leakage in coronally unsealed root canals obturated with 3 different techniques. *Oral Surgery Oral Medicine Oral Pathology Oral Radiology Endodontics* **90**, 647–50.

Spångberg, L., Langeland, K. (1973) Biologic effects of dental materials. 1. Toxicity of root canal filling materials on HeLa cells in vitro. *Oral Surgery, Oral Medicine, Oral Pathology* **35**, 402–14.

Storm, B., Eichmiller, F., Tordik, P., *et al.* (2008) Setting expansion of gray and white mineral trioxide aggregate and Portland cement. *Journal of Endodontics* **34**, 80–2.

Stowe, T.J., Sedgley, C.M., Stowe, B., *et al.* (2004) The effects of chlorhexidine gluconate (0.12%) on the antimicrobial properties of tooth-colored ProRoot mineral trioxide aggregate. *Journal of Endodontics* **30**, 429–31.

Stuart, C.H., Schwartz, S.A., Beeson, T.J., *et al.* (2006) Enterococcus faecalis: its role in root canal treatment failure and current concepts in retreatment. *Journal of Endodontics* **32**, 93–8.

Sunde, P.T., Tronstad, L., Eribe, E.R., *et al.* (2000) Assessment of periradicular microbiota by DNA-DNA hybridization. *Endodontics and Dental Traumatology* **16**, 191–6.

Sundqvist, G., Figdor, D. (1998) Endodontic treatment of apical periodontitis. In: *Essential Endodontology: Prevention and Treatment of Apical Periodontitis*, 1st edn (eds. Ørstavik, D., Pitt Ford, T.R.). Blackwell, Oxford, pp. 242–277.

Swanson, K., Madison, S. (1987) An evaluation of coronal microleakage in endodontically treated teeth. *Part I. Time periods. Journal of Endodontics* **13**, 56–9.

Tahan, E., Celik, D., Er, K., *et al.* (2010) Effect of unintentionally extruded mineral trioxide aggregate in treatment of tooth with periradicular lesion: a case report. *Journal of Endodontics* **36**, 760–3.

Tanomaru-Filho, M., Jorge, E.G., Guerreiro Tanomaru, J.M., *et al.* (2007) Radiopacity evaluation of new root canal filling materials by digitalization of images. *Journal of Endodontics* **33**, 249–51.

Takemura, N., Noiri, Y., Ehara, A., *et al.* (2004) Single species biofilm-forming ability of root canal isolates on gutta-percha points. *European Journal of Oral Science* **112**, 523–9.

Tay. F.R., Pashley, D.H. (2007) Monoblocks in root canals: a hypothetical or a tangible goal. *Journal of Endodontics* **33**, 391–8.

Tay, F.R., Pashley, D.H., Rueggerberg, F.A., *et al.* (2007) Calcium phosphate phase transformation produced by the interaction of the Portland cement component of white MTA with a phosphate-containing fluid. *Journal of Endodontics* **33**, 1347–51.

Taylor, H.F.N. (1997) *Cement Chemistry*, 2nd edn. Thomas Telford, London.
Tidmarsh, B.G. (1978) Acid-cleansed and resin-sealed root canals. *Journal of Endodontics* **4**, 117–21.
Tjaderhane, L. (2009) The role of matrix metalloproteinases and their inhibitors in root fracture resistance remains unknown. *Dental Traumatology* **25**, 142–3.
Topcuoğlu, H.S., Arsian, H., Keles, A., *et al.* (2012) Fracture resistance of roots filled with three different obturation techniques. *Medicina Oral Patología Oral y Cirugía Bucal*, **17**, e528–e532.
Torabinejad, M., Chivian, N. (1999) Clinical applications of mineral trioxide aggregate. *Journal of Endodontics* **25**, 197–205.
Torabinejad, M., Watson, T.F., Pitt Ford, T.R. (1993) The sealing ability of a mineral trioxide aggregate as a retrograde root filling material. *Journal of Endodontics* **19**, 591–5.
Torabinejad, M., Hong, C.U., McDonald, F., *et al.* (1995a) Physical and chemical properties of a new root-end filling material. *Journal of Endodontics* **21**, 349–53.
Torabinejad, M., Smith, P.W., Kettering, J.D., *et al.* (1995b) Comparative investigation of marginal adaptation of mineral trioxide aggregate and other commonly used root-end filling materials. *Journal of Endodontics* **21**, 295–9.
Torabinejad, M., Falah, R., Kettering, J.D., *et al.* (1995c) Comparative leakage of mineral trioxide aggregate as a root end filling material. *Journal of Endodontics* **21**, 109–21.
Tronstad, L., Barnett, F., Flax, M. (1988) Solubility and biocompatibility of calcium hydroxide-containing root canal sealers. *Endodontics and Dental Traumatology* **4**, 152–9.
Tronstad, L., Barnett, F., Cervone, F. (1990) Periapical bacterial plaque in teeth refractory to endodontic treatment. *Endodontics and Dental Traumatology* **6**, 73–7.
Tronstad, L., Asbjørnsen, K., Døving, L., *et al.* (2000) Influence of coronal restorations on the periapical health of endodontically treated teeth. *Endodontics and Dental Traumatology* **16**, 218–21.
Tsai, Y.L., Lan, W.H., Jeng, J.H. (2006) Treatment of pulp floor and stripping perforation by mineral trioxide aggregate. *Journal of the Formosan Medical Association* **105**, 522–6.
Tuna, E.B., Dinçol, M.E., Gençay, K., *et al.* (2011) Fracture resistance of immature teeth filled with BioAggregate, mineral trioxide aggregate and calcium hydroxide. *Dental Traumatology* **27**, 174–8.
Uranga, A., Blum, J.Y., Esber, S., *et al.* (1999) A comparative study of four coronal obturation materials in endodontic treatment. *Journal of Endodontics* **25**, 178–80.
Versiani, M..A., Sousa-Neto, M.D., Pécora, J.D. (2011) Pulp pathosis in inlayed teeth of the ancient Mayas: a microcomputed tomography study. *International Endodontic Journal* **44**, 1000–4.
Vier, F.V., Figueiredo, J.A. (2002) Prevalence of different periapical lesions associated with human teeth and their correlation with the presence and extension of apical external root resorption. *International Endodontic Journal* **35**, 710–19.
Vier, F.V., Figueiredo, J.A. (2004) Internal apical resorption and its correlation with the type of apical lesion. *International Endodontic Journal* **37**, 730–7.
Waltimo, T.M., Sen, B.H., Meurman, J.H., *et al.* (2003) Yeasts in apical periodontitis. *Critical Reviews in Oral Biology and Medicine* **14**, 128–37.
Watts, J.D., Holt, D.M., Beeson, T.J., *et al.* (2007) Effects of pH and mixing agents on the temporal setting of tooth-colored and gray mineral trioxide aggregate. *Journal of Endodontics* **33**, 970–3.
Weston, C.H., Barfield, R.D., Ruby, J.D., *et al.* (2008) Comparison of preparation design and material thickness on microbial leakage through Cavit using a tooth model system. *Oral Surgery Oral Medicine Oral Pathology Oral Radiology Endodontics* **105**, 530–5.
Weine, F.S. (1992) A preview of the canal-filling materials of the 21st century. *Compendium* **13**, 688, 690, 692.

Weller, R.N., Tay, K.C., Garrett, L.V., *et al.* (2008) Microscopic appearance and apical seal of root canals filled with gutta-percha and ProRoot Endo Sealer after immersion in a phosphate-containing fluid. *International Endodontic Journal* **41**, 977–86.

White, C. Jr., Bryant, N. (2002) Combined therapy of mineral trioxide aggregate and guided tissue regeneration in the treatment of external root resorption and an associated osseous defect. *Journal of Periodontology* **73**, 1517–21.

Williams, J.M., Trope, M., Caplan, D.J., *et al.* (2006) Detection and quantification of *E. faecalis* by real-time PCR (qPCR), reverse transcription-PCR (RT-PCR), and cultivation during endodontic treatment. *Journal of Endodontics* **32**, 715–21.

Williamson, A.E., Marker, K.L., Drake, D.R., *et al.* (2009) Resin-based versus gutta-percha-based root canal obturation: influence on bacterial leakage in an in vitro model system. *Oral Surgery Oral Medicine Oral Pathology Oral Radiology Endodontics* **108**, 292–6.

Witherspoon, D.E., Small, J.C., Regan, J.D., *et al.* (2008) Retrospective analysis of open apex teeth obturated with mineral trioxide aggregate. *Journal of Endodontics* **34**, 1171–6.

Witte, D. (1878) Das füellen der wurzelkanäle mit Portland-cement. *Deutsche Vierteljahrsschrift fuer Zahnheilkunde* **18**, 153–4 [in German].

Wu, M-K., Kontakiotis, E.G., Wesselink, P.R. (1998) Long-term seal provided by some root-end filling materials. *Journal of Endodontics* **24**, 557–60.

Yazdi, K.A., Bayat-Movahed, S., Aligholi, M., *et al.* (2009) Microleakage of human saliva in coronally unsealed obturated root canals in anaerobic conditions. *Journal of the Californian Dental Association* **37**, 33–7.

Yildirim, T., Gencoglu, N. (2010) Use of mineral trioxide aggregate in the treatment of large periapical lesions: reports of three cases. *European Journal of Dentistry* **4**, 468–74.

Yildirim, T., Oruçoğlu, H., Cobankara, F.K. (2008) Long-term evaluation of smear layer on the apical sealing of MTA. *Journal of Endodontics* **34**, 1537–40.

Yildirim, T., Er, K., Taşdemir, T., *et al.* (2010) Effect of smear layer and root-end cavity thickness on apical sealing ability of MTA as a root-end filling material: a bacterial leakage study. *Oral Surgery Oral Medicine Oral Pathology Oral Radiology Endodontics* **109**, e67–72.

Zhang, H., Pappen, F.G., Haapasalo, M. (2009) Dentin enhances the antibacterial effect of mineral trioxide aggregate and bioaggregate. *Journal of Endodontics* **35**, 221–4.

Zhu, Q., Haglund, R., Safavi, K.E., *et al.* (2000) Adhesion of human osteoblasts on root-end filling materials. *Journal of Endodontics* **26**, 404–6.

Zielinski, T.M., Baumgartner, J.C., Marshall, J.G. (2008) An evaluation of GuttaFlow and gutta-percha in the filling of lateral grooves and depressions. *Journal of Endodontics* **34**, 295–8.

9 MTA를 이용한 역근관충전(Root-End Fillings)

Seung-Ho Baek[1] and Su-Jung Shin[2]

[1]*School of Dentistry, Seoul National University, Korea*

[2]*College of Dentistry, Yonsei University, Gangnam Severance Hospital, Korea* - *역자 정태익*

Mineral Trioxide Aggregate: Properties and Clinical Applications, First Edition.
Edited by Mahmoud Torabinejad.

역근관충전 재료의 소개

역근관충전의 목적

수술적 근관 치료는 통상적인 근관 치료로 해결할 수 없는 문제를 해결하기 위해 시행된다. 많은 임상 연구를 통해 수술적 접근이 성공하기 위해서는 역근관 충전 재료로 밀폐하는 것이 중요하다고 알려져왔다(Altonen & Mattila1976; Lustmann *et al.* 1991; Rahbaran *et al.* 2001; Kim & Kratchman 2006). 비수술적 근관치료가 실패하는 주된 원인은 오염된 근관에서 유래된 세균이나 세균 산물이 근단부 누출에 의해 치근단 병소로 발전하기 때문이다(그림 9.1). 역근관충전을 하지 않고 감염된 근단부 조직을 제거하는 것만으로는 병변의 원인을 제거할 수 없다. 치근단 병소를 제거하는 것만으로는 일시적으로 증상을 감소시킬 뿐이다. 치근단 수술(periapical surgergy)은 치근단 조직과 치근첨의 제거와 더불어 근관계의 밀폐를 포함하는 술식이다.

어떤 연구에서는 역근관충전된 치아와 역근관충전 되지 않은 치아들 사이에 치유 결과의 유의한 차이가 없다고 하였다(Rapp *et al.* 1991; August1996). Kim & Kratchman은 이 연구에 대해 방법과 결론에 많은 문제점이 있다고 주장하였다. 첫째로, 샘플수가 해당 결론을 내기에는 상대적으로 적고 둘째로, 이 연구는 미세수술기법(Microsurgical technique)을 사용하지 않았으며 역근관충전재로 아말감을 사용한 점을 지적하였다. 이러한 오래된 방법은 근단부의 역근관충전 시 과도한 절단 각도의 문제를 포함할 수 밖에 없다고 하였다(Kim & Kratchman 2006). 그러므로, 이러한 전통적인 방법에 의한 연구는 최근의 현대적인 수술적 접근에 비해 신뢰도가 떨어진다.

대부분의 치근단 병변의 원인은 세균과 독소가 근단부로 누출되기 때문이다. 이전의 여러 연구에서는 치근단절제술 시 역근관충전된 경우가 역근관충전되지 않은 경우보다 양호한 결과를 보인다고 하면서 역근관충전의 중요성을 강조하였다 (Altonen and Mattila 1976; Lustman *et al.* 1991; Rahbaran *et al.* 2001). 그러므로, 치근단을 적절한 재료를 이용하여 충전하는 것이 중요하다고 할 수 있다.

역근관충전의 목적은 영구적으로 치근단을 밀폐하여 남아있는 세균이나 세균 부산물이 근관내로 들어가거나 반대로 근관밖으로 나오는 것을 방지하는 것이다.

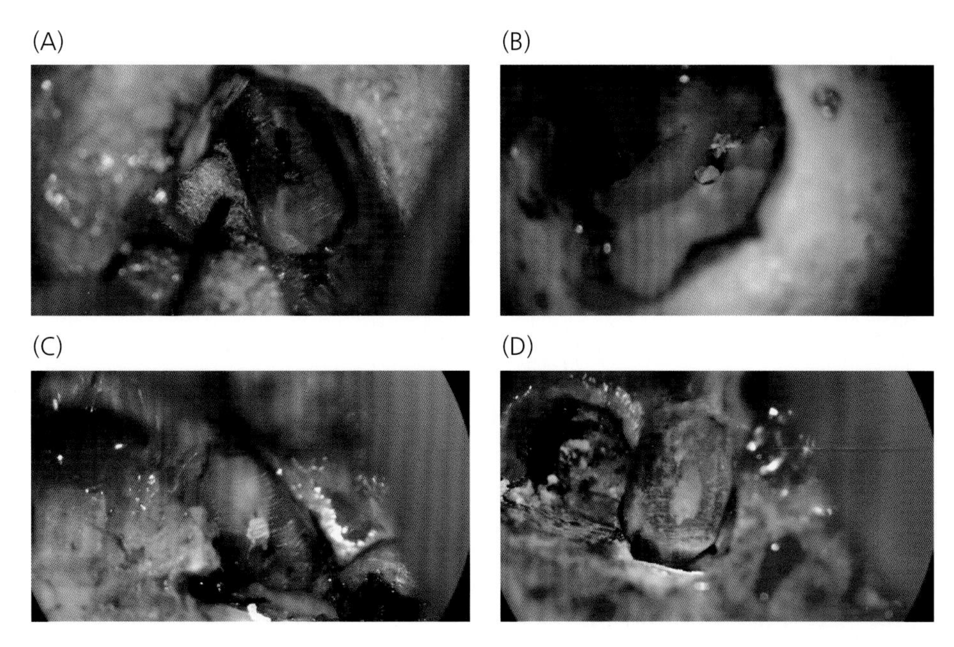

그림 9.1 치근단 누출을 보이고 있는 절단된 치근표면 (A,B) 3-mm 정도 절제된 치근의 표면으로 두 개의 근관에서 모두 오염된 상태를 볼 수 있다. 치근단절제술을 시행하는 동안 메틸렌 블루 시약을 이용하여 충전되지 않은 근관을 확인할 수 있다. 치근단부위의 염증조직을 제거하고 치근첨을 잘라내었다고 하더라도 적절한 역근관충전 술식이 따라주지 못한다면, 세균으로 오염된 표면 때문에 치근단 병소는 계속 유지될 것이다. (C,D) 3-mm 정도 치근단을 절제한 후에 현미경을 이용하여 치료되지 않은 근관이나 협부(isthmus) 또는 파절선이 존재하지 않는지 관찰하여야 한다. 충전되지 않은 근관이 보였고 MTA를 이용해 역근관충전하였다.

역근관충전재료의 역사

gutta-percha, 아말감, 금박(gold foil), ZOE cements, polycarboxylate cements, Cavit (3M ESPE, St. Paul. MN, USA), Diaket (ESPE GmbH, Seefeld, Germany), 글래스 아이오노머 시멘트 (GIC), 컴포짓 레진 및 IRM(Caulk/Dentsply, Milford, DE, USA), SuperEBA (Bosworth, Skokie, IL, USA), MTA(ProRoot MTA; Dentsply, Tulsa, OK, USA) 등 다양한 역근관충전 재료들이 소개되어 왔다.

치근첨을 절제한 후 초음파팁을 이용하여 와동을 형성한 후에 역근관충전재를 와동내에 위치시키게 되는데, 이러한 특수한 환경에서 역근관충전재가 이상적인 충전효과를 내기 위해서는 다양한 요구조건을 충족해야한다. 충전재료는 밀폐성이 좋아야 하며 주변 조직에 최소한의 독성을 나타내야 한다. MTA는 Torabinejad 박사에 의해 1990년대 초에 역근관충전재로 개발되어 사용되었다(Torabinejad *et al*. 1993). 그 이후로 용도가 확대되어 천공부위의 밀폐, 치수복조(pulp capping), 치수절단술(pulpotomy) 및 치근첨형성술(apexification)에 사용되고 있으며(Torabinejad and Chivian 1999) 뛰어한 밀폐성, 생체활성(bioactive property) 및 경조직 형성을 유도하는 생물학적 효과 때문에 인기를 끌었다(Torabinejad *et al.* 1993; Torabinejad *et al.* 1994; Koh *et al.* 1998; Torabinejad *et al.* 1995a; Torabinejad *et al.* 1991). 지난 20년간, MTA의 물리적, 화학적, 생물학적 성질을 밝히기 위한 다양한 연구와 장기간의 임상 결과가 소개되었다.

아말감(amalgam)

아말감은 100년 이상 사용되어 왔으며 최근에도 수복재료로 다양하게 사용되고 있다. 하지만 치근단 수술 후에 역근관충전재로는 거의 사용되지 않고 있다. 최근에는 세포독성, 수은 독성, 부식, 지연팽창 및 주위 조직에 아말감 문신을 남기는 등의 문제점 때문에 역근관충전재로서 부적절하다고 여겨진다(그림 9.2) (Dorn &Gartner 1990; Torabinejad *et al.* 1995a, 1997). 최근에는 역근관충전재로서 아말감의 사용은 극히 제한되고 있다(Chong & Pitt Ford 2005).

ZOE 기반의 재료: IRM 과 SuperEBA

IRM 과 SuperEBA는 아말감에 비해 역근관충전재로서 우수한 물성 때문에 널리 사용되어져 왔다. IRM과 SuperEBA는 모두 ZOE 시멘트의 변형된 형태이다. 낮은 압축강도와 인장강도, 긴 세팅시간, 그리고 구강내 체액(oral fluid)에서 용해되는 것과 같은 ZOE 시멘트의 물리적 단점을 개선한 제품이라고 할 수 있다. 두 재료는 유사한 특성을 지니며 임상적으로나 조직학적으로 아말감에 비해서 우수하다(Baek *et*

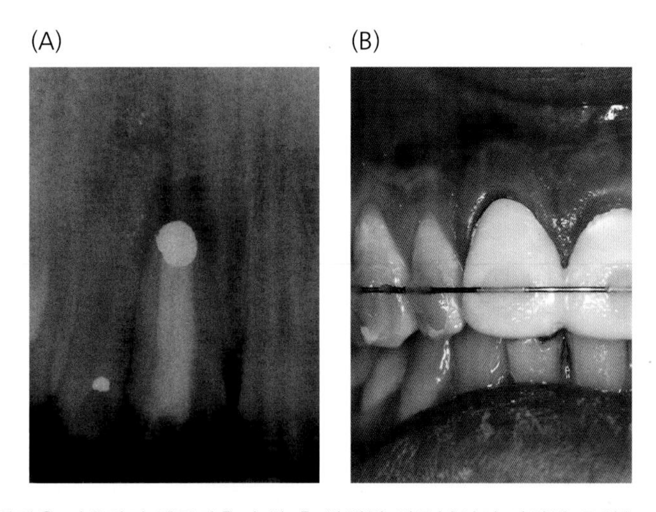

그림 9.2 아말감을 이용하여 역근관충전 한 후 발생한 치은부위의 아말감 문신(amalgam tattoo). (A) 우측 상악 중절치의 방사선 사진으로 치근절제술 후 아말감을 이용하여 역근관충전된 것을 알 수 있다. (B) 치근부위 치은 주변으로 광범위한 아말감 문신이 생긴 것을 볼 수 있다.출처: Seung-JongLee, Atlas of Endodontic Practice, 3rd edition, Yenang Inc., p. 385, 2007. 출처: Lee et at. 2007. Reproduced with permission of Dr. Seung-Jong Lee.

표 9.1 SuperEBA의 구성.

Powder		Liquid
Zinc oxide	60%	Eugenol 37.5%
Alumina	34%	Ortho-ethoxy benzoic acid 62.5%
Natural resin	6%	

al. 2005; Baekef *et al.* 2010; Dorn & Gartner 1990).

IRM은 80% 산화아연(zinc oxide), 20% polymethylethacrylate 파우더와, 99% 유지놀 액으로 구성되어 있다. IRM의 밀폐능력은 아말감에 비해 우수하며 liquid/powder 비율에 영향을 받지 않는다(Crooks *et al.* 1994). IRM의 생물학적 반응은 다른 ZOE 기반의 재료와 유사하다. IRM은 치근단 주위 조직에서 잘 유지되지만, 주변 조직의 재생을 유도하지는 못한다. 이는 superEBA도 마찬가지이다(Pitt Ford *et al.* 1994; Harrison & Johnson 1997).

SuperEBA는 Oynick &Oynick (1978)에 의해 역근관충전재료로서 처음으로 소개되었다. SuperEBA는 60% 산화아연(zinc oxide), 30% alumina, 그리고 6% 천연 레진(natural resin)과 37.5% eugenol 과 62.5% ortho-ethoxybenzoicacid 용액으로 구성되어있다(표 9.1; Dorn & Gartner 1990; Pitt Ford *et al.* 1995a; Trope *et al.* 1996). SuperEBA는 아말감에 비해 밀폐성, 치근단 주변 조직과의 생체 친화성, 그리고 재생 가능성이 높은 것으로 알려져 있다(Pitt Ford *et al.* 1995a;Torabinejad *et al.* 1995c).

Rubinstein & Kim은 현미경을 이용한 치근단 수술 시 역근관충전재료로서 SuperEBA를 사용했을 때 1년 후 96.4%의 치유 성공률을 보인다고 보고한 바 있다.

MTA가 개발되기 전까지 IRM 과 SuperEBA는 역근관충전재료서 유일한 선택이었다.

레진 기반의 재료: Retroplast 와 Geristore

초기의 연구에서는 레진 계열의 물질은 치주인대 세포에 대해 독성을 나타낸다고 보고하였다(Tai & Chang 2000; Huang *et al.* 2002). 그러나 Rud 등은 치근단 수술에서 역근관충전재로서 Retroplast (Retroplast Trading, Dybersovej, Denmark)를 사용했을 때 장기간 좋은 결과를 보인다고 하였다(Rud *et al.* 1991,1996; Yazdi *et al.* 2007). 이 재료는 1급 와동에 packing하여 충전하는 용도가 아니라 오목한 형태의 절단된 치근 표면에 사용된다. Retroplast는 주로 유럽에서 사용되었다. 이와 유사하게 Geristore (Den-Mat, Santa Maria, CA, USA)는 하이브리드 형태의 ionommer 컴포짓으로서, 주로 북미에서 역근관충전재료로서 사용되었다(Al-Sabek *et al.* 2005; Al-Sa'eed *et al.* 2008).

Al-Sabek 과 동료들은 인간의 치은 섬유모세포(gingival fibroblast)가 Geristore 에 부착하고 생존하였으며, IRM과 Ketac-Fil에 비해 낮은 독성을 보인다고 발표하였다(Al-Sabek *et al.* 2005). 발치치아를 이용한 in vitro연구에서는 두 재료 모두 세포증식이 증가하였다고 보고하였으나(Al-Sa'eed *et al.* 2008), 상충되는 연구결과 또한 보고되었다(Haglund *et al.* 2003; Tawil *et al.* 2009). Haglund와 동료들에 의해 이뤄진 연구에서는, Retroplast의 경우 세포생존률이 감소하였다고 하였다(Haglund *et al.* 2003). IRM과 MTA와의 비교연구에서는 방사선학적으로는 차이가 없으나 조직학적으로 Geristore가 가장 좋지 않은 결과를 보였다(Tawil *et al.* 2009).

레진계열 재료의 가장 큰 문제점은 수분(moisture)에 민감하며 특히 치근단 수술의 상황에서 혈액에 취약하다. 와동 형태와 출혈을 얼마나 잘 조절하느냐에 따라 다르긴 하지만 대부분의 수술부위에서는 이상적인 접착력을 얻기가 어렵다. 몇몇 연구자들은 Geristore의 조작이 어렵다는 점 또한 지적하였다(Tawil *et al.* 2009).

Mineral trioxide aggregate (MTA)

MTA는 1993년 Torabinejad와 동료에 의해서 수술적 근관치료 시 역근관충전재로서 소개되었다(Torabinejad *et al.* 1993). MTA는 훌륭한 밀폐성(sealing ability) (Torabinejad *et al.* 1994, 1995e, f;Bates *et al.* 1996)과 항균효과(Torabinejad *et al.* 1995d), 그리고 골모세포(osteoblast)의 활성을 증진시키는 특징을 갖고 있다(Torabinejad *et al.* 1995c; Koh *et al.* 1998). MTA는 아말감, IRM 또는 SuperEBA에 비해 낮은 세포독성을 갖고 있다(Torabinejad *et al.* 1995f; Keiser *et al.* 2000). 개와 원숭이를 이용한 동물실험에서, 역근관충전재로 MTA를 사용할 경우 아말감에 비해서 훨씬 낮은 염증반응을 보였다(Torabinejad *et al.* 1995a, 1997). MTA는 또한 치근단 주위조직과도 좋은 조직반응을 보였는데 백악질(cementum)이 MTA와 직접 접촉한 표면에서 재생(regenerate)되는 연구결과가 이를 보여준다(Torabinejad *et al.* 1997; Rubinstein & Kim1999; Baek *et al.* 2005, 2010).

Gray MTA와 White MTA

MTA는 처음에는 회색의 분말형태로 되어있었으나, 이후에 치아 변색을 막기 위하여 white MTA가 개발되었다(Dammaschke *et al.* 2005). 그러나, 최근의 연구를 보면 white MTA 역시 치아변색을 일으킨다고 보고되고 있다(Felman & Parashos 2013; Camilleri 2014). 밀폐성을 비교하여 보면 White MTA와 Gray MTA는 유의한 차이가 없다(Shahi *et al.* 2007).

두 MTA의 생체친화성(biocompatibility)에 대한 차이에 대해서는 많은 논란이 있어 왔다. Holland 와 동료들은 white MTA를 채운 dentin tube를 쥐의 피하에 이식한 후에 조직반응을 평가하였다 (Holland *et al.* 2002). 그들은 연구에서 white와 gray MTA 모두 유사한 반응양상을 보인다고 하였다. 한편, Perez 등은 세포배양을 통한 연구에서 white MTA의 표면에서는 골모세포(osteoblast)의 다른 양태를 관찰했는데, 이는 white MTA의 표면성상(surface morphology) 때문일 수 있다고 가정하였다(Perez *et al.* 2003). 대부분의 연구에서는 두 물질 간의 생체친화성 면에서는 큰 차이가 없음을 보고하고 있다(Camilleri *et al.* 2004; Ribeiro *et al.* 2005; Shahi *et al.* 2006).

새로운 유형의 MTA-계열 시멘트

MTA angelus (Angelus, Londrina, PR, Brazil), MTA Bio (Angelus,Londrina, PR, Brazil), CPM (Egeo, Buenos Aires, Argentina), Endosequence Root Repair Material (RRM) (Brasseler USA, Savannah, GA, USA), OrthoMTA (BioMTA, Seoul, South Korea), 그리고 Endocem (Maruchi,Seoul, South Korea)과 같은 새로운 유형의 MTA가 시장에 등장하였다. 이러한 새로운 MTA와 ProRoot MTA를 비교하는 연구들이 시행되고 있다. 이 새로운 MTA 제품의 가장 큰 단점은 장기간의 임상 결과가 부족하다는 것이다.

이상적인 역근관충전재의 조건

이상적인 역근관충전재의 조건으로는 다루기 쉽고, 방사선 불투과성을 보이고, 구조적으로 안정하고, 살균 또는 정균효과가 있으며, 흡수되지 않아야 하며, 수분에 영향을 받지 않아야 한다(Gartner & Dorn 1992). 또한 형성된 와동벽에 잘 부착하여 근관계를 밀폐시키고, 치유를 촉진하며, 주변 치근단 조직에 유해반응이 없어야 한다(표 9.2). 많은 연구를 통해 역근관충전재료의 생체친화성과 밀폐능력을 검증하였으나, MTA를 포함하여 어떤 재료도 위와 같은 조건을 모두 충족하지는 못하였다(Aqrabawi 2000).

표 9.2 이상적인 역근관충전재의 조건(Gartner & Dorn 1992).

조작의 편리함 (적절한 작업시간)
방사선 불투과성
장기간 유지되는 구조적 안정성
비흡수성
수분에 영향을 받지 않음
상아질 내벽과의 접착성
생체친화성
살균성 혹은 정균성
근관계의 밀폐 (밀폐성)
주위 조직과의 친화성 (생체친화성)
치근단 조직의 재생능력 (생체활성, bioactive)
낮은 비용

역근관충전재로서 MTA의 장점과 단점

MTA의 장점

많은 다양한 연구를 통해 MTA는 다른 재료에 비해 생체친화성, 밀폐성, 살균력에서 유사하거나 더 좋은 결과를 갖는 것으로 나타났다(Torabinejad *et al.* 1995a, c, f, 1997; Trope *et al.* 1996; Baek *et al.* 2005, 2010; Chong & Pitt Ford 2005). 생물학적인 측면에서 MTA는 다른 재료에 비해 월등한 장점을 갖고 있다고 할 수 있다. 이러한 뛰어난 생체친화성 이외에도, MTA는 치조골이나 상아질 또는 백악질을 재생하는 능력에 있어서도 이상적인 재료의 조건에 근접했다고 할 수 있다(Baek *et al.* 2005; Pitt Ford *et al.* 1995b). 이 특징에 대해서는 이 장의 후반부에 다시 다뤄질 것이다.

대부분의 치과용 충전재료는 건조상태 또는 수분이 조절된 상태에서는 훌륭한 결과를 보여준다. MTA는 친수성의 파우더 형태로 구성되어 있으며 심한 출혈이나 수분이 너무 많은 경우를 제외하고는 수분이 존재하는 환경에서 경화된다.

이러한 수분에 크게 민감하지 않는 특징은, 대부분의 수술 시에 압박지혈과 같은 노력에도 불구하고 완벽한 건조환경을 얻을 수 없다는 임상 조건에서 큰 장점이라고 할 수 있다.

MTA의 단점

MTA로 역근관 충전와동을 채우는 조작이 어렵다고 알려져 있다. 이러한 조작의 어려움 외에도, 혼합직후 MTA가 경화되기 전에 씻겨 나갈(wash-out) 수 있다는 점 또한 단점이며 이는 치주조직에 MTA를 적용하는데 제한점이다. 또한 수술부위의 혈행(blood flow)이 일정부분 시멘트의 손실을 일으킬 수도 있을 것이다(Formosa *et al.* 2012).

MTA는 골이나 치아 구조에 직접 부착하지는 않는다. MTA의 경화시간은 대략 3–4시간 정도 되며, 이것은 많은 임상 상황에서 단점으로 작용한다(Torabinejad *et al.* 1995b). 긴 경화시간 때문에 일부 용해되기도 하며 이로 인해 밀폐 효과가 감소하기도 한다. 치근단 절제술을 시행하는 동안 MTA는 산성의 환경에

표 9.3 MTA의 장점과 단점.

장점	단점
낮은 세포독성	조작의 어려움
훌륭한 생체친화성	긴 경화시간
친수성(Hydrophilic)	비용
방사선 불투과성(radiopaque)	
밀폐능력	
생체활성(bioactive)	

노출되게 되는데 산성환경에서 MTA의 밀폐능력은 논란의 여지가 있다. Roy와 동료들은 산성의 환경이라고 해서 MTA의 밀폐능력이 감소되는 것은 아니라고 하였다(Roy*et al.* 2001). 한편, 산성환경에 노출된 MTA의 표면에서는 다량의 미세한 공극(porosity) 관찰되었으며(Namazikhah *et al.* 2008), 낮은 pH 용액에서 경화된 MTA에서 더 많은 누출(leakage)이 관찰되었다는 결과도 있다(Saghiri *et al.* 2008).

이러한 문제를 개선하기 위해 경화시간을 단축시키려는 목적으로 methylcellulose, 염화칼슘(calcium chloride), 그리고 dibasic sodium phosphate와 같은 첨가제를 추가하기도 하였다(Ber *et al.* 2007; Bortoluzzi *et al.* 2008; Huang *et al.* 2008). MTA 파우더를 다양한 용액에 혼합하였을 때, 그 성질이 변화될 수 있다. 염화칼슘(calcium chloride) 용액에 혼합할 경우 멸균수에 혼합할 때에 비해 최종 압축강도가 낮아질 수 있다고 하였다(Kogan *et al.* 2006).

MTA가 다른 재료들에 비해 고가인 점도 단점으로 지적되고 있다(Casas *et al.* 2005; Mooney & North 2008).

역근관충전재로서의 MTA

세포독성(Cytotoxicity)과 생체친화성(Biocompatibility)

치아주변조직과 직접 접촉하게 되는 역근관충전재의 특성상 가장 중요한 성질은 세포독성과 생체친화성이라고 할 수 있다. 치유 시 골재생이 필요하다는 측면에서 MTA의 생체친화성은 중요한 요소라고 할 수 있다.

역근관충전재의 세포독성은 미토콘드리아 효소활성분석이나, 한천에 배양하여 세포 개체수나 형태를 연구하는 것과 같은 다양한 방법을 통해 평가한다. MTA의 세포독성과 생체친화성의 경우는 in vitro 환경에서 세포배양을 통해 이뤄지는데, MTA와 골모세포(osteoblast) 및 치주인대 세포와 부착이 일어나는지를 보게 된다. 이전의 다양한 연구에서 MTA는 아말감, ZOE, IRM, 복합레진이나 GIC와 같은 다른 역근관충전재료들에 비해 낮은 세포독성을 보였다(Zhu *et al.* 2000;Balto 2004; Yoshimine *et al.* 2007; Bodrumlu 2008).

신경(nerve)과 신경세포(neural cell)에 작용하는 세포독성은 역근관충전재가 신경의 intergrity나 regeneration을 방해하지 않는지를 평가하는 방법을 사용한다. 아말감, SuperEBA나 Diaket의 경우에는 신경세포와 접촉 시 세포괴사가 일어났으나 MTA에서는 그렇지 않았다(Asrari & Lobner 2003).

대부분의 초기의 연구에서는 경화가 완료된 MTA를 이용하여 세포독성을 평가하였다. MTA는 경화가 진행되는 동안 높은 pH를 유지하게 되는데 이 때문에 주변 세포에 나쁜 영향을 줄 수 있다는 점에서 세포독성의 의심을 받았다(Balto 2004). 세포배양결과 갓 혼합된(freshly mixed) MTA와 접촉한 세포의 성장이 억제되는 무세포 지역(cell-free zone)이 나타났다. 그러나, 이러한 cell-free zone은 일시적으로 나타난 것이었다(그림 9.3A, B). 갓 혼합된 MTA를 in vivo실험에 적용시켰을 때 이러한 cell-free zone은 보

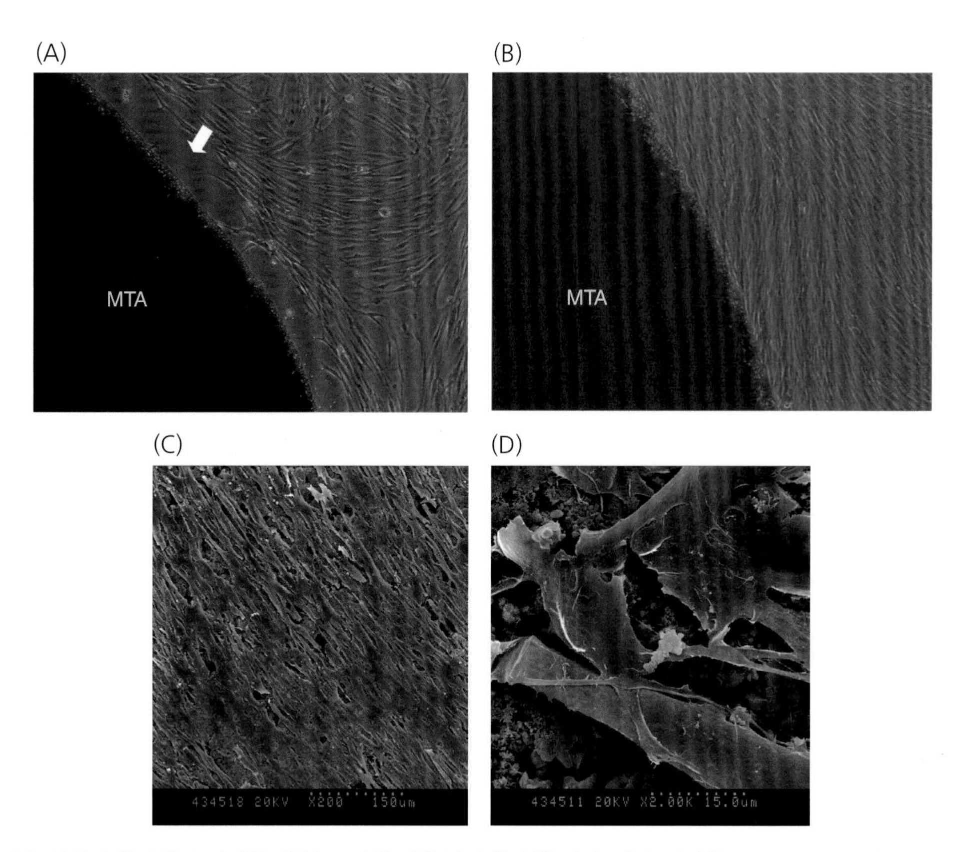

그림 9.3 위상차 현미경과 전자현미경(SEM)을 이용하여 촬영한 사진. 갓 준비된(freshly prepared) white MTA와 접촉한 인간의 치주인대(PDL) 세포를 촬영하였다. (A) 48시간 후. (B-D) 72시간 후. (A) 하얀 화살표는 MTA와 세포 사이의 무세포지역(cell free zone)을 가리킨다. (B) 72시간 후에는 무세포대가 사라진 것을 볼 수 있다. (C) MTA와 접촉한 세포는 MTA와 잘 부착하였으며 건강한 상태임을 알 수 있다(×200). (D) 고배율에서 촬영한 세포의 모습(×2000).

고되지 않았다(PittFord *et al.* 1996; Apaydin *et al.* 2004). MTA, 아말감, 그리고 superEBA의 세포독성을 측정하는 연구에서 다른 재료와 비교하였을 때 갓 혼합된 MTA에서 가장 적은 세포독성을 나타내었다. MTA가 완전히 경화되기 전에 갖는 초기의 높은 pH는 역근관충전 술식에서 세포독성을 나타내는 것 같지는 않다(Lustmann *et al.* 1991).

양호한 숙주반응을 평가하는 데 있어서 생체친화성은 중요한 요소이다(Willians 1986). 몇몇 동물실험에서 MTA는 치아조직에 해를 끼치지 않는다고 보고하였다(Chong & Pitt Ford 2005; Torabinejad *et al.* 1995c; Baek *et al.* 2005). 동물실험에서 MTA를 골에 매식하였을 때 어떠한 염증반응도 관찰되지 않았고 주위에 치조골 침착이 나타나기도 하였다(Saidon *et al.* 2003). 한 연구에서는 새로 재생된 골과 세 가지 다른 유형의 역근관충전 재료와의 평균 거리를 치근단 수술 4개월 후에 측정하였다.

개를 이용한 이 실험에서 MTA와 새로 생성된 골과의 거리가 평균적인 치주인대 공간의 두께와 유사하

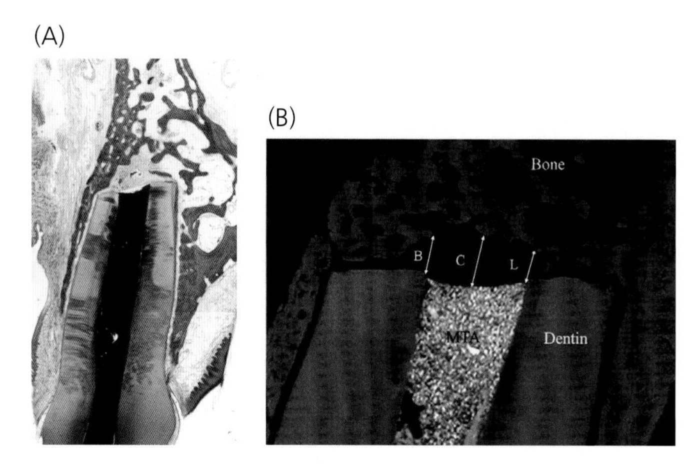

그림 9.4 역근관충전된 MTA와 신생골 사이의 거리가 표시되어 있다. 개를 대상으로 치근단절제술을 시행하고 4개월 후에 얻은 시편이다. (B) 사진은 (A) 지역을 확대한 것이다. 이 사진은 MTA로부터 새로 생성된 치조골까지의 거리(평균: 0.397mm)가 개의 평균적인 치주인대강의 두께와 유사하며 이 결과는 아말감을 이용한 경우보다 유의성 있게 작았다. 출처: Baek *et al.* 2010. Reproduced with permission of Elsevier.

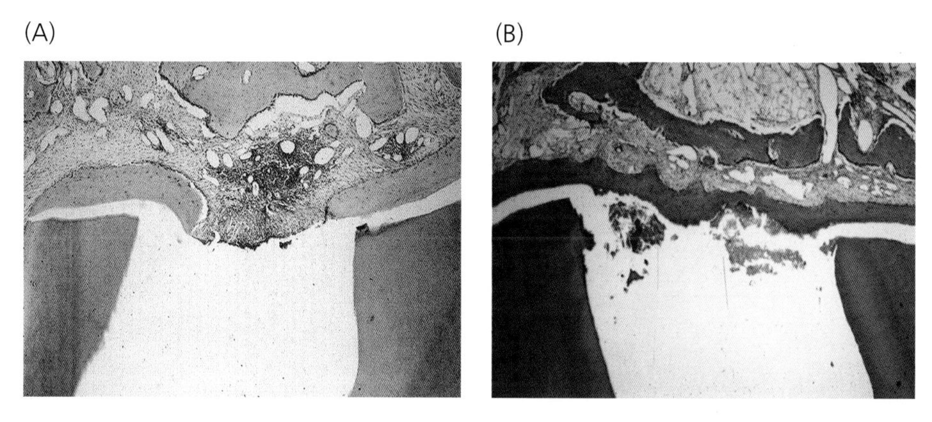

그림 9.5 (A) 역근관충전된 아말감 상방으로 새로운 백악질이 관찰되지 않는다. (B) 한편, 역근관충전된 MTA 상방으로 신생 백악질이 자라 들어온 것을 볼 수 있다. 출처: Torabinejad *et al.* 1997. Reproduced with permission of Elsevier.

다고 하였다. 이 평균적인 거리는 SuperEBA와 아말감에 비해서 더 작았다(그림 9.4) (Baek *et al.* 2010). 이 결과는 MTA가 치조골이나 치주인대의 재생에 있어서 더 나은 환경을 만들어준다는 것을 의미한다.

개나 원숭이를 통한 동물실험에서 MTA를 이용한 역근관충전시 조직학적으로 염증반응이 거의 나타나지 않았다. Torabinejad 와 그의 동료들은 개와 원숭이를 이용한 동물실험에서 MTA를 이용하여 역근관충전하였을 때 충전된 MTA표면위로 백악질이 덮여있는 것을 보고하였다(Torabinejad *et al.* 1995a) (Torabinejad *et al.* 1997) (그림 9.5). 이 연구에서는 모든 샘플의 표면에서 백악질이 덮여있는 것을 발견

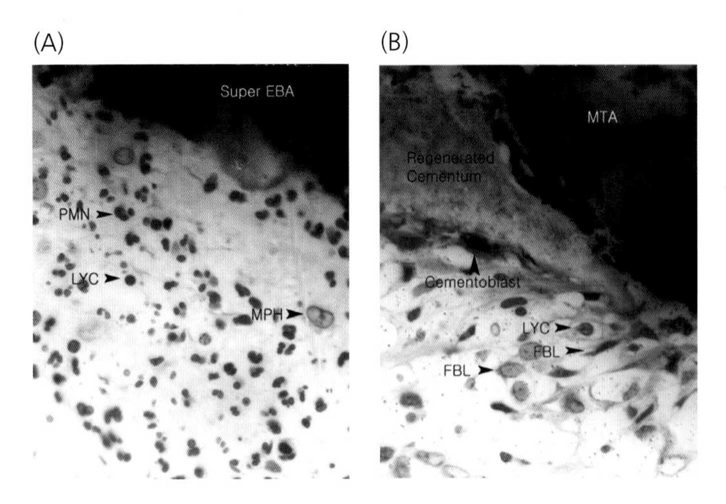

그림 9.6 (A,B) 개를 이용한 동물실험에서 염증세포의 발현 (A) SuperEBA의 경우 (B) MTA의 경우 (Giemsa staining, x800) (a) 역근관충전된 SuperEBA 주변으로, polymorphonuclear leukocytes (PMNs), lymphocytes (LYC), plasma cells, macrophages (MPH) 가 관찰된다 (B) MTA시편에서는 fibroblasts (FBL)와 minor inflammatory cells이 관찰된다. 출처: Baek *et al.* 2005. Reproduced with permission of Elsevier.

하였다. Baek과 그의 동료들은 역근관충전재료로서 아말감, SuperEBA, MTA를 사용하여 조직반응을 연구하였는데, MTA를 사용했을 때 낮은 수준의 염증반응이 나타났으며, MTA를 신생 백악질이 덮고 있다고 보고하였으며(Huang *et al.* 2002,Baek *et al.* 2005), 이러한 신생 백악질은 치주조직의 재생에 있어서 중요하다고 하였다(그림 9.6) (Lindskog *et al.* 1983).

MTA는 가장 생체친화성이 높은 역근관충전재이며 역근관충전치료시 가장 먼저 고려해야할 재료로 보인다.

생체활성(Bioactivity)

몇몇 조직학적 연구를 통해서 역근관충전된 MTA표면위로 두꺼운 백악질이 침착되는 것을 발견하였고, 이를 통해 MTA의 생체친화성과 생체활성(bioactivity)을 확인하였다(Torabinejad *et al.* 1995a, 1997; Baek *et al.* 2005). Pitt Ford 와 그의 동료들은 근관 천공이 발생하여 MTA를 이용해 밀폐를 했을 때, 밀려나온 과량의 MTA주변으로 조직재생이 일어나는 것을 발견하였다(Pitt Ford *et al.* 1995b). 이 연구에서 경조직 형성을 유도하는 어떤 물질이 포함되어 있는 것으로 보여진다고 하였다(Pitt Ford *et al.* 1995b). 몇몇 다른 연구에서도 MTA가 경조직 형성을 촉진시키는 능력이 있는 것으로 보여진다고 하였다 (Torabinejad *et al.*1995a, c, 1997; Koh *et al.* 1998; Baek *et al.* 2005, 2010).

MTA는 cytokine 분비를 촉진함으로써 경조직 형성과 염증반응 조절에 관여한다고 하였다(Koh *et al.* 1997). MTA는 interleukin IL-6, IL-8의 분비를 증가시켜 osteocalcin의 발현을 증가시킨다. Osteocalcin은 골에 특이적으로 존재하는 단백질로서, MTA가 골형성세포(osteogenic cell) 증식에 기여한다는 사실을 뒷받침한다. 그러나 IL-6은 파골세포 형성을 촉진하기도 한다. 이 사실로 보아 MTA는 사실 골모세포 및 파골세포 활성도를 모두 높여 신생골 형성 과정 자체를 촉진시키는 것으로 보인다.

경화가 이뤄지는 동안, MTA는 인회석(apatite) 층을 형성하게 되는데, 이 층을 통해 MTA에 살아있는 골과 치아 조직이 직접 결합하게 된다(Sarkar *et al.* 2005; Bozeman *et al.* 2006;Gandolfi *et al.* 2010). 인회석이 형성됨으로써 밀폐성이 증가되며 골모세포의 성장을 촉진하게 된다(Gandolfi *et al.* 2010; Camilleri & Pitt Ford 2006). MTA는 골모세포의 부착을 촉진시키고 Runx2 유전자의 발현을 증가시키는데, 이 유전자는 골모세포의 분화에 필수적이다 (Perinpanayagam &Al-Rabeah 2009).

게다가, MTA는 PDL과 치은 섬유모세포(fibroblast)의 alkaline phosphatase의 활성도를 증가시키는데, 이로 인해 골의 재생이 촉진된다(Bonson *et al.*2004). MTA가 어떻게 PDL 세포 증식을 촉진하는지에 대한 기전은 알려져 있지 않다. 그러나, MTA로부터 방출되는 칼슘이온이 세포 증식에 기여하는 주요 인자인 것으로 보인다. 보다 최근에는 MTA가 인간의 치수 세포증식을 촉진한다는 연구도 있다(Takita *et al.* 2006). 이 연구에서는, MTA에서 연속적으로 유리된 칼슘이온이 세포증식의 주요 원인이라고 가정하고 있다. 세포 증식의 측면 이외에도 세포가 분화할 때에는 조직 특이적 유전자가 발현되게 되는데, Bonson과 그의 동료들은 MTA가 PLD 내의 섬유모세포의 alkaline phosphatase, osteonectin, 그리고 osteopontin 유전자의 발현을 촉진한다고 하였다. 이 연구에서 MTA가 조골기능이 있는 세포의 분화를 촉진함으로써 신생골 형성에 기여한다고 주장하였다(Bonson *et al.* 2004).

한편, MTA는 골형성을 유도(osteoinductive)하기 보다는 전도(osteoconductive) 한다고 하였다. 이는 MTA를 피하조직에 이식한 동물실험에서 초기에 주변 골 세포가 응집괴사(coagulation necrosis)나 영양결핍성 석회화(dystrophic calcification)가 일어나고 이후 새로운 골형성 과정이 일어나는 것이 관찰되었기 때문이다(Moretton *et al.* 2000).

아직 완전한 기전이 알려져 있지 않지만 MTA는 생체활성(bioactive)물질이며 치유과정을 촉진하는 것은 분명해 보인다.

밀폐성(Sealibility)

역근관충전재의 밀폐능력은 매우 중요한데, 이는 남아있는 근관내 잔존물(대부분의 경우 세균들)이 병인으로서 작용하고 이 때문에 수술적 치료가 필요해지기 때문이다. 최근 사용되는 역근관충전재료의 세균 밀폐성을 평가하는 많은 연구들이 있어왔다. 대부분의 연구에서 MTA가 아말감에 비해 세균에 대한 밀폐성이 뛰어나다고 하였다(Torabinejad *et al.* 1995e; Fischer *et al.* 1998). MTA와 SuperEBA를 비교한 세균밀폐성 비교는 논쟁의 여지가 있다. 어떤 연구에서는 두 재료에서 유의한 차이가 없다고 하였고(Scheerer *et al.* 2001;Mangin *et al.* 2003), 어떤 연구에서는 MTA가 SuperEBA에 비해 밀폐능력이 우수하다고 하였다(Torabinejad *et al.* 1995e; Fischer *et al.*1998; Wu *et al.* 1998; Gondim *et al.* 2005).

산성 환경에서는 MTA의 뛰어난 밀폐능력을 보장할 수 없다. 치아를 MTA로 역근관충전한 후 낮은 pH

와 높은 pH에서 보관하였을 때, 낮은 pH의 환경에서 미세누출에 대한 저항성이 떨어졌다 (Saghiri *et al.* 2008).

역근관충전된 MTA의 두께 또한 밀폐성에 영향을 미친다. 두께가 4-mm보다 작을 경우 밀폐성이 떨어지므로 최소한 4-mm의 두께를 확보하는 것을 추천한다(Valois & Costa 2004).

보다 최근의 연구에서는 MTA가 경화되는 동안 수산화인회석층(hydroxyapatite layer)이 형성되는 것에 관심을 갖고 있다. 이 수산화인회석 층은 MTA와 상아질 계면 사이에서 생물학적 밀폐효과를 제공하는 것으로 여겨진다(Sarkar *et al.* 2005; Bozeman *et al.* 2006;Gandolfi *et al.* 2010; Reyes Carmona *et al.* 2009).

항균효과(Antibacterial effect)

역근관충전을 시행할 때에는 감염이나 자극적 잔여물(irrigants remain)이 존재하는 환경인 경우가 많다. 이전의 많은 연구에서 MTA는 많은 종류의 세균에 대해 항균효과를 가지고 있다고 하였다 (Torabinejad *et al.* 1995d; Yasuda *et al.* 2008;Estrela *et al.* 2011). 아말감, IRM, Superbond C&B, MTA, Geristore, Dyract, 그리고 복합레진의 세균누출에 대한 비교 실험에서 IRM과 MTA의 경우에서 보다 높은 세균 번식 억제능력을 보여주었다(Eldeniz *et al.* 2006). 그러나, 다른 연구에서는 MTA가 어떠한 항균 활성도 보이지 않는다는 결과도 있다(Miyagak *et al.* 2006; Yasuda *et al.* 2008).

MTA의 임상적용

역근관 와동형성과 충전(Retropreparation and root-end filling)

치근단수술 시 근단부와동을 형성할 때에는 환부를 깨끗이 하고 충전재를 채워 넣을 공간을 확보하는 것이 중요하다. 최근의 수술적 접근에서 가장 중요한 발전사항은 1990년대 초반에 Dr. Carr에 의해 소개된 근단부 와동형성(root-end preparatioin)을 위한 ultrasonic tip이라고 할 수 있다. 이 기구로 인해 더 이상 전통적인 버와 에어 터빈방식의 핸드피스를 사용할 필요가 없게 되었다. 다양한 모양과 크기, 디자인을 가진 많은 초음파팁이 시판되고 있다: CT series tips (SybronEndo, CA, USA), KiSultrasonic tips (Obtura-Spartan, Fenton, MO, USA), ProUltra Surgical tips(ProUltra, Dentsply Tulsa Dental, Tulsa, OK, USA), B&L JET tips (B&LBiotech USA, PA, USA). MTA를 이용한 역근관 와동형성법은 다른 충전재를 사용할 때와 동일하다. 치근의 장축 방향으로 3-mm 정도 깊이로 1급 와동을 형성하는데 현미경 하에서 시행하는 것이 좋다.

혼합과정

MTA의 혼합비율은 3 대 1의 powder/liquid(sterile water) 비율(그림 9.7)을 가진다. 혼합 후 30초 가

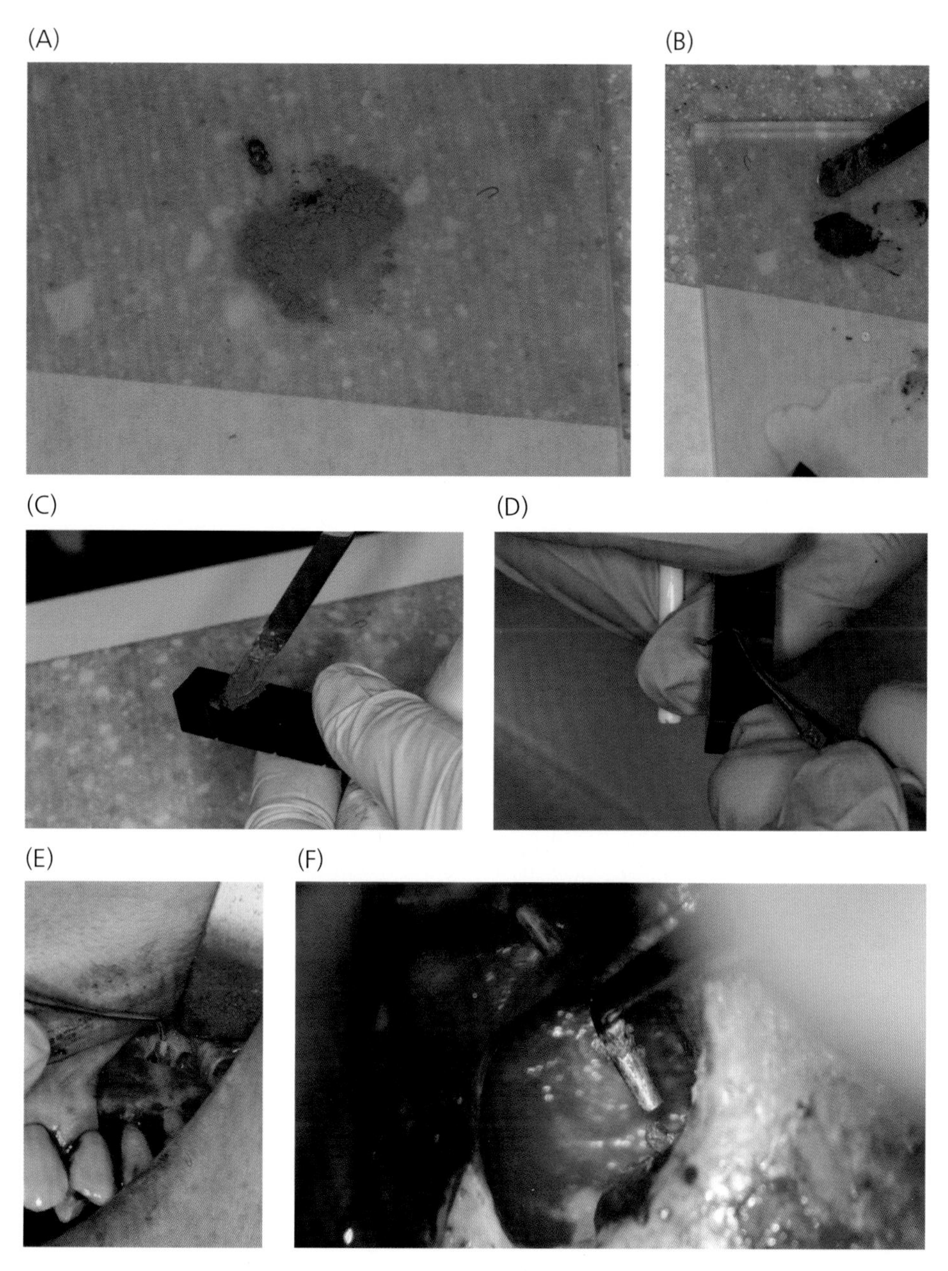

그림 9.7 MTA 혼합과정. (A) 멸균된 유리 슬랩(slab)위의 MTA 파우더. (B) 스파츌라를 이용해 멸균수와 파우더를 혼합한다. 이 때 혼합물은 젖은 모래정도의 점도를 가져야 한다. (C) 적은 양의 MTA 혼합물을 Lee MTA pellet forming block의 홈에 위치시킨다(G. Hartzell & Sons, Concord, CA, USA). (D)과량의 MTA혼합물을 멸균된 거즈로 제거한 후, Lee Carver를 이용해 MTA 펠렛을 떠낸다(G. Hartzell & Sons). (E) MTA 펠렛을 역근관충전 와동에 위치시킨다. (F) MTA 펠렛을 micropluggerf를 이용해서 다진다. 와동의 크기에 따라 위 과정을 반복해서 시행한다. 출처: Courtesy of Dr. Jung Lim at UCLA.

지나면 혼합물은 젖은 모래와 같은 정도의 질감을 갖게 된다.

MTA 적용방법

MTA는 다른 역근관충전재료와는 다른 물리적 성질 때문에 작은 와동에 적용하기가 쉽지 않다.

MTA를 와동 내에 주입하기 위해 대부분의 임상가들은 주사기 형태의 캐리어나 MTA pellet forming block을 사용한다.

캐리어(carrier)와 주사기(syringe) 타입 기구들

MTA를 담기 위해서 캐리어 타입과 주사기 타입의 기구들이 있는데 다음과 같다: the Retro Amalgam filling carrier (Moyco UnionBroach, York, PA, USA), the Messing Root Canal Gun (R. Chige, Inc., BocaRaton, FL, USA), Dovgan MTA Carriers (Quality Aspirators, Duncanville,TX, USA), the MTA Carrier (G. Hartzell & Sons, Concord, CA, USA), MAP System (PD, Vevey, Switzerland), and the C-R Syringe (Centrix Inc., Shelton,CT, USA).

캐리어의 팁을 MTA혼합물에 대고 가볍게 두드리면 소량의 MTA가 팁 안으로 들어간다. 이러한 방법을 이용하게 되면 사용하는 MTA의 양을 최소화하면서 MTA를 정확하게 위치시키는 것이 가능하다. 그러나 이러한 캐리어와 주사기 타입의 기구들은 몇 가지 제한점 또한 가지고 있다. 만약 치근단 와동 크기가 작다면, 캐리어 타입의 기구는 사용하기 어렵다. 때로는 주사기 팁이 해부학적으로 복잡한 부위에 도달하기 어려울 수도 있다. 만약 기구의 팁이 커서 많은 양의 MTA를 와동에 주입했을 때 과량의 MTA가 치근 표면을 넘어서 주변 골소실 부분으로 넘칠 수도 있다. 캐리어는 사용 후에 즉시 청소하여 주사기가 막히는 것을 방지하는 것이 중요하다(Video).

Lee MTA pellet forming block

Lee 는 레진 블록에 홈을 만들어서 MTA를 경화시킨 후 잘라서 사용하는 0.5 × 0.5 × 2 인치 크기의 MTA 블록을 처음으로 소개하였다(Tap Plastics, San Rafael, CA,USA). MTA 펠렛은 기존 캐리어나 주사기 형태의 기구로 접근하기 어려울 때 사용할 수 있다.

MTA를 젖은 모래 정도의 점도로 혼합한 후 MTA 블록의 홈에 스파츌라를 이용하여 위치시킨 후 여분의 MTA는 제거한다. 구체적인 사용 방법은 그림 9.7에 소개되어 있다.

MTA 펠렛을 가능한 빨리 와동에 위치시켜야 하는데 그 이유는 작은 펠렛은 금방 탈수되기 때문이다. MTA 혼합물이 건조해지면 부서지면서 다루기가 어렵게 된다. 플라스틱 블록의 4개의 면에 존재하는 각각의 홈을 이용하면 MTA 펠렛을 동시에 여러 개 만들어서 사용할 수 있다. 플라스틱 블록을 젖은 거즈로 덮어두면 MTA가 건조되는 것을 막을 수 있다(Torabinejad& Chivian 1999; Lee 2000). 역근관충전 과정은 그림 9.8-9.11에서 확인할 수 있다.

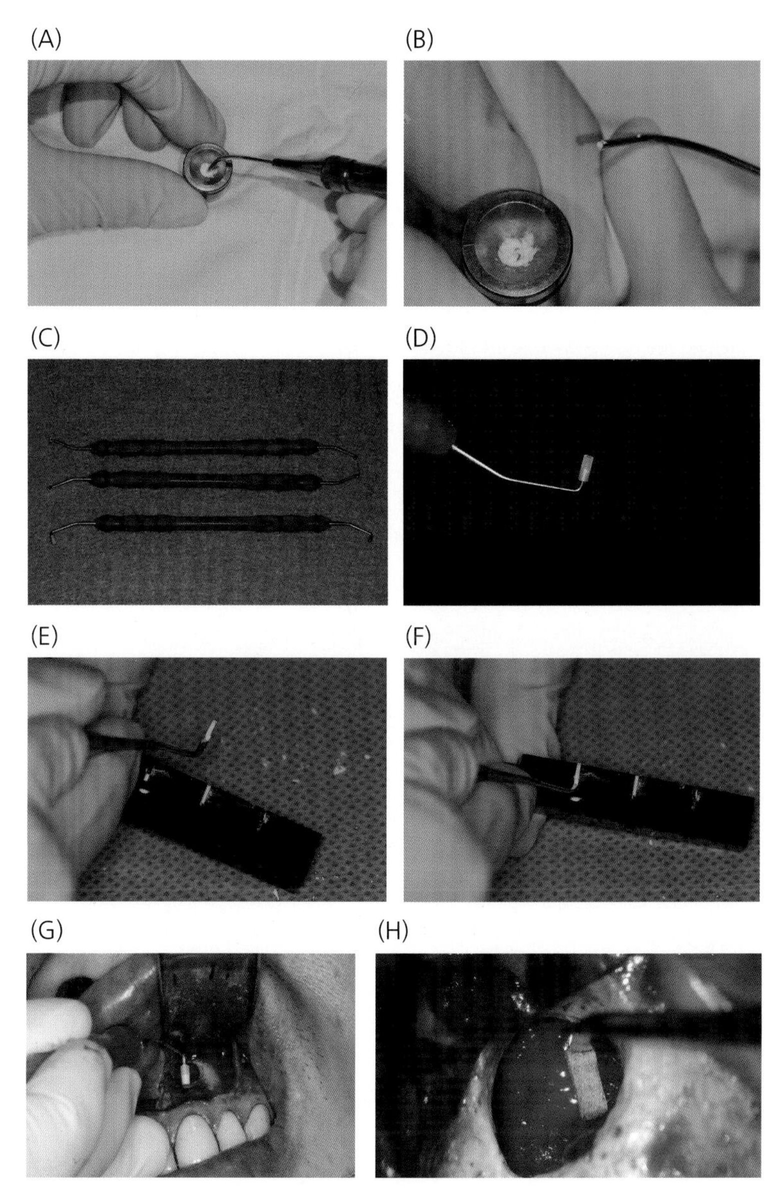

그림 9.8 MTA 적용 기구들. (A,B) 주사기 타입의 기구 (Dentsply, Tulsa, OK, USA).MTA 파우더를 멸균액 혹은 멸균수와 혼합한다. 혼합된 MTA를 가볍게 치면서 팁에 담아 모은다. 홀더를 살짝 밀어서 MTA를 밀어낸다. (C,D) MTA 수술용 캐리어(Dentsply, Tulsa, OK, USA). Teflon sleeve를 캐리어의 팁부분에 삽입하고 수술부위에 맞게 각도를 조정하여 사용한다. 캐리어를 가볍게 쳐서 MTA 혼합물을 슬리브에 밀어넣는다. (Courtesy of Dr. Dong-Ryul Shin at Luden Dental Clinic.)(E,F). Lee MTA pellet forming block (G. Hartzell & Sons, Concord,CA, USA). 적은 양의 MTA 혼합물을 블록의 홈에 위치시킨다. MTA 펠렛을 담기 위해서는 특별한 형태의 캐리어를 사용한다. (G) MTA delivery system의 수술용 캐리어를 이용한 MTA의 적용. (H) MTA Pellet forming block과 Lee carver를 이용해 MTA를 적용시키는 모습 (G. Hartzell & Sons).
출처: Courtesy of Dr. Dong-Ryul Shin.)

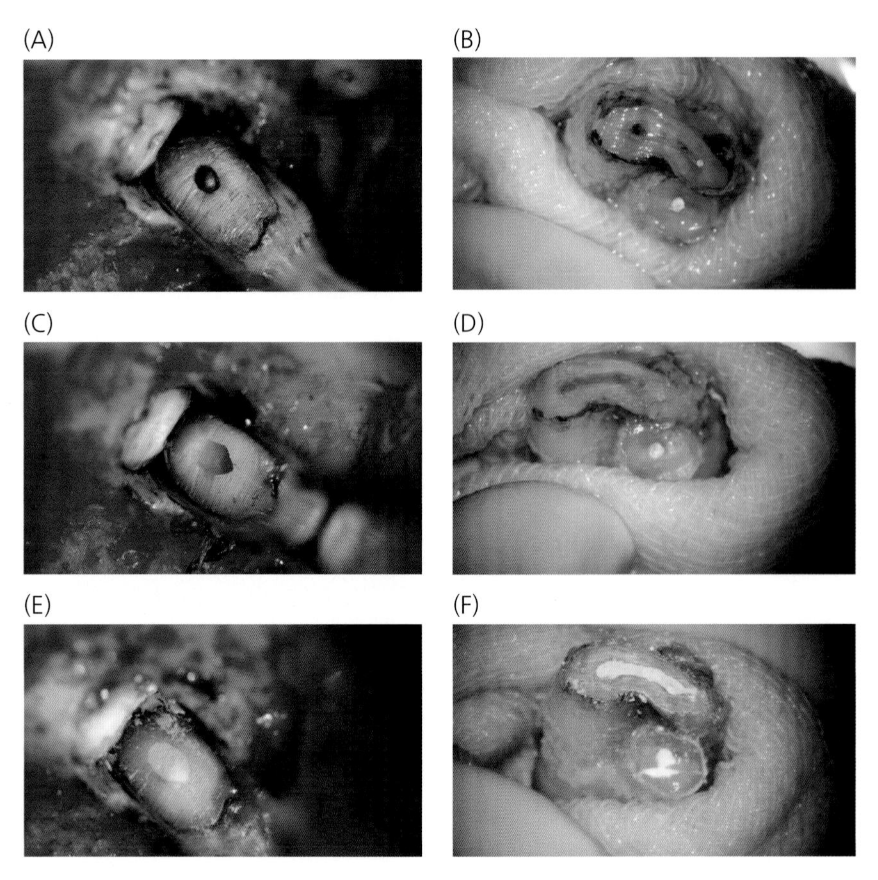

그림 9.9 치근단 수술시 역근관충전 과정 (A,C,E) 의도적 재식술(intentional replantation) 시 역근관충전 과정 (B,D,F). (A,B) 절제된 치근단 (C,D) 3-mm깊이의 역근관충전 와동형성 (E,F). MTA를 이용해 역근관충전 후 현미경으로 관찰한 치근부위. 출처: Courtesy of Dr. Minju Song at Yonsei University.

임상 결과(Clinical outcomes)

치근단 수술이나 의도적 재식술을 시행할 때 MTA는 우선적으로 고려해야 할 재료이다. 그 이유는 생체 친화성이 좋고 뛰어난 임상 결과를 보여주기 때문이다(Rubinstein & Torabinejad 2004). 치근단 수술을 시행할 때 최신의 근관치료 현미경 술식을 병행해서 사용할 경우 역근관충전에서 MTA의 사용은 훌륭한 임상적 결과를 보여주고 있다. 치근단 수술 시 역근관충전재로 MTA를 사용한 276개의 케이스를 추적한 결과 89%의 성공률을 보여주었다(Saunders 2008).

많은 연구에서 다양한 역근관충전재를 사용한 치근단 수술의 결과와 성공률을 보고하고 있다. 비록 MTA의 성공률(12개월 후 84%, 24개월 후 92%)이 IRM의 성공률(각각 76%, 87%)에 비해 높지만 유의한 차이는 없다는 결과도 있다(Chong *et al.* 2003). 이 결과는 MTA와 IRM의 성공률을 비교한 다른 연구의

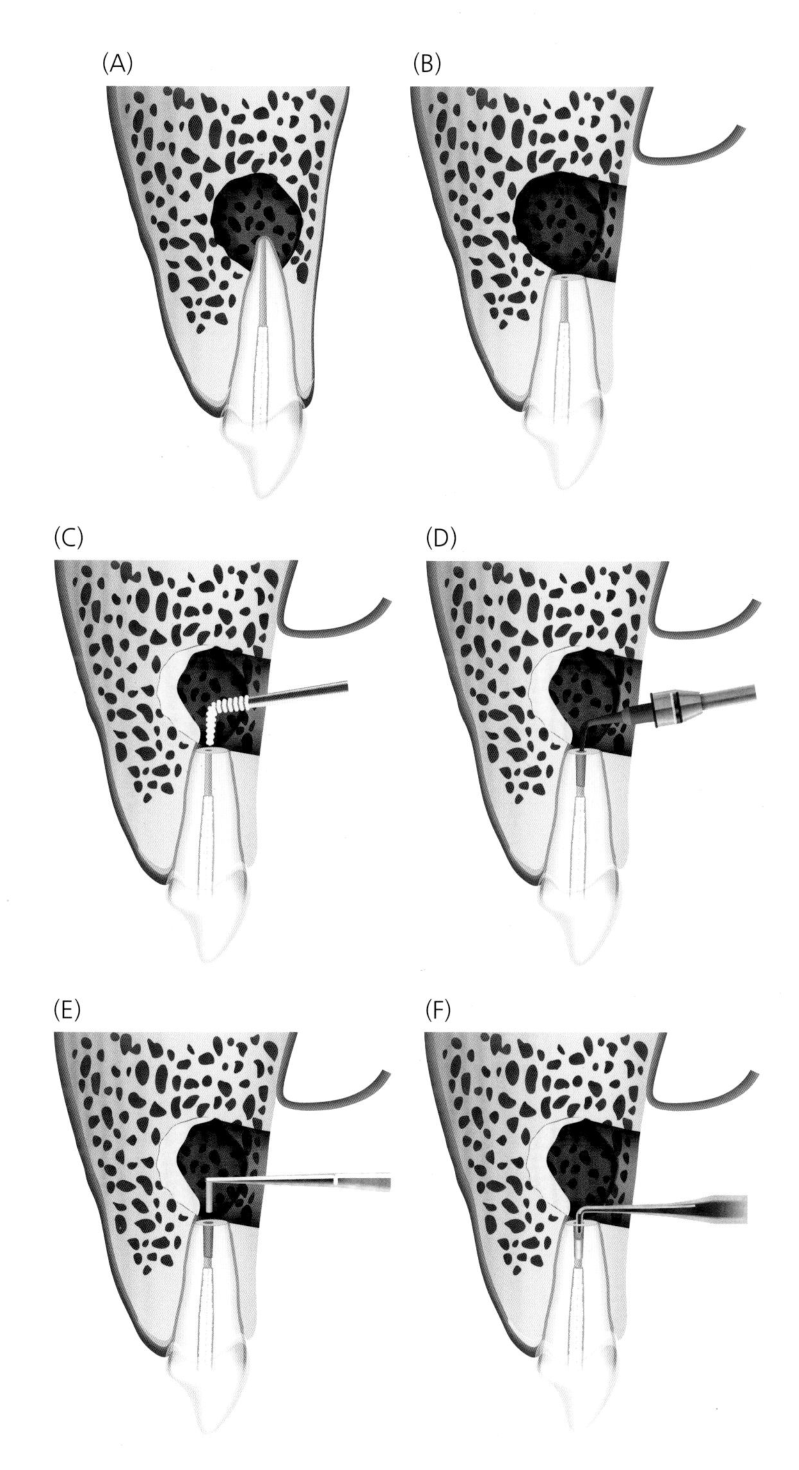

그림 9.10 일반적인 치근단 수술 과정. (A) 술전. (B) 치조골 및 치근 절제 (C)초음파 기구를 이용하여 와동 형성 (D)적절한 에어 시린지로 와동 건조(E) MTA 적용. (F) MTA 다지기.

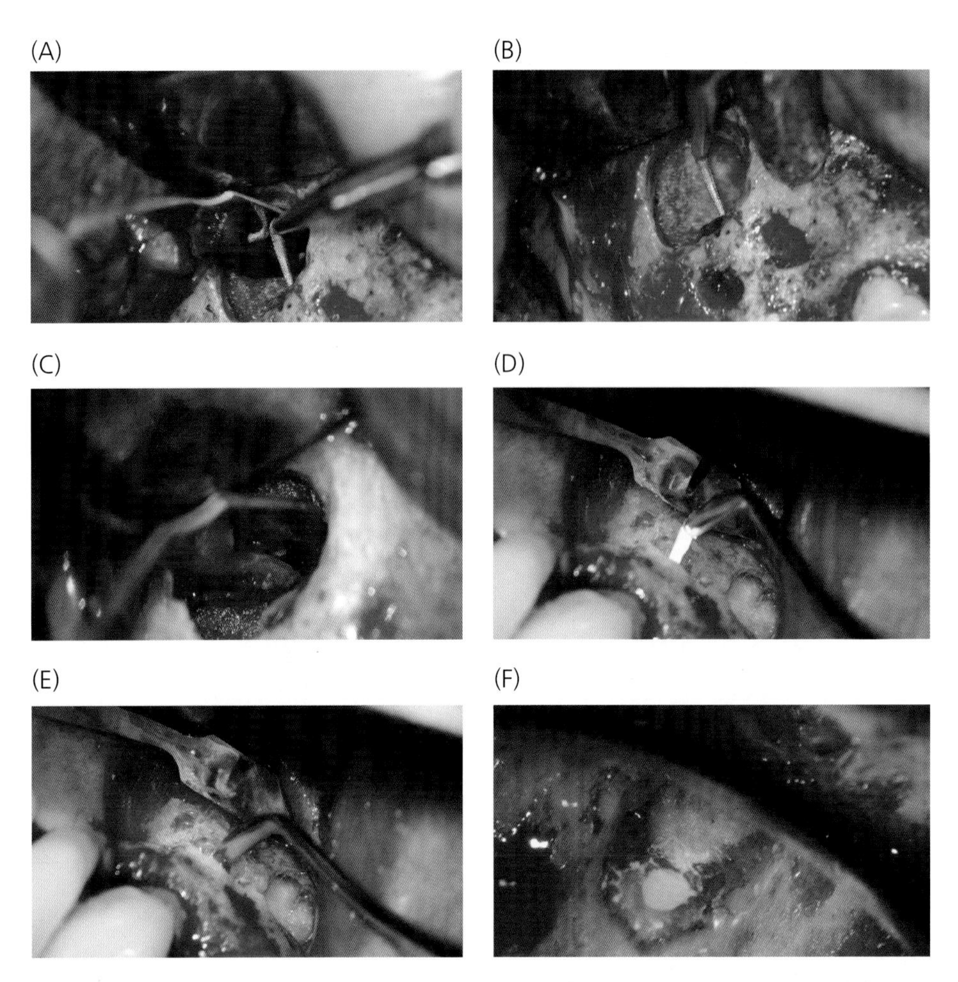

그림 9.11 치근단 수술 과정 (A) 치근의 장축방향으로 초음파 팁을 위치시킨다. (B) 와동의 깊이가 3mm 확보될 때 까지 GP cone과 치근단 상아질을 제거한다. (C)수술용 거울을 사용하여 시야를 확보한다. (D,E) MTA 펠렛을 와동에 위치시킨다. (F) 넘치는 과량의 MTA는 면구와 spoon excavator를 이용하여 제거한다. 깨끗하게 정돈된 치근표면이 현미경 하에서 관찰된다.

결과와도 일치한다 (Lindeboom *et al.* 2005; Tawil *et al.* 2009). MTA와 SuperEBA의 성공률을 비교한 연구에서도 두 재료 간의 유의한 차이는 없다고 하였다 (MTA-95.6% ,SuperEBA- 93.1%) (Song *et al.* 2012). 그러나 술 후 5년 후의 결과에서는 MTA의 치유율(86%)이 SuperEBA(67%)에 비해서 높았다 (von Arx *et al.* 2012). MTA의 성공률은 치아의 유형에 따라 큰 차이가 없었지만 Retroplast의 경우에는 치아의 유형에 따라 다양한 성공률을 나타내었다(von Arx *et al.* 2010). 최근의 연구결과를 고려했을 때, 치근단 수술 시 MTA는 가장 우선적으로 고려해야 할 재료임에는 틀림없다. 두 연구의 결과는 다음 그림 9.12와 그림 9.13에 표시되어 있다.

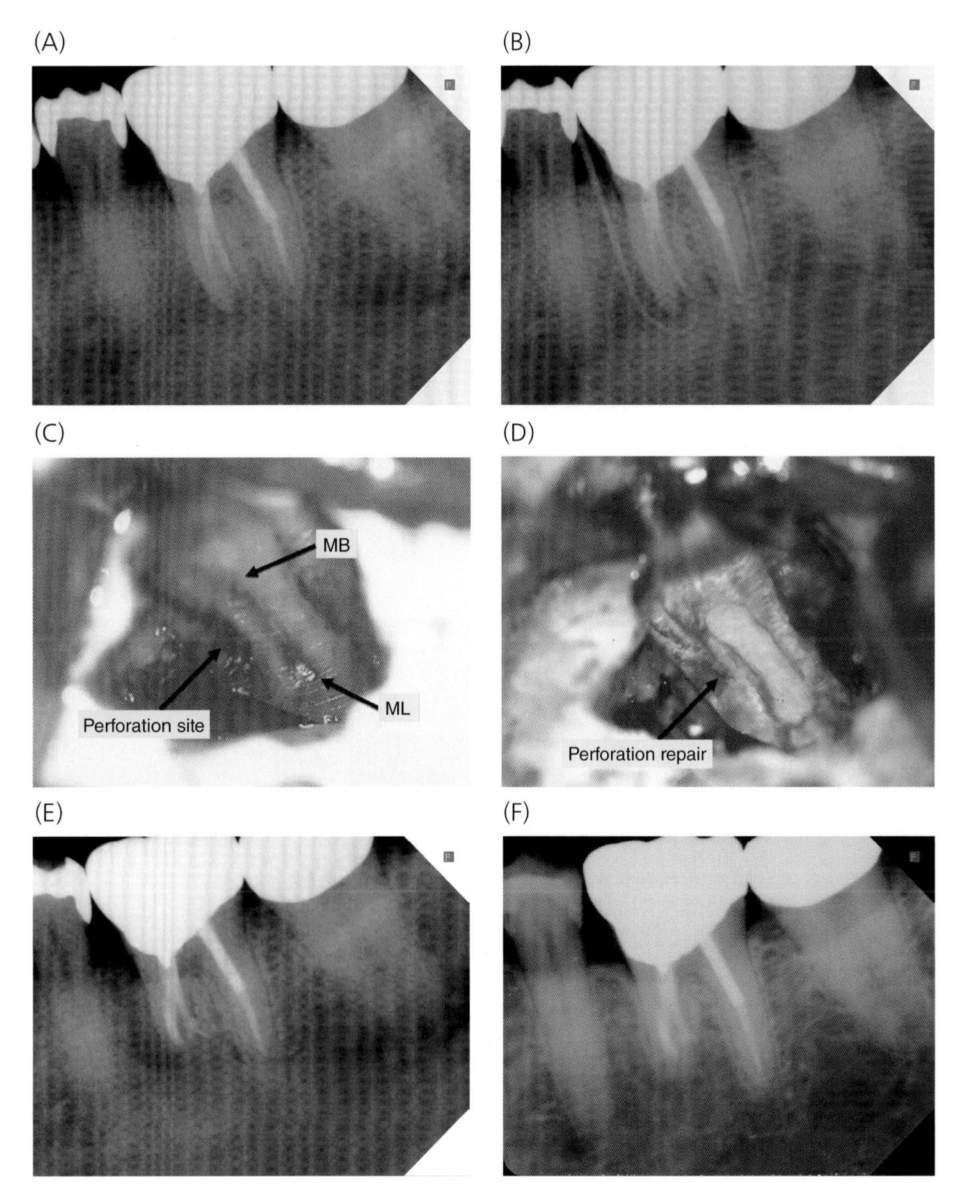

그림 9.12 하악 제1대구치의 수술 증례. (A)좌측 하악 제1대구치로 동요도가 있으며, 근심협측과 근심설측으로 6mm의 치주낭을 갖고 있다. 술전 방사선사진에서 이전에 근관치료가 되어 있는 근심치근의 치근단에 방사선 투과상이 관찰된다. (B) GP cone을 누공을 통해 삽입하여 근심치근의 첨부까지 밀어넣었다. (C) 절제된 근심치근을 관찰한 결과 근관성형과 근관확대가 전혀 이뤄지지 않은 근심협측 근관이 보이고, 이 때문에 치근단 병소가 발생한 것으로 보인다. (D) 근심협측과 근심설측 근관과 협부(isthmus)를 모두 포함하는 역근관충전와동을 형성하였고, MTA를 이용하여 역근관충전하였다. (E)술후 방사선 사진에서 절제된 근심치근부위에 역근관충전된 MTA가 관찰된다. (F) 4년 후의 방사선 사진에서 이전의 치근단 병소가 완전히 치유된 모습을 볼 수 있다. 환자의 증상과 치아의 동요도는 사라졌다. 출처: Courtesy of Dr. Euiseong Kim atYonsei University.

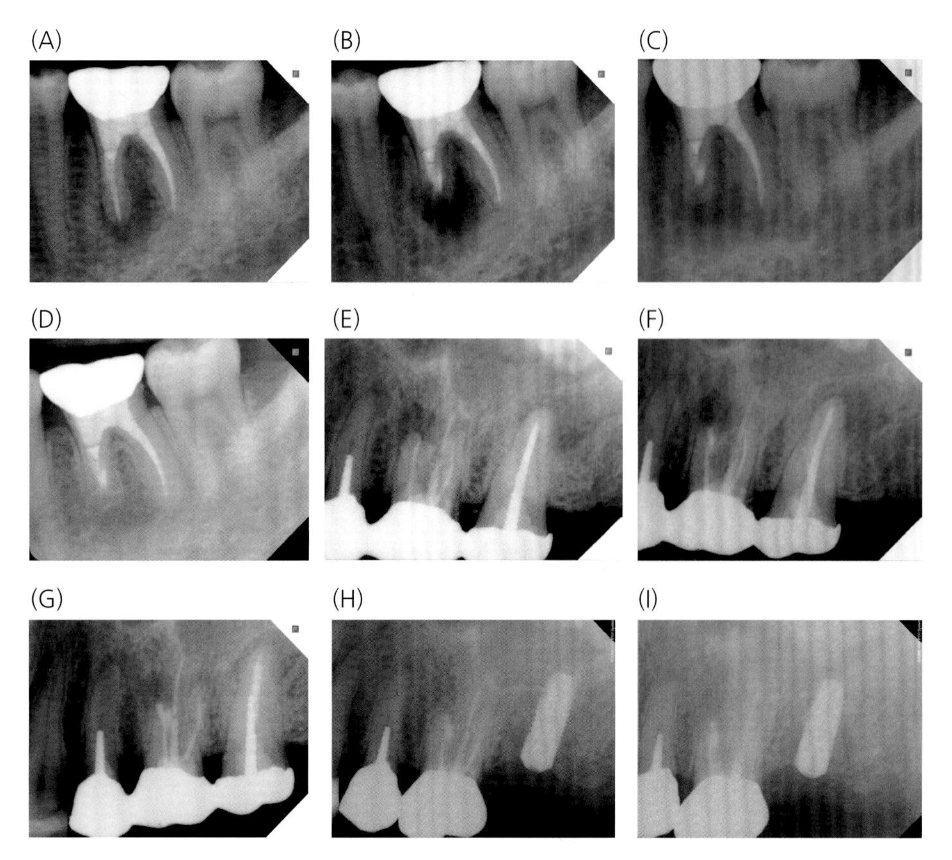

그림 9.13 역근관충전재로 MTA를 사용했을 때 장기간의 경과관찰
(A) 하악 제1대구치의 술전 방사선 사진. 근심치근에 방사선 투과상이 관찰되고 있다. 방사선 사진은 재근관치료 후에 촬영하였다. 근심협측 근관은 심한 석회화 때문에 짧게 충전되었다. 환자가 증상을 호소하였기 때문에 치근단 수술을 계획하였다. (B) 술후 방사선 사진으로 근심 근관을 절제하고 MTA를 이용하여 역근관충전한 것을 볼 수 있다. (C) 3년 후의 방사선 사진으로 만족할 만한 결과를 보여주고 있다. (D) 5년 후의 방사선 사진으로 완벽히 치유된 것을 볼 수 있다. (E) 좌측 상악 제1대구치의 술전 방사선 사진. 이전에 일반의에 의해 근관치료를 받은 치아로 반복적인 부종이 발생한 기왕력이 있다. (F)술후 방사선사진. 치근 절제술 중에 치료되지 않은 근심 설측 근관을 발견하였다. (G) 다양한 각도의 술후 방사선 사진. 근심 설측 근관과 협부(isthmus)가 MTA로 충전된 것이 보인다. (H,I) 5년 후 방사선 사진으로 병소부위가 완벽히 치유된 것이 관찰된다.
출처: Courtesyof Dr. Euiseong Kim at Yonsei University).

결론

치근단 수술시 역근관충전재료로서 다양한 유형의 재료가 사용되고 있다. 지금까지의 다양한 연구를 고려했을 때, MTA는 다른 재료에 비해 분명한 장점이 있는 재료이다. MTA에 대한 수분의 영향은 산성 용액과 접촉시 MTA의 다공성이 증가한다는 연구 결과가 있지만 이것이 MTA와 수분의 영향에 관한 정확한 결과를 반영하는 것은 아니다. 비록 그 작용기전은 완전히 밝혀져 있지 않지만, MTA는 생체활성(bioactive)이 있는 재료로 여겨진다. 지난 20여년의 광범위한 연구를 고려했을 때 MTA는 분명 각광받는 재료임에는 틀림이 없다.

역근관충전 시술 시 MTA의 가장 큰 단점으로 거론되는 것은 와동내에 충전할 때 조작이 불편하다는 점이다. 이러한 문제를 해결하기 위해 다양한 기구들이 소개되고 있다.

참고문헌

Al-Sabek, F., Shostad, S., Kirkwood, K.L. (2005) Preferential attachment of human gingival fibroblasts to the resin ionomer Geristore. *Journal of Endodontics* **31**(3), 205–8.

Al-Sa'eed, O.R., Al-Hiyasat, A.S., Darmani, H. (2008) The effects of six root-end filling materials and their leachable components on cell viability. *Journal of Endodontics* **34**(11), 1410–4.

Altonen, M., Mattila, K. (1976) Follow-up study of apicoectomized molars. *International Journal of Oral Surgery* **5**(1), 33–40.

Apaydin, E.S., Shabahang, S., Torabinejad, M. (2004) Hard-tissue healing after application of fresh or set MTA as root-end-filling material. *Journal of Endodontics* **30**(1), 21–4.

Aqrabawi, J. (2000) Sealing ability of amalgam, super EBA cement, and MTA when used as retrograde filling materials. *British Dental Journal* **188**(5), 266–8.

Asrari, M., Lobner, D. (2003) In vitro neurotoxic evaluation of root-end-filling materials. *Journal of Endodontics* **29**(11), 743–6.

August, D.S. (1996) Long-term postsrugical results on teeth with periapical radiolucencies. *Journal of Endodontics* **22**, 380–3.

Baek, S.H., Plenk, H., Jr., Kim, S. (2005) Periapical tissue responses and cementum regeneration with amalgam, SuperEBA, and MTA as root-end filling materials. *Journal of Endodontics* **31**(6), 444–9.

Baek, S.H., Lee, W.C., Setzer, F.C., *et al.* (2010) Periapical bone regeneration after endodontic microsurgery with three different root-end filling materials: amalgam, SuperEBA, and mineral trioxide aggregate. *Journal of Endodontics* **36**(8), 1323–5.

Balto, H.A. (2004) Attachment and morphological behavior of human periodontal ligament fibroblasts to mineral trioxide aggregate: a scanning electron microscope study. *Journal of Endodontics* **30**(1), 25–9.

Bates, C.F., Carnes, D.L., del Rio, C.E. (1996) Longitudinal sealing ability of mineral trioxide aggregate as a root-end filling material. *Journal of Endodontics* **22**(11), 575–8.

Ber, B.S., Hatton, J.F., Stewart, G.P. (2007) Chemical modification of proroot mta to improve handling characteristics and decrease setting time. *Journal of Endodontics* **33**(10), 1231–4.

Bodrumlu, E. (2008) Biocompatibility of retrograde root filling materials: a review. *Australian Endodontics Journal* **34**(1), 30–5.

Bonson, S., Jeansonne, B.G., Lallier, T.E. (2004) Root-end filling materials alter fibroblast differentiation. *Journal of Dental Research* **83**(5), 408–13.

Bortoluzzi, E.A., Broon, N.J., Bramante, C.M., *et al.* (2006) Sealing ability of MTA and radiopaque Portland cement with or without calcium chloride for root-end filling. *Journal of Endodontics* **32**(9), 897–900.

Bozeman, T.B., Lemon, R.R., Eleazer, P.D. (2006) Elemental analysis of crystal precipitate from gray and white MTA. *Journal of Endodontics* **32**(5), 425–8.

British Standards Institute (2007) Terminology for the bio-nano inferface. PAS 132. http://shop.bsigroup.com/forms/Nano/PAS-132/

Camilleri, J. (2014) Color stability of white mineral trioxide aggregate in contact with hypochlorite solution. Journal of Endodontics **40**(3), 436–40.

Camilleri, J., Pitt Ford, T.R. (2006) Mineral trioxide aggregate: a review of the constituents and biological properties of the material. *International Endodontics Journal* **39**(10), 747–54.

Camilleri, J., Montesin, F.E., Papaioannou, S., *et al.* (2004) Biocompatibility of two commercial forms of mineral trioxide aggregate. *International Endodontics Journal* **37**(10), 699–704.

Casas, M.J., Kenny, D.J., Judd, P.L., *et al.* (2005) Do we still need formocresol in pediatric dentistry? *Journal of the Canadian Dental Association* **71**(10), 749–51.

Chong, B., Pitt Ford, T. (2005) Root-end filling materials: rationale and tissue response. *Endodontics Topics* **11**(1), 114–30.

Chong, B.S., Pitt Ford, T.R., Hudson, M.B. (2003) A prospective clinical study of Mineral Trioxide Aggregate and IRM when used as root-end filling materials in endodontic surgery. *International Endodontics Journal* **36**(8), 520–6.

Crooks, W.G., Anderson, R.W., Powell, B.J., *et al.* (1994) Longitudinal evaluation of the seal of IRM root end fillings. *Journal of Endodontics* **20**(5), 250–2.

Dammaschke, T., Gerth, H.U., Zuchner, H., *et al.* (2005) Chemical and physical surface and bulk material characterization of white ProRoot MTA and two Portland cements. *Dental Materials* **21**(8), 731–8.

Dorn, S.O., Gartner, A.H. (1990) Retrograde filling materials: a retrospective success-failure study of amalgam, EBA, and IRM. *Journal of Endodontics* **16**(8), 391–3.

Eldeniz, A.U., Hadimli, H.H., Ataoglu, H., *et al.* (2006) Antibacterial effect of selected root-end filling materials. *Journal of Endodontics* **32**(4), 345–9.

Estrela, C., Bammann, L.L., Estrela, C.R., *et al.* (2011) Antimicrobial and chemical study of MTA, Portland cement, calcium hydroxide paste, Sealapex and Dycal. *Brazilian Dental Journal* **1**, 3–9.

Felman, D., Parashos. P. (2013) Coronal tooth discoloration and white mineral trioxide aggregate. *Journal of Endodontics* **39**(4), 484–7.

Fischer, E.J., Arens, D.E., Miller, C.H. (1998) Bacterial leakage of mineral trioxide aggregate as compared with zinc-free amalgam, intermediate restorative material, and Super-EBA as a root-end filling material. *Journal of Endodontics* **24**(3), 176–9.

Formosa, L.M., Mallia, B., Camilleri, J. (2012) A quantitative method for determining the antiwashout characteristics of cement-based dental materials including mineral trioxide aggregate. *International Endodontics Journal* **46**(2), 179–86.

Gartner, A.H., Dorn, S.O. (1992) Advances in endodontic surgery. *Dent Clin North Am* **36**(2), 357–78.

Gandolfi, M.G., Taddei, P., Tinti, A., *et al.* (2010) Apatite-forming ability (bioactivity) of ProRoot MTA. *International Endodontics Journal* **43**(10), 917–29.

Gondim, E., Jr., Kim, S., de Souza-Filho, F.J. (2005) An investigation of microleakage from root-end fillings in ultrasonic retrograde cavities with or without finishing: a quantitative analysis. *Oral Surgery, Oral Medicine, Oral Pathology, Oral Radiology and Endodontics* **99**(6), 755–60.

Haglund, R., He, J., Jarvis, J., *et al.* (2003) Effects of root-end filling materials on fibroblasts and macrophages in vitro. *Oral Surgery, Oral Medicine, Oral Pathology, Oral Radiology and Endodontics* **95**(6), 739–45.

Harrison, J.W., Johnson, S.A. (1997) Excisional wound healing following the use of IRM as a root-end filling material. *Journal of Endodontics* **23**(1), 19–27.

Holland, R., Souza, V., Nery, M.J., *et al.* (2002) Reaction of rat connective tissue to implanted dentin tubes filled with a white mineral trioxide aggregate. *Brazilian Dental Journal* **13**(1), 23–6.

Huang, F.M., Tai, K.W., Chou, M.Y., *et al.* (2002) Cytotoxicity of resin-, zinc oxide-eugenol-, and calcium hydroxide-based root canal sealers on human periodontal ligament cells and permanent V79 cells. *International Endodontics Journal* **35**(2), 153–8.

Huang, T.H., Shie, M.Y., Kao, C.T., *et al.* (2008) The effect of setting accelerator on properties of mineral trioxide aggregate. *Journal of Endodontics* **34**(5), 590–3.

Lee, E.S. (2000) A new mineral trioxide aggregate root-end filling technique. *Journal of Endodontics* **26**(12), 764–5.

Lindeboom, J.A., Frenken, J.W., Kroon, F.H., *et al.* (2005) A comparative prospective randomized clinical study of MTA and IRM as root-end filling materials in single-rooted teeth in endodontic surgery. *Oral Surgery, Oral Medicine, Oral Pathology, Oral Radiology and Endodontics* **100**(4), 495–500.

Lindskog, S., Blomlof, L., Hammarstrom, L. (1983) Repair of periodontal tissues in vivo and in vitro. *Journal of Clinical Periodontology* **10**(2), 188–205.

Lustmann, J., Friedman, S., Shaharabany, V. (1991) Relation of pre- and intraoperative factors to prognosis of posterior apical surgery. *Journal of Endodontics* **17**(5), 239–41.

Keiser, K., Johnson, C.C., Tipton, D.A. (2000) Cytotoxicity of mineral trioxide aggregate using human periodontal ligament fibroblasts. *Journal of Endodontics* **26**(5), 288–91.

Kim, S., Kratchman, S. (2006) Modern endodontic surgery concepts and practice: a review. *Journal of Endodontics* **32**(7), 601–23.

Kogan, P., He, J., Glickman, G.N., *et al.* (2006) The effects of various additives on setting properties of MTA. *Journal of Endodontics* **32**(6), 569–72.

Koh, E.T., Torabinejad, M., Pitt Ford, T.R., *et al.* (1997) Mineral trioxide aggregate stimulates a biological response in human osteoblasts. *Journal of Biomedical Materials Research* **37**(3), 432–9.

Koh, E.T., McDonald, F., Pitt Ford, T.R., *et al.* (1998) Cellular response to Mineral Trioxide Aggregate. *Journal of Endodontics* **24**(8), 543–7.

Mangin, C., Yesilsoy, C., Nissan, R., *et al.* (2003) The comparative sealing ability of hydroxyapatite cement, mineral trioxide aggregate, and super ethoxybenzoic acid as root-end filling materials. *Journal of Endodontics* **29**(4), 261–4.

Miyagak, D.C., de Carvalho, E.M., Robazza, C.R., *et al.* (2006) In vitro evaluation of the antimicrobial activity of endodontic sealers. *Brazilian Oral Research* **20**(4), 303–6.

Mooney, G.C., North, S. (2008) The current opinions and use of MTA for apical barrier formation of non-vital immature permanent incisors by consultants in paediatric dentistry in the UK. *Dental Traumatology* **24**(1), 65–9.

Moretton, T.R., Brown, C.E., Jr., Legan, J.J., *et al.* (2000) Tissue reactions after subcutaneous and intraosseous implantation of mineral trioxide aggregate and ethoxybenzoic acid cement. *Journal of Biomedical Materials Research* **52**(3), 528–33.

Namazikhah, M.S., Nekoofar, M.H., Sheykhrezae, M.S., *et al.* (2008) The effect of pH on surface hardness and microstructure of mineral trioxide aggregate. *International Endodontics Journal* **41**(2), 108–16.

Oynick, J., Oynick, T. (1978) A study of a new material for retrograde fillings. *Journal of Endodontics* **4**(7), 203–6.

Perez, A.L., Spears, R., Gutmann, J.L., *et al.* (2003) Osteoblasts and MG-63 osteosarcoma cells behave differently when in contact with ProRoot MTA and White MTA. *International Endodontics Journal* **36**(8), 564–70.

Perinpanayagam, H., Al-Rabeah, E. (2009) Osteoblasts interact with MTA surfaces and express Runx2. *Oral Surgery, Oral Medicine, Oral Pathology, Oral Radiology and Endodontics* **107**(4), 590–6.

Pitt Ford, T.R., Andreasen, J.O., Dorn, S.O., *et al.* (1994) Effect of IRM root end fillings on healing after replantation. *Journal of Endodontics* **20**(8), 381–5.

Pitt Ford, T.R., Andreasen, J.O., Dorn, S.O., *et al.* (1995a) Effect of super-EBA as a root end filling on healing after replantation. *Journal of Endodontics* **21**(1), 13–5.

Pitt Ford, T.R., Torabinejad, M., McKendry, D.J., *et al.* (1995b) Use of mineral trioxide aggregate for repair of furcal perforations. *Oral Surgery, Oral Medicine, Oral Pathology, Oral Radiology and Endodontics* **79**(6), 756–63.

Pitt Ford, T.R., Torabinejad, M., Abedi, H.R., *et al.* (1996) Using mineral trioxide aggregate as a pulp-capping material. *Journal of the American Dental Association* **127**(10), 1491–4.

Rahbaran, S., Gilthorpe, M.S., Harrison, S.D., *et al.* (2001) Comparison of clinical outcome of periapical surgery in endodontic and oral surgery units of a teaching dental hospital: a retrospective study. *Oral Surgery, Oral Medicine, Oral Pathology, Oral Radiology and Endodontics* **91**(6), 700–9.

Rapp, E.L., Brown, C.E., Jr, Newton, C.W. (1991) An analysis of success and failure of apicoectomies. Journal of Endodontics **17**, 508–12

Reyes-Carmona, J.F., Felippe, M.S., Felippe, W.T. (2009) Biomineralization ability and interaction of mineral trioxide aggregate and white portland cement with dentin in a phosphate-containing fluid. *Journal of Endodontics* **35**(5), 731–6.

Ribeiro, D.A., Matsumoto, M.A., Duarte, M.A., *et al.* (2005) In vitro biocompatibility tests of two commercial types of mineral trioxide aggregate. *Brazilian Oral Research* **19**(3), 183–7.

Roy, C.O., Jeansonne, B.G., Gerrets, T.F. (2001) Effect of an acid environment on leakage of root-end filling materials. *Journal of Endodontics* **27**(1), 7–8.

Rubinstein, R.A., Kim, S. (1999) Short-term observation of the results of endodontic surgery with the use of a surgical operation microscope and Super-EBA as root-end filling material. *Journal of Endodontics* **25**(1), 43–8.

Rubinstein, R., Torabinejad, M. (2004) Contemporary endodontic surgery. *Journal of the California Dental Association* **32**(6), 485–92.

Rud, J., Munksgaard, E.C., Andreasen, J.O., *et al.* (1991) Retrograde root filling with composite and a dentin-bonding agent. 1. *Endodontics and Dental Traumatology* **7**(3), 118–25.

Rud, J., Rud, V., Munksgaard, E.C. (1996) Long-term evaluation of retrograde root filling with dentin-bonded resin composite. *Journal of Endodontics* **22**(2), 90–3.

Saghiri, M.A., Lotfi, M., Saghiri, A.M., *et al.* (2008) Effect of pH on sealing ability of white mineral trioxide aggregate as a root-end filling material. *Journal of Endodontics* **34**(10), 1226–9.

Saidon, J., He, J., Zhu, Q., *et al.* (2003) Cell and tissue reactions to mineral trioxide aggregate and Portland cement. *Oral Surgery, Oral Medicine, Oral Pathology, Oral Radiology and Endodontics* **95**(4), 483–9.

Sarkar, N.K., Caicedo, R., Ritwik, P., *et al.* (2005) Physicochemical basis of the biologic properties of mineral trioxide aggregate. *Journal of Endodontics* **31**(2), 97–100.

Saunders, W.P. (2008) A prospective clinical study of periradicular surgery using mineral trioxide aggregate as a root-end filling. *Journal of Endodontics* **34**(6), 660–5.

Scheerer, S.Q., Steiman, H.R., Cohen, J. (2001) A comparative evaluation of three root-end filling materials: an in vitro leakage study using *Prevotella nigrescens*. *Journal of Endodontics* **27**(1), 40–2.

Shahi, S., Rahimi, S., Lotfi, M., *et al.* (2006) A comparative study of the biocompatibility of three root-end filling materials in rat connective tissue. *Journal of Endodontics* **32**(8), 776–80.

Shahi, S., Rahimi, S., Yavari, H.R., *et al.* (2007) Sealing ability of white and gray mineral trioxide aggregate mixed with distilled water and 0.12% chlorhexidine gluconate when used as root-end filling materials. *Journal of Endodontics* **33**(12), 1429–32.

Song, M., Chung, W., Lee, S.J., *et al.* (2012) Long-term outcome of the cases classified as successes based on short-term follow-up in endodontic microsurgery. *Journal of Endodontics* **38**(9), 1192–6.

Tai, K.W., Chang, Y.C. (2000) Cytotoxicity evaluation of perforation repair materials on humanperiodontal ligament cells in vitro. *Journal of Endodontics* **26**(7), 395–7.

Takita, T., Hayashi, M., Takeich,i O., *et al.* (2006) Effect of mineral trioxide aggregate on proliferation of cultured human dental pulp cells. *International Endodontics Journal* **39**(5), 415–22.

Tawil, P.Z., Trope, M., Curran, A.E., *et al.* (2009) Periapical microsurgery: an in vivo evaluation of endodontic root-end filling materials. *Journal of Endodonticsontics* **35**(3), 357–62.

Torabinejad, M., Chivian, N. (1999) Clinical applications of mineral trioxide aggregate. *Journal of Endodontics* **25**(3), 197–205.

Torabinejad, M., Watson, T.F., Pitt Ford, T.R. (1993) Sealing ability of a mineral trioxide aggregate when used as a root end filling material. *Journal of Endodontics* **19**(12), 591–5.

Torabinejad, M., Higa, R.K., McKendry, D.J., *et al.* (1994) Dye leakage of four root end filling materials: effects of blood contamination. *Journal of Endodontics* **20**(4), 159–63.

Torabinejad, M., Hong, C.U., Lee, S.J, Monsef, M., *et al.* (1995a) Investigation of mineral trioxide aggregate for root-end filling in dogs. *Journal of Endodontics* **21**(12), 603–8.

Torabinejad, M., Hong, C.U., McDonald, F., *et al.* (1995b) Physical and chemical properties of a new root-end filling material. *Journal of Endodontics* **21**(7), 349–53.

Torabinejad, M., Hong, C.U., Pitt Ford, T.R., *et al.* (1995c) Tissue reaction to implanted super EBA and mineral trioxide aggregate in the mandible of guinea pigs: a preliminary report. *Journal of Endodontics* **21**(11), 569–71.

Torabinejad, M., Hong, C.U., Pitt Ford, T.R., *et al.* (1995d) Antibacterial effects of some root end filling materials. *Journal of Endodontics* **21**(8), 403–6.

Torabinejad, M., Rastegar, A.F., Kettering, J.D., *et al.* (1995e) Bacterial leakage of mineral trioxide aggregate as a root-end filling material. *Journal of Endodontics* **21**(3), 109–12.

Torabinejad, M., Smith, P.W., Kettering, J.D., *et al.* (1995f) Comparative investigation of marginal adaptation of mineral trioxide aggregate and other commonly used root-end filling materials. *Journal of Endodontics* **21**(6), 295–9.

Torabinejad, M., Pitt Ford, T.R., McKendry, D.J., *et al.* (1997) Histologic assessment of mineral trioxide aggregate as a root-end filling in monkeys. *Journal of Endodontics* **23**(4), 225–8.

Trope, M., Lost, C., Schmitz, H.J., *et al.* (1996) Healing of apical periodontitis in dogs after apicoectomy and retrofilling with various filling materials. *Oral Surgery, Oral Medicine, Oral Pathology, Oral Radiology and Endodontics* **81**(2), 221–8.

Valois, C.R., Costa, E.D., Jr. (2004) Influence of the thickness of mineral trioxide aggregate on sealing ability of root-end fillings in vitro. *Oral Surgery, Oral Medicine, Oral Pathology, Oral Radiology and Endodontics* **97**(1), 108–11.

von Arx, T., Hanni, S., Jensen, S.S. (2010) Clinical results with two different methods of root-end preparation and filling in apical surgery: mineral trioxide aggregate and adhesive resin composite. *Journal of Endodontics* **36**(7), 1122–9.

von Arx, T., Jensen, S.S., Hanni, S., *et al.* (2012) Five-year longitudinal assessment of the prognosis of apical microsurgery. *Journal of Endodontics* **38**(5), 570–9.

Willians, D.F. (1986) Definitions in biomaterials. Proceedings of a Consensus Conference of the European Society for Biomaterials. England co. 4. Elsevier, New York.

Wu, M.K., Kontakiotis, E.G., Wesselink, P.R. (1998) Long-term seal provided by some root-end filling materials. *Journal of Endodontics* **24**(8), 557–60.

Yasuda, Y., Kamaguchi, A., Saito, T. (2008) In vitro evaluation of the antimicrobial activity of a new resin based endodontic sealer against endodontic pathogens. *Journal of Oral Science* **50**(3), 309–13.

Yazdi, P.M., Schou, S., Jensen, S.S., *et al.* (2007) Dentine-bonded resin composite (Retroplast) for root-end filling: a prospective clinical and radiographic study with a mean follow-up period of 8 years. *International Endodontics Journal* **40**(7), 493–503.

Yoshimine, Y., Ono, M., Akamine, A. (2007) In vitro comparison of the biocompatibility of mineral trioxide aggregate, 4META/MMA-TBB resin, and intermediate restorative material as root-end-filling materials. *Journal of Endodontics* **33**(9), 1066–9.

Zhu, Q., Haglund, R., Safavi, K.E., *et al.* (2000) Adhesion of human osteoblasts on root-end filling materials. *Journal of Endodontics* **26**(7), 404–6.

10 Calcium Silicate-Based Cements

Masoud Parirokh[1] and Mahmoud Torabinejad[2]

[1]Department of Endodontics, Kerman University of Medical Sciences School of Dentistry, Iran
[2]Department of Endodontics, Loma Linda University School of Dentistry, USA - *역자 차광준, 한철기*

Mineral Trioxide Aggregate: Properties and Clinical Applications, First Edition.
Edited by Mahmoud Torabinejad.

개요

calcium silicate-based cement {mineral trioxide aggregate, MTA 유사 물질}는 칼슘과 규산염(silicate)의 조성을 기본으로 하는 cement 또는 근관 실러이다. MTA의 성공적인 결과와 훌륭한 밀폐성, 생체친화성, 그리고 유치와 영구치 치수복조, 역근관 충전, 천공 보수, 열린 근첨에서의 apical plug 형성과 같은 다양한 임상적 적용으로 인해 연구자들은 original MTA보다 저렴하고 단점이 적은 유사한 성질을 가진 물질을 찾는데 노력해 왔다(Parirokh and Torabinejad 2010a, b; Torabinejad and Parirokh 2010). MTA의 75%는 포틀랜드 시멘트(PC)로 구성되어 있기 때문에(Parirokh and Torabinejad 2010a), 연구자들은 PC에 기반한 새로운 물질을 소개하여 왔으며 새로운 물질은 조작성, 경화 시간, 변색, 방사선 불투과성과 같은 몇 가지 항목에서 특성을 향상시키는 약간의 수정을 거친, MTA와 유사한 조성을 가진다고 설명하고 있다. 이번 장에서는 상업적으로 이용할 수 있는 칼슘과 규산염(silicate)의 조성(PC의 주된 성분)으로 구성된 물질에 대하여 논의할 것이다. 더하여 calcium silicate 기반의 시험적인 몇 가지 새로운 물질들이 간략하게 소개될 것이다.

포틀랜드 시멘트 (PC)

MTA의 가장 큰 단점 중의 하나는 높은 비용이다(Parirokh andTorabinejad 2010b). PC가 가격이 저렴하고 MTA와 화학적으로 유사하기 때문에 몇몇 연구자들은 MTA의 대체물질로 PC를 제안해왔다.

화학 성분

PC와 MTA는 산화비스무스(bismuth oxide)를 제외하고, 주요 성분으로 규산삼칼슘(tricalcium silicate), 규산이칼슘(dicalcium silicate)의 유사한 성분을 가지고, 수화 시에 규산칼슘 수화물 젤(calcium silicate hydrate gel)과 수산화칼슘(calcium hydroxide, CH)를 생성한다. 하지만, MTA에는 type I PC와 비교하여 칼륨(potassium)이 없고, calcium dialuminate와 무수 황산칼슘(unhydrated calcium sulfate)의 함량이 적다 (Parirokh and Torabinejad 2010a).

조성에 있어 유사성에도 불구하고, 각각의 물질 사이에 경화팽창, 화학 조성, 표면 화학 조성, 다공성, 압축강도, 방사선 불투과성, 칼슘 이온 유리, 입자 크기 등에서 차이점이 보고되었다. 몇몇 연구자들은 PC에 다양한 양의 산화비스무스(방사성 조영제)를 첨가하는 시도를 해왔으나 다공성과 용해도의 증가, 물성의 저하가 산화비스무스 양의 증가와 함께 관찰되었다. 더욱이 산화비스무스와 PC의 혼합상에 존재하는 결함에 의해 경화된 상태에서 많은 균열(crack)이 보여졌다 (Parirokh and Torabinejad 2010a).

White PC, gray PC와 white ProRoot MTA, gray ProRoot MTA의 유사점에도 불구하고(Asgary *et al.* 2009b; Parirokh and Torabinejad 2010a), ProRoot MTA의 두 제품은 white PC, gray PC와

비교하여 상당히 낮은 비소(arsenic)함량을 보여준다. 또한 gray PC는 gray ProRoot MTA, white ProRoot MTA, white PC보다 상당히 높은 납(lead)의 농도를 보이며 크롬, 구리, 망간과 아연의 함량 또한 매우 높다(Chang *et al.* 2010). 생리적 용액(Hank's balanced solution: HBSS)과 산성환경에서 PC로부터 용출되는 미량 원소의 양은 BioAggregate (BA), Biodentine (BD), tricalcium silicate와 Angelus MTA (AMTA)와 같은 몇 가지 calcium silicate-based materials보다 더 높다. PC는 AMTA와 비교하여 크롬, 납, 비소의 농도가 더 높다(Camilleri *et al.* 2012). 조성상 비소의 양은 유의한 차이가 없음에도 불구하고, 물이나 합성체액(synthetic body fluid)에서 용출되는 비소의 양은 white PC와 AMTA가 ProRoot MTA보다 더 많다.

Gray PC는 AMTA와 ProRoot MTA와 비교하여 유의하게 높은 수준의 납, 비소 그리고 크롬을 포함하고 있을 뿐만 아니라 물이나 합성체액에서도 이러한 원소들을 월등히 많이 용출시킨다(Schembri *et al.* 2010). 비소의 함량은 White PC에 따라 다르다. 연구결과 어떤 제조사(Irajazinho;Votorantim Cimentos, Rio Branco, SP, Brazil)에서 생산된 white PC에서 type III 비소의 양은 4.7 ± 0.36ppm이지만 다른 제조사(Juntalider; Brasilatex Ltda, Diadema, SP, Brazil)의 white PC는 탐지되는 수준의 낮은 type III 비소의 함량을 보였다(De-Deus *et al.* 2009a).

물리적 성질

치료 후에 MTA에 존재하는 철(iron)과 망간(manganese)이 치아변색의 원인이 될 수 있음이 보고되었다(Asgary *et al.* 2005; Dammaschke *et al.* 2005; Parirokh and Torabinejad 2010b). 하지만 최근에 MTA의 변색 가능성은 MTA에 존재하는 비스무스에 기인한다는 연구 결과가 발표되었다(Krastl *et al.* 2013; Valles *et al.* 2013). 한 조사에서는 PC가 gray ProRoot MTA와 비교하여 현저히 낮은 변색 가능성을 가지고 있는 반면 white ProRoot MTA와는 큰 차이를 보이지 않는다는 것을 보여주었다. 혈액에 오염된 white ProRoot MTA와 PC에서는 두 실험군 사이에서 유의한 차이가 없는 변색을 유발하였다(Lenherr *et al.* 2012).

PC의 용해성에 대해서는 약간의 논란이 있다. 초기 조사는 MTA와 비교하여 PC의 용해성이 더 높다고 보고되었다(Parirokh and Torabinejad 2010a). 한 조사는 AMTA가 변형된 PC (75% PC+ 20% 산화 비스무스+ 5% 황산 칼슘)보다 더 높은 용해성을 가진다고 보고하였다(Vivan *et al*. 2010). ISO 6876/2001에 따르면, white ProRoot MTA는 white PC와 비교하여 유의하게 높은 용해성을 보인다. White PC와 white ProRoot MTA가 물이나 HBSS에 저장되었을 때, 후자가 현저하게 더 높은 흡습성을 보여준다. White PC와 white ProRoot MTA는 모두 HBSS와 접촉 시에 팽창한다. 물과 비교하여 HBSS에서 white PC는 더 많은 칼슘, 알루미늄, 그리고 실리콘을 유리시킨다(Camilleri 2011). PC의 씻김 저항성(washout resistance)은 AMTA와 비교하여 증류수와 HBSS 양쪽 모두에서 더 높다(Formosa *et al.* 2013).

물질의 생체활성(bioactivity)을 평가하기 위한 몇 가지 기준은 다음과 같다 : 칼슘 이온 유리, 전기전도성(electroconductivity), CH의 생성, 물질과 상아질벽 사이의 interfacial layer의 형성, 그리고 합성조직액(SBF)에서 물질 표면에 형성되는 인회석 결정(apatite crystal) (Parirokh *et al.* 2007; Asgary *et al.* 2009a; Parirokh *et al.* 2009; Parirokh and Torabinejad 2010a, 2010b).

PC는 염기성 pH를 나타내고 수화된 후에 portlandite (CH)를 생성한다(Camilleri 2008; Gongalves *et al.* 2010; Massi *et al.* 201 1; Formosa *et al.* 2012). 하지만 장기간의 조사에서 경화 후 1년에 걸친 CH의 형성이 PC에서 ProRoot MTA 와 비교하여 유의하게 적다는 것을 보여주었다. ProRoot MTA와 비교하여 PC에서는 1년의 관찰기간 동안 구조의 성숙과 수화과정이 명확하지 않다(Chedella and Berzins 2010). 이것은 MTA가 PC보다 더 생체활성적임을 보여준다(Formosa *et al.* 2012).

White PC의 입자 크기는 white ProRoot MTA보다 현저하게 크고(Asgary *et al.* 2011b), 수화된 후에도 white MTA의 결정 입자는 white PC보다 더 작다(Asgary *et al.* 2004).

White PC와 gray PC는 방사선불투과성에 대한 ANSI/ADA specification 57의 요구조건을 충족시키지 못한다 (Borges *et al.* 2011). ANSI/ADA specification number 57/2000과 ISO 6876/2001에 따르면, 근관 충전 물질은 3 mm 알루미늄과 동등한 방사선 불투과성을 가져야 하며 MTA는 이 조건을 만족시키지만 PC는 방사선불투과성이 충분하지 못하다. 몇몇 연구는 PC에 여러가지 조영제 첨가하여 그 효과를 평가하여 왔다(Camilleri 2010; Camilleri *et al.* 201 lb; Cutajar *et al.* 2011; Formosa etal. 2012).

White PC의 생체활성은 개별 in vitro 연구에서, 물질과 상아질 사이의 interfacial layer의 형성과 침전물에 의해 평가되어 왔다(Parirokh and Torabinejad 2010a). PC는 HBSS {(Formosa *et al.* 2012), Dulbecco's phosphate-buffered saline (Gandolfi *et al.* 2010)}, 또는 phosphate-buffered saline (PBS)과 같은 합성체액 안에 있을 때 생체활성을 보여준다(Reyes-Carmona *et al.* 2010). White PC와 gray PC는 모두 칼슘이온을 유리하며(Gonsalves *et al.* 2010; Massi *et al.* 2011), 인회석(Apatite) 결정의 형성에 소요되는 시간은 생리적 용액의 종류에 따라 다르다(Gandolfi *et al.* 2010).

PBS에 저장된 후 측정한 PC의 압출결합 강도(push-out bond strength)는 AMTA 와 ProRoot MTA에 비하여 유의하게 낮다(Reyes-Carmona *et al.* 2010).

물리적, 화학적 특성의 측면에서, PC와 비교하였을 때 MTA의 주된 차이점은 산화비스무스의 존재와 적은 함량의 알루미늄산 칼슘(calcium aluminate)과 황산칼슘(calcium sulfate), 낮은 용해성, 작은 입자 크기이다 (Parirokh and Torabinejad 2010a).

항균성

PC와 MTA의 항균력에 대한 연구결과가 있다. 일부 연구에서는 PC와 MTA는 몇 가지 세균종에 대한 항균력이 없다고 보고한 반면, 다른 연구에서는 MTA와 PC가 *Enterococcus faecalis*, *Micrococcus luteus*, *Staphylococcus aureus*, *Staphylococcus epidermidis*, *Psuedomonas aeruginosa*, *Candida albicans*에 대한 항균력과 항진균력을 가지고 있다는 것을 보여주었다(Parirokh and Torabinejad

2010a).

밀폐성(Sealing ability)

역근관 충전을 모델로 한 염료 침투(dye penetration)실험에서는 White ProRoot MTA, gray ProRoot MTA와 white PC, gray PC가 유사한 결과를 보여주었다(Rekab and Ayoubi2010; Shahi *et al.* 2011). 천공 치료에 사용되었을 때에는 white PC가 white ProRoot MTA, gray ProRoot MTA와 비교하여 유의하게 낮은 단백질 누출을 나타내었다(Shahi *et al.* 2009).

생체친화성(Biocompatibility)

세포 배양 연구

PC와 MTA를 비교한 연구에서 세포 생존(viability), 증식(proliferation), 그리고 이동(migration)에 대한 서로 상이한 결과가 보고되었다. 몇 가지 세포 배양 조사에서, 실험적 PC와 MTA 사이에 유의한 차이가 없다는 결과가 있었다(Parirokh and Torabinejad2010a). 15%의 산화비스무스를 함유한 white PC (white AMTA와 유사한)는 쥐 섬유모세포 배양 시험에서 유전독성이나 세포독성이 없다고 보고되었다(Zeferino *et al.* 2010). 반면, PC 에 산화비스무스 비율을 달리하여 측정한 실험에서는 산화비스무스의 함량에 관계없이 초기 평가기간 동안 상당히 낮은 세포생존력(viability)을 보여주었다(Parirokh and Torabinejad 2010a). PC는 인간 치수 세포 배양실험에서 세포 생존(viability)에 영향을 주지 않았다. 즉 osteonectin과 dentin sialophosphoprotein mRNAs의 발현을 유도했다(Min *et al.* 2007). ProRoot MTA와 PC 모두 치은 섬유모세포 배양실험에서 collagen, fibronectin과 transforming growth factor (TGF) β1 의 발현을 유도했다 (Fayazi *et al.* 2010). 그러나 ProRoot MTA 는 PC와 비교하여 인간 골수 기원 간엽 줄기세포(human bone marrow-derived mesenchymal stem cells)에서 유의하게 높은 세포 증식과 이동을 보여주었다(D'Anto etal. 2010). 세포 배양 연구에서 유사한 시료의 사용에도 불구하고 나타난 상이한 결과들은 세포의 종류, 연구 기간, 경화 전 시료 또는 경화 후 시료의 사용여부, 배지의 교체 빈도, MTA와 직접 접촉했는지 추출물을 사용했는지 여부, 그리고 세포 배양 배지 내에서 시료의 농도에 기인하는 것으로 추측된다(Torabinejad and Parirokh 2010).

피하 이식

PC로 충전된 dentin tube의 피하이식은 PC와 dentin tube사이에 광화를 촉진한다. 하지만, PC는 AMTA와 비교하여 주로 30일과 60일 이후에 관찰된 결과에서 유의하게 낮은 biomineralization을 보여주었다(Dreger *et al.* 2012). 또 다른 피하 이식 연구는 white ProRoot MTA 와 gray ProRoot MTA 모두 white PC와 gray PC에 비해 생체친화적이라는 것을 보여주었다(Shahi *et al.* 2010). PC의 피하 이식은 AMTA와 유사한 반응을 보였는데, 7일까지 중등도의 염증을 유발하고 그후 염증세포수의 감소가 뒤따

르며 Von Kossa positive structure를 보여, 광화가 일어나고 있음을 보여주었다(Viola *et al.* 2012).

In vivo 연구

동물 실험에서 white ProRoot MTA와 white PC는 치수복조에 의해 형성된 석회화 가교(calcified bridge)의 두께에서 유의한 차이점이 없었으며, 두 물질 모두 CH보다는 월등한 결과를 보였다(Parirokh and Torabinejad 2010b; Al-Hezaimi *et al.* 2011 a). 또 다른 연구는 치수 복조 물질로 white PC나 white ProRoot MTA를 Emdogain과 함께 사용하였다. 결과는 Emdogain과 같이 사용한 경우에도 형성된 수복상아질(reparative dentin)의 두께에는 유의한 차이가 보이지 않았다(Al-Hezaimi *et al.* 201 lb).

임상적 적용

우식이 있는 유구치의 치수절단술에 사용한 AMTA와 PC의 임상 결과는 치료 후 24개월까지 성공적인 임상적, 방사선적 결과를 보여주었다. 하지만 PC로 치료한 치아에서 gray AMTA보다 더 많은 근관 폐색(pulp canal obliteration)이 관찰되었다(Sakai *et al.* 2009).

한계점

1 서로 독립적으로 수행된 연구들은 PC의 조성에 관한 일치하지 않는 결과를 보여주고 있다(De-Deus *et al.* 2009a; Parirokh and Torabinejad 2010a). PC는 전세계적으로 폭넓게 생산되기 때문에 모든 제품 성분의 순도를 평가하는 것은, 불가능하지는 않지만, 어렵다.

2 PC는 더 높은 크롬, 납, 비소 함량을 가지고 있으며, 산(acid)에 녹으며, HBSS에서 AMTA보다 더 용해된다(Camilleri etal. 2012). 추가적으로 PC는 white ProRoot MTA보다 구리, 망간, 스트론튬 같은 독성 중금속을 더 많이 함유하고 있다(Parirokh and Torabinejad 2010a). PC의 임상사용에 대해 중요한 사항은 시료로부터 주변 조직으로 용출되는 납과 비소의 양이다(Schembri *et al.* 2010). PC의 종류에 따른 높은 용해도와 주변 조직으로 용출되는 독성 성분 때문에, 장기적인 안전성에 대해서는 의심스럽다(Parirokh and Torabiejad 2010a). 더욱이, gray PC는 gray ProRoot MTA와 white ProRoot MTA 뿐만 아니라 white PC보다 확연하게 납의 농도가 높다. 또한 gray PC에 함유된 카드뮴, 크롬, 구리, 망간, 아연의 양은 white PC와 gray ProRoot MTA와 white ProRoot MTA보다 현저하게 높다. 마지막으로, Gray PC와 white PC의 비소의 양은 gray Pro-Root MTA와 white ProRoot MTA보다 현저하게 높다(Chang *et al.* 2010).

3 PC의 높은 용해도에 대한 또 다른 우려는 임상 적용 후 침식(degrade)되어 밀폐성이 위태롭게 될지도 모른다는 사실이다(Borges *et al.* 2010; Parirokh and Torabinejad 2010a).

4 White MTA와 gray MTA에 비하여, 일부 PC의 낮은 압축 강도는 저작 시에 충분한 압축강도를 필요로 하는 천공 처치, 치수복조와 같은 임상적 적용에 있어 중요한 고려사항이 될 것이다(Parirokh

and Torabinejad 2010a).

5 특히 역근관 충전물질로서 과도한 경화 팽창은 치아에 균열(crack)을 야기할 가능성이 있다. PC의 경화팽창에 대한 우려할 만한 결과는 역근관 충전물질로서 MTA를 대신하여 사용하는데 대한 중요한 고려사항이다(Parirokh and Torabinejad 2010a).

6 염증조직에서 PC의 탄산화(cabonation)는 물질의 인장강도와 복원력(resiliency)을 감소시키는 결과를 초래하는데, 이는 특히 천공 처치나 치수 복조와 같은 MTA의 임상적 적용 케이스에서 저작력이 작용할 때 변형되기 보다는 균열이나 찌그러짐을 유발할 수 있다(Parirokh and Torabinejad 2010a).

7 의료용 물질로서 MTA는 확실한 조성과 오염 방지를 위해 집중 관리되어 생산된다. MTA는 인체 적용에 대하여 US Food and Drug Administration (FDA)의 승인을 받았다(Parirokh and Torabinejad 2010a).

8 PC는 경화 후 1년까지 white ProRoot MTA 에 비하여 유의하게 낮은 portlandite 를 생성하며, 이 점은 물질의 장기간에 걸친 유효성에 영향을 줄 수 있다(Chedella and Berzins 2010).

9 MTA에 기반한 물질들의 biomineralization은 PC보다 더 효과적이며, 이 점은 생체재료에서 매우 중요한 사항이다(Dreger *et al.* 2012).

결론적으로 white MTA와 gray MTA, white PC와 gray PC사이에 유사한 화학조성, 물리적 특성이 있을지라도, MTA의 대체물질로써 PC사용을 제한하는 데에는 이러한 한계점이 있기 때문이다.

Angelus MTA (AMTA)

Angelus MTA (MTA-Angelus, Angelus, Londrina, PR, Brazil)는 브라질에서 개발되었다. ProRoot MTA (Asgary *et al.* 2005; Parirokh *et al.* 2005)와 유사하게 white AMTA와 gray AMTA의 형태로 판매된다. 불행하게도, 대부분의 논문에서는 사용된 AMTA의 형태가 언급되지 않았다. 그런 까닭에 이 장에서도 AMTA로 통칭해서 사용한다.

화학적 조성

AMTA는 80% PC와 20%의 산화비스무스로 구성되었다. Gray ProRoot MTA와 비교하여, gray AMTA는 적은 양의 bismuth oxide와 magnesium phosphate를 함유하고 있지만, calcium carbonate, calcium silicate, barium zinc phosphate의 함량은 더 많다. 더욱이, AMTA는 gray ProRoot MTA 보다 더 적은 carbon, oxygen, silica와 더 많은 calcium을 함유한다. AMTA는 알루미늄을 함유하고 철은 함유하지 않는 반면, gray ProRoot MTA는 그 반대이다. Gray ProRoot MTA의 결정구조에서 산화비스

무스의 양은 gray AMTA에서 보다 더 많다. 이용가능한 자료에 기초하여 보자면, AMTA는 gray Pro-Root MTA와는 다른 화학 조성을 가진다(Parirokh and Torabinejad 2010a). AMTA에서 산화 알루미늄(aluminium oxide)의 양은 white ProRoot MTA에서 보다 2배 이상 많다고 보고되었다 (Asgary *et al.* 2009b).

De-Deus와 동료들은(2009a) gray ProRoot MTA와 gray AMTA 모두 조성에서 비소의 기준치 한도를 넘지 않는 반면 (<2 mg/kg-ISO 9917-1/2001), white ProRoot MTA (3.3 ±0.46ppm)와 white AMTA (6.5±0.56ppm)는 허용량을 초과한 비소를 포함한다고 발표했다. AMTA, white ProRoot MTA와 white PC 는 비슷한 양의 금속이온을 함유한다. 산에 의해 용해되어 용출되는 비소의 양은 White ProRoot MTA와 AMTA 모두에서 ISO 9917-1/2007 specification보다 높다. AMTA는 SBF하에서 ProRoot MTA보다 유의하게 적은 크롬을 용출한다. 하지만, AMTA 에서 용출된 비소의 양은 물이나 SBF에서 white ProRoot MTA보다 더 많다(Schembri *et al.* 2010). MTA의 조성에서 비소와 미량원소에 대한 일련의 연구(Monteiro Bramante *et al.* 2008; Parirokh and Torabinejad 2010a; Schembri *et al.* 2010; Camilleri *et al.* 2012)는 ISO 9917-1/2007기준에 다양성을 허용하는 결과를 야기했다. MTA에서 산에 용해되는 원소를 분석하는 방법이 각각의 연구마다 달랐고 그 점이 여러 종류의 MTA에서 서로 상이한 비소와 미량원소의 함량을 보이는 이유가 되었을 것이다. 산을 이용해 추출한 비소의 양이 ISO 9917-1/2007기준보다 높다 할지라도(Schembri etal. 2010; Camilleri *et al.* 2012), Camilleri와 동료들은(2012) AMTA가 치과치료에 사용되어도 안전하다고 결론지었다.

물리적 특성

경화시간, 입자크기의 분포와 같은 AMTA의 몇몇 물리적 특성은 ProRoot MTA와 다르다. 그러나, pH와 칼슘이온 유리 측면에서는 유사성이 있다(Parirokh and Torabinejad 2010a).

MTA와 연관된 일부 변색 보고는 임상 증례, 임상 시험, 또는 in vitro 연구에서 white AMTA나 gray AMTA를 사용했다(Bortoluzzi *et al.* 2007; Moore *et al.* 2011; Ioannidis *et al.* 2013).

Valles와 동료들은(2013) MTA 변색은 광조사하에서 금속성 비스무스(metallic bismuth)의 형성이 그 원인이라고 발표하였다. White AMTA와 gray AMTA의 변색 가능성이 조사되었고(Ioannidis *et al.* 2013) gray AMTA가 white AMTA보다 훨씬 더 많은 변색을 유발한다는 것을 보여주었다. Gray AMTA의 변색 효과는 한 달 후에 관찰된 반면 white AMTA실험군에서는 육안으로 감별 가능한 변색은 석 달 후에 관찰되었다.

두 종류의 AMTA는 인간 치아에서 명도(lightness), 적색성(redness), 황색성(yellowness)를 감소시켰다. 최근의 in vitro 연구에서는 gray AMTA 또는 white AMTA 를 적용하기 앞서 치관부 상아세관에 상아질 접착제를 적용하여 상아세관 입구에 barrier를 만들어 주는 술식이 술 후 치아 변색을 예방할 것이라고 제안하였다(Akbari *et al.* 2012).

White AMTA와 gray AMTA 모두 혼합 후 염기성 pH를 나타냈다. 하지만 gray AMTA가 혼합 후 168시간까지 더 높은 염기성을 보여주었다. 혼합 후 72시간까지 gray AMTA에서 유리되는 칼슘이온의 양은 white AMTA에서 유리되는 양보다 많았다(de Vasconcelos *et al.* 2009). White AMTA는 염기성 pH를 갖으며 PC와 비교할 경우 더 적은 칼슘이온 유리, 더 짧은 초기 경화 및 최종 경화시간을 보여주었다(Massi *et al.* 2011; Hungaro Duarte *et al.* 2012). AMTA는 ASNI/ADA specification 57/2000에 명시된 용해도 요구조건을 충족시킨다(Borges *et al.* 2012). 하지만, International Standard Organization 6876/2001에 규정된 요구 조건을 충족시키지는 못한다(Parirokh and Torabinejad 2010a).

AMTA의 미세경도는 혼합방법에 의해 영향을 받을 수 있다. 혼합 후 4일, White AMTA와 gray AMTA는 둘 다 초음파 진동 혼합되었을 경우 최고의 평균 미세경도를 보여준다. 하지만 혼합 후 28일에서는 white AMTA는 amalgamtor 혼합이 gray AMTA는 초음파 진동 혼합이 최고의 평균 미세경도를 보여주었다(Nekoofar *et al.* 2010). gray AMTA는 혼합 후 400분까지 온도 증가가 관찰되지 않았다. Gray AMTA의 다공성은 약 28% 정도이고 공극의 크기는 2.5 μm였다. Gray AMTA의 압축강도는 15일 후 약 34 Mpa로 보고되었다(Oliveira *et al.* 2010).

AMTA의 탈락 저항성(resistance to displacement)은 PC보다 유의성 있게 높았다(Reyes-Carmona *et al.* 2010).

AMTA로 충전된 미성숙 치근을 가진 치아의 1년 후의 파절 저항성은 CH로 충전된 치아보다 현저하게 더 높았다. 그러나 이 연구에서 gray AMTA와 ProRoot MTA 간에 유의한 차이는 없었다(Tuna *et al.* 2011).

AMTA에 대한 제조사의 자료에 따르면, 무수 황산 칼슘(undyrated calcium sulfate)의 부재는 경화시간을 10분으로 감소시킨다. AMTA의 경화시간(14.28 ± 0.49 min)은 white ProRoot MTA와 gray ProRoot MTA보다 짧다(Parirokh and Torabinejad 2010a).

gray AMTA와 white AMTA의 방사선 불투과성은 white ProRoot MTA와 gray ProRoot MTA보다 낮고, AMTA의 gray와 white 형태는 white ProRoot MTA나 gray ProRoot MTA에 비해 이종(dissimilar) 입자의 수가 더 많다(Parirokh and Torabinejad 2010a).

항균성

AMTA는 일정부분 항균성과 항진균성을 가진다(Parirokh and Torabinejad 2010a). AMTA는 ProRoot MTA와 유사한 항진균성을 보이며 한 시간 후 *C. albicans*에 대한 살균효과는 없지만 24시간과 48시간 후에는 두 물질 모두 항진균 효과를 보여주었다(Kangarlou *et al.* 2012).

밀폐성

몇몇 연구에서 AMTA는 적당한 밀폐성과 변연 적합성을 보여주었다(Torabinejad and Parirokh

2010).

생체친화성

세포 배양 연구

White AMTA는 murine 섬유모세포, L929 mouse 섬유모세포, 섬유모세포 (3T3), 유사-상아질모세포, 그리고 인간 피부 섬유모세포(human dermal fibroblast)에 대해 독립적으로 시행된 연구에서 유전독성과 세포독성이 없거나 적다는 것을 보여주었다(Gomes-Filho *et al.* 2009c; Lessa *et al.* 2010; Zeferino *et al.* 2010; Damas *et al.* 2011; Hirschman *et al.* 2012; Silva *et al.* 2012). L929 mouse 섬유모세포가 사용된 세포배양 연구에서는 AMTA가 세포 생존력을 억제하지 않으며, interleukin (IL)-6 cytokine (대조군과 비교하여 유의한 차이가 없는)을 유도한다는 것을 보여주었다. 그러나, AMTA는 대조군에 비해 IL-1β를 현저하게 유도했다(Gomes-Filho *et al.* 2009c). 인간 치주 섬유모세포에 대한 ProRoot MTA와 AMTA의 효과를 비교하면, 전자가 더 좋은 생체친화성을 보여주었다(Samara etal. 2011).

AMTA는 matrix metalloproteinase-2에 대한 gelatinolytic acivity를 보여주었다(Silva *et al.* 2012). White ProRoot MTA와 AMTA는 모두 91.8% 혹은 그 이상의 인간 피부 섬유모세포의 생존력을 보여주었다(Damas *et al.* 2011).

Gray AMTA의 항염증 효과는 CC5, IL-lα, interferon-γ에 대한 mRNA 발현을 감소시키는 것으로 입증되었다(Parirokh and Torabinejad 2010a). 면역세포는 AMTA의 존재하에 TGF-β1, IL-1β, macrophage inflammatory protein-2 (MIP-2), Leukotriene-B4를 더 많이 생성하였다(Torabinejad and Parirokh 2010).

피하 이식

AMTA의 피하이식에 대한 일련의 연구는 7일에 중등도의 염증반응을 보였고 더 긴 시간 간격 (30일과 60일)에서 대조군에서 관찰된 것과 유사한 양상이었으며 염증 세포의 강도가 감소된 점으로 미루어 염증반응이 진정되고 있음을 보여주었다. 피하 이식 후 30일에, 이식된 AMTA와 밀접하게 접촉된 광화된 구조를 관찰할 수 있었다(Gomes-Filho *et al.* 2009a, b, 2012; Viola *et al.* 2012). AMTA에서 보이는 biomineralization 활성은 PC에서 보다 월등하다(Dreger *et al.* 2012).

골내 이식

AMTA는 쥐(rat)의 발치와 내면에 이식된 후에 경도의 염증반응과 이영양성 석회화(dystrophic calcification)를 유발했다. 결론적으로, AMTA는 쥐의 치조와에서 좋은 내성(well tolerated)을 보였다(Gomes Filho *et al.* 2010, 2011).

In vivo 연구

치수복조와 근관충전재로 AMTA를 사용한 동물 연구에서 성공적인 결과가 보고되었다(Parirokh and Torabinejad 2010b). 쥐의 상악 대구치에서 AMTA를 사용한 천공 치료는 60일 관찰에서 치주 공간의 넓이(width of periodontal space)와 파골세포의 수를 유의하게 감소시켰다(da Silva *et al.* 2011). 개에서 시행된 조직학적 연구는 AMTA가 근단부 조직 반응에서 가장 좋은 생체적합성을 보였지만, 역 근관 충전재로서 AMTA, super EBA, IRM 사이에는 유의한 차이가 없다는 것을 보여주었다(Walivaara *et al.* 2012). 구강외에서 일정시간 건조된 쥐의 탈구된 치아에서 대한 실험에서 근관 충전재로서 white AMTA와 CH가 비교되었다. CH와 white AMTA 사이에 유의한 차이가 없었지만 80일 후의 관찰에서 white AMTA 가 더 많은 신생골의 침착을 유도했고, 더 적은 조직 염증 반응을 보여주었다(Marao *et al.* 2012).

임상 적용

여러 증례 보고에서는 흡수성 결손의 치료, 천공, 역근관 충전재, 치수복조, triple antibiotics paste와 조합된 revitalization ,치근 파절 치아에서 근관충전 등에 적용된 AMTA의 성공적인 결과를 보여주었다(Kvinnsland etal. 2010; Parirokh and Torabinejad 2010b; Yilmaz *et al.* 2010; dos Santos *et al.* 2011; Shetty and Xavier 2011; Lenzi and Trope 2012; Vier-Pelisser *et al.* 2012; Carvalho *et al.* 2013).

치아우식이 없는 건전한 치아에서 치수 복조에 적용된 AMTA는 좋은 치수 반응을 보여주었다(Parirokh and Torabinejad 2010b; Zarrabi *et al.* 2010).

22개의 상악 절치에서 apical plug로 white AMTA 또는 white ProRoot MTA를 사용한 임상적, 방사선학적인 연구에서는 평균 23.4개월의 추적조사 기간까지 두 그룹사이에 유의한 차이를 보이지 않았다. 이 연구에서 치관부 변색을 보인 5개의 치아 중 4개가 AMTA로 치료된 치아였다(Moore *et al.* 2011).

결론적으로, AMTA를 사용한 몇몇 훌륭한 임상 결과에도 불구하고, 증거 기반연구 결과들이 부족한 것은 임상가들이 다양한 임상 적용(MTA에서 이미 검증된)에 AMTA를 사용하는 데 중요한 고려사항이 될 것이다.

Bioaggregate (BA)

DiaRoot (DiaDent) BioAggregate (Innovative Bioceramix, Vancouver, BC, Canada) (De-Deus *et al.* 2009b; Hashem and Wanees Amin 2012)로 언급되는 BioAggregate (BA) 는 천공 치료, 역근관 충전, 치수복조를 위한 물질이다.

화학적 조성

이 물질은 미세한 나노입자로 구성되어 있고, 알루미늄이 함유되지 않은 분말로 구성되어 있다. 사용 시에는 탈이온수(deionized water)로 혼합해서 bioceramic paste를 만든다. BA는 SiO_2 (13.70%), P_2O_5 (3.92%), CaO (63.50%)와 Ta_2O_5(17%)로 이루어진 분말(H_2O와 혼합된)로 구성되어 있다. 제조자는 방사선 조영제로 tantalum oxide (Ta_2O_5)을 첨가하였다(Camilleri *et al.* 2012). 또한 경화된 BA에서 white ProRoot MTA와 유사하게 CH가 검출되었다(Park *et al.* 2010; Grech etal. 2013). BA는 PC와 유사한 양의 크롬을 포함하고 있다. 더욱이, BA는 ISO 9917-1/2007(2mg/kg) 기준보다 산-추출(acid-extractable) 비소의 농도가 더 높고 허용할 수 있는 정도의 납을 포함하고 있다. 그러나, 유리되는 미량 원소들은 무시해도 될 정도이다(Camilleri *et al.* 2012).

물리적 특성

BA는 경화 후에 염기성 pH를 가진다(Zhang *et al.* 2009a; Grech *et al.* 2013). BA와 white ProRoot MTA는 두 달 동안 PBS하에서 보관되었을 때 생체활성과 인회석(apatite) 결정의 침전을 보여주었다(Shokouhinejad *et al.* 2012a; Grech *et al.* 2013). 표본이 PBS하에서 보관되었을 때 BA는 AMTA과 비교하여 유의하게 낮은 탈락 저항성(resistance to displacement)을 보여주었다. 그러나, 표본이 4일 동안 산성 환경에 노출되었을 때 BA의 압출결합 강도(push-out bond strength)는 영향을 받지 않은 반면, AMTA의 탈락 저항성은 현저하게 감소하였다. 놀랍게도, 산에 노출된 표본을 30일 동안 PBS에 보관하였을 때 AMTA 결합은 다시 회복되었으며, 같은 조건 하에서 보관된 BA표본과 비교하여 높은 압출결합 강도(push-out bond strength)를 보여주었다(Hashem and Wanees Amin 2012). BA로 충전된 미성숙 치근을 가진 치아의 1년 후의 파절 저항성은 CH로 충전된 치아보다 현저하게 더 컸다. 하지만, 같은 기간 동안 AMTA, ProRoot MTA, BA 사이에서는 유의한 차이를 보이지 않았다(Tuna *et al.* 2011).

항균성

ProRoot MTA와 BA는 유의한 차이없이 *E. faecalis*를 살균했다. 흥미롭게도, 경화된 물질이 혼합 직후의 상태에서 보다 더 빠른 살균효과를 보였다. BA에 상아질 분말을 첨가한 실험에서는 항균력이 증가되었다(Zhang *et al.* 2009a).

밀폐성

White ProRoot MTA와 비교하여 현저하게 낮은 염색약 침투를 보였다(El Sayed and Saeed 2012). 반면에 glucose 침투실험에서는 white ProRoot MTA와 비교하여 유의한 차이를 보이지 않았다(Leal *et al.* 2011).

생체친화성

세포배양 연구

인간 치주 인대 섬유모세포 배양 연구의 결과는 ProRoot MTA와 BA 모두 PDL 세포를 분화시킬 수 있을 뿐만 아니라 alkaline phosphates와 collagen I gene 발현을 유도할 수 있다는 것을 보여주었다(Yan *et al.* 2010). 골모세포에 대한 또 다른 연구는 두 물질 모두 독성이 없음을 보여주었다. 그런데 BA는 white ProRoot MTA와 비교하여 2일과 3일에 collagen type I, osteocalcin, osteopontin genes의 발현을 유의성 있게 증가시켰다(Yuan *et al.* 2010). 인간 단핵세포(mononuclear cell) 배양(골수에서 분화된)에 노출되었을 때 white ProRoot MTA와 BA간의 세포 생존력(viability)에는 유의한 차이가 없었다(De-Deus *et al.* 2009b).

결론적으로, BA는 미세한 입자 크기, 생체친화성, 명확한 항균 능력, 그리고 보고된 독성이 없는 물질이다. 하지만 지금까지 BA에 대한 모든 연구는 실험실 연구였다. 임상적 적용에서 물질의 효능을 평가하기 위해서는 in vivo 그리고 증거 기반 연구가 추가적으로 필요할 것이다.

Biodentine (BD)

Biodentine (Septodont, Saint-Maur-des-Fosse's Cedex, France)는 분말/용액으로 구성된 물질이다.

화학적 조성

분말은 주로 SiO_2 (16.90%), CaO (62.90%), ZrO_2 (5.47%)로 구성되어 있고 용액은 Na (15.8%), Mg (5%), Cl (34.7%), Ca (23.6%)과 H_2O (20.9%)로 이루어져 있다(Camilleri *et al.* 2012). BD는 수화되면서 주변 용액으로 침출(leach)되는 calcium silicate hydrate와 CH를 생성한다(Grech *et al.* inpress). 한 연구에서 산성 환경에서 BD로부터 용출되는 납의 양은 AMTA, PC, BA, tricalcium silicate보다 많았다. 하지만 같은 조건에서 BD로부터 용출되는 비소의 양은 BA, PC와 비슷했다. 산성 환경에서 BD로부터 유리되는 크롬의 양은 BA와 PC에서 용출되는 양보다 적었다. 비교적 많은 양의 납의 함량에도 불구하고 일부 연구자들은 BD가 치의학에서 사용되기에 안전하다고 결론지었다(Camilleri *et al.* 2012).

물리적 성질

Biodentine은 염기성 pH를 가지고, HBSS하에서 칼슘 이온을 유리시키기 때문에 생체활성적이다(Grech *et al.* 2013). BD가 근관 충전 물질로 사용되었을 때 치근 상아질에 흡수되는 칼슘과 silicate의 양은 대조군과 white ProRoot MTA표본보다 유의하게 많다(Han and Okiji 2011). BD는 상아질에 노출 2~3 개월 뒤에, 상아질의 굴곡강도(flexural strength)에 부정적인 영향을 주었다(Sawyer *et al.* 2012). BD와 상아질과의 장기간 접촉은 콜라겐 기질의 생분해(biodegrdation)를 유발했다(Leiendecker *et al.* 2012).

생체친화성과 임상 적용

In vitro연구에서 BD, white ProRoot MTA, CH를 치수복조재로 적용한 후 치수 전반에 걸쳐 TGFβ1의 분비를 유의성있게 향상시켰다. 더욱이 BD로 복조된 치아에는 수복상아질의 초기형태가 관찰되었다(Laurent *et al.* 2012).

BA에서와 마찬가지로, BD에 대한 모든 연구는 in vitro에서 진행되었다. 임상적 효과를 평가하기 위해서는 특히 in vivo 조건에서, 많은 연구가 필요하다.

iRoot

iRoot (Innovative BioCeramix Inc., Vancouver, Canada)는 3가지 형태로 소개되었다: iRoot SP, iRoot BP와 iRoot BP Plus. 적용 영역은 치근 충전(root filling), 치근 보수(root repair) (iRoot BP and iRoot BP plus)와 근관 실러(iRoot SP)이다(http://www.ibioceramix.com/iRootSP.html).

iRoot SP는 주입가능한(injectable), 즉시 사용가능한, 불용성의, 방사선 불투과성을 갖는 흰색 페이스트 형태이며, 경화반응의 개시와 완료를 위해 수분이 필요하다.

화학 조성

iRoot SP는 WMTA와 매우 유사한 조성을 가지며 calcium silicate aluminum이 포함되지 않은 근관 실러이다(http://www.ibioceramix.com/iRootSP.html). iRoot SP가 근관 sealer로 사용될 때 근관 내부는 완전히 건조되어서는 안된다(Nagas *et al.* 2012).

물리적 성질

제조사들은 근관 충전물질로서 거터퍼쳐와 같이 사용할 수 있거나 없는 제품을 출시해왔다(Nagas *et al.* 2012). iRoot SP는 MTA Fillapex나 Epiphany와 비교하여 상아질과 더 높은 결합강도를 보여준다(Sagsen *et al.* 2011; Nagas *et al.* 2012). 이는 작은 입자크기, 낮은 점도(viscosity), 최소한의 경화 수축에 기인한다. 더 작은 입자크기와 더 낮은 점도는 거터퍼쳐가 근관 충전재로 사용되었을 때 상아세관과 근관 내부의 해부학적 구조 내로 침투할 수 있는 흐름성을 증가시킨다(Shokouhinejad *et al.* 2013). 근관 내부가 건조된, 젖은, 약간 습기가 있는 세 가지 조건에서는 습기가 약간 있는 환경에서 iRoot SP와 근관의 상아질벽 사이에 가장 높은 결합 강도를 나타내었다(Nagas *et al.* 2012). iRoot SP를 사용하기 전 근관 내부에 CH를 적용하는 것은 상아질과의 결합력을 향상시킨다(Amin *et al.* 2012). 또 다른 연구는 거타퍼쳐와 iRoot SP를 사용하는 것이 열린 근첨을 가진 치아 모델에서 파절 저항성을 향상시킴을 보여주었다(Ulusoy *et al.* 2011). iRoot SP는 경화 후 7일까지 염기성 pH를 보여주었고, 항균력 실험에서 *E. faecalis*를 살균할 수 있었다(Zhang *et al.* 2009b).

iRoot SP는 치근 치료와 치근 충전 술식에 적용 시 주입할 수 있고(injectable), 즉시 사용 가능한 흰색 페이스트 형태이며, 제조사는 iRoot BP와 iRoot BP Plus가 불용성이고 방사선불투과성이고, 경화하는 동안 수축하지 않으며, 경화시 수분이 필요하다고 설명한다(http://www.ibioceramix.com/products.html). 하지만, 최근 연구 결과는 iRoot SP가 용해성이 크며 ANSI/ADA Specification 57/2000의 조건을 충족시키지 못한다는 것을 보여주었다(Borges *et al.* 2012). iRoot BP와 iRoot BP Plus의 차이는 물질의 점조도(consistency)이다. iRoot BP는 주입가능한 premixed 페이스트인 반면 iRoot BP Plus는 premixed putty 타입이다(http://www.ibioceramix.com/products.html).

생체친화성

사람의 골모세포에 대한 세포 배양 연구 결과에서 iRoot BP Plus가 white ProRoot MTA보다 유의하게 낮은 세포 생존력(viability)을 보여주었다(De-Deus *et al.* 2012). L929 세포에 대한 또 다른 세포 배양 연구는 fresh iRoot SP가 여과 확산 시험에서 ProRoot MTA보다 유의하게 높은 독성을 보였다. 하지만, 각 물질의 추출물(extracts)은 독성이 보이지 않았다(Zhang *et al.* 2010).

최근에 제조사는 차세대 근관 충전과 치료 물질로, 빠른 경화 특성, 불용성, 방사선불투과성, 경화 수축이 없고, 경화 시 수분을 필요로 하는 calcium silicate에 기반한 알루미늄이 함유되지 않은 iRoot FS를 출시했다(http://www.ibioceramix.com/products.html).

결론적으로 iRoot는 생체활성적이며, 알칼리이고, 명확한 항균성을 보이지만 비교적 높은 독성을 가지고 있다. 아직까지 임상 적용에 대한 이 물질의 유효성은 연구되지 않았다.

Calcium Enriched Mixture (CEM) Cement

CEM cement는 풍부한 칼슘을 포함하고 있는(Calcium enriched mixture)(BioniqueDent, Tehran, Iran) 분말/액상의 물질이다.

화학적 조성

CEM cement는 CaO (51.81%), SiO_2 (6.28%), Al_2O_3 (0.95%), MgO (0.23%), SO_3 (9.48%), P_2O_5 (8.52%), Na_2O (0.35%), Cl (0.18%), H&C (22.2%)로 구성되어 있다(Asgary *et al.* 2008c). 석회(lime)가 CEM cement의 주요 구성성분이다. CEM cement의 다른 구성성분의 함량은 몇몇 미량원소를 제외하고는 ProRoot MTA, AMTA, white PC, gray PC와 다르다(Asgary *et al.* 2009b).

물리적 성질

CEM cement와 white ProRoot MTA는 pH (10.61 vs 10.71), 작업 시간(4.5분 vs 5분), dimensional change (0.0075mm vs 0.0085mm)에서 유의한 차이가 없다. 그러나 경화시간, film 두께, 흐름성에서는 유의한 차이를 보였다(Asgary *et al.* 2008c). CEM cement는 염기성 pH를 가지며 ProRootMTA와 유사한 방식으로 칼슘을 방출한다(Asgary *et al.* 2008c; Amini Ghazvini *et al.* 2009). 더구나 CEM cement는 혼합 후 초기 한 시간 동안 PC와 white ProRoot MTA보다 유의하게 높은 수준의 인산(phosphate)을 방출한다(Amini Ghazvini *et al.* 2009). CEM cement의 방사선불투과성은 2.227mm Al로 보고되며, 이는 white ProRoot MTA (5.009mm Al), AMTA (5.589 mm Al)보다 떨어진다(Torabzadeh *et al.* 2012). CEM cement의 방사선 불투과성은 ANSI/ADA specification number 57/2000과 ISO 6876/2001에서 명시된 근관충전재의 요구조건(3mm Al)을 충족하지 못한다. CEM cement의 입자크기는 0.5~30μm이다(Soheilipour *et al.* 2009). CEM cement에서 0.5~2.5μm 직경을 갖는 입자의 백분율은 white ProRoot MTA 나 white PC보다 유의하게 높다(Asgary *et al.* 2011b). CH, ProRoot MTA, CEM cement를 소(bovine)의 상아질에 30일간 적용한 후 시행한 굽힘 강도(flexural strength) 실험에서는, 모든 물질이 대조군과 비교해서 굽힘 강도가 감소했으며 실험군 사이에는 유의한 차이가 없었다(Sahebi *et al.* 2012). 복합레진에 대한 CEM cement와 ProRoot MTA의 전단 결합 강도(shear bond strength)는 산부식 시행 후에도 향상되지 않았다. 따라서 연구자들은 생활치수 치료에 적용된 CEM cement나 MTA와 같은 생체활성물질 상방에 RMGI를 적용한 후에 복합 레진으로 수복할 것을 추천했다(Oskoee *et al.* 2011). White MTA 또는 CEM cement로 열린 근첨 모델을 밀폐 시행 6개월 후, 파절 저항성이 유의미하게 증가하였으나 실험군 사이에는 별 차이가 없었다(Milani *et al.* 2012). 역근관 충전재로 사용한 CEM cement의 압출결합 강도는 white ProRoot MTA와 비슷했으며, 두 물질 모두 Er, Cr: YSGG 레이저보다는 초음파을 이용하여 역근관 와동을 형성했을 때 탈락 저항성(resistance to displacement)이 향상되었다(Shokouhi nejad *et al.* 2012b).

CEM cement의 생체활성은 PBS하에서(7일) 일반적인 수산화인회석(hydroxyapatite)과 유사한 결정구조가 표면에 생성되는 것으로 확인하였다(Asgary *et al.* 2009).

항균성

두 개의 독립적인 연구가 CEM cement, gray and white ProRoot MTA, PC, CH의 항균성에 대해서 수행되었으며 *E. faecalis, P. areuginosa, Escherichia coli, S. aureus*가 사용되었다. CH와 CEM cement가 gray and white ProRoot MTA, PC보다 높은 항균효과를 보였다(Asgary *et al.* 2007; Asgary and Kamrani 2008). White ProRoot MTA와 CEM cement는 *C. albicans*에 대해 24, 48시간 후에 비슷한 항진균 효과를 보였다(Kangarlou *et al.* 2009).

밀폐성

역근관 충전재로 사용되었을 때 CEM cement, white ProRoot MTA, AMTA는 유의한 차이를 보이지 않았다. 그러나 세 가지 실험군은 IRM과 비교해서 유의하게 낮은 염료 누출(dye leakage)을 보여주었다(Asgary *et al.* 2006a, 2008a). 역근관 충전재로서 다양한 용액하에서 CEM cement의 밀폐성을 평가하기 위한 fluid filtration study에서는 증류수보다 PBS하에서 유의하게 낮은 누출을 보여주었다(Ghorbani *et al.* 2009). 세균 침투 실험에서는 70일 관찰기간 동안 white ProRoot MTA와 CEM cement는 유의한 차이를 보이지 않았다(Kazem *et al.* 2010). 역근관 충전물질의 특성으로서 혈액이나 타액의 오염 유/무 조건과 건조한 조건하에서 비교한 염료 누출 실험에서는 타액에 오염된 조건을 제외하고 white ProRoot MTA와 CEM cement 사이에 유의한 차이를 보이지 않았다. 타액에 오염된 조건에서 CEM cement는 유의하게 낮은 염료 누출을 보였다(Hasheminia *et al.* 2010). Apical plug로 CEM cement를 적용하기 전 CH의 사용에 대한 fluid filtration 연구는 장·단기간에 걸쳐 밀폐성에 나쁜 영향을 주지 않았다(Bidar *et al.* 2011).

MTA와 CEM cement를 intra-orifice barrier로 사용한 다균성 누출 실험(polymicrobial leakage study) 결과는 아말감이나 복합레진보다 유의하게 낮은 누출을 보여주었다(Yavari *et al.* 2012).

생체친화성

세포 배양 연구

L929 쥐 섬유모세포 배양 연구에서 CEM cement와 ProRoot MTA는 세포 생존력(viability)에서 대조군과 유의한 차이가 없었다(Ghoddusi *et al.* 2008). L929 쥐 섬유모세포에 대한 다른 연구에서는 MTA가 유의하게 세포 생존력(viability)이 더 높았고, 두 물질 모두 유의하게 IRM보다 세포독성이 적었다(Mozayeni *et al.* 2012).

신경세포에 관한 ex vivo 연구에서 CEM cement와 ProRoot MTA는 신경세포의 흥분성(excitability)과 firing frequency를 억제했다(Abbasipour *et al.* 2012). 또 다른 연구에서는 CEM cement, white ProRoot MTA에 대한 인간의 치은 섬유모세포의 부착과 세포 형태를 주사형 전자현미경(SEM)으로 관찰했으며 실험군 간의 유의한 차이점이 없음이 보고되었다(Asgary *et al.* 2012).

피부 실험(sking test)과 피하 이식

피부 실험 반응에서는 CEM cement가 white ProRoot MTA보다 유의하게 낮은 염증반응을 보였다(Tabarsi *et al.* 2012). 피하 이식 연구에서 CEM cement는 white와 gray ProRoot MTA와 비교해 괴사를 유발하지 않았다. 그러나 모든 실험군에서 calcific metamorphosis를 유발했다. 연구자들은 실험의 종료시기에서는 모든 실험군이 생체친화성을 보였다고 보고하였다(Parirokh *et al.* 2011).

골내 이식

CEM cement와 ProRoot MTA의 골내 이식 실험에서는, 8주까지 염증과 신생골 형성의 측면에서 유의한 차이가 없었다고 보고하였다(Rahimi *et al.* 2012).

In vivo 연구

세 개의 서로 다른 동물 연구에 따르면 ProRoot MTA와 CEM cement 모두 치수복조술과 치수절단술에서 성공적이었으며 두 물질간에 유의한 차이는 없었다. 또한 두 물질 모두 석회화 가교 형성은 Dycal보다 유의하게 좋은 결과를 보였다(Asgary *et al.* 2006b, 2008b; Tabarsi *et al.* 2010).

ProRoot MTA와 CEM cement를 천공 수복재로서 비교하기 위한 독립적인 동물실험 결과, 실험 3달 후에 천공부위에 경도의 염증반응과 경조식 형성을 보였으며 두 물질 사이에는 유의한 차이가 없었다(Samiee *et al.* 2010).

역근관 충전재로 ProRoot MTA와 CEM cement를 사용한 개의 동물실험 결과, 물질상방에 백악질이 침착되었음이 관찰되었으며 두 물질 간 유의한 차이점은 없었다(Asgary *et al.* 2010).

임상연구

몇몇 임상증례 보고에서 CEM cement는 치근이개부의 천공, 천공 수복, 내/외 흡수성 결손, 열린 근첨을 가진 치아의 vital pulp therapy, 괴사된 열린 근첨을 가지는 치아의 revitalization술식에서 혈병의 피개(clot covering), replantation이나 transplantation술식의 역근관충전에 대해서 성공적인 임상 결과를 보여주고 있다(Asgary 2009, 2010, 2011; Nosrat and Asgary 2010a, b; Asgary etal. 2011a; Nosrat *et al.* 2011b; Asgary and Ahmadyar 2012; Asgary and Eghbal 2012).

한 임상연구에서는 괴사된 치수의 열린 근첨을 가진 치아 13개에서 apical plug로 CEM cement를 사용한 증례에서 평균 14.5개월간의 추적조사 기간 동안 성공적인 결과를 보여주었다(Nosrat *et al.* 2011a).

AMTA와 CEM cement를 치수복조에 적용한 인체연구에서는, 두 실험군 모두에서 술후 8주간 석회화 가교형성이 잘 이루어졌으며(Zarrabi *et al.* 2010). 상아질형성(dentinogenesis)에 관여하는 중요한 두가지 당단백질인 fibronectin과 tenascin을 면역조직학적 염색을 통해 확인하였다. 또한 두 물질 간의 유의한 차이는 보이지 않았다(Zarrabi *et al.* 2011).

ProRoot MTA와 CEM cement를 이용한 유구치 직접치수복조술의 무작위 임상 연구(randomized clinical trial)에서 술후 6개월까지 임상적, 방사선학적으로 유의한 차이가 없는 높은 성공률을 보여 주었다(Fallahinejad Ghajari *et al.* 2010). CEM cement와 white ProRoot MTA를 유구치의 치수절단술에 적용한 또 다른 유사한 임상연구에서도 24개월의 추적기간 동안 두 물질은 통계적으로 유의한 차이가 없는 높은 성공률을 보였다(Malekafzali Ardekani *et al.* 2011). 한 임상증례에서는 타진통이 있고 방사선상에 작은 병소가 있는 영구치의 치수 복조에 CEM cement를 사용해서 성공적인 결과를 보고하였으며(Nosrat *et al.* 2012), 또 다른 증례에세는 우식으로 치수가 노출된 열린 근첨을 가진 구치의 치수복조에 CEM cement를 적용하여 12개월의 추적기간 동안 임상적, 방사선학적으로 성공적인 치료결과를 보고하였다(Nosrat and Asgary 2010b). 또한 우식으로 치수가 노출된 영구치의 치수 절단술식에 CEM cement를 사용한 12개의 증례 중 11개에서 15.8개월의 추적기간 동안 임상적, 방사선학적으로 성공적인 치료결과를 얻었다(Asgary and Ehsani 2009). 또 다른 연구는 우식으로 치수가 노출된 미성숙 구치의 치수절단술에 CEM cement와 whte ProRoot MTA를 사용했으며 12개월간의 추적기간에 방사선, 임상적으로 두 재료간에 유의한 차이가 없었다(Nosrat *et al.* 2013).

비가역적 치수염을 보이는 치아에 one visit 근관 치료와 CEM cement를 사용해 치수절단술을 시행하고 통증의 경감 정도를 조사한 비교연구에서, CEM cement로 치수절단술을 시행한 실험군에서 술후 첫 일주일 동안 유의하게 낮은 통증발병률을 보였다(Asgary and Eghbal 2010). 다른 임상 증례에서는 비가역적 치수염 상태의 구치에 CEM cement와 whte ProRoot MTA를 적용하여 치수절단술을 시행한 후 통증발병률, 임상적, 방사선적 치료결과를 비교하였다. 술후 12개월간의 추적조사에서 두 실험군사이에 통증 발병률에도 유의한 차이가 없었을 뿐만 아니라 방사선학적, 임상적 치료결과에에도 유의한 차이를 보이지 않았다(Asgary and Eghbal 2013). 공동 수행된 다기관 임상 실험(multicenter clinical trial)을 통해 비가역적 치수염이 있는 치아에 one visit근관치료를 시행한 것과 CEM cement로 치수절단술을 시행한 비교실험 결과에서는, CEM cement의 치수절단 술식이 방사선 사진상으로 유의하게 좋은 결과를 보였다(Asgary *et al.* 2013).

결과적으로 CEM cement는 수화후에 알칼리성이며, 미세한 입자 크기, 무독성, 분명한 항균성을 가진 생체친화성 물질이다. In vivo, 임상 연구결과는 매우 고무적이지만, CEM cement를 사용한 많은 임상 연구는 생활 치수 치료에 초점이 맞추어져 있다. 생활 치수 치료를 제외한 다른 임상 적용영역에 관련한 근거는 몇몇 사례 보고에 한정되어 있으며, 더 많은 연구가 있어야 한다.

MTA Fillapex

MTA Fillapex(Angelus Industria de Produtos Odontologicos S/A, Londrina,Brazil)는 nano-silicate입자가 포함된, MTA를 기반으로 한 레진 근관 실러이다(Nagas *et al.* 2012).

화학적 조성

MTA Fillapex는 천연 레진, salicylate resin, 희석용 레진(diluting resin), 산화 비스무스(bismuth trioxide), nanoparticulated silica, MTA, 염료(pigments)로 구성된다(Bin *et al.* 2012).

물리적 성질

용해도 실험 결과 MTA Fillapex는 ANSI/ADA specification 57/2000 요구사항을 충족시키지 못했다. 이 물질은 AMTA와 AH plus와 비교해서 높은 용해도를 보였다. MTA Fillapex는 용해도 실험에서 칼슘 이온의 용출을 보였고, 용해도 실험 후에 물질 표면층에 많은 양의 칼슘과 탄소의 형태적인 변화도 관찰되었다(Borges *et al.* 2012). MTA Fillapex는 Epiphany와 비교하여 상아질에 대한 결합력이 비슷하거나 낮았다(Nagas *et al.* 2012). MTA Fillapex의 상아질 결합력이 AH plus, iRoot SP와 유의한 차이가 없다는 연구결과(Assmann *et al.* 2012)가 있는 반면에 두 개의 연구결과에서는 AH plus와 iRoot SP가 더 높은 상아질 결합력을 보였다(Sagsen *et al.* 2011; Nagas *et al.* 2012). MTA Fillapex의 탈락 저항성은 Endo-CPM 실러보다 유의하게 낮았으며(Assmann *et al.* 2012). 경화과정 전후에 염기성 pH (pH value>10)를 나타낸다(Morgental *et al.* 2011; Silva *et al.* 2013).

거터퍼쳐와 다양한 근관실러(MTA Fillapex, iRoot SP와 AH Plus)로 근관충전을 시행한 후에 측정한 파절저항성 테스트에서는, 실러를 사용한 모든 실험군이 근관형성 후 충전을 시행하지 않은 대조군에 비해서 높은 파절저항성을 보였으며, 실러의 종류에 따른 유의한 차이는 없었다(Sagsen *et al.* 2012). 한편 열린 근첨 모델을 이용하여 거터퍼쳐와 MTA Fillapex를 충전한 치아는 거터퍼쳐와 AH Plus를 충전한 치아보다 유의하게 낮은 파절저항성을 보여주었다(Tanalp *et al.* 2012).

MTA Fillapex와 iRoot SP를 근관 실러로 적용할 때에 근관 내의 수분이 완전히 제거되어서는 안된다(http://www.ibioceramix.com/prod-ucts.html; Nagas *et al.* 2012). MTA Fillapex를 근관 실러로 적용하기 전에 CH를 사용하는 것은 상아질 결합력을 향상시키는데 큰 영향을 주지 않았다. 근관 실러의 결합강도는 포스트 형성과정이나 치아의 굽힘이 발생할 때 근관 충전재가 탈락하지 않게 하기 위한 중요한 특성이다. 따라서 MTA Fillapex 나 iRoot SP를 one visit 치료에서 근관실러로 사용한다면, 두 실러는 GP를 이용한 matching-taper single cone 충전술식에서 비슷한 상아질과의 결합력을 가질 것이고, AH plus 보다는 낮은 결합력을 가질 것이다(Amin *et al.* 2012). MTA Fillapex의 흐름성은 31.09 ±0.67 mm로, 최소 20 mm를 요구하는 ISO 6876/2001 specification을 충족시키며, AH plus보다 상당히 높다. 방사선불투과성은 7.06 mm Al 정도로 실러의 ISO 6876/2001 요구조건을 상회한다(Silva *et al.* 2013).

항균성

혼합 직후 MTA Fillapex가 경화되기 전에는 *E.faecalis*에 대해 항균성을 갖지만 경화 후에는 항균성을 보이지 않았다(Morgental *et al.* 2011).

생체친화성

세포 배양 연구

MTA Fillapex는 생체활성 물질로 인간 osteoblast-like 세포에서 alkaline phosphatase의 활성을 증가시키고 칼슘의 침착을 보여주었다. MTA Fillapex와 관련된 세포배양 연구는 많지 않다. 한 연구에 따르면 인간 osteoblast-like 세포에 MTA Fillapex를 노출시켰을 때 초기에는 세포독성을 보였지만 7일부터는 세포독성이 감소하였다. 경화 후에 Epiphany SE와 Endofill 근관 실러는 MTA Fillapex보다 더 높은 세포 독성을 보였다(Salles *et al.* 2012). 이와는 반대로 Chinese hamster fibroblast, primary human osteoblast, BALB/c3T3 cell를 이용한 3개의 개별적 연구에서는 MTA Fillapex가 실험기간 동안 높은 세포독성과 유전독성을 나타내었다(Bin *et al.* 2012; Scelza *et al.* 2012; Silva *et al.* 2013). 근관 실러와 관련된 ISO 10993-5 기준에 따라 수행한 세포 배양 연구에서 MTA Fillapex는 BALB/c3T3 cell에 4주까지 세포독성을 보였다(Silva *et al.* 2013).

피하이식

피하이식 연구 결과 MTA Fillapex는 이식 후 90일까지도 심한 염증 반응을 보였다. 이 연구에서 MTA Fillapex와 Grossman sealer는 초기에 강한 염증 반응을 보이지만, Grossman sealer은 90일 후에는 더 낮은 조직 반응을 보였다. 하지만 두 실험군 모두 90일의 실험기간까지 독성을 가지고 있었다(Zmener *et al.* 2012). 다른 피하 이식 연구에 따르면 MTA Fillapex는 MTA성분을 함유하고 있음에도 불구하고, AH Plus와 Endofill 실러에 비해 더 좋은 염증반응을 보이지 못했다. 실험 물질 중 AH Plus는 이식 후 60일 후에 대조군과 비슷한 반응을 보였다(Tavares *et al.* 2013). 이와는 반대로 MTA Fillapex를 피하이식 후 15일에 AMTA와 유사한 정도의 가벼운 조직 반응을 보인 연구결과도 있다. 또한 이 실험에서는 Von Kossa 염색을 통하여 MTA Fillapex에 의해 광화과정이 일어난 부분을 확인할 수 있었다(Gomes-Filho *et al.* 2012).

결론적으로 MTA Fillapex는 높은 용해성, 염기성, 생체활성을 가진 실러이지만 생체친화성에 대해서는 의문스럽다. 더구나 MTA Fillapex의 효용성을 보여주는 in vivo 연구가 전무한 실정이다.

Endo-CPM

Endo-CPM 실러(EGEO SRL, Buenos Aires, Argentina)는 2004년 아르헨티나에서 개발된 MTA기반의 근관 실러이다(Parirokh and Torabinejad 2010a).

화학적 조성

혼합 후의 Endo-CPM 실러의 조성은 MTA에 염화 칼슘(calcium chloride), 탄산 칼슘(calcium carbonate), 구연산나트륨(sodium citrate), 알긴산 프로필렌 글리콜(propylene glycol alginate), 프로필렌 글리콜(proplene glycol)을 첨가한 것이다. .

물리적 성질

첨가되어 있는 탄산 칼슘은 경화 후에 pH를 낮추는 역할을 한다(Gomes-Filho etal. 2009c). Endo-CPM에서 Ca 이온이 용출되는 것은 두 건의 in vitro 실험에서 확인되었다(de Vasconcelos *et al.* 2009;

Tanomaru-Filho *et al.* 2009). Endo-CPM은 염기성 pH를 보이며, MTA Fillapex와 AH Plus보다 유의하게 높은 상아질 결합강도를 가진다(Assmann *et al.* 2012).

항균성

Endo-CPM은 white ProRoot MTA와 white AMTA와 비슷한 항균성을 보였다(Parirokh and Torabinejad 2010a). 하지만 End-CPM은 *E.faecalis*에 대한 항균성은 보이지 않았다(Morgental *et al.* 2011).

밀폐성

Endo-CPM과 CH를 함유하고 있는 에폭시 레진 실러인 MBPc와의 염료 누출 실험에서 MBPc가 더 좋은 결과를 보였다. 반면 열린 근첨에 apical plug를 형성한 마진 적합성(marginal adaptation) 시험에서는 SEM관찰에서 AMTA와 두 물질과의 유의한 차이를 관찰하지 못했다(Orosco *et al.* 2008, 2010).

생체친화성

세포 배양 연구

쥐의 섬유모세포 배양 연구에서 Endo-CPM 실러는 IL-6의 방출을 유도했다. 하지만 세포 생존(viability)에는 나쁜 영향을 주지 않았다(Gomes-Filho *et al.* 2009c).

피하이식

두 건의 피하이식 연구에서 Endo-CPM 실러는, MTA와 유사한 양상으로, 초기에 경도에서 중등도의 염증반응을 보였으며(Gomes-Filho etal. 2009a; Scarparo *et al.* 2010), 30일에는 광화가 일어났다(Gomes-Filho *et al.* 2009a).

In vivo 연구

쥐를 대상으로 한 연구에서 white AMTA와 Endo-CPM 실러는 천공 처치에 적용했을 때 모두 생체친화성(biocompatibility)을 보였다(da Silva *et al.* 2011).

결론적으로 Endo-CPM 실러는 약간의 항균성을 갖는 생체활성의 염기성 물질이다. 실험실 연구와 in vivo연구에서는 고무적이지만, 임상적인 적용에 관한 인체를 대상으로 한 많은 추가적인 연구가 필요하다.

Cimento Endodontico Rapido (CER)

CER은 cimento endodontico rapido(fast endodontic cement)의 약자이다.

화학적 조성

이 물질의 조성은 물, 황산바륨(barium sulfate), 유화제(emulsifier)(조작성을 증진시키기 위한)로 구성된 gel과 포틀랜드 시멘트(PC)를 포함하고 있다(Santos *et al.* 2005). 이 물질은 또한 MTA-exp로 알려져 있다(de Vasconcelos *et al.* 2009).

물리적 성질

Santos와 동료들에 따르면 이 물질은 혼합 후 24시간에서 AMTA보다 칼슘이온 유리 정도와 전기전도성이 높았다(Santos *et al.* 2005). 또 다른 연구에서는 CER와 gray AMTA는 칼슘이온 유리 정도에서 유의한 차이가 있었다(24시간 동안은 gray AMTA가 높고, 168시간에서는 유의한 차이가 없었다)(de Vas-concelosetal. 2009). CER은 AMTA와 유사한 양상으로 저장 용액 하에서 pH값의 변화가 관찰되었는데, 초기에는 약한 산성, 24시간 후에는 염기성, 360시간 후에는 중성을 나타내었다(Santos *et al.* 2005). 경화시간은 7분으로 AMTA에 비해 약간 짧으나 열팽창과 관련해서는 유의한 차이가 없었다(Santos *et al.* 2008).

생체친화성

피하이식

CER의 피하이식 조직반응은 7일간에 중등도를 보였으나 장기간에 걸친(30일, 60일) 결과는 대조군과 유사하였다. 그리고 Von Kossa positive structures(광물화된 구조)가 이식체와 가깝게 접촉하고 있는 것으로 관찰되었다(Gomes-Filho *et al.* 2009b).

결론적으로 이 물질을 좀 더 평가하기 위해서는 추가적인 실험실, in vivo, 임상 연구가 필요해 보인다.

Endosequence

EndoSequence (Brasseler, Savannah, GA, USA)는 EndoSequence Root Repair Material (RRM), EndoSequence Root Repair Putty (RRP)와 EndoSequence BC obturation system (Endo-Sequence BC Gutta-percha, EndoSequence BC sealer)으로 소개되었다. EndoSequence BC sealer와 iRoot SP는 각기 다른 제조사(Brasseler USA 와 Innovative BioCeramix Inc) (http://www.ibioceramix.com/iRootSP.html.)에서 생산된 같은 조성을 가진 제품이다.

EndoSequence RRM은 치수 복조, 천공 수복, 치근첨 형성술, 역근관 충전, 치근흡수의 처치를 용도로 개발되었다.

화학적 조성

EndoSequence RRM은 산화지르코늄(zirconium oxide), 규산칼슘(calcium silicate), 산화탄탈륨(tantalum oxide), 제일인산칼슘(calcium phosphate monobasic), 증점제(thickening agents), 필러(filler)로 구성되어 있다(http://www.technomedics.no/Produkter/Endo/obturasjon/images/pdf/bcsealer/ Bioceramic%20brosjyre.pdf). RRM와 RRP 모두 규산칼슘과 인산칼슘의 조합으로 이루어진 바이오세라믹(bioceramics)이다.

물리적 성질

RRM와 RRP은 미리 혼합되어 있고, 바로 사용가능하고, nanoshpere 입자로 이루어진 밝고 흰색의 물질이다. 미세한 입자 크기를 갖기 때문에 상아세관으로 침투할 수 있고, 상아세관 내의 수분과 반응하여 최종적으로 경화될 뿐만 아니라 기계적인 밀폐를 제공한다(Damas *et al.* 2011; Hirschman *et al.* 2012). RRP은 BA, white ProRoot MTA와 비슷하게 PBS 하에서 생체활성을 보여주었다. 2개월 동안 모든 물질의 표면위로 인회석 응집체(apatite aggregate)가 침전되었다(Shokouhinejad *et al.* 2012a). 제조사에 따르면 EndoSequence RRM은 방사선 불투과성이 높고, 이상적인 작업시간(30분 이상)과 경화 시간을 갖고, 70~90Mpa의 강도를 보이는 염기성 물질이다(http://www.brasselerusa.com/brass/assets/File/B_3248_ES%20RRM%20NPR.pdf). In vitro 연구에서 근관내에 적용한 EndoSequence RRM은 흡수성 결손의 모델 표면에서 white ProRoot MTA와 비교하여 유의하게 적은 pH변화를 보였다(Hansen *et al.* 2011).

항균성

RRP와 RRM은 *E. faecalis*에 대해 white ProRoot MTA와 비슷한 정도의 항균성을 보였다(Lovato and Sedgley 2011).

밀폐성

*E. faecalis*를 이용한 세균 누출 실험 결과 EndoSequence Bioceramic Root-end Repair과 white ProRoot MTA는 유의한 차이를 보이지 않았다(Nair *et al.* 2011).

생체친화성

세포 배양 연구

성인 피부 섬유모세포 배양 연구에서 EndoSequence RRM는 white ProRoot MTA과 white AMTA와 유사한 세포독성을 보였다. 그러나 RRP는 RRM, white ProRoot MTA, white AMTA와 비교해서 초기 24시간 동안 유의하게 낮은 세포 생존력을 보였다(Damas *et al.* 2011). 이와 반대로 인간의 치은 섬유모세포와 관련한 또 다른 연구에서 gray ProRoot MTA, RRP, RRM 사이에 비슷한 세포 생존력을 보였다(Ma *et al.* 2011). 인간의 골모세포-유사세포(osteoblast-like cell) 연구에서 EndoSequence RRM, RRP와 ProRoot MTA는 세포의 성장과 형태에서 유의한 차이가 없었다. 이 연구에서 실험한 모든 물질은 세포 배양에서 cytokines (IL-1β, IL-6, IL-8)를 발현했다. 그 중에서 gray ProRoot MTA는 48시간 후에 RRP와 RRM보다 유의하게 많은 IL-6를 발현했다(Ciasca *et al.* 2012). 또 다른 인간의 피부 섬유모세포 배양 연구에서 RRP와 white AMTA는 5일까지 비슷한 세포 생존력을 보였으나 8일에는 RRP는 white AMTA보다 낮은 세포독성을 보여주었다(Hirschman *et al.* 2012).

osteoblast-like cell 연구에서 EndoSequence RRM은 세포의 생리활성과 alkaline phosphatase의 활동을 감소시켰지만 white ProRoot MTA는 영향을 주지 않았다(Modareszadeh *et al.* 2012). 반면에 white and gray ProRoot MTA, EndoSequence RRM에 대한 L929 쥐의 섬유모세포 배양 연구에서는 경화가 완료된 실험군과 혼합 직후(freshly mixed)의 실험군 사이에 유의한 차이가 없었다(Alanezi *et al.* 2010).

EndoSequence BC Sealer

EndoSequence BC Sealer는 미리 혼합되어 있고, 바로 사용 가능한 근관 실러로 근관 충전 시 single cone술식과 측방 가압 술식 모두에 사용할 수 있다(http://www.technomedics.no/Produkter/Endo/obturasjon/images/pdf/bcsealer/Bioceramic%20brosjyre.pdf).

화학적 조성

제조사의 물질안전보건자료(MSDS)에 따르면 EndoSequence BC Sealer는 산화지르코늄(zirconium oxide), 규산칼슘(calcium silicat), 제일인산칼슘(calcium phosphate monobasic), CH, 필러(filler), 증점제(thickening agents)로 이루어져 있다(http://www.technomedics.no/Produkter/Endo/obturas-jon/images/pdf/bcsealer/Bioceramic%20brosjyre.pdf).

물리적 성질

EndoSequence BC Sealer는 염기성 pH를 갖는다(Candeiro *et al.* 2012). 그리고 통상적인 재근관 치료 술식으로는 근관에서 완전히 제거할 수 없다(Hess *et al.* 2011). Candeiro 등은 Endosequence BC Sealer는 ISO 6876/2001 권고에 부합하는 방사선 불투과성과 흐름성을 보인다고 하였다. 또한 칼슘이온을 AH Plus보다 많이 방출한다.

생체 적합성

쥐의 골모세포 배양 연구에서 EndoSequence BC Sealer는 5주 이상 중등도의 세포독성을 유지했다(Loushine *et al.* 2011). 이 연구와는 반대로 L929 쥐 섬유모세포 배양 연구에서 EndoSequence BC

Sealer는 AH Plus와 Tubliseal보다 유의하게 낮은 세포 독성을 보였다(Zoufan *et al.* 2011).

결론적으로 EndoSequence Root Repair Material는 염기성이고 생체활성을 보이며, 미세한 입자 크기를 가진 방사선불투과성 물질이다. 지금까지 EndoSequence RRM에 대한 연구는 실험실 연구에 국한되어 왔으며, in vivo 와 인체 연구가 더 이루어져야 한다.

ProRoot Endo Sealer

ProRoot Endo Sealer (Dentsply Tulsa Dental Speciaies, Tulsa, OK, USA)는 액체-분말이 1:2비율로 혼합된 규산칼슘(calcium silicate) powder이다.

화학적 조성

분말은 주로 규산삼칼슘(tricalcium silicate), 규산이칼슘(dicalcium silicate), 황산칼슘(calcium sulfate,경화지연제), 산화 비스무스(bismuth oxide, 방사성 조영제) 그리고 적은 양의 알루민산 삼칼슘(tricalcium aluminate)으로 이루어져 있다. 액체는 물과 점성이 있는 수용성의 고분자로 이루어져 있다.

물리적 성질

이 실러는 특히, SBF(Synthetic Body Fluid)하에서 AH Plus와 Pulp Canal Sealer에 비해 변색에 대한 높은 저항성을 보여주었다(Huffman *et al.* 2009). 또한 ProRoot Endo Sealer는 인산염-함유-용액(phosphate-containing-fluid)하에서 ZOE 기반의 실러(Pulp Canal Sealer)보다 좋은 밀폐성을 보였으며, epoxy 기반의 실러(AH Plus)와는 비슷한 밀폐성을 보였다(Weller *et al.* 2008). ProRoot Endo Sealer는 STF(Synthetic Tissue Fluid)하에서 생체활성을 보여주었다(Weller *et al.* 2008; Huffman *et al.* 2009).

결론적으로 이 물질을 더 평가하기 위해서는 더 많은 실험실, in vivo , 임상 연구가 필요하다.

MTA Plus

화학적 조성

제조사에 따르면 MTA Plus (Prevest-Denpro, Jammu City, India)와 (Avalon Biomed Inc., Bradenton, FL, USA)는 ProRoot MTA, AMTA와 유사한 구성성분을 가지고 있으나, 더 미세한 입자 크기를 가지고 있고 한다.

제품 안에 두 가지 제형(formulation)으로 사용할 수 있도록 출시되었으며, 물 그리고 Wash-out성질을 개선하기 위한 gel이 혼합 용액으로 포함되어있다(Formosa *et al.* 2013).

물리적 성질

연구 결과 MTA Plus의 두 가지 제형 모두(물 또는 수용성 젤) AMTA보다 유의하게 적은 wash-out을 보여주었다. Anti-washout 제형의 MTA Plus는(수용성 젤을 첨가한) modified wash-out 시험에서 재료의 소실이 감소되었다(Formosa *et al.* 2013). 상아질의 강도에 대한 MTA Plus의 영향을 알아본 실험 결과에서는 상아질의 굽힘 강도(flexural strength)를 약화시켰다. 이러한 원인은 실험을 진행했던 3개월의 기간 동안 collagen 섬유의 부분적인 분해(degradation)가 일어났기 때문일 것이다(Leiendecker *et al.* 2012; Sawyer *et al.* 2012).

결론적으로 초기 연구 결과가 고무적이긴 하지만, 이 물질의 효용성을 제대로 평가하기 위해서는 더 많은 실험실, in vivo, 임상 연구가 필요하다.

OrthoMTA

OrthoMTA (BioMTA, Seoul, Korea)는 최근에 소개된 근관충전을 위한 물질이다. 제조사에 따르면 OrthoMTA는 생체활성을 가지며, 근관의 상아질 벽과 기계적, 화학적 결합을 형성하여 밀폐성을 향상시킨다. 입자크기가 2μm보다 작아 상아세관으로 침투할 수 있고, 근관 충전에 있어 누출 저항성(leakage resistance)을 향상시킬 수 있다(http://www.biomta.com).

화학적 조성

ProRoot MTA의 비소 함량은 1.16ppm이다(ISO specification 9917-1 요구사항에 따르면 2ppm 이하여야 한다.). 그러나 OrthoMTA에서는 비소가 검출되지 않았다. ProRoot MTA와 OrthoMTA 모두 Cr^{6+}, 납(Pb)이 함유되어 있지 않다(Chang *et al.* 2011). OrthoMTA에는 ProRoot MTA에 비해 크롬, 카드늄, 구리, 철, 망간, 니켈등이 유의성 있게 적다. 하지만 아연의 농도는 유의성 있게 많다(Kum *et al.* 2013).

생체친화성

세포 배양 연구

MG-63 세포를 이용한 최근 연구에서 ProRoot MTA와 OrthoMTA는 24시간 후 세포 생존력(viability)에 유의한 차이가 없었다. 그러나 4일과 7일에는 OrthoMTA가 ProRoot MTA에 비해 유의하게 낮은 세포 생존력을 보였다(Lee B.N. *et al.* 2012). 그런데 OrthoMTA는 MDPC 23 세포 배양에서 dentin sialophosphoprotein의 발현을 증가시켰다(Lee W. *et al.* 2012).

결론적으로 OrthoMTA는 ProRoot MTA에 비해 미량 원소의 함량이 적다. 하지만 밀폐성과 경조직의 유도(induction)와 전도(conduction)에 대해서 추가적인 in vivo, 임상 연구가 필요하다.

MTA Bio

화학적 조성

MTA Bio (Angelus; Londrina, or Angelus Solucoes Odontologicas, PR, Brazil)는 80%의 PC와 20%의 bismuth oxide로 이루어져 있다(Gongalves *et al.* 2010; Borges *et al.* 2011). 이 물질은 구성성분에 비소가 포함되는 것을 막기 위하여 실험실에서 만들어졌다(Vivan *et al.* 2010). 그러나 De-Deus와 동료들에 의하면 8.6 ± 0.85 ppm의 type III 비소가 함유되어 있으며, 이는 white와 gray ProRoot MTA, white 와 gray AMTA보다 많은 양이다(De-Deus *et al.* 2009a). 그렇지만 유리되는 비소이온의 양은 white ProRoot MTA와 비교해서 유의한 차이가 없었다(Gonsalves *et al.* 2010).

물리적 성질

MTA Bio의 초기 경화시간은 11분, 최종경화시간은 23.33분으로 보고되었다(Vivan *et al.* 2010). 물질의 용해도는 AMTA와 비슷하다. MTA Bio는 white ProRoot MTA와 유사한 염기성 pH를 갖는다(Gongalves *et al.* 2010). 저장용액 하에서 MTA Bio의 pH는 light-cured MTA보다 유의하게 높았다(Vivan *et al.* 2010). MTA Bio는 AMTA보다 낮은 방사선 불투과성을 보인다. 하지만 light-cured MTA (Vivan et al 2009), gray와 white PC (Borges *et al.* 2011) 보다는 유의하게 높은 방사성 조영성을 가지고 있다. MTA Bio의 방사선 불투과성은 3.93±0.22mm Al이며, white와 gray ProRoot MTA와 유의한 차이는 없었다. MTA Bio는 근관 실러로서 방사선불투과성과 관련된 ANSI/ADA specification 57/2000와 ISO 6876/2001의 요구사항을 충족시킨다(Borges *et al.* 2011). MTA Bio의 압출결합 강도(push-out bond strength)는 PBS 용액하에서 ProRoot MTA와 AMTA의 결합력과 유의한 차이가 없었다. 압출결합 강도 비교에서 모든 종류의 MTA가 PC보다 유의하게 높았다(Reyes-Carmona 2010). 치과 재료의 물리적 성질 중 하나는 이온의 농도와 직접 관련이 있는 전기 전도율(electrical conductivity)이다. 이온의 농도는 물질의 용해도와 직접적인 상관관계가 있다. MTA Bio, PC, white ProRoot MTA 간의 전기 전도율은 유의한 차이가 없었다(Gonsalves *et al.* 2010). MTA Bio는 경화 후 24시간에서 168시간에 AMTA와 비교해서 더 많은 칼슘 이온을 방출했다(Vivan *et al.* 2010). 또한 white ProRoot MTA와 비교 시에도 더 많은 칼슘이온을 유리시켰다(Gonsalves *et al.* 2010).

생체적합성

세포 배양 연구

MTA Bio는 AMTA에 비해 보다 다공성이며, 균일하지 않은 표면을 갖는다. Odontoblast-like cell 배양을 이용한 연구에서도 MTA Bio와 white AMTA, 대조군은 유의한 차이점을 보이지 않았다(Lessa *et al.* 2010).

피하이식

in vivo 연구에서 생체활성을 보였으며, AMTA와 유사하고 PC보다는 나은 상아세관내 광화(mineralization)를 보였다. 또한 피하이식 후 30일과 60일에도 AMTA처럼 biomineralization을 보였다(Dreger *et al.* 2012).

결론적으로 MTA Bio는 염기성이며, 생체활성이 있고, 짧은 경화시간(초기 및 최종)을 갖는 독성이 없는 물질이다. 이 물질의 생체활성과 세포 생존력에 대한 좋은 결과에도 불구하고, 추가적인 평가를 위해서는 더 많은 실험실, in vivo, 임상 연구가 시행되어야 한다.

MTA Sealer (MTAS)

화학적 조성과 물리적 성질

MTA sealer로는 두 가지 서로 다른 실러가 알려져 있다. 첫 번째는 Camilleri와 동료들(2011a)에 의해 소개된 것으로, 80%의 white PC(Aalborg White, Aalborg, Denmark)와 20%의 bismuth oxide (Fischer Scientific, Leicester, UK)로 이루어져 있다(Fischer Scientific, Leicester, UK). 이 MTAS는 PBS 하에서 칼슘이온을 방출하고 물질 표면에 인산칼슘 결정(calcium phosphate cystral)을 형성할 수 있는 잠재성을 가지고 있는 생체활성물질이다. 밀폐성은 pulp canal sealer와 비슷하다.

두 번째 MTA 실러는 브라질에서 만들어진 것으로 PC와, 산화 지르코늄(zirconium oxide)(방사선조영제), 염화칼슘, 레진계 전달물질(resinous vehicle)로 이루어져 있다. 이 실러는 분말-액체 질량비율을 5 대 3으로 혼합한다. 초기경화시간은 535±29.5분, 최종 경화시간은 982.5±53.46분이다. 실러가 경화되는 48시간까지 white AMTA보다 높은 pH를 보였으며, 혼합 후 28일까지 방출한 칼슘 이온의 양은 white AMTA보다 많다(Massi *et al.* 2011). 피하 이식 반응은 MTAS, white AMTA와 PC 모두 유사하다(Viola *et al.* 2012).

이 물질의 안전성과 효용성을 평가하기 위해서는 더 많은 실험실, in vivo , 임상 연구가 필요해 보인다.

Fluoride-Doped MTA Cement

Fluoride-doped MTA (FMTA)는 새로운 근관 실러이다.

화학적 조성

이 물질은 NaF (sodium fluoride)에 white PC, 무수석고, bismuth oxide를 혼합한 것이다. 조성 중

에 NaF는 유지력을 증가시키고 팽창을 유도한다(Gandolfi and Prati 2010). MTA에 NaF와 $CaCl_2$의 첨가는 칼슘이온 유리, 생체활성, 인(phosphorus)이 존재하는 환경에서 불화인회석(fluoroapatite) 형성에 대한 특성을 개선시킨다.

물리적 성질

FMTA는 조사한 28일 동안 염기성 pH를 나타냈다(Gandolfi *et al.* 2011).

밀폐성

articaine 마취액과 혼합한(분말/액체 질량비 2.8) FMTA를 6개월간 fluid filtration test를 통해 밀폐성을 평가한 실험에서 AH Plus실러와 warm gutta-percha 비교군과 유사한 결과를 보였다(Gandolfi and Prati 2010).

이 물질의 효용성을 확실히 하기 위해서는 실험실과 임상연구가 더 필요하다.

Capasio

화학적 조성과 물리적 성질

Capasio (Primus Consulting, Bradenton, FL)는 새로운 calcium silicate이며 산에 대한 저항성을 향상시키고(감염된 부위의 낮은 pH는 MTA의 경화를 방해할 수 있다) 작업시간을 줄이기 위해 기존과 다른 calcium cement를 사용하여 새로운 경화 반응을 적용했다(Porter *et al.* 2010). Capasio는 calcium-phosphor-alumino silicate를 기반으로 한 cement로 분말과 용액으로 구성되어 있다. 분말에는 수산화인회석(hydroxyapatite)과 방사성 조영제로 산화비스무스가 들어 있다(Washington *et al.* 2011). Capasio는 경화 후에 염기성을 띠고, 조작성이 개선되었으며, white ProRoot MTA에 비해 씻김 저항성이 향상되었다. 경화시간은 2.5시간이며, 방사선불투과성은 white ProRoot MTA보다 떨어지지만 ISO 6876/2001의 요구사항은 만족시킨다. 압축 강도는 white ProRoot MTA보다 조금 높다. white ProRoot MTA과 비교하면 경화 후에 접착되는(adhesive) 듯이 보이며, pH는 white ProRoot MTA보다 낮다(Porter *et al.* 2010). Capasio는 생체활성물질로, 합성 조직액(STF)하에서 white ProRoot MTA처럼 인회석 결정이 관찰된다. SEM 연구에서는 Capasio가 ProRoot MTA보다 상아세관내로의 침투력이 유의하게 좋은 것으로 보고되었다(Bird *et al.* 2012). 세포 배양 연구에서는 골모세포의 성장을 관찰하지 못했다(Washington *et al.* 2011).

결론적으로 물리적 성질은 유망하지만, 생체친화성은 의문스럽다.

Generex A

화학적 조성과 물리적 성질

Generex-A (Dentsply Tulsa Dental Specialties, Tulsa, OK)는 white ProRoot MTA보다 미세한 분말 성분으로 구성된 규산칼슘을 기반으로 한 물질이다. 혼합용 gel을 사용하여 조작성이 향상되고 작업시간이 짧아졌다(Porter *et al.* 2010). 수산화인회석(hydroxyapatite)과 산화 비스무스를 포함하고 있으며(Washington *et al.* 2011), 경화 후에는 염기성을 나타낸다(white ProRoot MTA보다는 낮다). 씻김 저항성은 white ProRoot MTA보다 높다. 경화 시간은 75분이다. 방사선 불투과성은 white ProRoot MTA보다는 낮지만 ISO 6876/2001의 요구사항을 충족시킨다. 압축 강도는 white ProRoot MTA보다 높다(Porter *et al.* 2010).

생체친화성

세포배양 연구

세포 배양 연구 결과 white ProRoot MTA처럼 골모세포의 성장을 돕는다. 최근에 소개된 Generex B는 초반에는 골모세포의 성장을 보였지만, 3일째에는 성장이 멈추었고 6일째에는 세포가 거의 보이지 않았다(Washington *et al.* 2011).

결론적으로 이 물질의 효용성을 적절히 분석하기 위해서는 실험실과 임상연구가 더 필요하다.

Ceremicrete-D

화학적 조성과 물리적 성질

Ceramicrete-D (Tulsa Dental Specialties/Argonne National Laboratory, Argonne,IL)는 수산화인회석(hydroxyapatite) 분말, phosphosilicate ceramic, cerium oxide filler(방사성 조영제)로 이루어진 self-setting 물질이다(Tay and Loushine 2007). 또한 산화 비스무스를 조영제로 포함하고 있다(Washington *et al.* 2011). 이 물질의 pH는 두 개의 연구에서 매우 상이하게 보고되었는데, Tay와 Loushine (2007)는 염기성 pH를 보고했고, Porter와 동료들(Porter *et al.* 2010)은 매우 낮은 pH (2.2)를 보고했다. Ceramicrete-D의 방사선불투과성은 치근 상아질과 비슷하고(Tay and Loushine 2007) ISO 6876/2001를 충족시키지만, white ProRoot MTA보다는 약하다. 조작성과 씻김 저항성은 white ProRoot MTA보다 좋다. 경화시간은 150분이며, 압축강도는 white ProRoot MTA보다 떨어진다(Porter *et al.* 2010).

Phosphate를 함유한 용액하에서 생체활성을 나타내며, white ProRoot MTA보다 유의하게 좋은 밀폐성을 보인다(Tay and Loushine 2007). 골모세포의 성장을 보이지 않기 때문에 생체친화성은 의문의 여지가 있다(Washington *et al.* 2011).

결론적으로 Ceramicrete-D의 생체친화성은 의심스러워 보인다.

Nano-Modified MTA (NMTA)

화학적 조성과 물리적 성질

WMTA의 nano-modification형태인 NMTA (Kamal Asgar Research Center, US patent #13/211,880)는 white ProRoot MTA와 조성이 비슷하다. 더욱 미세한 입자 크기를 가지고 있기 때문에 original MTA보다 더 빠르고, 완전한 수화과정이 진행될 것이다. 또한 산성 환경에서 저항성을 개선하기 위하여 적은 양의 스트론튬(strontium)이 첨가 되었다. 산성과 중성 조건하에서 NMTA의 표면 미세경도는 white ProRoot MTA보다 유의하게 높은 값을 보여주었다. NMTA의 경화시간은 6±1분이고, white ProRoot MTA에 비해 미세경도가 높고, 표면의 다공성이 작을 뿐만 아니라 더 넓은 표면적을 가진다. NMTA의 압출결합 강도는 white AMTA, BA보다 유의하게 높다(Saghiri *et al.* 2013).

결론적으로 이 물질은 아직 시장에 출시되지 않았기 때문에, 물리적 성질에 대한 제한된 연구만이 존재한다. 따라서 추가적인 실험실, in vivo, 임상연구가 필요하다.

Light-Cured MTA

화학적 조성과 물리적 성질

Light-cured MTA (Bisco, Itasca, IL)는 AeroSil (8.0%), 레진(42.5%), MTA (44.5%), 황산 바륨(barium sulfate)(5.0%)를 함유한 시험적인 물질이다(Gomes-Filho *et al.* 2008).

Light-cured MTA는 MTA Bio보다 유의하게 향상된 초기 및 최종 경화시간을 보인다(Vivan *et al.* 2010). AMTA, MTA Bio, Clinker PC보다 방사선 불투과성은 높지만 ISO 6876/2001의 요건을 만족시키지는 못한다(Vivan etal. 2009).

생체친화성

피하이식

피하 이식 실험에서 이 물질은 30일째 AMTA보다 더 강한 만성 염증반응을 보였지만, 60일에는 유사한 염증 반응을 보였다. 그러나, AMTA와는 다르게 이식 후 60일까지 석회화(calcification)를 일으키지는 못했다(Gomes-Filho *et al.* 2008). Light-cured MTA를 fresh 발치와에 이식한 실험에서는 AMTA와 유사한 골 반응을 보였다 observed (Gomes-Filho *et al.* 2010, 2011).

Theracal (Bisco Inc, Schamburg, IL, USA)로 출시된 새로운 light-cured MTA는 type III 포틀랜

드 시멘트, 방사성 조영물질, 친수성 증점제(thickening agent)로 fumed silica, 그리고 레진을 함유하고 있으며 치수복조를 그 용도로 하고 있다. 이 물질은 저장 용액하에서 염기성 pH, 낮은 용해도, ProRoot MTA와 Dycal보다 높은 칼슘 이온을 방출한다. 하지만 Theracal은 white ProRoot MTA보다 유의성 있게 물의 흡수가 적다. 방사선 불투과성은 white ProRoot MTA보다 떨어지며, ISO 6876/2001를 충족시키지 못한다(Gandolfi *et al.* 2012).

다양한 임상적용에서 효용성을 평가하기 위해서는 더 많은 연구가 필요하다.

Calcium Silicate (CS)

화학적 조성과 물리적 성질

CS는 시험적인 근관 실러로, 분말은 규산 삼칼슘(tricalcium silicate), 규산 이칼슘(dicalcium silicate), 황산 칼슘(calcium sulfate, 경화지연제), 산화 비스무스(bismuth oxide, 방사선 조영제), 적은 양의 알루민산 삼칼슘(tricalcium aluminate)으로 이루어져 있고, 액체는 점성이 있는 수용성 고분자로 이루어져 있다. CS는 CH를 생성하며, 경화 시 칼슘이온과 수산화 이온을 유리하여 결과적으로 합성조직액(STF)하에서 표면에 인회석(apatite) 구조를 형성한다. 세포 배양 연구에 따르면 경화된 CS는 일주일 후 세포독성이 최소화되어 AH Plus보다 독성이 작다. 이 물질은 white ProRoot MTA와 비슷하게 alkaline phosphatase의 활성을 보인다(Bryan *et al.* 2010).

Endocem

Endocem (Maruchi,Wonju, Korea)은 최근에 소개된 MTA 유사 물질이다(Choi *et al.* 2013).

화학적 조성과 물리적 성질

제조사에 따르면 Endocem은 질량비로 CaO (46.7%), $A1_2O_3$ (5.43%), SiO_2 (12.8%), MgO (3.03%), Fe_2O_3 (2.32%), SO_3(2.36%), TiO_2 (0.21%), H_2O/CO_2 (14.5%), Bi_2O_3 (11%)로 이루어져 있다. 초기 경화 시간은 120±30초, 최종 경화시간은 240±30초로 ProRoot MTA에 비해 빠르다. 씻김 저항성이 ProRoot MTA보다 크다. Endocem의 빠른 경화 성질은 포졸란 시멘트(pozzolan cement)의 작은 입자크기 때문이다(Choi *et al.* 2013).

생체친화성

세포배양 연구

MG63 세포배양에서 Endocem과 ProRoot MTA 모두 유사한 세포 성장과 형태를 보였다. Alizarin red S staining에 근거하면 Endocem과 ProRoot MTA은 세포 배양실험에서 mineralized nodule의 유의한 증가를 보였다. 또한 두 실험군 모두 같은 세포배양하에서 osteopontin과 bone sialoprotein의 mRNA 발현을 증가시켰다(Choi *et al.* 2013).

결론적으로 Endocem은 새롭게 소개된 MTA 유사 물질로서 다양한 물리적 성질, 항균성, 생체친화성, in vivo, 임상 적용에 관한 폭 넓은 연구가 필요하다.

다른 실험적인 MTA 유사 혼합물들

Aureoseal MTA (Giovanni Ogna and Figli, Muggio, Milano, Italy)와 같은 다른 물질에 대한 제한적인 문헌이 있다(Taschieri *et al.* 2010).

결론

많은 종류의 Calcium silicate-based cement(MTA유사 물질)가 시장에 출시되었음에도, 대부분은 포괄적으로 연구되지 못했다. 안전 유효성, 생체친화성과 관련된 in vivo와 in vitro 상의 추가적인 연구가 필요하다.

참고문헌

Abbasipour, F., Akheshteh, V., Rastqar, A., *et al.* (2012) Comparison the cellular effects of mineral trioxide aggregate and calcium enriched mixture on neuronal cells: An electrophysiological approach. *Iranian Endodontic Journal* **7**, 79–87.

Akbari, M., Rouhani, A., Samiee, S., *et al.* (2012) Effect of dentin bonding agent on the prevention of tooth discoloration produced by mineral trioxide aggregate. *International Journal of Dentistry* **563**, 203.

Al-Hezaimi, K., Salameh, Z., Al-Fouzan, K., *et al.* (2011a) Histomorphometric and micro-computed tomography analysis of pulpal response to three different pulp capping materials. *Journal of Endodontics* **374**, 507–12.

Al-Hezaimi, K., Al-Tayar, B.A., Bajuaifer, Y.S., *et al.* (2011b) A hybrid approach to direct pulp capping by using emdogain with a capping material. *Journal of Endodontics* **37**, 667–72.

Alanezi, A.Z., Jiang, J., Safavi, K.E., *et al.* (2010) Cytotoxicity evaluation of endosequence root repair material. *Oral Surgery Oral Medicine Oral Pathology Oral Radiology Endodontics* **109**, e122–5.

Amin, S.A., Seyam, R.S., El-Samman, M.A. (2012) The effect of prior calcium hydroxide intracanal placement on the bond strength of two calcium silicate-based and an epoxy resin-based endodontic sealer. *Journal of Endodontics* **38**, 696–9.

Amini Ghazvini, S., Abdo Tabrizi, M., Kobarfard, F., *et al.* (2009) Ion release and pH of a new endodontic cement, MTA and Portland cement. *Iranian Endodontic Journal* **4**, 74–8.

Asgary, S. (2009) Autogenous transplantation of mandibular third molar to replace vertical root fractured tooth. *Iranian Endodontic Journal* **4**, 117–21.

Asgary, S. (2010) Furcal perforation repair using calcium enriched mixture cement. *Journal of Conservative Dentistry* **13**, 156–8.

Asgary, S. (2011) Management of a hopeless mandibular molar: A case report. *Iranian Endodontic Journal* **6**, 35–8.

Asgary, S., Ahmadyar, M. (2012) One-visit endodontic retreatment of combined external/internal root resorption using a calcium-enriched mixture. *General Dentistry* **60**, e244–8.

Asgary, S., Eghbal, M.J. (2007) Root canal obturation of an open apex root with calcium enriched mixture. *International Journal of Case Reports and Images* **3**, 50–2.

Asgary, S., Eghbal, M.J. (2010) The effect of pulpotomy using a Calcium-Enriched Mixture cement versus one-visit root canal therapy on postoperative pain relief in irreversible pulpitis: a randomized clinical trial. *Odontology* **98**, 126–33.

Asgary, S., Eghbal, M.J. (2012) Root canal obturation of an open apex root with calcium enriched mixture. *International Journal of Case Reports and Images* **3**, 50–2.

Asgary, S., Eghbal, M.J. (2013) Treatment outcomes of pulpotomy in permanent molars with irreversible pulpitis using biomaterials: A multi-center randomized controlled trial. *Acta Odontologica Scandinavica* **71**, 130–6.

Asgary, S., Ehsani, S. (2009) Permanent molar pulpotomy with a new endodontic cement: A case series. *Journal of Conservative Dentistry* **12**, 31–6.

Asgary, S., Kamrani, F.A. (2008) Antibacterial effects of five different root canal sealing materials. *Journal of Oral Science* **50**, 469–74.

Asgary, S., Parirokh, M., Eghbal, M.J., *et al.* (2004) A comparative study of mineral trioxide aggregate and white Portland cements using x-ray analysis. *Australian Endodontic Journal* **30**, 86–9.

Asgary, S., Parirokh, M., Eghbal, M., *et al.* (2005) Chemical differences between white and grey mineral trioxide aggregate. *Journal of Endodontics* **31**, 101–3.

Asgary, S., Eghbal, M.J., Parirokh, M., *et al.* (2006a) Sealing ability of three commercial mineral trioxide aggregates and an experimental root-end filling material. *Iranian Endodontic Journal* **1**, 101–5.

Asgary, S., Parirokh, M., Eghbal, M.J., *et al.* (2006b) SEM evaluation of pulp reaction to different pulp capping materials in dog's teeth. *Iranian Endodontic Journal* **1**, 117–22.

Asgary, S., Akbari Kamrani, F., Taheri, S. (2007) Evaluation of antimicrobial effect of mineral trioxide aggregate, calcium hydroxide, and CEM cement. *Iranian Endodontic Journal* **2**, 105–9.

Asgary, S., Eghbal, M.J., Parirokh, M. (2008a) Sealing ability of a novel endodontic cement as a root-end filling material. *Journal of Biomedical Material Research Part A* **87**, 706–9.

Asgary, S., Eghbal, M.J., Parirokh, M., *et al.* (2008b) A comparative study of histologic response to different pulp capping materials and a novel endodontic cement. *Oral Surgery Oral Medicine Oral Pathology Oral Radiology Endodontics* **106**, 609–14.

Asgary, S., Eghbal, M.J., Parirokh, M., *et al.* (2009a) Effect of two storage solutions on surface topography of two root-end fillings. *Australian Endodontic Journal* **35**, 147–52.

Asgary, S., Eghbal, M.J., Parirokh, M., *et al.* (2009b) Comparison of mineral trioxide aggregate's composition with Portland cements and a new endodontic cement. *Journal of Endodontics* **35**, 243–50.

Asgary, S., Eghbal, M.J., Ehsani, S. (2010) Periradicular regeneration after endodontic surgery with calcium-enriched mixture cement in dogs. *Journal of Endodontics* **36**, 837–41.

Asgary, S., Nosrat, A., Seifi, A. (2011a) Management of inflammatory external root resorption using Calcium Enriched Mixture cement. *Journal of Endodontics* **37**, 411–3.

Asgary, S., Kheirieh, S., Soheilipour, E. (2011b) Particle size of a new endodontic cement compared to MTA and Portland cement. *Biointerface Research in Applied Chemistry* **1**, 83–8.

Asgary, S., Moosavi, S.H., Yadegari, Z., *et al.* (2012) Cytotoxic effect of MTA and CEM cement in human gingival fibroblast cells. Scanning electronic microscope evaluation. *The NewYork State Dental Journal* **78**, 51–4.

Asgary, S., Eghbal, M.J., Ghoddusi, J., *et al.* (2013) One-year results of vital pulp therapy in permanent molars with irreversible pulpitis: an ongoing multicenter, randomized, non-inferiority clinical trial. *Clinical Oral Investigation* **17**, 431–9.

Asgary, S., Shahabi, S., Jafarzadeh, T., *et al.* (2008c) The properties of a new endodontic material. *Journal of Endodontics* **34**, 990–3.

Assmann, E., Scarparo, R.K., Böttcher, D.E., *et al.* (2012) Dentin bond strength of two mineral trioxide aggregate-based and one epoxy resin-based sealers. *Journal of Endodontics* **38**, 219–21.

Bidar, M., Disfani, R., Gharagozlo, S., *et al.* (2011) Effect of previous calcium hydroxide dressing on the sealing properties of the new endodontic cement apical barrier. *European Journal of Dentistry* **5**, 260–4.

Bin, C.V., Valera, M.C., Camargo, S.E., *et al.* (2012) Cytotoxicity and genotoxicity of root canal sealers based on mineral trioxide aggregate. *Journal of Endodontics* **38**, 495–500.

Bird, D.C., Komabayashi, T., Guo, L., *et al.* (2012) In vitro evaluation of dentinal tubule penetration and biomineralization ability of a new root-end filling material. *Journal of Endodontics* **38**, 1093–6.

Borges, A.H., Pedro, .FL., Miranda, C.E., et al. (2010) Comparative study of physico-chemical properties of MTA-based and Portland cements. *Acta Odontológica Latinoamericana* **23**, 175–81.

Borges, A.H., Pedro, F.L., Semanoff-Segundo, A., *et al.* (2011) Radiopacity evaluation of Portland and MTA-based cements by digital radiographic system. *Journal of Applied Oral Science* **19**, 228–32.

Borges, R.P., Sousa-Neto, M.D., Versiani, M.A., *et al.* (2012) Changes in the surface of four calcium silicate-containing endodontic materials and an epoxy resin-based sealer after a solubility test. *International Endodontic Journal* **45**, 419–28.

Bortoluzzi, E.A., Arau´jo, G.S., Guerreiro Tanomaru, J.M., *et al.* (2007) Marginal gingiva discoloration by gray MTA: a case report. *Journal of Endodontics* **33**, 325–7.

Bryan, T.E., Khechen, K., Brackett, M.G., *et al.* (2010) In vitro osteogenic potential of an experimental calcium silicate-based root canal sealer. *Journal of Endodontics* **36**, 1163–9.

Camilleri, J. (2008) Characterization and chemical activity of Portland cement and two experimental cements with potential for use in dentistry. *International Endodontic Journal* **41**, 791–9.

Camilleri, J. (2010) Evaluation of the physical properties of an endodontic Portland cement incorporating alternative radiopacifiers used as root-end filling material. *International Endodontic Journal* **43**, 231–40.

Camilleri, J. (2011) Evaluation of the effect of intrinsic material properties and ambient conditions on the dimensional stability of white mineral trioxide aggregate and Portland cement. *Journal of Endodontics* **37**, 239–45.

Camilleri, J., Gandolfi, M.G., Siboni, F., *et al.* (2011a) Dynamic sealing ability of MTA root canal sealer. *International Endodontic Journal* **44**, 9–20.

Camilleri, J., Cutajar, A., Mallia, B. (2011b) Hydration characteristics of zirconium oxide replaced Portland cement for use as a root-end filling material. *Dental Materials* **27**, 845–54.

Camilleri, J., Kralj, P., Veber, M., *et al.* (2012) Characterization and analyses of acid-extractable and leached trace elements in dental cements. *International Endodontic Journal* **45**, 737–43.

Candeiro, G.T., Correia, F.C., Duarte, M.A., *et al.* (2012) Evaluation of radiopacity, pH, release of calcium ions, and flow of a bioceramic root canal sealer. *Journal of Endodontics* **38**, 842–5.

Carvalho, F.B., Gonçalves, P.S., Lima, R.K., *et al.* (2013) Use of cone-beam tomography and digital subtraction radiography for diagnosis and evaluation of traumatized teeth treated with endodontic surgery and MTA. A case report. *Dental Traumatology* **29**, 404–9.

Chang, S.W., Shon, W.J., Lee, W., *et al.* (2010) Analysis of heavy metal contents in gray and white MTA and 2 kinds of Portland cement: a preliminary study. *Oral Surgery Oral Medicine Oral Pathology Oral Radiology Endodontics* **109**, 642–6.

Chang, S.W., Baek, S.H., Yang, H.C., *et al.* (2011) Heavy metal analysis of ortho MTA and ProRoot MTA. *Journal of Endodontics* **37**, 1673–6.

Chedella, S.C., Berzins, D.W. (2010) A differential scanning calorimetry study of the setting reaction of MTA. *International Endodontic Journal* **43**, 509–18.

Choi, Y., Park, S.J., Lee, S.H., *et al.* (2013) Biological effects and washout resistance of a newly developed fast-setting pozzolan cement. *Journal of Endodontics* **39**, 467–72.

Ciasca, M., Aminoshariae, A., Jin, G., *et al.* (2012) A comparison of the cytotoxicity and proinflammatory cytokine production of EndoSequence root repair material and ProRoot mineral trioxide aggregate in human osteoblast cell culture using reverse-transcriptase polymerase chain reaction. *Journal of Endodontics* **38**, 486–9.

Cutajar, A., Mallia, B., Abela, S., *et al.* (2011) Replacement of radiopacifier in mineral trioxide aggregate; characterization and determination of physical properties. *Dental Materials* **27**, 879–91.

D'Antò, V., Di Caprio, M.P., Ametrano, G., *et al.* (2010) Effect of mineral trioxide aggregate on mesenchymal stem cells. *Journal of Endodontics* **36**, 1839–43.

da Silva, G.F., Guerreiro-Tanomaru, J.M., Sasso-Cerri, E., *et al.* (2011) Histological and histomorphometrical evaluation of furcation perforations filled with MTA, CPM and ZOE. *International Endodontic Journal* **44**, 100–10.

Damas, B.A., Wheater, M.A., Bringas, J.S., *et al.* (2011) Cytotoxicity comparison of mineral trioxide aggregates and EndoSequence bioceramic root repair materials. *Journal of Endodontics* **37**, 372–5.

Dammaschke, T., Gerth, H.U., Züchner, H., *et al.* (2005) Chemical and physical surface and bulk material characterization of white ProRoot MTA and two Portland cements. *Dental Materials* **21**, 731–8.

De-Deus, G., de Souza, M.C., Sergio Fidel, R.A., *et al.* (2009a) Negligible expression of arsenic in some commercially available brands of Portland cement and mineral trioxide aggregate. *Journal of Endodontics* **35**, 887–90.

De-Deus, G., Canabarro, A., Alves, G., *et al.* (2009b) Optimal cytocompatibility of a bioceramic nanoparticulate cement in primary human mesenchymal cells. *Journal of Endodontics* **35**, 1387–90.

De-Deus, G., Canabarro, A., Alves, G.G., *et al.* (2012) Cytocompatibility of the ready-to-use bioceramic putty repair cement iRoot BP Plus with primary human osteoblasts. *International Endodontic Journal* **45**, 508–13.

de Vasconcelos, B.C., Bernardes, R.A., Cruz, S.M., *et al.* (2009) Evaluation of pH and calcium ion release of new root-end filling materials. *Oral Surgery Oral Medicine Oral Pathology Oral Radiology Endodontics* **108**, 135–9.

dos Santos, C.L., Saito, C.T., Luvizzuto, E.R., *et al.* (2011) Influence of a parafunctional oral habit on root fracture development after trauma to an immature tooth. *Journal of Craniofacial Surgery* **22**, 1304–6.

Dreger, L.A., Felippe, W.T., Reyes-Carmona, J.F., *et al.* (2012) Mineral trioxide aggregate and Portland cement promote biomineralization in vivo. *Journal of Endodontics* **38**, 324–9.

El Sayed, M., Saeed, M. (2012) In vitro comparative study of sealing ability of Diadent BioAggregate and other root-end filling materials. *Journal of Conservative Dentistry* **15**, 249–52.

Fallahinejad Ghajari, M., Asgharian Jeddi, T., Iri, S., *et al.* (2010) Direct pulp-capping with calcium enriched mixture in primary molar teeth: a randomized clinical trial. *Iranian Endodontic Journal* **1**, 1–4.

Fayazi, S., Ostad, S.N., Razmi, H. (2011) Effect of ProRoot MTA, Portland cement, and amalgam on the expression of fibronectin, collagen I, and TGFβ by human periodontal ligament fibroblasts in vitro. *Indian Journal of Dental Research* **22**, 190–4.

Formosa, L.M., Mallia, B., Bull, T., *et al.* (2012) The microstructure and surface morphology of radiopaque tricalcium silicate cement exposed to different curing conditions. *Dental Materials* **28**, 584–95.

Formosa, L.M., Mallia, B., Camilleri, J. (2013) A quantitative method for determining the antiwashout characteristics of cement-based dental materials including mineral trioxide aggregate. *International Endodontic Journal* **46**, 179–86.

Gandolfi, M.G., Prati, C. (2010) MTA and F-doped MTA cements used as sealers with warm gutta-percha. Long-term study of sealing ability. *International Endodontic Journal* **43**, 889–901.

Gandolfi, M.G., Taddei, P., Tinti, A., *et al.* (2010) Kinetics of apatite formation on a calcium-silicate cement for root-end filling during ageing in physiological-like phosphate solutions. *Clinical Oral Investigation* **14**, 659–68.

Gandolfi, M.G., Taddei, P., Siboni, F, *et al.* (2011) Fluoride-containing nanoporous calcium-silicate MTA cements for endodontics and oral surgery: early fluorapatite formation in a phosphate-containing solution. *International Endodontic Journal* **44**, 938–49.

Gandolfi, M.G., Siboni, F., Prati, C. (2012) Chemical-physical properties of TheraCal, a novel light-curable MTA-like material for pulp capping. *International Endodontic Journal* **45**, 571–9.

Ghoddusi, J., Tavakkol Afshari, J., Donyavi, Z., *et al.* (2008) Cytotoxic effect of a new endodontic cement and mineral trioxide aggregate on L929 line culture. *Iranian Endodontic Journal* **3**, 17–23.

Ghorbani, Z., Kheirieh, S., Shadman, B., *et al.* (2009) Microleakage of CEM cement in two different media. *Iranian Endodontic Journal* **4**, 87–90.

Gomes-Filho, J.E., de Faria, M.D., Bernabé, P.F., *et al.* (2008) Mineral trioxide aggregate but not light-cure mineral trioxide aggregate stimulated mineralization. *Journal of Endodontics* **34**, 62–5.

Gomes-Filho, J.E., Watanabe, S., Bernabé, P.F., *et al.* (2009a) A mineral trioxide aggregate sealer stimulated mineralization. *Journal of Endodontics* **35**, 256–60.

Gomes-Filho, J.E., Rodrigues, G., Watanabe, S., *et al.* (2009b) Evaluation of the tissue reaction to fast endodontic cement (CER) and Angelus MTA. *Journal of Endodontics* **35**, 1377–80.

Gomes-Filho, J.E., Watanabe, S., Gomes, A.C., *et al.* (2009c) Evaluation of the effects of endodontic materials on fibroblast viability and cytokine production. *Journal of Endodontics* **35**, 1577–9.

Gomes-Filho, J.E., de Moraes Costa, M.T., Cintra, L.T., *et al.* (2010) Evaluation of alveolar socket response to Angelus MTA and experimental light-cure MTA. *Oral Surgery Oral Medicine Oral Pathology Oral Radiology Endodontics* **110**, e93–7.

Gomes-Filho, J.E., de Moraes Costa, M.M., Cintra, L.T., *et al.* (2011) Evaluation of rat alveolar bone response to Angelus MTA or experimental light-cured mineral trioxide aggregate using fluorochromes. *Journal of Endodontics* **37**, 250–4.

Gomes-Filho, J.E., Watanabe, S., Lodi, C.S., *et al.* (2012) Rat tissue reaction to MTA FILLAPEX(®). *Dental Traumatology* **28**, 452–6.

Gonçalves, J.L., Viapiana, R., Miranda, C.E., *et al.* (2010) Evaluation of physico-chemical properties of Portland cements and MTA. *Brazilian Oral Research* **24**, 277–83.

Grech, L., Mallia, B., Camilleri, J. (2013) Characterization of set IRM, Biodentine, Bioaggregate and a prototype calcium silicate cement for use as root-end filling materials. *International Endodontic Journal* **46**, 632–41.

Han, L., Okiji, T. (2011) Uptake of calcium and silicon released from calcium silicate-based endodontic materials into root canal dentine. *International Endodontic Journal* **44**, 1081–7.

Hansen, S.W., Marshall, J.G., Sedgley, C.M. (2011) Comparison of intracanal EndoSequence Root Repair Material and ProRoot MTA to induce pH changes in simulated root resorption defects over 4 weeks in matched pairs of human teeth. *Journal of Endodontics* **37**, 502–6.

Hashem, A.A., Wanees Amin, S.A. (2012) The effect of acidity on dislodgment resistance of mineral trioxide aggregate and bioaggregate in furcation perforations: an in vitro comparative study. *Journal of Endodontics* **38**, 245–9.

Hasheminia, M., Loriaei Nejad, S., Asgary, S. (2010) Sealing ability of MTA and a new endodontic cement as root-end fillings of human teeth in dry, saliva or blood-contaminated conditions. *Iranian Endodontic Journal* **5**, 151–6.

Hess, D., Solomon, E., Spears, R., *et al.* (2011) Retreatability of a bioceramic root canal sealing material. *Journal of Endodontics* **37**, 1547–9.

Hirschman, W.R., Wheater, M.A., Bringas, J.S., *et al.* (2012) Cytotoxicity comparison of three current direct pulp-capping agents with a new bioceramic root repair putty. *Journal of Endodontics* **38**, 385–8.

http://www.biomta.com (accessed 31 January 2014).

http://www.technomedics.no/Produkter/Endo/obturasjon/images/pdf/bcsealer/Bioceramic %20brosjyre.pdf. (accessed 3 February 2014)

http://www.ibioceramix.com/iRootSP.html (accessed 31 January 2014).

http://www.ibioceramix.com/products.html (accessed 31 January 2014).

Huffman, B.P., Mai, S., Pinna, L., *et al.* (2009) Dislocation resistance of ProRoot Endo Sealer, a calcium silicate-based root canal sealer, from radicular dentine. *International Endodontic Journal* **42**, 34–46.

Hungaro Duarte, M.A., Minotti, P.G., Rodrigues, C.T., *et al.* (2012) Effect of different radiopacifying agents on the physicochemical properties of white Portland cement and white mineral trioxide aggregate. *Journal of Endodontics* **38**, 394–7.

Ioannidis, K., Mistakidis, I., Beltes, P., *et al.* (2013) Spectrophotometric analysis of coronal discolouration induced by grey and white MTA. *International Endodontic Journal* **46**, 137–44.

Kangarlou, A., Sofiabadi, S., Yadegari, Z., *et al.* (2009) Antifungal effect of Calcium Enriched Mixture (CEM) cement against *Candida albicans*. *Iranian Endodontic Journal* **4**, 101–5.

Kangarlou, A., Sofiabadi, S., Asgary, S., *et al.* (2012) Assessment of antifungal activity of Proroot mineral trioxide aggregate and mineral trioxide aggregate-Angelus. *Dental Research Journal (Isfahan)* **9**, 256–60.

Kazem, M., Eghbal, M.J., Asgary, S. (2010) Comparison of bacterial and dye microleakage of different root-end filling materials. *Iranian Endodontic Journal* **5**, 17–22.

Krastl, G., Allgayer, N., Lenherr, P., *et al.* (2013) Tooth discoloration induced by endodontic materials: a literature review. *Dental Traumatology* **29**, 2–7.

Kum, K.Y., Zhu, Q., Safavi, K., *et al.* (2013) Analysis of six heavy metals in Ortho mineral trioxide aggregate and ProRoot mineral trioxide aggregate by inductively coupled plasma–optical emission spectrometry. *Australian Endodontic Journal* **39**, 126–30.

Kvinnsland, S.R., Bårdsen, A., Fristad, I. (2010) Apexogenesis after initial root canal treatment of an immature maxillary incisor - a case report. *International Endodontic Journal* **43**, 76–83.

Laurent, P., Camps, J., About, I. (2012) Biodentine(TM) induces TGF-β1 release from human pulp cells and early dental pulp mineralization. *International Endodontic Journal* **45**, 439–48.

Leal, F., De-Deus, G., Brandão, C., *et al.* (2011) Comparison of the root-end seal provided by bioceramic repair cements and White MTA. *International Endodontic Journal* **44**, 662–8.

Lee, B.N., Son, H.J., Noh, H.J. *et al.* (2012) Cytotoxicity of newly developed ortho MTA root-end filling materials. *Journal of Endodontics* **38**, 1627–30.

Lee, W., Oh, J.H., Park, J.C., *et al.* (2012) Performance of electrospun poly(ε-caprolactone) fiber meshes used with mineral trioxide aggregates in a pulp capping procedure. *Acta Biomaterialia* **8**, 2986–95.

Leiendecker, A.P., Qi, Y.P., Sawyer, A.N., *et al.* (2012) Effects of calcium silicate-based materials on collagen matrix integrity of mineralized dentin. *Journal of Endodontics* **38**, 829–33.

Lenherr, P., Allgayer, N., Weiger, R., *et al.* (2012) Tooth discoloration induced by endodontic materials: a laboratory study. *International Endodontic Journal* **45**, 942–9.

Lenzi, R., Trope, M. (2012) Revitalization procedures in two traumatized incisors with different biological outcomes. *Journal of Endodontics* **38**, 411–4.

Lessa, F.C., Aranha, A.M., Hebling, J., *et al.* (2010) Cytotoxic effects of White-MTA and MTA-Bio cements on odontoblast-like cells (MDPC-23). *Brazilian Dental Journal* **21**, 24–31.

Loushine, B.A., Bryan, T.E., Looney, S.W., *et al.* (2011) Setting properties and cytotoxicity evaluation of a premixed bioceramic root canal sealer. *Journal of Endodontics* **37**, 673–7.

Lovato, K.F., Sedgley, C.M. (2011) Antibacterial activity of endosequence root repair material and proroot MTA against clinical isolates of *Enterococcus faecalis*. *Journal of Endodontics* **37**, 1542–6.

Ma, J., Shen, Y., Stojicic, S., *et al.* (2011) Biocompatibility of two novel root repair materials. *Journal of Endodontics* **37**, 793–8.

Malekafzali Ardekani, B., Shekarchi, F., Asgar,y S. (2011) Treatment outcomes of pulpotomy in primary molars using two endodontic biomaterials: A 2-year randomized clinical trial. *European Journal of Paediatric Dentistry*, **12**:189–193.

Marão, H.F., Panzarini, S.R., Aranega, A.M., *et al.* (2012) Periapical tissue reactions to calcium hydroxide and MTA after external root resorption as a sequela of delayed tooth replantation. *Dental Traumatology* **28**, 306–13.

Massi, S., Tanomaru-Filho, M., Silva, G.F., *et al.* (2011) pH, calcium ion release, and setting time of an experimental mineral trioxide aggregate-based root canal sealer. *Journal of Endodontics* **37**, 844–6.

Milani, A.S., Rahimi, S., Borna, Z., *et al.* (2012) Fracture resistance of immature teeth filled with mineral trioxide aggregate or calcium-enriched mixture cement: An ex vivo study. *Dental Research Journal (Isfahan)* **9**, 299–304.

Min, K.S., Kim, H.I., Park, H.J., *et al.* (2007) Human pulp cells response to Portland cement in vitro. *Journal of Endodontics* **33**, 163–6.

Modareszadeh, M.R., Di Fiore, P.M., Tipton, D.A., *et al.* (2012) Cytotoxicity and alkaline phosphatase activity evaluation of endosequence root repair material. *Journal of Endodontics* **38**, 1101–5.

Monteiro Bramante, C., Demarchi, A.C., de Moraes, I.G., *et al.* (2008) Presence of arsenic in different types of MTA and white and gray Portland cement. *Oral Surgery Oral Medicine Oral Pathology Oral Radiology Endodontics* **106**, 909–13.

Moore, A., Howley, M.F., O'Connell, A.C. (2011) Treatment of open apex teeth using two types of white mineral trioxide aggregate after initial dressing with calcium hydroxide in children. *Dental Traumatology* **27**, 166–73.

Morgental, R.D., Vier-Pelisser, F.V., Oliveira, S.D., *et al.* (2011) Antibacterial activity of two MTA-based root canal sealers. *International Endodontic Journal* **44**, 1128–33.

Mozayeni, M.A., Salem Milani, A., Alim Marvasti, L., *et al.* (2012) Cytotoxicity of calcium enriched mixture (CEM) cement compared with MTA and IRM. *Australian Endodontic Journal* **38**, 70–5.

Nagas, E., Uyanik, M.O., Eymirli, A., *et al.* (2012) Dentin moisture conditions affect the adhesion of root canal sealers. *Journal of Endodontics* **38**, 240–4.

Nair, U., Ghattas, S., Saber, M., *et al.* (2011) A comparative evaluation of the sealing ability of 2 root-end filling materials: an in vitro leakage study using *Enterococcus faecalis*. *Oral Surgery Oral Medicine Oral Pathology Oral Radiology Endodontics* **112**, e74–7.

Nekoofar, M.H., Aseeley, Z., Dummer, P.M. (2010) The effect of various mixing techniques on the surface microhardness of mineral trioxide aggregate. *International Endodontic Journal* **43**, 312–20.

Nosrat, A., Asgary, S. (2010a) Apexogenesis of a symptomatic molar with Calcium Enriched Mixture: a case report. *International Endodontic Journal* **43**, 940–4.

Nosrat, A., Asgary, S. (2010b) Apexogenesis treatment with a new endodontic cement: a case report. *Journal of Endodontics* **36**, 912–4.

Nosrat, A., Asgary, S., Eghbal, M.J., *et al.* (2011a) Calcium-enriched mixture cement as artificial apical barrier: A case series. *Journal of Conservative Dentistry* **14**, 427–31.

Nosrat, A., Asgary, S., Seifi, A. (2011b) Regenerative endodontic treatment (revitalization) for necrotic immature permanent molars: A review and report of two cases using a new biomaterial. *Journal of Endodontics* **37**, 562–7.

Nosrat, A., Asgary, S., Homayounfar, N. (2012) Periapical healing after direct pulp capping with calcium-enriched mixture cement: A case report. *Operative Dentistry* **37**, 571–5.

Nosrat, A., Seifi, A., Asgary, S. (2013) Pulpotomy in caries-exposed immature permanent molars using calcium-enriched mixture cement or mineral trioxide aggregate: a randomized clinical trial. *International Journal of Paediatric Dentistry* **23**, 56–63.

Oliveira, I.R., Pandolfelli, V.C., Jacobovitz, M. (2010) Chemical, physical and mechanical properties of a novel calcium aluminate endodontic cement. *International Endodontic Journal* **43**, 1069–76.

Orosco, F.A., Bramante, C.M., Garcia, R.B., *et al.* (2008) Sealing ability of grar MTA AngelusTM, CPM TM and MBPc used as apical plugs. *Journal of Applied Oral Sciences* **16**, 50–4.

Orosco, F.A., Bramante, C.M., Garcia, R.B., *et al.* (2010) Sealing ability, marginal adaptation and their correlation using three root-end filling materials as apical plugs. *Journal of Applied Oral Sciences* **18**, 127–34.

Oskoee, S.S., Kimyai, S., Bahari, M., *et al.* (2011) Comparison of shear bond strength of calcium-enriched mixture cement and mineral trioxide aggregate to composite resin. *Journal of Contemporary Dental Practice* **12**, 457–62.

Parirokh, M., Torabinejad, M. (2010a) Mineral trioxide aggregate: a comprehensive literature review- Part I: Chemical, Physical, and antibacterial properties. *Journal of Endodontics* **36**, 16–27.

Parirokh, M., Torabinejad, M. (2010b) Mineral trioxide aggregate: a comprehensive literature review- Part III: Clinical applications, drawbacks, and mechanism of action. *Journal of Endodontics* **36**, 400–12.

Parirokh, M., Asgary, S., Eghbal, M.J., *et al.* (2005) A comparative study of white and grey mineral trioxide aggregate as pulp capping agent. *Dental Traumatology* **21**, 150–4.

Parirokh, M., Asgary, S., Eghbal, M.J., *et al.* (2007) The long-term effect of saline and phosphate buffer solution on MTA: an SEM and EPMA Investigation. *Iranian Endodontic Journal* **3**, 81–6.

Parirokh, M., Askarifard, S., Mansouri, S., *et al.* (2009) Effect of phosphate buffer saline on coronal leakage of mineral trioxide aggregate. *Journal of Oral Science* **51**, 187–92.

Parirokh, M., Mirsoltani, B., Raoof, M., *et al.* (2011) Comparative study of subcutaneous tissue responses to a novel root-end filling material and white and grey mineral trioxide aggregate. *International Endodontic Journal* **44**, 283–9.

Park, J.W., Hong, S.H., Kim, J.H., *et al.* (2010) X-ray diffraction analysis of white ProRoot MTA and Diadent BioAggregate. *Oral Surgery Oral Medicine Oral Pathology Oral Radiology Endodontics* **109**, 155–8.

Porter, M.L., Bertó, A., Primus, C.M., *et al.* (2010) Physical and chemical properties of new-generation endodontic materials. *Journal of Endodontics* **36**, 524–8.

Rahimi, S., Mokhtari, H., Shahi, S., *et al.* (2012) Osseous reaction to implantation of two endodontic cements: mineral trioxide aggregate (MTA) and calcium enriched mixture (CEM). *Medicina Oral, Patología Oral y Cirugía Bucal* **17**, e907–11.

Rekab, M.S., Ayoubi, H.R. (2010) Evaluation of the apical sealability of mineral trioxide aggregate and portland cement as root canal filling cements: an in vitro study. *Journal of Dentistry (Tehran)* **7**, 205–13.

Reyes-Carmona, J.F., Felippe, M.S., Felippe, W.T. (2010) The biomineralization ability of mineral trioxide aggregate and Portland cement on dentin enhances the push-out strength. *Journal of Endodontics* **36**, 286–91.

Saghiri, M.A., Asgar, K., Lotfi, M., *et al.* (2012) Nanomodification of mineral trioxide aggregate for enhanced physiochemical properties. *International Endodontic Journal* **45**, 979–88.

Saghiri, M.A., Garcia-Godoy, F., Gutmann, J.L., *et al.* (2013) Push-out bond strength of a nano-modified mineral trioxide aggregate. *Dental Traumatology* **29**, 323–7.

Sağsen, B., Ustün, Y., Demirbuga, S., *et al.* (2011) Push-out bond strength of two new calcium silicate-based endodontic sealers to root canal dentine. *International Endodontic Journal* **44**, 1088–91.

Sağsen, B., Ustün, Y., Pala, K., *et al.* (2012) Resistance to fracture of roots filled with different sealers. *Dental Materials Journal* **31**, 528–32.

Sahebi, S., Nabavizadeh, M., Dolatkhah, V., *et al.* (2012) Short term effect of calcium hydroxide, mineral trioxide aggregate and calcium-enriched mixture cement on the strength of bovine root dentin. *Iranian Endodontic Journal* **7**, 68–73.

Sakai, V.T., Moretti, A.B., Oliveira, T.M., *et al.* (2009) Pulpotomy of human primary molars with MTA and Portland cement: a randomised controlled trial. *British Dental Journal* 207,E5.

Salles, L.P., Gomes-Cornélio, A.L., Guimarães, F.C. *et al.* (2012) Mineral trioxide aggregate-based endodontic sealer stimulates hydroxyapatite nucleation in human osteoblast-like cell culture. *Journal of Endodontics* **38**, 971–6.

Samara, A., Sarri, Y., Stravopodis, D., *et al.* (2011) A comparative study of the effects of three root-end filling materials on proliferation and adherence of human periodontal ligament fibroblasts. *Journal of Endodontics* **37**, 865–70.

Samiee, S., Eghbal, M.J., Parirokh, M., *et al.* (2010) Repair of furcal perforation using a new endodontic cement. *Clinical Oral Investigation* **14**, 653–8.

Santos, A.D., Moraes, J.C., Araújo, E.B., *et al.* (2005) Physico-chemical properties of MTA and a novel experimental cement. *International Endodontic Journal* **38**, 443–7.

Santos, A.D., Araújo, E.B., Yukimitu, K., *et al.* (2008) Setting time and thermal expansion of two endodontic cements. *Oral Surgery Oral Medicine Oral Pathology Oral Radiology Endodontics* **106**, e77–9.

Sawyer, A.N., Nikonov, S.Y., Pancio, A.K., *et al.* (2012) Effects of calcium silicate-based materials on the flexural properties of dentin. *Journal of Endodontics* **38**, 680–3.

Scarparo, R.K., Haddad, D., Acasigua, G.A., *et al.* (2010) Mineral trioxide aggregate-based sealer: analysis of tissue reactions to a new endodontic material. *Journal of Endodontics* **36**, 1174–8.

Scelza, M.Z., Linhares, A.B., da Silva, L.E., *et al.* (2012) A multiparametric assay to compare the cytotoxicity of endodontic sealers with primary human osteoblasts. *International Endodontic Journal* **45**, 12–8.

Schembri, M., Peplow, G., Camilleri, J. (2010) Analyses of heavy metals in mineral trioxide aggregate and Portland cement. *Journal of Endodontics* **36**, 1210–5.

Shahi, S., Rahimi, S., Hasan, M., *et al.* (2009) Sealing ability of mineral trioxide aggregate and Portland cement for furcal perforation repair: a protein leakage study. *Journal of Oral Science* **51**, 601–6.

Shahi, S., Rahimi, S., Yavari, H.R., *et al.* (2010) Effect of mineral trioxide aggregates and Portland cements on inflammatory cells. *Journal of Endodontics* **36**, 899–903.

Shahi, S., Yavari, H.R., Rahimi, S., *et al.* (2011) Comparison of the sealing ability of mineral trioxide aggregate and Portland cement used as root-end filling materials. *Journal of Oral Science* **53**, 517–22.

Shetty, P., Xavier, A.M. (2011) Management of a talon cusp using mineral trioxide aggregate. *International Endodontic Journal* **44**, 1061–8.

Shokouhinejad, N., Gorjestani, H., Nasseh, A.A., *et al.* (2013) Push-out bond strength of gutta-percha with a new bioceramic sealer in the presence or absence of smear layer. *Australian Endodontic Journal* **39**, 102–6.

Shokouhinejad, N., Nekoofar, M.H., Razmi, H., *et al.* (2012a) Bioactivity of EndoSequence Root repair material and bioaggregate. *International Endodontic Journal* **45**, 1127–34.

Shokouhinejad, N., Razmi, H., Fekrazad, R., *et al.* (2012b) Push-out bond strength of two root-end filling materials in root-end cavities prepared by Er,Cr:YSGG laser or ultrasonic. *Australian Endodontic Journal* **38**, 113–7.

Silva, E.J., Herrera, D.R., Almeida, J.F., *et al.* (2012) Evaluation of cytotoxicity and up-regulation of gelatinases in fibroblast cells by three root repair materials. *International Endodontic Journal* **45**, 815–20.

Silva, E.J.L., Rosa, T.P., Herrera, D.R., *et al.* (2013) Evaluation of cytotoxicity and physicochemical properties of calcium silicate-based endodontic sealer MTA Fillapex. *Journal of Endodontics* **39**, 274–7.

Soheilipour, E., Kheirieh, S., Madani, M., *et al.* (2009) Particle size of a new endodontic cement compared to Root MTA and calcium hydroxide. *Iranian Endodontic Journal* **4**, 112–6.

Tabarsi, B., Parirokh, M., Eghbal, M.J., *et al.* (2010) A comparative study of dental pulp response to several pulpotomy agents. *International Endodontic Journal* **43**, 565–71.

Tabarsi, B., Pourghasem, M., Moghaddamnia, A., *et al.* (2012) Comparison of skin test reactivity of two endodontic biomaterials in rabbits. *Pakistan Journal of Biological Sciences* **15**, 250–4.

Tanalp, J., Dikbas, I., Malkondu, O., *et al.* (2012) Comparison of the fracture resistance of simulated immature permanent teeth using various canal filling materials and fiber posts. *Dental Traumatology* **28**, 457–64.

Tanomaru-Filho, M., Chaves Faleiros, F.B., Saçaki, J.N., *et al.* (2009) Evaluation of pH and calcium ion release of root-end filling materials containing calcium hydroxide or mineral trioxide aggregate. *Journal of Endodontics* **35**, 1418–21.

Taschieri, S., Tamse, A., Del Fabbro, M., *et al.* (2010) A new surgical technique for preservation of endodontically treated teeth with coronally located vertical root fractures: a prospective case series. *Oral Surgery Oral Medicine Oral Pathology Oral Radiology Endodontics* **110**, e45–52.

Tavares, C.O., Bottcher, D.E., Assmann, E., *et al.* (2013) Tissue reactions to a new mineral trioxide aggregate–containing endodontic sealer. *Journal of Endodontics* **39**, 653–7.

Tay, K.C., Loushine, B.A., Oxford, C., *et al.* (2007) In vitro evaluation of a Ceramicrete-based root-end filling material. *Journal of Endodontics* **33**, 1438–43.

Torabinejad, M., Parirokh, M. (2010) Mineral trioxide aggregate: a comprehensive literature review- Part II: Sealing ability and biocompatibility properties. *Journal of Endodontics* **36**, 190–202.

Torabzadeh, H., Aslanzadeh, S., Asgary, S. (2012) Radiopacity of various dental biomaterials. *Research Journal of Biological Science* **7**, 152–8.

Tuna, E.B., Dinçol, M.E., Gençay, K., *et al.* (2011) Fracture resistance of immature teeth filled with BioAggregate, mineral trioxide aggregate and calcium hydroxide. *Dental Traumatology* **27**. 174–8.

Ulusoy, Ö.İ., Nayır, Y., Darendeliler-Yaman, S. (2011) Effect of different root canal sealers on fracture strength of simulated immature roots. *Oral Surgery Oral Medicine Oral Pathology Oral Radiology Endodontics* **112**, 544–7.

Vallés, M., Mercadé, M., Duran-Sindreu, F., *et al.* (2013) Color stability of white mineral trioxide aggregate. *Clinical Oral Investigation* **17**, 1155–9.

Vier-Pelisser, F.V., Pelisser, A., Recuero, L.C., *et al.* (2012) Use of cone beam computed tomography in the diagnosis, planning and follow up of a type III dens invaginatus case. *International Endodontic Journal* **45**, 198–208.

Viola, N.V., Guerreiro-Tanomaru, J.M., da Silva, G.F., *et al.* (2012) Biocompatibility of an experimental MTA sealer implanted in the rat subcutaneous: quantitative and immunohistochemical evaluation. *Journal of Biomedical Material Research B Applied Biomaterials* **100B**, 1773–81.

Vivan, R.R., Ordinola-Zapata, R., Bramante, C.M., *et al.* (2009) Evaluation of the radiopacity of some commercial and experimental root-end filling materials. *Oral Surgery Oral Medicine Oral Pathology Oral Radiology Endodontics* **108**, e35–8.

Vivan, R.R., Zapata, R.O., Zeferino, M.A., *et al.* (2010) Evaluation of the physical and chemical properties of two commercial and three experimental root-end filling materials. *Oral Surgery Oral Medicine Oral Pathology Oral Radiology Endodontics* **110**, 250–6.

Wälivaara, D.Å., Abrahamsson, P., Isaksson, S., *et al.* (2012) Periapical tissue response after use of intermediate restorative material, gutta-percha, reinforced zinc oxide cement, and mineral trioxide aggregate as retrograde root-end filling materials: a histologic study in dogs. *Journal of Oral & Maxillofacial Surgery* **70**, 2041–7.

Washington, J.T., Schneiderman, E., Spears, R., *et al.* (2011) Biocompatibility and osteogenic potential of new generation endodontic materials established by using primary osteoblasts. *Journal of Endodontics* **37**, 1166–70.

Weller, R.N., Tay, K.C., Garrett, L.V., *et al.* (2008) Microscopic appearance and apical seal of root canals filled with gutta-percha and ProRoot Endo Sealer after immersion in a phosphate-containing fluid. *International Endodontic Journal* **41**, 977–86.

Yan, P., Yuan, Z., Jiang, H., *et al.* (2010) Effect of bioaggregate on differentiation of human periodontal ligament fibroblasts. *International Endodontic Journal* **43**, 1116–21.

Yavari, H.R., Samiei, M., Shahi, S., *et al.* (2012) Microleakage comparison of four dental materials as intra-orifice barriers in endodontically treated teeth. *Iranian Endodontic Journal* **7**, 25–30.

Yilmaz, H.G., Kalender, A., Cengiz, E. (2010) Use of mineral trioxide aggregate in the treatment of invasive cervical resorption: a case report. *Journal of Endodontics* **36**, 160–3.

Yuan, Z., Peng, B., Jiang, H., *et al.* (2010) Effect of bioaggregate on mineral-associated gene expression in osteoblast cells. *Journal of Endodontics* **36**, 1145–8.

Zarrabi, M.H., Javidi, M., Jafarian, A.H., *et al.* (2010) Histologic assessment of human pulp response to capping with mineral trioxide aggregate and a novel endodontic cement. *Journal of Endodontics* **36**, 1778–81.

Zarrabi, M.H., Javidi, M., Jafarian, A.H., *et al.* (2011) Immunohistochemical expression of fibronectin and tenascin in human tooth pulp capped with mineral trioxide aggregate and a novel endodontic cement. *Journal of Endodontics* **37**, 1613–8.

Zeferino, E.G., Bueno, C.E., Oyama, L.M., *et al.* (2010) Ex vivo assessment of genotoxicity and cytotoxicity in murine fibroblasts exposed to white MTA or white Portland cement with 15% bismuth oxide. *International Endodontic Journal* **43**, 843–8.

Zhang, H., Pappen, F.G., Haapasalo, M. (2009a) Dentin enhances the antibacterial effect of mineral trioxide aggregate and bioaggregate. *Journal of Endodontics* **35**, 221–4.

Zhang, H., Shen, Y., Ruse, N.D., *et al.* (2009b) Antibacterial activity of endodontic sealers by modified direct contact test against *Enterococcus faecalis*. *Journal of Endodontics* **35**, 1051–5.

Zhang, W., Li, Z., Peng, B. (2010) Ex vivo cytotoxicity of a new calcium silicate-based canal filling material. *International Endodontic Journal* **43**, 769–74.

Zmener, O., Martinez Lalis, R., Pameijer, C.H., *et al.* (2012) Reaction of rat subcutaneous connective tissue to a mineral trioxide aggregate-based and a zinc oxide and eugenol sealer. *Journal of Endodontics* **38**, 1233–8.

Zoufan, K., Jiang, J., Komabayashi, T., *et al.* (2011) Cytotoxicity evaluation of Gutta Flow and Endo Sequence BC sealers. *Oral Surgery Oral Medicine Oral Pathology Oral Radiology Endodontics* **112**, 657–61.

Index

Mineral Trioxide Aggregate: Properties and Clinical Applications, First Edition.
Edited by Mahmoud Torabinejad.